Ik haal je op, ik neem je mee

Niccolò Ammaniti

Ik haal je op, ik neem je mee

Vertaald uit het Italiaans door Etta Maris

Lebowski Publishers, Amsterdam 2010

Eerste druk, september 2004
Zesentwintigste druk, juni 2010

Oorspronkelijke titel: *Ti prendo e ti porto via*
Oorspronkelijk uitgegeven door: Mondadori
© Niccolò Ammaniti 1999
© Vertaling uit het Italiaans: Etta Maris
© Nederlandse uitgave: Lebowski, 2008
Omslagontwerp: Dog and Pony, Amsterdam
Foto omslag: Getty Images / Tim Macpherson
Foto achterzijde: © Grazia Neri / Hollandse Hoogte

ISBN 978 90 488 0130 5
NUR 302
www.niccoloammaniti.nl
www.lebowskipublishers.nl

Lebowski is een imprint van Dutch Media Uitgevers bv

Dit boek is ook leverbaar als e-book:

978 90 488 0382 8

voor Nora

…en ik dacht terug aan het begin, toen ik nog onschuldig was, toen ik nog het rode licht van de koralen in mijn haar had, toen ik, ijdel als geen ander, mij spiegelde in de maan en steeds maar wilde horen: je bent beeldschoon.

Loredana Berté, *Sei bellissima*

Waarom houdt de mandoline niet langer de maat?
Waarom laat de gitaar zich niet meer horen?

Rodolfo Falvo, *Guapparia*

Alegría es cosa buena.

La macarena

18 juni 199...

1

Het is voorbij.

Vakantie. Vakantie. Vakantie.

Strand. Zwemmen. Fietstochtjes met Gloria. En stroompjes warm, brak water tussen de rietstengels, tot aan je knieën in het water, op zoek naar visbroed, kikkervisjes, mosseltjes en insectenlarven.

Pietro Moroni zet zijn fiets tegen de muur en kijkt om zich heen.

Hij is twaalf jaar, maar hij lijkt jonger.

Hij is mager. Gebruind. Een muggenbult op zijn voorhoofd. Zwart haar, door zijn moeder zo goed mogelijk kort geknipt. Een wipneus en grote, reebruine ogen. Hij draagt een wit shirtje van het WK voetbal, een versleten spijkerbroek en van die doorzichtige rubberen waterschoenen waardoor je zwarte prut tussen je tenen krijgt.

Waar is Gloria? vraagt hij zich af.

Hij loopt tussen de druk bezette tafeltjes van bar Segafredo door.

Al zijn vrienden zijn er.

En allemaal zitten ze te wachten, ijsjes te eten, zoeken ze een schaduwplekje.

Het is snikheet.

Sinds een week lijkt de wind verdwenen, alsof hij verhuisd is, alle wolken heeft meegenomen en een enorme gloeiende zon heeft achtergelaten die je hersenen doen koken.

Het is elf uur 's ochtends en de thermometer geeft al zevenendertig graden aan.

De krekels tsjilpen als bezetenen in de pijnbomen achter het volleybalveld. En ergens, niet ver weg, moet een dood beest liggen, want bij vlagen ruik je een muffe lijklucht.

Het hek van de school is dicht.

De uitslagen zijn nog niet opgehangen.

Een lichte angst roert zich heimelijk in zijn buik, duwt tegen zijn middenrif en beneemt hem de adem.

Hij gaat de bar binnen.

Hoewel het bloedheet is, zitten een heleboel jongetjes elkaar binnen te verdringen rondom het enige videospel.

Hij gaat naar buiten.

Daar is ze!

Gloria zit op het muurtje, aan de overkant van de straat. Hij loopt naar haar toe. Ze geeft hem een klap op zijn schouder en vraagt: 'Ben je bang?'

'Een beetje.'

'Ik ook.'

'Hou toch op,' zegt Pietro. 'Jij bent over. Dat weet je best.'

'Wat doe je straks?'

'Weet ik niet. En jij?'

'Weet ik niet. Zullen we samen iets gaan doen?'

'Oké.'

Ze zitten op het muurtje en zwijgen, en hoewel Pietro enerzijds bedenkt dat zijn vriendinnetje nog mooier is dan anders, in dat blauwe badstof truitje, voelt hij anderzijds zijn paniek toenemen.

Als hij er goed over nadenkt weet hij dat hij niets te vrezen heeft, dat alles uiteindelijk toch al beslist is.

Maar zijn buik denkt daar anders over.

Hij moet naar de wc.

Voor de bar is beweging.

Iedereen wordt wakker, steekt de straat over en dromt samen voor het gesloten hek.

Italo, de conciërge, loopt met de sleutels in zijn hand naar het hek en schreeuwt: 'Rustig! Rustig! Straks gebeuren er nog ongelukken.'

'Laten we gaan.' Gloria loopt naar het hek.

Pietro heeft het gevoel of hij twee ijsklontjes onder zijn oksels heeft. Hij kan zich niet bewegen.

Intussen begint iedereen te duwen om naar binnen te kunnen.

Je bent blijven zitten! Een stemmetje.

(Wat?)

Je bent blijven zitten!

Het is zo. Het is geen voorgevoel. Het is geen vermoeden. Het is zo.

(Waarom?)

Omdat het zo is.

Sommige dingen weet je en dan heeft het geen enkele zin je af te vragen waarom.

Hoe had hij kunnen denken dat hij over was?

Ga maar kijken, waar wacht je nog op. Toe maar. Schiet op.

Hij doorbreekt eindelijk de verlamming en baant zich een weg tussen zijn klasgenoten. Zijn hart roffelt een razende mars onder zijn borstbeen.

Hij dringt voor. 'Laat me erdoor... Ik wil erdoor, alsjeblieft.'

'Rustig maar. Wat bezielt jou?'

'Rustig aan, idioot. Waar denk jij dat je naar toe gaat?'

Er wordt geduwd. Hij probeert langs het hek te komen, maar omdat hij kleiner is, duwen de groteren hem weer terug. Hij duikt in elkaar, glipt op handen en voeten tussen de benen van zijn klasgenoten door en passeert de versperring.

'Rustig! Rustig! Niet duwen... Kalm aan, verdom—' Italo staat naast het hek en zodra hij Pietro ziet, sterven de woorden in zijn mond.

Je bent blijven zitten...

Het staat geschreven in de ogen van de conciërge.

Pietro staart hem even aan en sprint dan als een razende naar de trap.

Hij rent met drie treden tegelijk de trap op en gaat de school binnen.

Achter in de hal, naast een bronzen borstbeeld van Michelangelo, hangt het prikbord met de uitslagen.

Er gebeurt iets geks.

Er is iemand, ik geloof uit 2A, hij heet... ik weet zijn naam niet meer, die juist wegging en bleef staan toen hij me zag, alsof niet ik voor hem stond maar iets anders, ik weet niet, een marsmannetje, en die kijkt me nu aan en

*stoot zijn buurman aan, die Giampaolo Rana heet, die naam weet ik nog
wel, en hij zegt iets tegen hem en Giampaolo heeft zich ook omgedraaid en
kijkt naar me, maar nu kijkt hij naar het prikbord en dan weer naar mij en
hij praat met iemand anders die naar mij kijkt en nog iemand anders kijkt
ook naar mij en iedereen kijkt naar mij en niemand zegt iets...*

Niemand zegt iets.

Het groepje is uiteen geweken om hem door te laten naar het prikbord met de lijsten. Tussen twee vleugels van klasgenoten dragen zijn
benen hem naar voren. Hij loopt naar het prikbord en blijft staan op
een paar centimeter afstand ervan, terwijl er van achteren tegen hem
aan wordt geduwd.

Lees.

Hij zoekt zijn groep.

B! Waar is B? Groep ? 1B, 2B. Daar!

Het is de laatste rechts.

Abate. Altieri. Bart...

Hij laat zijn blik snel van boven naar beneden over de lijst glijden.

Een naam is rood geschreven.

Er is er één blijven zitten.

Ongeveer halverwege de kolom. Iets met een M, N, O, P.

Pierini is blijven zitten.

Moroni.

Hij knijpt zijn ogen dicht en als hij ze weer opendoet is alles om
hem heen wazig en draaierig.

Hij leest de naam opnieuw.

MORONI PIETRO	NIET BEVORDERD

Hij leest nog een keer.

MORONI PIETRO	NIET BEVORDERD

Kun je soms niet lezen?

Hij leest nog een keer.

M-O-R-O-N-I. MORONI. Moroni. Mor... M...

Er dreunt een stem door zijn hoofd. *Hoe heet jij?*

(Hè, wat?)

Hoe heet jij?

(Wie? Ik...? Ik heet... Pietro. Moroni. Pietro Moroni. Moroni Pietro)

ZES MAANDEN EERDER

9 december

2

Op 9 december om tien voor half zeven in de ochtend, terwijl een storm van regen en wind over het platteland raasde, nam een zwarte Fiat Uno turbo GTI (overblijfsel van een tijdperk waarin je, in plaats van het basismodel, voor een paar lire meer een gemotoriseerde doodskist kon kopen die scheurde als een Porsche, zoop als een Cadillac en verfrommeld kon worden als een colablikje) op de Via Aurelia de afslag naar Ischiano Scalo en reed verder over een twee-baansweg die de moddervelden doorkruiste. Hij passeerde de sport-vereniging en de loods van de landbouwcoöperatie en reed het dorp binnen.

De korte Corso Italia was bedekt met door water meegesleurde aarde. De affiche van schoonheidssalon Ivana Zampetti was door de wind afgerukt en midden op straat beland.

Er was geen hond te bekennen, behalve een kreupel mormel dat meer rassen in zijn bloed had dan tanden in zijn bek en tussen de rommel van een omgevallen vuilnisbak wroette.

De Fiat Uno reed erlangs, passeerde de neergelaten rolluiken van slagerij Marconi, de tabakswinkel annex parfumerie, de boerenleen-bank, en bereikte zo het Piazza XXV Aprile, de dorpskern.

Papier, plastic zakken, kranten en regen joegen elkaar na over het stationsplein. De vergeelde bladeren van de oude palmboom in het midden van het plantsoen waren allemaal naar een kant omgebogen. De deur van het stationnetje, een vierkant, grijs gebouw, was dicht, maar het rode licht van de Stationsbar brandde, een teken dat die al open was.

Hij stopte voor het monument voor de gevallenen van Ischiano

Scalo en bleef daar met draaiende motor staan. De rookkleurig getinte ruiten gunden geen enkele blik naar binnen.

Eindelijk ging met een metalig gekreun het portier aan de bestuurderskant open.

Eerst kwam *Volare* in de flamencoversie van de Gipsy Kings naar buiten, onmiddellijk gevolgd door een grote, stevige man met lange blonde haren, een kekke zonnebril en een bruin leren jack met een apache-adelaar van geborduurde kraaltjes op de rug.

Zijn naam was Graziano Biglia.

De man rekte zijn armen uit. Hij gaapte. Hij strekte zijn benen. Hij haalde een pakje Camel te voorschijn en stak er een op.

Hij was weer thuis.

De albatros en het kubusmeisje

Om te begrijpen waarom Graziano Biglia besloot juist op 9 december terug te keren naar Ischiano Scalo na een afwezigheid van twee jaar, moeten we even terug in de tijd gaan.

Niet lang. Zeven maanden maar. En we moeten een sprong maken naar de andere kant van Italië, naar de oostkust. Om precies te zijn naar het gebied dat de rivièra van Romagna wordt genoemd.

De zomer begint.

Het is een vrijdagavond en we zijn in de Carillon del Mare (ook wel de Sok van Mario genoemd, vanwege de stank die de Casertaanse kok verspreidt), een goedkoop eethuisje aan het strand op een paar kilometer afstand van Riccione, gespecialiseerd in visgerechten en bacteriële gastro-enteritis.

Het is warm, maar vanuit zee waait een briesje dat alles wat draaglijker maakt.

Het eethuis is helemaal vol. Vooral buitenlanders. Duitse, Nederlandse stellen, noorderlingen.

En daar is Graziano Biglia. Hij leunt tegen de bar en drinkt zijn derde Margarita.

Pablo Gutierrez, een donkere jongen met ponykapsel en een getatoeëerde karper op zijn rug, komt binnen en loopt op hem toe.

'Zullen we beginnen?' vraagt de Spanjaard.

'Laten we beginnen.' Graziano kijkt met een blik van verstandhouding naar de barkeeper, die achter de bar vooroverbuigt, een gitaarkoffer te voorschijn haalt en hem deze overhandigt.

Die avond heeft hij voor het eerst in heel lange tijd weer zin om te spelen. Hij voelt zich geïnspireerd.

Zouden het de twee Margarita's zijn die hij zojuist achterover heeft geslagen? Zou het dat briesje zijn? Zou het de intieme en vriendschappelijke sfeer van dat strandpaviljoen zijn? Wie zal het zeggen?

Hij gaat zitten op een barkruk in het midden van de door warme rode lichten beschenen dansvloer. Hij opent de leren kist en haalt de gitaar eruit als een samoerai zijn *katana*.

Een Spaanse gitaar, speciaal voor Graziano gemaakt door de beroemde gitaarbouwer Xavier Martinez uit Barcelona. Hij stemt de gitaar en heeft het gevoel dat er tussen hem en zijn instrument een magisch fluïdum stroomt, dat hen bondgenoten maakt die in staat zijn wonderschone akkoorden voort te brengen. Dan kijkt hij naar Pablo. Die staat achter twee conga's.

Er vlamt een schittering van verstandhouding op in hun blikken.

En zonder nog meer tijd te verliezen zetten ze een stuk in van Paco de Lucía, daarna gaan ze door met Santana, een paar stukken van John McLaughlin, om te besluiten met de onvergankelijke Gipsy Kings.

Graziano's handen bewegen soepel over de snaren van de gitaar, alsof ze bezeten zijn door de geest van de grote Andrés Segovia.

Het publiek is enthousiast. Applaus. Gejoel. Goedkeurend gefluit.

Hij heeft ze in zijn zak. Vooral de vrouwelijke afdeling. Hij hoort ze piepen als hitsige konijnen.

Een beetje komt dat door de magie van de Spaanse muziek, en heel erg door zijn uiterlijk.

Je kunt moeilijk níet je hoofd op hol laten brengen door iemand als Graziano.

Zijn blonde haar, dat als leeuwenmanen tot zijn schouders reikt. Zijn Arabische ogen, als die van Omar Sharif. Zijn gebleekte spijkerbroek, gescheurd bij de knieën. De ketting van turkooizen. De tribaltatoeage op zijn gezwollen biceps. Zijn blote voeten. Alles uitgekiend om de harten van zijn toehoorsters in duizend stukjes te slaan.

Als het concert is afgelopen, na de zoveelste bis van *Samba pa ti*, na de zoveelste zoen aan de roodverbrande Duitse, groet Graziano Pablo en gaat naar de wc om zijn blaas te legen en zich weer op te laden met een lekkere joint van Boliviaanse tiramisu.

Hij wil juist naar buiten gaan, wanneer een donkere stoot, bruin-verbrand als een chocoladebiscuitje, een tikkeltje aan de oude kant maar met borsten als luchtballonnen, het toilet binnenkomt.

'Dit is het herentoilet…' maakt Graziano haar attent terwijl hij naar de deur wijst.

De vrouw snoert hem met haar hand de mond. 'Ik zou je graag willen pijpen, mag dat?'

Een aanbod tot pijpen wordt van oudsher niet afgeslagen.

'Ga je gang,' antwoordt Graziano terwijl hij naar de wc wijst.

'Maar eerst wil ik je iets laten zien,' zegt de donkere vrouw. 'Kijk, daar, in het midden van de bar. Zie je die man met dat hawaïshirt? Dat is mijn man. We komen uit Milaan…'

De echtgenoot is een spichtig type met brillantine, dat zichzelf vol zit te proppen met gepeperde mosselen.

'Groet hem maar.'

Graziano wuift even met zijn hand. De man heft zijn glas champagne en applaudisseert vervolgens.

'Ze vindt je geweldig. Ze zegt dat je speelt als een god. Dat je talent hebt.'

De vrouw duwt hem de wc in. Ze sluit de deur. Ze gaat op de pot zitten. Ze knoopt zijn spijkerbroek los en zegt: 'Maar nu gaan we hem de hoorns opzetten.'

Graziano leunt tegen de muur, sluit zijn ogen.

En de tijd vervliegt.

Zo was Graziano Biglia's leven in die tijd.

Een leven op zijn top, zoals de titel van een film zou kunnen luiden. Een leven dat bestond uit ontmoetingen, gelukkige toevalligheden, positieve energie en wisselwerkingen. Een leven op de tonen van een merengue.

Wat is er mooier dan de bittere smaak van drugs die je mond doet verstijven, en miljard keer miljard molecuultjes die door je brein dwarrelen als een wind die woest tekeergaat maar geen schade aanricht? Dan een onbekende tong die je snikkel streelt?

Wat?

De brunette nodigt hem uit aan hun tafel.

Champagne. Gebakken inktvis. Mosselen.

De echtgenoot heeft een veevoederfabriek in Cinisello Balsamo en een Ferrari Testarossa op de parkeerplaats van het restaurant.

Zouden ze drugs gebruiken? vraagt Graziano zich af.

Als hij ze een paar grammetjes in de maag kan splitsen en zo een paar lire kan opstrijken, kan deze avond van goed tot magisch worden.

'Jouw leven moet wel knettergek zijn: een en al sex, drugs en rock-'n-roll, hè?' vraagt de brunette met een kreeftenschaar tussen haar tanden.

Graziano wordt somber als ze dat tegen hem zeggen.

Waarom doen de mensen hun mond open en spugen ze hun woorden uit, die zinloze *palabras*?

Sex, drugs en rock-'n-roll... Altijd weer hetzelfde liedje.

Maar hij blijft er tijdens het eten aan denken.

In feite is het wel een beetje waar.

Zijn leven is sex, drugs en... nee, rock-'n-roll kun je het niet noemen... en flamenco.

Nou en...?

Natuurlijk, veel mensen zouden walgen van een leven als het mijne. Zonder bakens. Zonder vaste punten. Maar ik vind het goed zo en ik heb schijt aan wat anderen denken.

Ooit had een Belgische vrouw, mediterend op een trap in Benares, tegen hem gezegd: 'Ik voel me als een albatros die wordt meegevoerd op de luchtstromingen. Door positieve stromingen, die ik met lichte vleugelslag beheers.'

Graziano voelde zich ook een albatros.

Een albatros met een belangrijke taak: anderen noch zichzelf kwaad doen.

Volgens sommigen is dealen slecht.

Volgens Graziano hangt het ervan af hoe je het doet.

Als je het doet om te overleven en niet om jezelf te verrijken, dan mag het. Als je verkoopt aan je vrienden, dan mag het. Als je kwaliteitsspul verkoopt, en geen rommel, dan mag het.

Als hij kon leven van muziek maken alleen, zou hij onmiddellijk stoppen.

Volgens sommigen is gebruiken slecht. Volgens Graziano hangt het ervan af hoe je het doet. Als je overdrijft, als je je door de drugs laat verneuken, dan mag het niet. Hij heeft geen dokters en priesters nodig die hem vertellen dat het poedertje onaangename bijwerkingen heeft. Als je zo nu en dan een snuif neemt is er absoluut niets schadelijks aan.

En sex?

Sex? Toegegeven, dat heb ik veel, maar kan ik het helpen dat de vrouwen op mij vallen en ik op hen? (Van mannen walg ik, laat dat duidelijk zijn.) Sex doe je met zijn tweeën. Sex is het mooiste wat er is als het op de juiste manier wordt gedaan, zonder je te veel te hoeven aftrekken.

En wat vond Graziano nog meer prettig?

Latijns-Amerikaanse muziek, gitaarspelen in bars (*als ze me betalen!*), bakken op een strand, ouwehoeren met zijn vrienden terwijl een enorme oranje zon in de zee zakt en…

…en meer niet.

Je moet die mensen die zeggen dat je je de pleuris moet werken om de goede dingen van het leven te kunnen waarderen, niet geloven. Dat is niet waar. Die willen je naaien. Genot is een religie en het lichaam is de tempel.

Wat dat betrof had Graziano het goed voor elkaar.

Van juni tot eind augustus woonde hij in een eenkamerstudio in het centrum van Riccione, in september verhuisde hij naar Ibiza en in november vertrok hij naar Jamaica om te overwinteren.

Met zijn vierenveertig jaar zei Graziano Biglia dat hij van beroep zigeuner was, de *dharma* van een vagebond bezat, een dolende ziel op zoek naar zijn eigen karma.

Dat zei hij. Tenminste, tot die avond. Tot die vervloekte juniavond waarop zijn bestaan zich vermengde met dat van Erica Trettel, het kubusmeisje.

En ziedaar de beroepszigeuner twee uur na de schranspartij in het Carillon del Mare.

Hij ligt in Museum Hangover geknakt over een tafeltje, alsof een of andere klootzak zijn wervelkolom heeft gebroken. Zijn ogen gereduceerd tot spleetjes. Zijn mond halfopen. In zijn hand een Cuba Libre die hij niet kan opdrinken.

'Christus, wat ben ik bezopen,' zegt hij almaar.

De mix van coke, ecstasy, wijn en gebakken vis is hem te veel geworden.

De fabrikant van veevoeder en diens echtgenote zitten naast hem.

De discotheek is nog voller dan een schap in de supermarkt.

Hij heeft het gevoel alsof hij op een cruiseschip zit, want de discotheek deint naar rechts en naar links. De plek waar ze zitten is weerzinwekkend, ook al beweren sommigen dat dit de vipafdeling is. Een enorme geluidsbox die boven zijn hoofd hangt is bezig zijn zenuwstelsel te ontwrichten. Maar hij zou nog liever zijn rechtervoet laten amputeren, dan opstaan om een andere plek te zoeken.

De veevoederfabrikant blijft maar dingen in zijn oor gillen. Dingen die Graziano niet begrijpt.

Hij kijkt naar beneden.

De dansvloer lijkt een gek geworden mierenhoop.

In zijn hoofd zijn alleen nog simpele waarheden overgebleven.

Wat een teringzooi. Het is vrijdag. En op vrijdag is het een teringzooi.

Hij draait langzaam zijn hoofd, als een grazende Zwitserse koe.

En hij ziet haar.

Ze danst.

Ze danst naakt op een kubus in het midden van de mierenhoop.

Hij kent de kubusmeisjes van Museum Hangover uit zijn hoofd. Maar deze heeft hij nog nooit gezien.

Dit moet een nieuwe zijn. Wat een lekker ding. En zoals ze danst.

De boxen braken drum 'n' bass over een tapijt van lichamen en hoofden, zweet en armen, en zij staat daarboven, eenzaam en ongenaakbaar als de godin Kali.

De stroboscopische lichten fixeren haar in een oneindige opeenvolging van plastische, sensuele poses.

Hij kijkt naar haar met die typische gefixeerdheid van iemand die te veel verdovende middelen heeft gebruikt.

Ze is het lekkerste mokkel dat hij ooit heeft gezien.

Stel je voor dat ik haar vent was... Zo'n stoot naast je te hebben. Stel je voor hoe jaloers iedereen zou zijn. Wie is zij?

Hij zou het aan iemand willen vragen. Misschien aan de barkeeper. Maar opstaan lukt niet. Zijn benen zijn verlamd. En daarbij komt dat hij zijn blik niet van haar af kan houden.

Ze moet wel echt helemaal top zijn, want normaal gesproken heeft Graziano geen belangstelling voor kalfjes (zo noemt hij ze...).

Een kwestie van communicatieproblemen.

Zijn jachtterrein ligt meer bij vrouwen die – hoe moet je dat zeggen – wat op leeftijd zijn. Hij geeft de voorkeur aan rijpe, royale vrouwen, die kunnen genieten van een zonsondergang, een serenade bij maanlicht, die niet over duizend dingen moeilijk doen, zoals een twintigjarige, en die je kunt neuken zonder dat ze zich allerlei paranoïde gedachten of verwachtingen in het hoofd halen.

Maar in dit geval mag elk onderscheid, elke categorie door de wc gespoeld worden.

Bij zo'n stuk worden zelfs flikkers weer kerels.

Stel je voor dat je haar neukt.

Een vaag beeld van een omstrengeling op het witte strand van een koraaleiland flitst door zijn hoofd. En als bij toverslag wordt zijn snikkel hard.

Wie is zij? Wie is zij? Waar komt ze opeens vandaan?

God, Boeddha, Krishna, Eerste Principe, wie je ook bent, je hebt haar gematerialiseerd op die kubus om mij een teken te geven dat je bestaat.

Ze is perfect.

Niet dat de andere kubusmeisjes, naast de dansvloer, niet volmaakt zijn. Allemaal hebben ze stevige billen en adembenemende benen, ronde, volle borsten en een platte, gespierde buik. Maar niemand is als zij, zij heeft iets speciaals, iets wat Graziano niet in woorden kan uitdrukken, iets dierlijks, iets wat hij alleen ooit bij de negerinnen op Cuba heeft gezien.

Het lichaam van het meisje reageert niet op de muziek, zij ís de muziek. De fysieke expressie van de muziek. Haar bewegingen zijn traag en nauwkeurig als die van een tai chi-meester. Ze kan onbe-

24

weeglijk op een voet blijven staan terwijl ze haar bekken ronddraait en golvende bewegingen met haar armen maakt. Vergeleken bij haar zijn de andere meisjes spasten.

Exceptioneel.

En het is ongelooflijk dat niemand in de discotheek haar lijkt op te merken. Die holbewoners gaan gewoon door met opgewonden bewegen en praten, terwijl zich voor hun ogen een wonder voltrekt.

Plotseling, alsof Graziano haar raakte met telepathische stralen, staat het meisje stil en draait zich naar hem om. Graziano weet zeker dat ze hem aankijkt. Ze is onbeweeglijk, daar op die kubus, en kijkt naar hem, naar hem te midden van die chaos, naar hem te midden van dat delirium van mensen, naar hem en naar niemand anders.

Eindelijk kan hij haar in het gezicht kijken. Met die korte haren, die mond, die groene ogen (hij kan zelfs de kleur van haar ogen zien!) en dat volmaakte ovaal lijkt ze waanzinnig veel op een actrice... op een actrice die op het puntje van Graziano's tong ligt...

Hoe heet ze? Die actrice die in Ghost *speelde?*

Wat had hij graag gewild dat iemand hem influisterde: Demi Moore.

Maar Graziano kan het aan niemand vragen, hij is gehypnotiseerd, als een cobra door een slangenbezweerder. Hij strekt zijn handen naar haar uit en tien kleine oranje straaltjes schieten uit zijn vingertoppen. De stralen komen samen, vervolgen hun weg kronkelend boven de onwetende massa en bereiken uiteindelijk háár, in het midden van de dansvloer, dringen haar navel binnen en laten haar stralen als een Byzantijnse madonna.

Graziano begint te beven.

Ze zijn verenigd door een elektrische boog die hun individualiteit doet versmelten, die hen transformeert tot de onvolmaakte helften van een compleet wezen. Slechts samen zullen ze gelukkig zijn, als engelen met ieder maar één vleugel, door hun omhelzing zullen ze in staat zijn te vliegen en zal het paradijs bestaan.

Graziano staat op het punt in tranen uit te barsten.

Hij wordt overmand door een grenzeloze, nooit eerder gevoelde liefde, een liefde die geen platvloerse geilheid is maar een heel zuiver gevoel, een gevoel dat aanzet tot reproductie, tot verdediging van de eigen vrouw tegen gevaar van buitenaf, tot het bouwen van een nest om de kleintjes groot te brengen.

Hij strekt zijn handen uit in een poging tot spiritueel contact met het meisje.

De twee Milanezen kijken hem hoogstverbaasd aan.

Maar Graziano kan hen niet zien.

De discotheek is er niet meer. De stemmen, de muziek, de meute, alles is opgeslokt door de nevel.

En dan trekt het grijs op en lijkt het net een *jeansstore*.

Ja, een jeansstore.

Niet zo'n lullige jeansstore als die in Riccione, maar een die in alle opzichten lijkt op de winkels die hij in Vermont heeft gezien, met keurige stapeltjes Noorse visserstruien, rijen mijnwerkersschoenen uit Virginia en kisten vol sokken, met de hand gebreid door de oude vrouwtjes uit Lipari, blikken marmelade en Rapalà-lokaas. En hij is daar en het meisje van de kubus, die nu zijn vrouw is en duidelijk zichtbaar in blijde verwachting, staat achter de bar die geen bar is maar een surfplank. En die jeansstore is in Ischiano Scalo, waar nu de fourniturenwinkel van zijn moeder gehuisvest is. En iedereen die langskomt blijft staan, komt binnen, ziet zijn vrouw en benijdt hem en koopt pennyshoes en goretex-windjacks.

'De jeansstore,' mompelt Graziano in extase, met gesloten ogen.

Daar ligt zijn toekomst!

Hij heeft het gezien.

Een jeansstore.

Die vrouw.

Een gezin.

Weg met dit zwerversbestaan, die freaky shit, weg met sex zonder liefde, weg met de drugs.

Verlossing.

Hij heeft nu een missie in het leven: dat meisje leren kennen en haar mee naar huis nemen omdat hij van haar houdt. En zij houdt van hem.

'Liehiehiefste,' zucht Graziano en hij staat op van zijn stoel en leunt met gestrekte armen over de balustrade om haar te bereiken. Nog een geluk dat de Milanese hem bij zijn jasje vastpakt en zo voorkomt dat hij valt en zijn nek breekt.

'Ben je helemaal gek geworden?' vraagt de vrouw.

'Hij geilt op dat mokkeltje daar in het midden.' De veevoederfabrikant lacht zich een ongeluk. 'Hij wil zelfmoord plegen om haar. Snap je dat? Snap je dat?'

Graziano staat rechtop. Hij spert zijn mond open. Hij vindt geen woorden.

Wie zijn die twee monsters? En wat verbeelden ze zich wel? En vooral: waarom lachen ze? Waarom spotten ze met een zuivere, tere liefde, zojuist ontloken in weerwil van alle lelijkheid en walgelijkheid van deze corrupte maatschappij?

De Milanees lijkt elk moment te zullen stikken van het lachen.

Nu gaat die klootzak dood. Graziano grijpt hem bij de kraag van zijn hawaïshirtje waarop de man meteen ophoudt met lachen en een glimlach opzet met te veel tandvlees.

'Sorry, het spijt me… Echt waar, sorry. Ik wilde je niet…'

Graziano staat op het punt hem een dreun op zijn neus te geven maar ziet ervan af. Dit is de nacht van de verlossing, hier is geen plaats voor geweld en Graziano Biglia is een nieuwe man.

Een man die liefheeft.

'Hoe kunnen jullie het ook begrijpen… Harteloze wezens,' zegt hij binnensmonds en waggelend gaat hij op weg naar zijn geliefde.

De liefdesgeschiedenis met Erica Trettel, het kubusmeisje van de Hangover, bleek een van de meest desastreuze ondernemingen te zijn in het leven van Graziano Biglia. Waarschijnlijk was die mix van cocaïne, ecstasy, gebakken vis en wijn die hij in het Carillon del Mare had ingenomen de directe aanleiding van de bliksemflits die kortsluiting veroorzaakte in Biglia's hoofd, maar de eigenlijke oorzaak waren zijn koppigheid en aangeboren blindheid.

Normaal moest hij, als hij wakker werd na een nacht in het teken van alcoholmisbruik en psychedelische stoffen, zelfs moeite doen zich zijn eigen naam te herinneren. Graziano had nu zelfs zijn succes in het Carillon del Mare uit zijn hoofd gewist, de veevoederfabrikant, en…

Nee!

Nee, niet het meisje dat danste op de kubus.

Die was hij niet vergeten.

Toen Graziano de volgende dag zijn ogen opende, had het beeld van hem en haar in de jeansstore zich als een octopus tussen zijn neuronen genesteld en de hele zomer beheerste het zijn lichaam en geest, als Actarus in 'Goldrake'.

Ja, gedurende die hele vervloekte zomer was Graziano blind en doof, hij wilde niet zien en hij wilde niet horen dat Erica niet geschikt voor hem was. Hij wilde niet begrijpen dat die fixatie onredelijk was en een voorbode van pijn en verdriet.

Erica Trettel was eenentwintig en een adembenemende schoonheid.

Ze kwam uit Castello Tesino, een dorpje in de buurt van Trento. Ze had een missverkiezing gewonnen die gesponsord was door een vlees-warenfabrikant en was samen met een van de juryleden van huis weg-gelopen. Ze had als Opel-meisje gewerkt op de motorshow van Bologna. Een paar foto's voor de catalogus van een badpakkenfabri-kant in Castellammare di Stabia. Een cursus buikdansen.

Als ze op de kubus van de Hangover danste kon ze zich concentre-ren, het beste van zichzelf geven, versmelten met de muziek, omdat er in haar geest positieve beelden aanfloepten als lampjes in een kerst-boom: zij in de dansgroep van Domenica In, en foto's in *Novella 2000* waarop zij een restaurant verlaat met iemand als Matt Weyland, de Quizzone en het televisiespotje van de elektrische Moulinex-rasp.

De televisie!

Daar lag haar toekomst.

Erica Trettel had simpele en concrete verlangens.

En toen ze Graziano Biglia leerde kennen, probeerde ze hem dat uit te leggen.

Ze legde hem uit dat trouwen met een oude hippie met een obsessie voor de Gipsy Kings, die leek op Sandy Marton na de rally Parijs-Dakar, niet tot die verlangens behoorde, evenmin als het ruïneren van haar wespentaille door het leven te schenken aan dreinende bengels, of nog minder, het openen van een jeansstore in Ischiano Scalo.

Maar Graziano wilde het niet begrijpen en legde haar uit, als een onderwijzer aan een hardleerse scholier, dat televisie je reinste mafia is. Hij kon het weten. Hij had een paar keer gitaar gespeeld in de Planet Bar. Hij vertelde haar dat succes op de tv van korte duur is.

'Erica, je moet groeien, je moet begrijpen dat mensen niet gemaakt zijn om zichzelf tentoon te stellen, maar om een ruimte te vinden waarin ze in harmonie met de hemel en de aarde kunnen leven.'

En die ruimte heette Ischiano Scalo.

Hij had ook een recept om haar Domenica In uit het hoofd te praten: naar Jamaica gaan. Hij beweerde dat een vakantie op de Cariben haar goed zou doen, daar waren de mensen vrolijk en rustig, daar telde alle shit van deze maatschappij niet, daar heerste vriendschap en daar lag je op het strand zonder iets uit te voeren.

Hij zou haar leren wat er over het leven te weten viel.

Zulke kletspraat zou misschien indruk hebben gemaakt op een fan van Bob Marley en de vrije verkoop van softdrugs, maar niet op Erica Trettel.

De affiniteit tussen hen tweeën was even groot als tussen een paar skischoenen en een Grieks eiland.

Waarom gaf Erica hem dan toch hoop?

Het volgende fragment uit een gesprek tussen Erica Trettel en Mariapia Mancuso (ook een kubusmeisje uit de Hangover) die zich samen optutten in de kleedkamer, kan ons helpen dat te begrijpen.

'Is het waar dat ze zeggen, dat jij verkering hebt met Graziano?' vraagt Mariapia terwijl ze met een pincet een haar naast haar rechtertepel uittrekt.

'Wie heeft dat gezegd?' Erica doet midden in de kleedkamer stretchoefeningen.

'Iedereen zegt dat.'

'O... Zeggen ze dat?'

Mariapia controleert in de spiegel haar rechterwenkbrauw en bewerkt die vervolgens met het pincet. 'Is het waar?'

'Wat?'

'Dat je verkering met hem hebt.'

'Een beetje... Laten we zeggen dat we elkaar zien.'

'Hoezo, elkaar zien?'

Erica snuift. 'Wat ben jij vervelend, zeg! Graziano houdt van me. Serieus. Niet als die klootzak Tony.'

Tony Dawson, de Engelse dj van de Antrax, had een korte affaire gehad met Erica en haar vervolgens ingeruild voor een zangeres van Funeral Strike, een death-metalgroep uit de Marken.

'En hou jij ook van hem?'

'Ja, natuurlijk hou ik van hem. Hij belazert de boel niet. Hij is oké.'

'Ja, dat is waar,' beaamt Mariapia.

'Weet je dat hij me een puppy heeft gegeven? Heel schattig. Een Fila Brasilero.'

'Wat is dat?'

'Een heel zeldzame hond. Een speciaal ras. Ze werden vroeger in Brazilië gebruikt om slaven op te sporen die van de plantages ontsnapten. Hij heeft de hond nu, ik wil hem niet. Ik heb hem Antoine genoemd.'

'Net als de kapper?'

'Precies.'

'En dat verhaal dat hij rondbazuint, dat jullie gaan trouwen en in zijn dorp gaan wonen en een kledingzaak gaan beginnen?'

'Ben je helemaal?! Dat zit zo, gisteravond waren we op het strand en toen begon hij over dat verhaal van bij hem thuis, over die jeansstore met Noorse truien, de fourniturenzaak van zijn moeder, dat hij kinderen wil en met me wil trouwen, dat hij van me houdt. Ik heb gezegd dat ik het best wel schattig vond...'

'Schattig?!'

'Wacht even. Je weet wel, om maar iets te zeggen. Op dat moment leek het me een aardig idee. Maar hij heeft het niet meer uit zijn hoofd gezet. Maar ik moet wel tegen hem zeggen dat hij dat niet overal rond moet gaan bazuinen. Dan sta ik voor gek. Als hij zo doorgaat maakt hij me echt pissig.'

'Zeg het hem dan.'

'Natuurlijk zeg ik het hem.'

Mariapia gaat verder met haar andere wenkbrauw. 'Maar ben je verliefd op hem?'

'Dat kan ik niet zeggen... Ik zei je al, hij is vriendelijk. Hij is heel schattig. Duizend keer beter dan die klootzak Tony. Maar hij is te oppervlakkig. En dan dat gezeur over die jeansstore... Hij zei dat als ik met Kerstmis niet hoef te werken, hij me meeneemt naar Jamaica.

Hij is een lekker ding, toch?'

'En... doe je het met hem?'

Erica gaat weer staan en rekt zich uit. 'Wat zijn dat voor vragen? Nee. Meestal niet. Maar hij blijft maar aandringen en dan, heel af en toe, uiteindelijk... doe ik het, maar wel... Hoe noem je dat?'

'Wat?'

'Als je iets doet maar niet helemaal, dat je het doet maar je vindt het een beetje vervelend.'

'Ik weet niet... kalmpjes aan?'

'Wat nou kalmpjes aan. Waar slaat dat nou op? Nee, hoe zeg je dat nou? Met...'

'Tegenzin?'

'Neeee!'

'Gepaste terughoudendheid?'

'Precies! Gepaste terughoudendheid. Ik doe het met gepaste terughoudendheid.'

Terwijl hij achter Erica aanliep vernederde Graziano zich als nooit tevoren. Hij sloeg kolossale modderfiguren door urenlang op haar te wachten terwijl iedereen wist dat ze nooit zou komen. Hij klampte zich vast aan zijn mobiel en kamde heel Riccione en omgeving uit om haar te vinden. Hij werd belazerd door Mariapia die haar vriendin dekte als ze uitging met die klootzak van een dj. En hij stak zich tot over zijn oren in de schulden om haar een fila brasilero-puppy te geven, een superlichte kano, een Amerikaans apparaat voor passieve gymnastiek, een tatoeage op haar rechterbil, een rubberboot met een razende 250 cc motor, een Bang&Olufsen stereo-installatie, een berg merkkleding en schoenen met hakken van twintig centimeter hoog en een onvoorstelbare hoeveelheid cd's.

Wie een beetje om hem gaf, zei dat hij haar uit zijn hoofd moest zetten, dat hij pathetisch was. Dat dat meisje zijn dood zou worden.

Maar Graziano luisterde niet. Hij hield op met het neuken met vrouwen op leeftijd en met musiceren, en bleef koppig volhouden zonder nog een woord te zeggen over de jeansstore of dat hij haar vroeg of laat zou veranderen, dat hij dat onkruid dat televisie heette uit haar hoofd zou wieden, want Erica werd zenuwachtig. Hij was niet degene die alles zo had beslist, nee, het lot had het zo gewild toen het Erica die nacht in de Hangover op een kubus had neergezet.

Er kwam een moment dat dat alles als bij toverslag waarheid leek te worden.

In oktober zijn ze samen in Rome.

In een gehuurde eenkamerstudio in Rocca Verde. Een hol op de achtste verdieping van een gebouw dat ligt ingeklemd tussen de oostelijke ringweg en de snelweg.

Erica heeft Graziano overgehaald mee te gaan. Zonder hem voelt ze zich verloren in de metropool. Hij moet haar helpen werk te vinden.

Er is een heleboel te doen: een goede fotograaf zoeken voor haar portfolio. Een uitgekookte agent voor de juiste contacten. Een logopedist die haar afhelpt van haar scherpe Trentino-accent en een acteerdocent die haar een beetje losmaakt.

En de audities.

Ze gaan 's ochtends vroeg op pad, brengen de dag door tussen Cinecittà, castingbureaus en filmproducties en komen 's avonds doodmoe thuis.

Soms, wanneer Erica naar les is, laadt Graziano Antoine in de auto en gaat naar de Villa Borghese. Hij loopt door het hertenkamp, dan tot aan Piazza di Siena en omlaag naar Il Pincio. Hij loopt snel. Hij houdt van wandelen in het groen.

Antoine sleept zich achter hem voort. Met die grote poten kan hij moeilijk het tempo bijhouden. Graziano trekt aan zijn riem. 'Kom op, loop eens door. Luilak. Vooruit!' Geen reactie. Dan gaat hij op een bankje zitten, rookt een sigaret terwijl Antoine in zijn schoenen begint te bijten.

Graziano lijkt niet langer op de *latin lover* van het Carillon del Mare, die de Duitse vrouwen in katzwijm liet vallen.

Hij lijkt wel tien jaar ouder geworden. Hij is bleek, met wallen onder zijn ogen, zijn blonde haar met zwarte uitgroei, een joggingpak, een ongeschoren grijze baard, en hij is ongelukkig.

Doodongelukkig.

Alles gaat naar de kloten.

Erica houdt niet van hem.

Ze blijft bij hem omdat hij haar lessen, de huur, haar kleren, de fotograaf, alles betaalt. Omdat hij haar chauffeur is. Omdat hij 's avonds een gegrild kippetje haalt bij de slager.

Erica houdt niet van hem en zal nooit van hem houden.

Ze geeft geen moer om hem, laten we er maar niet omheen draaien. *Wat doe ik hier dan? Ik haat deze stad. Ik haat dit verkeer. Ik haat Erica. Ik moet weggaan. Ik moet weggaan. Ik moet weggaan.* Het is een soort mantra die hij hardnekkig blijft herhalen.

En waarom doet hij dat niet?

In feite is het heel makkelijk, hij hoeft alleen maar een vliegtuig te nemen. En de groeten verder.

Misschien zou hij dat best kunnen.

Er is één probleem: als hij een halve dag zonder Erica is, voelt hij zich ellendig. Dan krijgt hij maagkrampen. Dan krijgt hij geen lucht. Dan begint hij te ruften.

Wat zou het fijn zijn om met één druk op een knop zijn brein te kunnen schoonwassen. Die zachte lippen uit zijn hoofd wegspoelen, die smalle enkels, die trouweloze, betoverende ogen. Een stevige hersenspoeling. Als Erica maar in zijn hersenen zat.

Maar daar zit ze niet.

Ze heeft zich als een glasscherf in zijn maag genesteld.

Hij is verliefd op een verwend kind.

Een rotkind. Een kreng van een kind. Zo goed als ze is in zingen, zo slecht kan ze acteren, voor de camera staan. Dan komt ze niet uit haar woorden. Dan doven ze uit in haar mond.

In drie maanden tijd is ze erin geslaagd een paar rolletjes in tv-films te bemachtigen.

Maar Graziano houdt van haar, ook al wordt ze geweigerd. Ook al is ze de slechtste actrice van de hele wereld.

Verdomme…

En het allerergste is dat hoe naarder zij doet, hoe meer hij van haar houdt.

Wanneer er geen repetities zijn, hangt Erica de hele dag voor de televisie diepvriespizza's en Viennetta te eten. Ze heeft nergens zin in.

Ze wil niet naar buiten. Ze wil niemand zien. Ze is te depressief, zegt ze, om naar buiten te gaan.

Het huis is een rotzooi.

Hopen neergegooide vuile was aan de ene kant. Afval. Stapels borden met aangekoekte sausresten. Antoine die op de vloerkleden piest en poept. Erica lijkt zich daartussen op haar gemak te voelen, tussen die rotzooi. Graziano niet. Graziano wordt boos, schreeuwt dat hij het zat is om te leven als een zwerver, dat het genoeg is, dat hij naar Jamaica gaat. Maar in plaats daarvan neemt hij dan de hond mee naar het park.

Hoe kan iemand met haar leven? Zelfs een zenboeddhistische monnik zou haar niet kunnen verdragen. Ze huilt om het minste of geringste. En ze wordt boos. En als ze boos wordt, komen er verschrikkelijke dingen uit haar mond. Projectielen die Graziano's hart doorboren alsof het van boter is. Ze staat bol van het gif en spuwt dat naar buiten zodra ze kan.

Je bent een lul. Ik walg van je! Ik hou niet van je, snap je dat nog steeds niet? Wil je weten waarom ik bij je blijf? Wil je dat echt weten? Omdat ik medelijden met je heb. Daarom. En wil je weten waarom ik je haat? Omdat jij alleen maar hoopt op dingen waar ik niet goed in ben.

Het is waar.

Telkens wanneer een repetitie slecht gaat, jubelt Graziano inwendig. Een kleine stap in de richting van Ischiano. Maar vervolgens voelt hij zich schuldig.

Ze vrijen niet.

Hij brengt het ter sprake. En dan spreidt zij haar benen en armen en zegt: 'Ga je gang. Neuk me zo maar, als je wilt.'

En een paar keer heeft hij dat in wanhoop ook gedaan, en het was als klaarkomen op een lijk. Een warm lijk dat af en toe, bij de reclame, de afstandsbediening pakt en een andere zender kiest.

Dat alles duurt tot 8 december.

Op 8 december gaat Antoine dood.

Erica is met Antoine in een parfumerie. De verkoopster zegt dat honden niet zijn toegestaan. Erica laat hem buiten, ze moet een lippenstift kopen, het duurt maar even. Maar even is voldoende voor Antoine om een Duitse herder op de stoep aan de overkant te zien, de straat over te steken en op dat moment onder een auto terecht te komen.

Erica komt huilend thuis. Ze zegt tegen Graziano dat ze niet de moed had om te gaan kijken. De hond ligt daar nog steeds. Graziano holt naar buiten.

Hij vindt hem langs de weg. In een plas bloed. Hij ademt nog een beetje. Uit zijn neusgaten en bek gutst een stroom zwart bloed. Hij brengt hem naar de dierenarts, die hem met een injectie afmaakt.

Graziano komt thuis.

Hij heeft geen zin om te praten. Hij was gehecht aan die hond. Die hond was grappig. En ze hielden elkaar gezelschap.

Erica zegt dat het niet haar schuld is. Dat ze maar heel even binnen was om lippenstift te kopen. En die eikel van een bestuurder heeft niet geremd.

Graziano gaat weer naar buiten. Hij pakt de Fiat Uno en maakt om rustig te worden een ritje over de ringweg, met tachtig kilometer per uur.

Hij heeft er verkeerd aan gedaan naar Rome te komen.

Hij heeft aan alles verkeerd gedaan.

Hij heeft een kanjer van een blunder gemaakt. Die meid is in werkelijkheid geen vrouw, maar een door God gezonden straf om zijn leven te verwoesten.

De afgelopen maand hebben ze bijna elke dag ruzie gehad.

Graziano kan niet geloven wat ze tegen hem zegt. Het kwetst hem dodelijk. En soms attaqueert ze hem met zo veel geweld, dat hij niet eens in staat is zich te verdedigen. Haar lik op stuk te geven. Haar te zeggen dat ze een onbenul is.

Gisteren bij voorbeeld beschuldigde ze hem ervan dat hij ongeluk bracht, en dat als Madonna had samengeleefd met iemand zoals hij, ze dan liever alleen en Veronica Luisa Ciccone was gebleven. Waaraan ze toevoegde dat iedereen in Riccione zegt dat zijn gitaarspel klinkt als een zingende zaag en dat hij alleen maar goed is in het verkopen van pillen. En als uitsmijter, als de kers op de taart, zei ze dat de Gipsy Kings een homoband is.

Genoeg! Ik ga bij haar weg.

Het moet hem lukken.

Hij zal niet doodgaan. Hij zal het overleven. Verslaafden overleven het ook zonder hun spul. Je gooit het roer om, je lijdt als een beest, je denkt dat het je nooit zal lukken, maar uiteindelijk lukt het je en ben je clean.

De dood van Antoine heeft er tenminste nog toe gediend dat hij tot bezinning komt.

Hij moet bij haar weg. En de beste manier is met een kille, afstandelijke mededeling, zonder boos te worden, de mededeling van een sterk man, maar met een hart aan diggelen. Type Robert de Niro in *Loveletters*, wanneer hij Jane Fonda de bons geeft.

Ja, het is genoeg.

Hij gaat naar huis. Erica kijkt naar *Lupin III* en eet een broodje kaas.

'Kun je de televisie uitzetten?'

Erica zet de televisie uit.

Graziano gaat zitten, schraapt zijn keel en begint. 'Ik wilde je iets zeggen. Ik denk dat het moment is gekomen om ermee te stoppen. Jij weet dat en ik weet dat. Laten we het maar eerlijk tegen elkaar zeggen.'

Erica kijkt hem aan.

Graziano gaat verder. 'Ik hou ermee op. Ik heb er erg in geloofd. Serieus. Maar nu is het genoeg. Ik heb geen cent meer. We hebben elke dag ruzie. En daarbij kan ik niet in Rome blijven. Ik vind het hier vreselijk, de stad deprimeert me. Ik ben net als een meeuw: als ik niet kan rondtrekken, ga ik dood. Ik heb nu...'

'Hoor eens, meeuwen trekken niet rond.'

'Goed zo. Als verdomde zwaluwen dan, jij je zin? Ik had op dit moment in Jamaica moeten zijn. Morgen ga ik naar Ischiano. Ik zal wat geld achterlaten en dan vertrek ik. En wij zien elkaar nooit weer. Het spijt me dat de dingen...' Zo sterft de mededeling à la De Niro.

Erica zwijgt.

Wat praat Graziano raar.

Wat klinkt zijn stem vreemd. Meestal maakt hij scènes, schreeuwt hij, wordt kwaad. Nu niet, nu is hij kil, berustend. Hij lijkt net een Amerikaanse acteur. Hij is zeker van streek door de dood van Antoine.

Plotseling komt het in haar op dat hij niet de gebruikelijke pathetische scène maakt. Ditmaal is het hem menens.

Als hij weggaat, wat dan?

Een ware puinhoop.

Het wordt Erica zwart voor de ogen. Ze kan het zich niet eens voorstellen, een toekomst zonder hem. Zoals het nu is, is het leven ook verschrikkelijk, maar zonder Graziano zou het echt een ramp zijn. Wie betaalt dan de huur van het huis? Wie gaat er dan een gegrild kippetje halen? Wie betaalt dan de acteerlessen?

En daarbij is ze er helemaal niet zo zeker van dat ze het zal redden. Alles lijkt haar te zeggen dat er voor haar geen mogelijkheden zijn. Sinds ze in Rome is, heeft ze een stortvloed aan audities gedaan en is er niet één goed gegaan. Misschien heeft Graziano gelijk. Ze is niet gemaakt voor de televisie. Ze kan het niet.

De tranen beginnen onder in haar keel op te spelen.

Zonder een cent op zak zou ze noodgedwongen terug moeten naar Castello Tesino en liever dan teruggaan naar die ijskoude plek, met die twee ouders die daar zijn, wil ze vechten.

Ze probeert een hap van haar broodje door te slikken. Maar het blijft steken in haar keel, bitter als gal. 'Meen je het serieus?'

'Ja.'

'Ga je weg?'

'Ja.'

'En wat moet ik dan?'

'Dat weet ik niet.'

Stilte.

'Heb je definitief besloten?'

'Ja.'

'Serieus?'

'Ja.'

Erica begint te huilen. Heel stilletjes. Het brood tussen haar tanden. Haar make-up lost op in de tranen.

Graziano speelt met de afstandsbediening. Doet hem aan en weer uit. 'Het spijt me. Maar het is veel beter zo. We zullen tenminste een mooie herin—'

'Ik… ik… ik wil met je mee,' snikt Erica.

'Wat?'

37

'Ik... Ik wil met je mee.'

'Waarheen?'

'Naar Ischiano.'

'Wat wil je daar doen? Je zei toch dat je het daar vreselijk vindt?'

'Ik wil kennismaken met je moeder.'

'Je wilt kennismaken met mijn moeder?' herhaalt Graziano als een papegaai.

'Ja, ik wil Gina leren kennen. En dan gaan we daarna op vakantie naar Jamaica.'

Graziano zegt niets.

'Wil je niet dat ik meega?'

'Nee. Het is beter van niet.'

'Graziano, verlaat me niet. Ik smeek je.' Ze pakt zijn hand vast.

'Het is beter zo... Dat weet jij ook... We hebben—'

'Je mag me niet in Rome achterlaten, Graziaantje.'

Graziano voelt zijn ingewanden smelten. *Wat wil ze?*

Dit mag ze niet doen. Dit is niet eerlijk. Nu wil ze met hem meegaan.

'Graziano, kom eens hier,' zegt Erica met een innig bedroefd stemmetje.

Graziano staat op. Hij gaat naast haar zitten. Ze kust zijn handen en drukt zich tegen hem aan. Ze legt haar gezicht op zijn borstkas. En ze begint opnieuw te huilen.

Nu voelt Graziano zijn ingewanden in beweging komen, een boa constrictor is uit zijn lethargie ontwaakt. Zijn luchtpijp wordt plotseling ontkurkt. Hij ademt in en uit.

Hij drukt haar in zijn armen.

Zij schokt van het snikken. 'Het sp... spijt... me. Het spijt... me.'

Ze is zo klein. Weerloos. Ze is een klein meisje. Een klein meisje dat hem nodig heeft. Het mooiste kleine meisje van de hele wereld. Zijn kleine meisje. 'Goed. Oké. Laten we weggaan uit deze verdomde rotstad. Ik laat je niet alleen. Maak je maar geen zorgen. Jij gaat met me mee.'

'Jaaa, Graziano... Neem me met je mee.'

Ze kussen elkaar. Speeksel en tranen. Hij veegt haar uitgelopen mascara af met zijn T-shirt.

'Ja, morgenochtend gaan we. Maar ik moet wel mijn moeder bellen. Dan kan ze een kamer voor ons in orde maken.'

Erica glimlacht. 'Goed.' Dan betrekt ze weer. 'Ja, laten we weggaan... Maar dan overmorgen, verdomme nog aan toe, ik moet nog iets doen.'

Graziano is meteen achterdochtig. 'Wat dan?'

'Een auditie.'

'Erica, je bent nog steeds—'

'Wacht! Luister! Ik heb mijn agent beloofd dat ik erheen zou gaan. Hij heeft meisjes van zijn bureau nodig die doen of ze op auditie gaan, de regisseur heeft al besloten wie hij zal kiezen, iemand die hem is aanbevolen, maar het moet net echt lijken. De gebruikelijke flauwekul.'

'Ga er dan niet heen. Laat hem toch barsten, de klootzak.'

'Ik zal wel moeten. Ik heb het beloofd. Na alles wat hij voor mij heeft gedaan.'

'Wat heeft hij dan voor jou gedaan? Niets. Hij heeft alleen maar geld uit onze zak geklopt. Laat hem toch barsten. Wij moeten weg, wij samen.'

Erica pakt zijn handen vast. 'Luister, laten we het als volgt doen. Jij vertrekt morgen. Ik ga naar de auditie, sluit het huis af, pak de koffers en kom overmorgen naar je toe.'

'Wil je niet dat ik op je wacht?'

'Nee, ga jij maar. Je bent gestrest van Rome. Ik neem de trein. Dan heb jij alles al in orde als ik aankom. Koop maar veel vis. Ik hou van vis.'

'Natuurlijk koop ik vis. Hou je van zeeduivel?'

'Weet ik niet. Is dat lekker?'

'Heerlijk. En kokkels, zal ik die kopen?'

'Ja, kokkels, Graziaantje. Pasta met kokkels. Heerlijk.' Erica tovert een glimlach te voorschijn die het hele huis doet oplichten.

'Mijn moeder kan toveren met pasta en kokkels. Wacht maar af. We zullen het goed hebben.'

Erica springt in zijn armen.

Die nacht vrijen ze.

En voor het eerst sinds ze samen zijn, neemt Erica hem in haar mond.

Graziano ligt languit op dat onopgemaakte bed vol truien, stinkende T-shirts, cd-hoesjes en broodkruimels, en kijkt naar Erica die daar tussen zijn benen aan zijn lul zuigt.

Waarom wil ze hem nu wel pijpen?

Ze zei altijd dat ze het vies vond, pijpen.

Wat wil ze hem duidelijk maken?

Simpel. Dat ze van je houdt.

Graziano wordt overmand door emoties en komt klaar.

Erica valt naakt in slaap in zijn armen. Graziano, onbeweeglijk om haar niet wakker te maken, drukt haar tegen zich aan en kan niet geloven dat dat mooie meisje zijn vrouw is.

Zijn ogen krijgen geen genoeg van haar te bekijken. Zijn handen krijgen geen genoeg van haar te strelen, zijn neus krijgt geen genoeg van haar haar te ruiken.

Hoe vaak heeft hij zich al niet afgevraagd hoe zo'n volmaakt wezen geboren heeft kunnen worden in zo'n godvergeten dorpje. Een wonder van de natuur.

En dat wonder is van hem. Ondanks al het onbegrip, ondanks Erica's karakter, ondanks hun verschillende wereldvisies, ondanks Graziano's fouten. Ze zijn verenigd. Verenigd door een band die nooit zal worden verbroken.

Oké, hij heeft een fout gemaakt, hij is zwak geweest, besluiteloos, laf, hij heeft Erica in al haar grillen gesteund, hij heeft de situatie zo laten verloederen dat het onleefbaar werd, maar de opwelling die hij had kwam op het juiste moment. Die heeft hen bevrijd uit het spinnenweb dat hen aan het verstikken was.

Erica voelde dat ze hem voorgoed zou verliezen, dat het hem ditmaal ernst was. En ze heeft hem niet laten gaan.

Graziano's hart loopt over van liefde. Hij kust haar hals.

Erica mompelt: 'Graziano, haal eens een glas water voor me.'

Hij haalt water. Zij gaat rechtop zitten, drinkt gulzig en morst op haar kin.

'Erica, zeg eens, hou je echt van me?' vraagt hij terwijl hij weer in bed stapt.

'Ja,' antwoordt ze en kruipt tegen hem aan.

'Serieus?'

'Serieus.'

'En... en wil je met me trouwen?' hoort hij zichzelf vragen. Alsof een kwade geest hem die verschrikkelijke woorden in de mond had gelegd.

Erica rolt zich nog dichter tegen hem op, trekt het dekbed wat omhoog en zegt: 'Ja.'

Ja!?

Graziano is een ogenblik met stomheid geslagen, overdonderd, brengt een hand naar zijn mond en sluit zijn ogen.

Wat zei ze? Zei ze dat ze met hem wil trouwen?

'Serieus?'

'Ja.' Erica brabbelt in haar slaap.

'Wanneer?'

'Op Jamaica.'

'Goed. Op Jamaica. Op het strand. We trouwen op de rotsen van Edward Beach. Dat is een prachtig plekje.'

Dit is de reden waarom Graziano Biglia op 9 december om vijf uur 's ochtends ondanks het noodweer uit Rome vertrok, op weg naar Ischiano Scalo.

Hij nam mee: wapens, koffers en een goed bericht voor zijn mamaatje.

3

Een ballonvaarder, voorzien van een verrekijker, zou beter dan wie ook het decor van ons verhaal kunnen zien.

Onmiddellijk zou hem een lang, zwart litteken dat de vlakte doorsnijdt opvallen. Dat is de Via Aurelia, de snelweg die in Rome begint en voorbij Genua eindigt. Vijftien kilometer lang is hij kaarsrecht als een landingsbaan, dan buigt hij langzaam naar links en bereikt het stadje Orbano, dat aan de lagune ligt.

In die buurt is het eerste wat je moeder je leert niet: 'geen snoepjes van vreemde mensen aannemen', maar 'pas op voor de Via Aurelia'.

Je moet minstens een paar keer links en rechts kijken voordat je kunt oversteken. Zowel te voet als per auto (God verhoede dat je motor midden op de weg afslaat). De auto's razen voorbij als torpedo's. En de laatste jaren zijn er heel wat ongelukken gebeurd. Nu hebben ze borden geplaatst waarop de maximumsnelheid van negentig kilometer per uur staat aangegeven, en een flitsapparaat, maar de mensen trekken zich er niets van aan.

In de weekenden met mooi weer en vooral 's zomers vormen zich op deze weg kilometerslange files. Bewoners van de hoofdstad die op en neer gaan naar hun noordelijker gelegen vakantieverblijven.

En als onze ballonvaarder zijn verrekijker nu naar links verplaatste, dan zou hij de kust van Castrone zien. De zee ligt er kaarsrecht tegenaan en bij hoogtij wordt het zand opgehoopt op het strand en moet je, om te gaan zwemmen, de duinen opklimmen. Er zijn geen strandpaviljoens. Eigenlijk is er wel een, een paar kilometer zuidelijker, maar de mensen uit de omgeving gaan daar nooit naar toe, waarschijnlijk omdat het er vol zit met Romeinse patsers die *linguine* met zeekreeft eten en Falanghina drinken. Geen parasols. Geen ligstoelen. Geen waterfietsen. Zelfs niet in augustus.

Raar, hè?

Dit komt doordat het een beschermd natuurgebied is, bestemd voor herbevolking van de trekkende avifauna (vogels).

In de twintig kilometer lange kuststrook zijn slechts drie toegangspaden naar het strand. Vlak bij die paden heerst 's zomers de gebruikelijke gekte van badgasten, maar je hoeft maar driehonderd meter verder te lopen of er is als bij toverslag niemand meer te zien.

Pal achter het strand ligt een uitgestrekte groenstrook. Het is een wirwar van braamstruiken, doornen, stekels, taai gras dat in het zand is geplant. Het is onmogelijk er doorheen te lopen, tenzij je jezelf wilt toetakelen als Sint Sebastiaan. Meteen daarna beginnen de akkers (graan, maïs, zonnebloemen, jaarlijks afgewisseld).

Als onze ballonvaarder zijn verrekijker naar rechts zou verplaatsen, zou hij een lange, brakke lagune zien in de vorm van een boon, afscheiden van de zee door een strookje land. Die heet de lagune van Torcelli. Hij is omheind en er heerst een algeheel jachtverbod. Hier komen in het voorjaar de uitgeputte vogels uit Afrika. Het is een moerasgebied vol duivelse muggen, zandvliegen, ringslangen, vissen, reigers, meerkoeten, knaagdieren, watersalamanders, spinnen, padden en duizenden algen. De spoorweg, die parallel aan de Via Aurelia loopt en Genua met Rome verbindt, ligt ernaast. Overdag ratelt ongeveer elk uur de Eurostar langs.

En dan, eindelijk, naast de lagune, Ischiano Scalo.

Het is klein, ik weet het.

Het heeft zich in de laatste dertig jaar ontwikkeld rondom het stationnetje waar tweemaal per dag een boemeltrein stopt.

Een kerk. Een plein. Een hoofdstraat. Een apotheek (altijd gesloten). Een levensmiddelenwinkel. Een bank (met zelfs een pinautomaat). Een slager. Een fourniturenwinkel. Een krantenwinkel. De handelsvereniging. Een bar. Een school. Een sportclub. En een stuk of vijftig huisjes van twee verdiepingen met bakstenen daken, bewoond door zo'n duizend zielen.

Niet zo lang geleden was er alleen maar moeras en malaria, maar op een gegeven moment is het drooggelegd door de Duce.

Als onze onbevreesde ballonvaarder zich door de winden zou laten voortduwen naar de andere kant van de Via Aurelia, zou hij nog meer akkers, olijfgaarden, grasweiden en een gehucht van vier huizen dat Serra heet zien. Daar begint een witte weg naar de heuvels en het bos van Acquasparta, beroemd om de everzwijnen, de koeien met hun lange horens, en, als het een goed jaar is, de porcini.

Dat is Ischiano Scalo.

Het is een vreemde plek: de zee is zo dichtbij maar lijkt duizenden mijlen ver weg. Dat komt doordat de akkers de zee terugduwen met hun barrière van doornen. Zo nu en dan ruik je de zeegeur en wordt er zand door de wind aangeblazen.

Dat zal wel de reden zijn waarom het toerisme zich altijd ver van Ischiano Scalo heeft gehouden.

Er valt hier niets te beleven, er zijn geen huizen te huur, er zijn geen hotels met zwembad en airconditioning, er is geen boulevard om te flaneren, er zijn geen bars om 's avonds wat te drinken, hier gloeit 's zomers de vlakte als een grill en blaast 's winters een snerpende wind die je oren afsnijdt.

Maar nu zou onze ballonvaarder een beetje hoogte moeten verliezen, dan zou hij het moderne gebouw achter die industrieloods beter kunnen zien.

Dat is de middenbouw Michelangelo Buonarroti. Op de speelplaats heeft een klas gymnastiekles. Iedereen speelt volleybal en basketbal, behalve een groepje meisjes dat op een muurtje zit te babbelen en een jongetje dat in een zonnestraal, met gekruiste benen in zijn eentje een boek zit te lezen.

Dat is Pietro Moroni, de ware hoofdpersoon van dit verhaal.

4

Pietro hield niet van basketbal, noch van volleybal en nog minder van voetbal.

Niet dat hij het nooit had geprobeerd. Hij had het geprobeerd, en hoe, maar tussen hem en de bal bestond waarschijnlijk een communicatieprobleem. Hij wilde dat de bal iets deed en de bal deed precies het tegenovergestelde.

En volgens Pietro is het beter om, als je weet dat er een communicatieprobleem tussen jou en iets anders bestaat, het er maar bij te laten. Daarbij waren er andere dingen die hij wel leuk vond.

Fietsen bij voorbeeld. Hij vond het heerlijk om over de bospaden te fietsen.

En hij was dol op dieren. Niet op allemaal. Op sommige.

Dieren waarvan de mensen zeggen dat ze griezelig zijn, die vond hij heel erg leuk. Slangen, spinnen, salamanders, insecten, dat soort dieren. En nog beter was het als ze in het water leefden.

Zoals bij voorbeeld de pietervis. Oké, het doet waanzinnig veel pijn als hij je steekt, hij heeft een lelijke kop en leeft verborgen in het zand. Maar dat hij met dat steekorgaan, dat gif bevat (waarvan de wetenschappers nog niet weten waar het precies uit bestaat), klaar ligt om je voet te verlammen, dat vond hij leuk.

Kijk, als hij had mogen kiezen of hij een tijger of een pietervis wilde zijn, dan zou hij beslist de voorkeur hebben gegeven aan de laatste.

En een ander dier dat hij leuk vond was de mug.

Muggen waren overal, en je kon ze niet negeren.

Daarom had hij besloten er samen met Gloria een spreekbeurt over te houden. Malaria en muggen. En die middag zou hij met zijn vriendinnetje naar Orbano gaan, naar een dokter die bevriend was met haar vader, om hem te interviewen over malaria.

Nu las hij een boek over dinosaurussen. Ook daarin werd over muggen gesproken. Dank zij de muggen zouden ze ooit de dinosaurussen weer tot leven kunnen brengen. Ze hadden fossiele muggen gevonden en daar het dinosaurusbloed uitgehaald, dat ze hadden opgezogen, en zo hadden ze de genetische code van de dinosaurussen ontdekt. Hoe dan ook: hij begreep het niet helemaal, maar in elk geval zou er zonder muggen geen *Jurassic Park* bestaan.

Pietro was blij, want de biologielerares had het goed gevonden dat hij die dag niet met de andere kinderen speelde.

'Vertel eens? Weet je al wat we aan Colasanti gaan vragen?'

Pietro keek op.

Het was Gloria. Ze hield de bal in haar handen en hijgde.

'Ik denk het wel. Min of meer.'

'Goed. Want ik weet niets.' Gloria stootte de bal met haar vuist weg en rende terug naar het volleybalveld.

Gloria Celani was Pietro's beste vriendin, eigenlijk zijn enige.

Hij had geprobeerd vriendjes te krijgen, maar zonder veel succes. Hij had een paar keer gespeeld met Paolino Anselmi, de zoon van de sigarenboer. Ze waren op het grote braakliggende terrein geweest om daar te crossen met hun fietsen. Maar het was niet goed gegaan.

Paolino wilde almaar wedstrijdjes doen maar Pietro hield niet van wedijveren. Ze hadden er een paar gedaan en Paolino won steeds. Daarna hadden ze elkaar niet meer gezien.

Wat kon hij eraan doen? Wedstrijdjes behoorden tot de dingen waar hij een hekel aan had.

Want zelfs als hij als eerste beneden was, als een speer gelanceerd naar de overwinning en als die overwinning totáál duidelijk was, zelfs als hij vanaf de start voorop had gelegen, kon hij het niet laten achterom te kijken, en als hij hem dan achter zich zag, dat wezen dat hem knarsetandend achtervolgde, dan lieten zijn benen hem in de steek en liet hij zich inhalen en verslaan.

Met Gloria hoefde hij geen wedstrijdjes te doen. Hoefde hij niet te doen alsof hij stoer was. Met haar was het gewoon fijn.

Volgens Pietro, en veel andere jongens deelden deze mening, was Gloria het mooiste meisje van de school. Er waren natuurlijk nog een paar andere meisjes die er best mee door konden, bij voorbeeld dat meisje uit 3B met die zwarte haren tot aan haar billen, of die uit 2A, Amanda, die met Fiamma ging.

Maar volgens Pietro waren die twee het niet eens waardig Gloria's voeten te kussen, vergeleken bij haar waren zij pietervissen. Hij zou het nooit tegen haar zeggen, maar hij wist zeker dat Gloria, als ze groot was, terecht zou komen in die modetijdschriften, of Miss Italië zou worden.

En daarbij deed zij alles om minder mooi te lijken dan ze was. Ze knipte haar haar kort, als een jongetje. Ze droeg vieze, verschoten tuinbroeken, oude geruite hemden en afgetrapte Adidas-schoenen. Op haar knieën zaten altijd blauwe plekken en ze had altijd wel ergens een wondje, verstopt onder een pleister, opgedaan bij het klimmen in een boom of klauteren over een muur. Ze was niet bang om op de vuist te gaan met wie dan ook, zelfs niet met die gehaktbal Bacci.

In zijn hele leven had Pietro haar precies twee keer als meisje gekleed gezien.

De grote jongens, uit de derde (en soms ook de nog grotere, de jongens die bij de bar stonden), stelden zich aan voor haar. Deden pogingen. Wilden verkering met haar, brachten cadeautjes voor haar mee en boden aan haar op hun brommer naar huis te brengen, maar zij gunde ze zelfs geen zijdelingse blik.

Voor Gloria telden ze nog minder dan een koeienvlaai.

Waarom was de mooiste van het dorp, de felbegeerde Gloria, de wanhoop van de jongens van Ischiano, het meisje dat op de ranglijst van de supermokkels – gekerfd boven de deur van de jongenstoiletten – nog nooit lager dan de derde plaats had gestaan, waarom was dat meisje de beste vriendin van onze Pietro, de geboren verliezer, de achterste in de rij, de grijze muis zonder vrienden?

Er was een reden.

Hun vriendschap was begonnen in de schoolbanken.

Op hun school bestonden gesloten kastes (en beweer maar eens dat

46

die op jullie school niet bestonden), een beetje zoals in India. De *losers* (*Broekenkakker, Schijtluis, Strontzak, Flikker, Roetmop, enzovoorts*), de normalen en de stukken.

De normalen konden afglijden en sloebers worden, of zichzelf opwerken en transformeren in spetters, dat was aan hen. Maar als ze op de eerste schooldag je schooltas afpakten en uit het raam gooiden en krijtjes tussen je boterhammen stopten, dan was je een loser, dan was er geen redding, dan moest je dat de volgende drie jaar blijven (en als je niet oppaste, de volgende zéstig jaar), en dan kon je het wel vergeten normaal te worden.

Zo ging dat.

Pietro en Gloria hadden elkaar leren kennen toen ze vijf waren.

Pietro's moeder ging drie keer per week schoonmaken in de villa van de Celani's, de ouders van Gloria, en nam haar zoontje dan mee. Ze gaf hem een vel papier en viltstiften en zei dat hij aan de keukentafel moest blijven zitten. 'Braaf blijven zitten, hoor! Laat mij mijn werk doen, dan kunnen we gauw weer naar huis.'

En Pietro zat wel twee uur lang doodstil op die stoel en tekende. De kokkin, een oude vrijster uit Livorno die daar al heel lang in huis woonde, kon het niet geloven. 'Een engel uit het paradijs, dat ben je.'

Dat knulletje was te braaf en te mooi, hij wilde niet eens een stukje jamtaart zonder toestemming van zijn moeder.

Heel anders dan de dochter des huizes. Een verwend kreng dat een stevige trap onder haar achterste nodig had. Het speelgoed daar in huis had een gemiddelde levensduur van twee dagen. En om duidelijk te maken dat ze geen chocolademousse meer wilde, kwakte dat duivelinnetje het gewoon voor je voeten neer.

Toen de kleine Gloria had ontdekt dat er in de keuken levend speelgoed zat, van vlees en bloed, Pietro genaamd, was ze verrukt. Ze had zijn hand gepakt en hem meegenomen naar haar kamer. Om te spelen. In het begin had ze hem een beetje ruw behandeld ('Mamaaa! Mamaaa! Gloria heeft met een vinger in mijn oog geprikt!'), maar later had ze geleerd hem te beschouwen als een menselijk wezen.

Meneer Celani was erg blij. 'Gelukkig dat Pietro er is. Gloria is wat rustiger geworden. Arm kind, ze heeft een broertje nodig.'

Alleen was er één klein probleem: mevrouw Celani had geen baarmoeder meer en dus... was er geen sprake van gezinsuitbreiding en trouwens, nu was Pietro er, de engel uit het paradijs.

Om een lang verhaal kort te maken: de twee kinderen leefden met de dag steeds meer samen, als broer en zus.

En toen Mariagrazia Moroni, Pietro's moeder, ziek werd, begon te lijden aan iets vreemds en onbegrijpelijks waardoor ze geen kracht meer en nergens zin in had ('het is net alsof... ik weet niet, alsof mijn batterijen op zijn'), aan iets dat de ziekenfondsarts 'depressie' noemde en meneer Moroni 'onwil' om nog iets uit te voeren en zich uit te sloven in de villa, had meneer Mauro Celani, directeur van de Banco di Roma in Orbano en voorzitter van de wielrennersclub van Chiarenzano, net op tijd ingegrepen en met zijn echtgenote Ada een noodplan opgesteld.

1) De arme Mariagrazia had hulp nodig. Ze moest onmiddellijk worden onderzocht door een specialist. 'Morgen bel ik professor Candela op...' 'Hè, wie?' 'Ach kom, de *chef de clinique* van het Villa dei Fiori-ziekenhuis in Civitavecchia, weet je nog...? Hij heeft dat fantastische twaalf-meterschip...'

2) Pietro kon niet de hele dag bij zijn moeder blijven. 'Dat is niet goed voor hem en ook niet voor haar. Na school komt hij met Gloria hier.'

3) Pietro's vader was alcoholist, al eens met justitie in aanraking geweest, gewelddadig en ruïneerde die arme vrouw en dat schattige zoontje. 'Laten we hopen dat hij geen problemen maakt. Anders kan hij zijn hypotheek wel vergeten.'

En alles had perfect gefunctioneerd.

De arme Mariagrazia was onder de beschermende vleugels van professor Candela geplaatst. De verlichte specialist had haar een stevige cocktail gegeven van psychofarmaca die allemaal eindigden op 'il' (Anafranil, Tofranil, Nardil, enzovoorts), die voor haar de poorten hadden geopend tot de magische wereld van de monoaminoxidaseremmers. Een wazige, comfortabele wereld van pasteltinten en grijze vlakken, van onverstaanbare, onafgemaakte zinnen, van heel veel tijd doorbrengen met almaar tegen zichzelf zeggen: 'O god, ik weet niet meer wat ik vanavond wilde gaan koken.'

Pietro belandde onder de moederlijke vleugels van mevrouw Celani en ging elke middag naar de villa.

Gek genoeg was ook meneer Moroni onder een vleugel beland, namelijk de enorme, inhalige vleugel van de Banco di Roma.

Pietro en Gloria waren naar dezelfde basisschool gegaan, maar zaten niet bij elkaar in de klas. En alles was geolied verlopen. Nu ze in de middenbouw zaten, in dezelfde klas, waren de zaken complexer geworden.

Ze behoorden tot verschillende kastes.

Hun vriendschap had zich aangepast aan de omstandigheden. Hij leek op een ondergrondse rivier die onzichtbaar samengeperst onder de rotsen voortstroomt, maar opwelt met al zijn indrukwekkende kracht zodra hij een scheur, een barst vindt.

Zo zou je op het eerste gezicht kunnen denken dat die twee totale onbekenden van elkaar waren, maar je moest wel stront in je ogen hebben zijn als je niet zag hoe ze elkaar altijd opzochten, elkaar terloops aanraakten en in de pauze als twee roddeltantes in een hoekje gingen staan smoezen en hoe Pietro, heel vreemd, na school aan het eind van de straat bleef wachten tot hij Gloria op haar fiets zag stappen, en haar dan volgde.

5

Mevrouw Gina Biglia, de moeder van Graziano, leed aan een te hoge bloeddruk: haar onderdruk was honderdtwintig en haar bovendruk honderdtachtig. Bij de minste of geringste opwinding of emotie werd ze overvallen door hartkloppingen, duizelingen, koud zweet en flauwtes.

Wanneer haar zoon thuiskwam, was mevrouw Gina over het algemeen ziek van vreugde en moest ze een paar uur op bed gaan liggen. Maar toen Graziano die winter terugkwam uit Rome, nadat hij zich twee jaar niet had laten zien en horen, en haar vertelde dat hij een meisje uit het noorden had leren kennen en dat hij met haar wilde trouwen en weer in Ischiano wilde komen wonen, sprong haar hart op als een veer en stortte de arme vrouw, die juist *fettuccine* aan het klaarmaken was, flauwgevallen neer op de grond, waarbij ze tafel, inclusief bloem en deegroller, in haar val meesleurde.

Toen ze weer bijkwam, sprak ze niet meer.

Ze zat als een over de kop geslagen schildpad op de grond tussen de fettuccine en mompelde iets onverstaanbaars, alsof ze doofstom of nog erger was geworden.

Een ictus, dacht Graziano wanhopig. Heel even was het hart opgehouden met kloppen en het brein was meteen beschadigd.

Graziano rende de huiskamer in om een ambulance te bellen, maar toen hij terugkwam trof hij zijn moeder in optima forma aan. Ze boende de keukenvloer met Cif en toen ze hem zag overhandigde ze hem meteen een vel papier waarop ze had geschreven:

> Het gaat goed met me. Ik heb de Madonnina van Civitavecchia gezworen dat ik een maand niet meer zou praten als jij zou gaan trouwen. In haar oneindige mededogen heeft de Madonnina mijn gebeden verhoord en nu mag ik een maandlang niet praten.

Graziano las het briefje en liet zich bedroefd op een stoel vallen. 'Maar mama, dit is belachelijk. Besef je dat wel? Hoe kun je dan nog werken? En hoe moet dat met Erica, wat zal ze wel denken, dat je volkomen gestoord bent? Stop ermee. Alsjeblieft.'

Mevrouw Gina schreef:

> Maak je geen zorgen. Ik zal het wel uitleggen aan je verloofde. Wanneer komt ze?

'Morgen. Maar mama, ik smeek je, hou er nou alsjeblief mee op. We weten nog niet wanneer we gaan trouwen. Stop er alsjeblieft mee.'

Mevrouw Gina begon als een hysterische nar door de keuken te springen waarbij ze gejank uitstootte en haar handen in haar volumineuze permanent stak. Ze was een kleine, ronde vrouw met levendige ogen en een mond die leek op de sluitspier van een jong haantje.

Graziano rende achter haar aan en probeerde haar vast te pakken. 'Mama! Mama! Blijf staan, alsjeblieft. Wat bezielt je in hemelsnaam?'

Mevrouw Gina ging aan tafel zitten en begon weer te schrijven:

Het huis ziet er niet uit. Ik moet alles schoonmaken.
Ik moet de gordijnen naar de stomerij brengen. De
woonkamer in de was zetten. En verder moet ik
boodschappen doen. Ga weg. Ik moet aan het werk.

Ze trok haar nertsmantel aan, hees de tas met de gordijnen om haar
schouder en verliet het huis.

Voor alle duidelijkheid: de operatiekamer van een polikliniek was
minder schoon dan de keuken van mevrouw Gina. Zelfs met een elek-
tronische microscoop zou je geen huismijt of stofje ontdekken. In
huize Biglia kon je van de vloer eten en gerust uit de wc drinken. Elke
snuisterij had zijn sierkleedje, elke soort pasta zijn eigen pot, elk
hoekje van het huis werd dagelijks geïnspecteerd en gestofzuigd. Toen
Graziano klein was mocht hij niet op de banken zitten omdat hij ze
kapot zou maken, moest hij gladde slofjes aan en op een rechte stoel
tv kijken.

Hygiëne was de eerste obsessie van mevrouw Biglia. De tweede was
het geloof. De derde en tevens ergste van allemaal was koken.

Ze maakte industriële hoeveelheden verfijnde gerechten.
Ovenschotels met macaroni. Vleessauzen die drie dagen moesten
intrekken. Wildgebraad. Aubergines met parmezaanse kaas. Gevulde
rijsttulbanden zo hoog als Veronese kerstcakes. Pizza's met broccoli,
kaas en mortadella. Hartige taarten met artisjokken en béchamel. Vis
in folie. Gestoofde inktvis. En vissoep uit Livorno. Aangezien ze
alleen woonde (haar man was al vijf jaar geleden gestorven), belandde
al dat godgegeven heerlijks ofwel in de diepvriezers (drie stuks: tjok-
vol), of werd het aan de klanten weggegeven.

Met Kerstmis, Pasen, oud en nieuw en bij elk feest dat een bijzondere maaltijd verdiende, verloor ze compleet haar verstand en sloot
ze zich soms wel dertien uur achtereen op in de keuken om te roeren,
ovenschalen in te vetten, erwten te doppen. Met een vuurrood gezicht
en duivelse ogen, een mutsje op zodat haar haar niet vet werd, stond
ze te fluiten, mee te zingen met de radio en als een bezetene eieren te

kloppen. Tijdens het eten ging ze nooit zitten, ze galoppeerde als een Birmaanse tapir zwetend, puffend en borden afwassend heen en weer tussen de eetkamer en de keuken en iedereen werd zenuwachtig, omdat het niet prettig is te eten met een bezetene die al je gelaatsuitdrukkingen in de gaten houdt om te zien of de lasagne lekker is, die je bord alweer vol schept nog voordat je klaar bent en van wie je weet dat ze, met haar zwakke gezondheid, elk moment een beroerte kan krijgen.

Nee, dat is niet prettig.

En het was moeilijk te begrijpen waarom ze zo deed, wat het voor culinaire razernij was die haar kwelde. De gasten vroegen elkaar bij de twaalfde gang fluisterend wat ze van plan was, wat haar bedoeling was. Wilde ze hen ombrengen? Wilde ze voor de hele wereld koken? De wereldhonger stillen met risotto's met vier kazen en truffelsnippers, linguine met pesto en ossobuco met puree?

Nee, de wereld interesseerde mevrouw Biglia niet.

De Derde Wereld, de Biafra-kindertjes, de armen van haar parochie konden mevrouw Biglia geen zier schelen. Ze ging genadeloos tekeer tegen familieleden, vrienden en kennissen. Ze wilde alleen maar dat iemand tegen haar zei: 'Gina, lieverd, zoals jij die gnocchi uit Sorrento maakt, zo maken ze die zelfs niet in Sorrento.'

Dan was ze geroerd als een kind, mompelde bedankjes, liet haar hoofd hangen als een groot dirigent triomfantelijk na een uitvoering, pakte een bak vol gnocchi uit de vriezer en zei: 'Hier, en denk erom, je moet ze niet meteen in het water doen, anders worden ze niet goed. Haal ze minstens een paar uur van tevoren uit de diepvries.'

Meedogenloos propte die vrouw je vol en als je haar smeekte ermee te stoppen, antwoordde ze dat je niet zo beleefd hoefde te doen. Waggelend, halfdronken, met de knoop van je broek open en met de behoefte om naar Chianciano te gaan voor een ontslakkingskuur, verliet je haar huis.

Als Graziano weer thuis was, kwam hij binnen een week minstens vijf kilo aan. Zijn moeder verwende hem met niertjes, knoflook, olie en peterselie (zijn lievelingskostje!) en aangezien hij een flinke eter was, zat zij in extase toe te kijken. Maar op een bepaald moment kon ze zich dan niet meer inhouden, dan moest ze het vragen – als ze het niet vroeg zou ze doodgaan: 'Graziano, zeg eens eerlijk, hoe zijn die niertjes?'

En Graziano: 'Heerlijk, mama.'

'Bestaat er iemand die ze nog lekkerder maakt dan ik?'

'Nee, mama, dat weet je best. Jouw niertjes zijn de lekkerste van de hele wereld.'

Intens tevreden en gelukzalig ging ze dan terug naar de keuken en begon ze af te wassen, want vaatwasmachines vertrouwde ze niet.

Kun je je voorstellen wat voor banket ze zou gaan aanrichten voor haar aanstaande schoondochter?

Voor die magere spriet Erica Trettel, die zesenveertig kilo woog en zei dat ze een afzichtelijke vetzak was en die zich, als ze in een goede bui was, voedde met magere kwark, spelt en mueslirepen, en zich als ze depressief was volstouwde met Viennetta en gegrilde kippetjes van de poelier.

6

Die ochtend had Graziano vrede met zichzelf en met de wereld.

Hij ging een wandeling maken.

Het weer was wisselvallig. Het was koud. Het regende niet meer, maar de zware wolken beloofden weinig goeds voor die middag. Het kon Graziano niets schelen. Hij was dolblij dat hij eindelijk weer thuis was.

Hij vond Ischiano Scalo nog mooier en knusser dan ooit te voren.

Een kleine, antieke wereld. Een nog onaangetaste boerengemeenschap.

Het was marktdag. De kooplui hadden hun stalletjes opgesteld op de parkeerplaats voor de boerenleenbank. De vrouwen uit het dorp met hun manden en paraplu's deden boodschappen. De moeders duwden kinderwagens voort. Een bestelbusje, geparkeerd voor de krantenwinkel, leverde pakketten tijdschriften af. Giovanna, de vrouw van de sigarenboer, gaf eten aan een schare veel te dikke, verwende katten. Een groep jagers had afgesproken voor het monument voor de gevallenen. De drijfhonden trokken nerveus aan de riemen. En de oude mannen aan de tafeltjes van de Stationsbar probeerden als verstijfde reptielen een straaltje op te pikken van de zon die maar niet wilde doorbreken. Uit de basisschool klonken de kreten van de kinderen die op de speelplaats speelden. In de lucht hing een prettige geur van verbrand hout en kraakverse kabeljauw, uitgespreid op de toonbank van de visboer.

Dit was de plek waar hij geboren was.

Simpel.

Achtergebleven misschien.

Maar echt.

Hij was er trots op deel uit te maken van deze kleine, godvrezende gemeenschap die fier haar nederige arbeid verrichtte. En dan te bedenken dat hij zich er tot voor kort voor geschaamd had, en, als hem gevraagd werd waar hij vandaan kwam, antwoordde: 'Maremma. Niet ver van Siena.' Dat vond hij stoerder klinken. Edeler. Chiquer.

Wat een stommeling. Ischiano Scalo is een geweldige plek. Je moest blij zijn als je hier geboren was. En pas op zijn vierenveertigste begon hij dat in te zien. Misschien waren al die omzwervingen over de wereld, al die discotheken, al die nachten dat hij speelde in bars, nodig geweest om hem dat te doen inzien, hem weer de behoefte te doen voelen een overtuigd inwoner van Ischiano te zijn. Om terug te komen moest je eerst vluchten. Door zijn aderen stroomde boerenbloed. Zijn grootouders hadden zich hun hele leven krom gewerkt op die schrale, harde grond.

Hij liep langs de fourniturenwinkel van zijn moeder.

Een bescheiden winkeltje. In de etalage lagen panty's en onderbroeken keurig uitgestald. Een glazen deur. Een bord.

Daar zou zijn jeansstore verrijzen.

Hij zag het al voor zich.

De bloem in het knoopsgat van het dorp.

Hij moest maar eens gaan nadenken over de inrichting. Misschien zou hij een architect nodig hebben, uit Milaan of misschien zelfs uit Amerika, om hem te helpen de winkel zo goed mogelijk op te zetten. Op de kosten zou hij niet letten. Hij moest er maar eens met mama over praten. Haar overhalen tot een lening.

Erica zou hem ook helpen. Ze had veel smaak.

Na deze positieve overdenkingen pakte hij zijn Fiat Uno en reed naar de wasstraat. Hij liet hem tussen de borstels door glijden en stofzuigde vervolgens het interieur, waarbij hij hasjpeukjes, restjes patat en duizend andere viezigheden verwijderde die onder de stoelen terecht waren gekomen.

Hij keek even in het spiegeltje en begreep dat hij zich niet aan de eerste wet had gehouden: 'Behandel je eigen lichaam als een tempel.'

Lichamelijk was hij een wrak.

Het verblijf in Rome had hem doen verloederen. Hij had geen zorg meer besteed aan zijn uiterlijk en leek nu wel een holbewoner, met die baard en dat haar als van een stekelvarken. Hij moest beslist iets aan zichzelf doen voordat Erica kwam.

Hij stapte weer in de auto, ging de Via Aurelia op en stopte zeven kilometer verderop voor de schoonheidssalon van Ivana Zampetti, een enorme loods naast de snelweg, ingeklemd tussen een kwekerij en de meubelmakerij van de handwerklieden van Brianzo.

7

Ivana Zampetti, de eigenares, was een en al rondingen en tieten, met zwart haar à la Liz Taylor, een mond als van een zeebaars, een klein spleetje tussen haar voortanden, een neus die plastische chirurgie had ondergaan, en twee gulzige ogen. Ze liep rond op gezondheidssandalen en in een witte bloes waardoorheen stevig vlees en kant schemerde, en was gehuld in een wolk van zweet en deodorant.

Ivana was halverwege de jaren zeventig van Fiano Romano naar Orbano gekomen en had daar werk gevonden als manicure in een kapsalon. Binnen een jaar was het haar gelukt met de oude eigenaar, een kapper, te trouwen en had ze de leiding over de salon overgenomen. Ze had de salon getransformeerd tot een echte kapperszaak: de inrichting veranderd, het lelijke behang eraf getrokken en vervangen door spiegels en marmer, en ze had wasbakken en droogkappen laten plaatsen. Twee jaar later overleed haar echtgenoot midden in de hoofdstraat van Orbano, geveld door een hartinfarct. Ivana had de huizen in San Folco, die hij haar had nagelaten, verkocht en twee nieuwe kapsalons in de buurt geopend, een in Casale del Bra en een in Borgo Carini. Eind jaren tachtig was ze een keer in de zomer naar Orlando gegaan om daar op bezoek te gaan bij verre familieleden, emigranten, en daar had ze de Amerikaanse fitnesscentra gezien: tempels van het welbevinden en de gezondheid. Toegeruste klinieken waar men zich bezighield met het lichaam, van het puntje van je tenen tot het topje van je kruin. Modderbaden. Zonnebanken. Massages. Hydrotherapie. Lymfedrainage. Peeling. Gymnastiek. Stretching en gewichten.

Ze was teruggekomen met grootse ideeën in haar hoofd die ze onmiddellijk had gerealiseerd. Ze had de drie kapsalons van de hand gedaan en een loods aan de Via Aurelia gekocht waar landbouwmachines werden verkocht, en had die omgetoverd tot een multi-specialistisch centrum voor de verzorging en het welzijn van het lichaam. Nu werkten daar tien man personeel, onder wie instructeurs, schoonheidsspecialistes en paramedici. Ze was schatrijk geworden en zeer begeerd door de vrijgezellen uit de omgeving. Maar ze zei dat ze trouw bleef aan de herinnering aan de oude kapper.

8

Toen Graziano binnenkwam, werd hij blij verwelkomd door Ivana, die hem tussen haar geurende borsten drukte en zei dat hij eruitzag als een lijk. Zij zou hem weer als nieuw maken. Ze stelde hem een fitnessplan voor. Eerst een hele reeks massages, huidverstevigende algenbaden, integrale zonnebank, haarkleuring, manicure en pedicure, en *dulcis in fundo*, iets wat zij recreatieve-revitaliserende therapie noemde.

Als Graziano terug was in Ischiano, onderwierp hij zich altijd heel graag aan Ivana's therapie.

Een reeks massages die ze zelf bedacht en uitsluitend na sluitingstijd uitvoerde, en alleen bij mensen die ze een dergelijk privilege waardig achtte. Massages die dienden ter revitalisering en stimulering van zeer specifieke organen en waarna je je een paar dagen voelde als Lazarus die uit het graf is herrezen.

Maar die dag sloeg Graziano haar aanbod af. 'Ivana, sorry hoor, maar je moet weten dat ik binnenkort ga trouwen.'

Ivana omhelsde hem en wenste hem een gelukkig leven en een heleboel kinderen toe.

Drie uur later verliet Graziano het centrum en ging langs bij Scottish House in Orbano om wat kleren te kopen waardoor hij zich meer in overeenstemming zou voelen met het landleven dat spoedig zou beginnen.

Kosten: negenhonderddertigduizend lire.

En kijk hem nu staan, onze held, voor de deuren van de Stationsbar.

Hij was er klaar voor.

Zijn savannekleurige, glanzende, zachte haar rook naar balsem. Zijn geschoren kaken roken naar Égoïste. Zijn blik was donker en levendig. Zijn huid bevatte weer melanine en had eindelijk weer die kleur die het midden houdt tussen hazelnoten en brons, die de Scandinavische vrouwen het hoofd op hol bracht.

Hij leek wel een gentleman uit Devon na een vakantie op de Malediven: het groene flanellen shirt, de broek van donkerbruin ribfluweel met brede rib, het Schotse gilet in de kleuren van de Dundeeclan (dat had de verkoper hem verteld), een tweedjasje met opgestikte zakken en een paar Timberlands.

Graziano duwde de deur open, zette twee langzame, uitgemeten stappen à la John Wayne, en liep naar de bar.

Barbara, de twintigjarige barkeepster, werd bijna onwel toen ze hem zag binnenkomen. Zomaar, van het ene moment op het andere. Zonder trompetgeschal of fanfares ter inhuldiging. Zonder herauten die de naderende komst aankondigden.

Biglia!

Hij was terug.

De vrouwenverslinder was terug.

Het sexsymbool van Ischiano was weer hier. Was weer hier om het vuur van zijn nooit gebluste erotische obsessies weer op te porren, om jaloezieën aan te wakkeren, om van zich te doen spreken.

Na zijn performances in Riccione, Goa, Port France, Battipaglia en Ibiza, was hij weer hier.

De man die in de *Maurizio Costanzo Show* was uitgenodigd om te praten over zijn ervaringen als latin lover, de man die de Trumbadour-beker had gewonnen, die samen met de gebroeders Rodriguez in de Planet Bar had gespeeld en die een affaire had gehad met de actrice Marina Delia, was terug (de pagina in *Novella 2000* met de foto's van Graziano die op het strand van Riccione Marina Delia's rug masseert en hals kust, had zes maanden naast de flipperkast gehangen en heerste nu nog steeds onbetwist tussen de naaktkalenders over het kantoortje van Roscio), de man die het versierrecord van de beroemde Peppone had verslagen (driehonderd vrouwen in één zomer, volgens de krant), was weer hier.

Indrukwekkender en beter in vorm dan ooit.

Zijn leeftijdgenoten die huisvaders waren geworden, uitgeblust door een monotoon, saai leven, leken wel kale, grijze buldogs, terwijl Graziano...

(*Wat zou toch zijn geheim zijn?*)

...met de jaren alleen maar mooier en interessanter werd. Wat stond dat buikje hem goed. En die kraaienpootjes rond zijn ogen, die rimpeltjes naast zijn mond, die heel licht kalende slapen, dat alles gaf hem iets...

'Graziano! Wanneer ben je teruggek—' zei Barbara, de barkeepster, rood als een biet.

Graziano legde een vinger op zijn mond, pakte een kopje, sloeg daar hard mee op de bar en schreeuwde vervolgens: 'Wat is dit voor een klotetent? Wordt een oude dorpsgenoot die naar huis terugkeert niet meer begroet? Barbara! Een rondje voor iedereen.'

De kaartende oude mannen, de jongens achter de videospelletjes, de jagers en de politieagenten, allemaal draaiden ze zich tegelijk om.

Er waren ook vrienden van hem bij. Zijn hartsvrienden van vroeger. Zijn oude makkers in het kattenkwaad. Roscio, de gebroeders Franceschini en Ottavio Battilocchi zaten aan een tafeltje de toto in te vullen en lazen de *Corriere dello Sport*, maar toen ze hem zagen stonden ze op, omhelsden hem, kusten hem, woelden door zijn haar en hieven koorzangen aan. 'Zo'n goeie hebben wij nog niet gehad. Zo'n goeie hebben wij nog niet gehad. Zo'n goeie hebben wij nog niet gehad. En we zijn hem nog lang niet zat!' En nog meer liederen, nog kleurrijker en kameraadschappelijker, die we maar beter snel kunnen overslaan.

Zo wordt in die contreien de terugkeer van de verloren zoon gevierd.

En kijk hem nu weer staan, een half uur later, in het restaurantgedeelte van de Stationsbar.

Het restaurantgedeelte was een vierkante ruimte achter in de bar. Met een laag plafond, een lange, gele tl-buis, een paar tafeltjes. Een raam dat uitkeek op de spoorlijn. Aan de muur litho's van antieke treinen.

Hij zat aan een tafeltje met Roscio, de twee Franceschini-broertjes en de jonge Bruno Miele, die speciaal voor de gelegenheid was gekomen. Alleen Battilocchi ontbrak, want die moest met zijn dochter naar de tandarts in Civitavecchia.

Ze zaten achter vijf dampende borden tagliatelle met hazenpeper. Een karaf rode wijn. En een schaal met plakjes worst en olijven.

'Jongens, dit is pas het ware leven. Jullie weten niet hoezeer ik dit heb gemist,' zei Graziano en hij wees met zijn vork naar de pasta.

'En, wat ga je dit keer doen? Inpakken en wegwezen, net als altijd? Wanneer vertrek je weer?' vroeg Roscio, terwijl hij zichzelf nog eens bijschonk.

Sinds hun vroegste jeugd was Roscio de hartsvriend van Graziano geweest. Toen was hij een mager jongetje met een bos peenkleurige krullen, traag van tong maar als een fret zo rap met zijn handen. Zijn vader had een autosloop aan de Via Aurelia en handelde in gestolen onderdelen. Roscio leefde tussen die schroothopen, haalde motoren uit elkaar en zette ze weer in elkaar. Op zijn dertiende reed hij rond op een Guzzi 1000, en op zijn zestiende deed hij mee aan wedstrijden op het viaduct van de Pratoni. Op zijn zeventiende kreeg hij op een nacht een afgrijselijk ongeluk. De motor was afgeslagen, hij had met honderdzestig kilometer per uur abrupt geremd en was als een raket van het viaduct afgeschoten. Zonder helm. De volgende dag werd hij gevonden, halfdood en gammel als een mier waar een woordenboek op is gevallen. Hij moest acht maanden in het gips met drieëntwintig botbreuken en ontwrichtingen en meer dan vierhonderd hechtingen zowat overal over zijn lichaam verspreid. Zes maanden in een rolstoel en zes maanden met krukken. Op zijn twintigste liep hij zichtbaar mank en kon hij één arm niet goed meer buigen. Op zijn eenentwintigste had hij een meisje uit Pitigliano zwanger gemaakt en was met haar getrouwd. Nu had hij drie kinderen, en na de dood van zijn vader was hij eigenaar van de onderneming geworden en had hij ook een kantoortje opgezet. En waarschijnlijk deed hij net als zijn vader in louche zaakjes. Graziano ging na het ongeluk niet meer met hem om. Zijn karakter was veranderd, hij was somber geworden, had plotselinge woedeaanvallen, dronk en in het dorp werd gezegd dat hij zijn vrouw sloeg.

'Met wie doe je het tegenwoordig, oude versierder? Ben je nog steeds met die ene, dat stuk, die actrice...?' Bruno Miele praatte met volle mond. 'Hoe heet ze ook alweer? Marina Delia? Heeft die niet een nieuwe film gemaakt?'

Bruno Miele was in de twee jaar dat Graziano afwezig was geweest, groot geworden en politieagent. Wie had dat ooit gedacht? Iemand als Miele, een notoire klier, die verstandig werd en handhaver van de wet? Het leven in Ischiano Scalo ging verder, langzaam maar onverbiddelijk, ook zonder Graziano.

Miele aanbad hem als een god nadat hij erachter was gekomen dat zijn vriend een affaire had gehad met een beroemde actrice.

Maar die toestand was als een open zenuw voor de arme Graziano. De foto's in de *Novella 2000* waren hem zeer van pas gekomen, hij was een plaatselijke mythe geworden, maar tegelijkertijd maakten ze dat hij zich een beetje schuldig voelde. Allereerst omdat hij nooit verloofd was geweest met Delia. Delia ging naar het strand bij strandtent Aurora in Riccione en toen ze een paparazzo van de *Novella 2000* zag die koortsachtig op zoek was naar vips, was ze gaan trillen. Ze had onmiddellijk het bovenstuk van haar bikini uitgetrokken en was gaan schreeuwen. Ze was alleen. De Franse zondagsacteur met wie ze het in die tijd deed, had zich in het hotel opgesloten met negenendertig graden koorts vanwege een voedselvergiftiging. Alleen een jonge, oerdomme Fransoos kan mossels van de trossen plukken in de haven van Riccione, ze ter plekke rauw opeten en dan zeggen dat zijn vader een Bretonse visser was. Eigen schuld, dikke bult. Maar nu zat Marina in de problemen. Ze moest onmiddellijk iemand vinden die de rol van aangever kon spelen. Ze was naar de branding gerend om een goed uitziende jongeman te zoeken om mee te poseren. Razendsnel had ze alle dikzakken, spetters en badmeesters van het strand de revue laten passeren en uiteindelijk Graziano uitgekozen. Ze had hem gevraagd of hij alsjeblieft haar tieten wilde insmeren en haar wilde kussen zodra dat mannetje daar, die met dat fototoestel, langs zou lopen.

Dat was het verhaal van de beroemde foto's.

En waarschijnlijk zou het daarbij zijn gebleven, als Marina Delia, na een film met een Toscaanse komiek, niet een van de meest geliefde sterren van Italië was geworden en had besloten nooit ook nog maar één vierkante centimeter bloot te laten zien, zelfs niet voor een miljoen dollar. Dit waren de enige foto's van Delia's tieten. Graziano had er minstens een paar jaar op geteerd, rondbazuinend dat hij haar de volle laag had gegeven van voren én van achteren, in de lift en in de jacuzzi, bij mooi en bij slecht weer. Maar nu moest het afgelopen zijn. Het was nu vijf jaar geleden. En elke keer als hij in Ischiano kwam begon iedereen weer over Marina Delia, die trut.

Wat een gezeik!

'Ik heb ergens gelezen dat ze verloofd is met een of andere voetballer,' ging Miele verder, met zijn hoofd in de fettuccine.

'Ze heeft jou gedumpt voor een middenvelder van Sampdoria. Sampdoria? Kun je het je voorstellen?' grijnsde Giovanni, de oudste van de Franceschini-broertjes.

'Als het nou nog Lazio was geweest,' echode Elio, de jongste, er achteraan.

De gebroeders Franceschini bezaten een zeebaarskwekerij in de lagune van Orbano. De zeebaarzen van de Franceschini's kon je herkennen omdat ze allemaal twintig centimeter lang waren, zeshonderd gram wogen, glazige ogen hadden en smaakten naar gekweekte forel.

De broers waren onafscheidelijk, woonden in een boerderij vol muggen naast de kweekvijvers samen met hun vrouwen en kinderen en iedereen vergat steeds wie nu de vrouw en kinderen van de een en van de ander waren. Van de zeebaarzen konden ze net rondkomen, maar ze werden er beslist niet rijk van en ze waren genoodzaakt te ruziën over wie het bestelbusje mocht gebruiken om 's avonds een biertje te gaan drinken.

Graziano besloot dat het moment was gekomen om Delia naar de andere wereld te helpen.

Hij twijfelde of hij het nieuws over zijn toekomst aan zijn vrienden zou vertellen. Het was beter om niet over de jeansstore te beginnen. Je ideeën kunnen in een oogwenk gejat worden. En in een dorp hebben nieuwtjes vleugels en als je niet oppast is een of andere klootzak je nog voor. Eerst moest hij alles goed opzetten, de Milanese architect bellen, en dan pas zou hij het vertellen. Maar het andere nieuws, dat veel mooiere, waarom zou hij dat niet vertellen? Waren dit soms niet zijn vrienden? 'Luister, ik moet jullie iets vertel—'

'We luisteren. Wat heb je nou weer uitgespookt? Vertel je het ons zelf of moeten we het in de krant lezen?' onderbrak Roscio hem terwijl hij Graziano's glas tot aan de rand bijvulde met die venijnige wijn die zich liet drinken als limonade maar vervolgens naar je kop steeg en je als een citroen leegkneep.

'Hij zal Simona Raggi wel genaaid hebben. Wie zou hij gepakt hebben?' zei Franceschini junior. 'Nee, volgens mij Andrea Mantovani. Nichten zijn tegenwoordig in de mode,' concludeerde senior terwijl hij met zijn hand wuifde.

En iedereen lachte, als imbecielen.

'Een ogenblik stilte graag.' Graziano, die zenuwachtig werd, tikte met zijn vork tegen het glas. 'Hou eens op met die flauwekul en luister naar me. De tijd van de actricetjes en de records is voorbij. Voorgoed voorbij.'

Gehoon. Gelach. Elleboogstoten.

'Ik ben nu vierenveertig, ik ben geen kind meer. Toegegeven, ik heb mijn lolletjes gehad in het leven, ik ben de wereld rond geweest, ik heb zo veel vrouwen in mijn bed gehad dat ik van velen niet eens meer het gezicht herinner.'

'Maar wel de kont, wed ik,' zei Miele, als een kind zo blij over die geweldige grap die hem was ontglipt.

Weer gehoon. Weer gelach. Weer elleboogstoten.

Graziano begon zich te ergeren. Met die idioten was een serieus gesprek niet mogelijk. Genoeg. Hij moest het nu zeggen. Zonder te veel inleidingen. 'Jongens, ik ga trouwen.'

Applaus barstte los. Koren. Fluitconcerten. Vanuit de bar kwamen mensen binnen die meteen op de hoogte werden gesteld. Meer dan een kwartier lang heerste er een grote chaos.

Graziano die ging trouwen? Onmogelijk! Absurd!

Het bericht verliet de bar, verspreidde zich als een virus en binnen een paar uur wist het hele dorp dat Biglia ging trouwen.

Vervolgens, eindelijk, na de kussen, de omhelzingen en de heildronken, keerde de rust terug.

Ze waren weer met zijn vijven en Graziano kon zijn onderbroken verhaal voortzetten. 'Ze heet Erica. Erica Trettel. Rustig allemaal, ze is niet Duits, ze komt uit de buurt van Trento. Ze is danseres. Morgen komt ze hier, ze zei dat ze niet van dorpen houdt, maar ze kent Ischiano Scalo nog niet. Ik weet zeker dat ze het hier fijn zal vinden. Ik wil dat ze het naar haar zin heeft, dat ze zich hier op haar gemak voelt. Dus denk erom, jullie moeten me helpen...'

'En wat moeten wij dan doen?' vroegen de gebroeders Franceschini in koor.

'Gewoon... We zouden bij voorbeeld iets leuks kunnen organiseren morgenavond.'

'Wat dan?' vroeg Roscio confuus.

Dit was een van de problemen van dat dorp: als je iets leuks wilde gaan doen, raakte je in een soort betovering, dan was je hoofd opeens leeg en daalde je IQ met een paar punten. Het was namelijk zo dat er in Ischiano Scalo helemaal geen moer te doen was.

Er viel een zorgwekkende stilte over de groep, ieder gevangen in zijn eigen pneumatische leegte.

Wat kunnen we verdomme gaan doen? Iets gezelligs, dacht Graziano, *iets wat Erica leuk zal vinden.*

Hij stond op het punt te zeggen: we zouden naar de gebruikelijke klotepizzeria Del Carro kunnen gaan, toen hij werd getroffen door een visioen, een visioen dat hem regelrecht in een roes bracht.

Het is nacht.

Erica en hij stappen uit de Fiat Uno. Hij draagt een Sandek-windsurfpak, zij een microscopische oranje bikini. Allebei lang, allebei strak in het vel, allebei mooi als Griekse goden. Mooier dan de strandwacht uit *Baywatch*. Ze lopen over de modderige parkeerplaats. Hand in hand. Het is koud maar dat geeft niet. Rook. Zwavelgeur. Ze stappen in de poelen en dompelen zich onder in het warme water. Ze raken elkaar aan. Hij maakt haar bovenstukje los. Hij trekt zijn Sandek-zwembroek uit.

Iedereen kijkt naar hen. Het geeft niet.

Integendeel.

En dan doen ze het, waar iedereen bij is.

Zonder enige schaamte.

Dat is wat ze moeten doen.

Saturnia.

Natuurlijk.

In de zwavelpoelen. Erica was daar nog nooit geweest. *Ze zal het heerlijk vinden om daar 's nachts in te gaan, onder die gloeiendhete waterval die, dat moeten we niet vergeten, ook nog goed is voor je huid.* En wat zal iedereen stinkend jaloers zijn.

Als ze het pin-uplichaam van Erica zien, als ze de cellulitisheupen van hun gezellinnen vergelijken met de gladde, stevige billen van Erica, als ze de hangborsten van hun vrouwen vergelijken met de marmeren tieten van Erica, als ze de gazellenbenen van Erica vergelijken met de plompe boomstammen van hun gedrochten, als ze zien hoe hij dat jonge veulen bestijgt voor ieders ogen, zullen ze zichzelf ongelooflijke klootzakken voelen en voor eens en voor altijd begrijpen waarom Graziano Biglia had besloten te gaan trouwen.

Toch?

'Jongens, ik heb een geniaal idee. We zouden kunnen gaan eten bij de Tre Galletti, dat eethuisje in de buurt van Saturnia, en daarna gaan zwemmen bij de watervallen. Wat vinden jullie ervan?' stelde hij enthousiast voor, alsof hij sprak over, noem maar wat, een gratis reis naar de tropen. 'Is dat niet schitterend?'

Maar de respons was niet gelijkgestemd.

De gebroeders Franceschini trokken een grimas. Miele stootte alleen maar een sceptisch 'Mmm' uit en Roscio zei, nadat hij de anderen had aangekeken: 'Ach, dat geniale plan lijkt me niet zo geschikt. Het is koud.'

'En het regent,' voegde Miele eraan toe terwijl hij een appel schilde.

'Jezus, wat zijn jullie een larven geworden! Jullie eten, slapen en

64

werken. Is dat alles wat jullie doen? Jullie zijn net lijken. Dood door te veel slapen. Herinneren jullie je die mooie avonden niet meer, dat we 's nachts buiten rondzwierven om ons te bezatten en daarna bommetje speelden in de vijver van Pitigliano en ons ten slotte lieten gaarstomen onder het watervalletje…'

'Wat mooi…' zei Giovanni Franceschini met zijn blik naar het plafond gericht. Zijn gezicht was zacht geworden en zijn ogen stonden dromerig. 'Weten jullie nog die keer dat Lambertelli een gat in zijn hoofd kreeg toen hij in een poel dook? Wat een grap. En ik werd toen versierd door een meisje uit Florence.'

'Dat was geen meisje, dat was een jongen,' wees zijn broer hem terecht. 'Hij heette Saverio.'

'En weet je nog toen we stenen gooiden naar het bestelbusje van die Duitsers, dat we daarna in het ravijn duwden?' mijmerde Miele in extase.

Iedereen lachte, meegesleept door de turbine van die mooie jeugdherinneringen.

Graziano wist dat dit het moment was om nog eens aan te dringen, te volharden. 'Nou dan, kom op, laten we gewoon nog eens gek doen. Morgenavond pakken we de auto en gaan we naar Saturnia. Eerst bezatten we ons in de Tre Galletti en daarna gaan we allemaal het water in.'

'Maar dat kost nogal wat, daar,' protesteerde Miele.

'Toe zeg, ga ik nou trouwen of niet? Wat een krenten zijn jullie!'

'Oké, laten we voor een keer eens gek doen,' zeiden de Franceschini's.

'Maar jullie moeten ook je vrouwen en vriendinnen meenemen, begrepen? We kunnen daar niet heen als een stel flikkers. Erica zou zich rot schrikken.'

'Maar die van mij heeft ischias…' zei Roscio. 'Straks verdrinkt ze nog in het water.'

'En Giuditta is net geopereerd aan een hernia,' meldde Elio Franceschini bezorgd.

'Mond houden. Zeg tegen die oudjes dat ze mee moeten. Wie heeft er bij jullie thuis de broek aan, jullie of zij?'

Ze spraken af dat het gezelschap om acht uur de volgende avond vanaf het dorpsplein zou vertrekken. En niemand mocht op het laatste moment verstek laten gaan, want zoals Miele zei: 'Wie niet meedoet met de strijd is een slappe keukenmeid.'

Graziano liep stralend en blij als een kind in Legoland naar huis.

'Wat goed dat ik uit die rotstad ben weggegaan. Wat goed. Rome, ik haat je. Ik walg van je,' herhaalde hij hardop.

Wat was het fijn in Ischiano Scalo en wat had hij fantastische vrienden. Hij was stom geweest dat hij ze al die jaren links had laten liggen. Hij voelde een innerlijke golf van genegenheid aanzwellen. Misschien waren ze wat ouder geworden, maar hij zou er wel voor zorgen dat ze weer in vorm raakten. Op dat moment voelde hij zich in staat alles voor dat dorp te doen. Na de jeansstore zou hij misschien een pub, zo'n Engelse, kunnen openen, en verder... En verder was er nog een heleboel te doen.

Hij hield de leuning vast terwijl hij de trap opliep, en ging zijn huis binnen.

Er hing een uiengeur zo scherp dat je haren ervan overeind gingen staan.

'Jezus, wat een stank, ma. Wat zit je daarbinnen uit te spoken?' Hij liep naar de keuken.

Mevrouw Biglia was bezig een kraanvogel, of een ezel – aangezien het dode beest nauwelijks op het tafelblad paste – in stukken te hakken.

'Auuuuaaaaauuuuaaaa,' jankte zijn moeder.

'Wat zeg je? Ik versta je niet, ma. Ik versta er helemaal niets van,' zei Graziano, leunend tegen de deurpost. Toen wist hij het weer: 'O ja. De belofte.' Hij draaide zich om en sleepte zich naar zijn kamer. Hij stortte neer op het bed en voordat hij in slaap viel, besloot hij dat hij morgen naar pater Costanzo zou gaan (*zou pater Costanzo er eigenlijk nog wel zijn? Het zou mooi zijn als hij dood was*) om te praten over de belofte van zijn moeder. Misschien kon hij die verbreken. Hij kon haar in deze toestand niet vertonen aan Erica. Toen zei hij tegen zichzelf dat er eigenlijk niets kwaads in school, zijn moeder was praktiserend katholiek en ook hij had als kind behoorlijk sterk in God geloofd.

66

Erica zou het wel begrijpen.

Hij viel in slaap.

En hij sliep de slaap der rechtvaardigen onder een poster van John Travolta ten tijde van *Saturday Night Fever*. Voeten die uit het bed staken. Mond wijdopen.

9

Sprinten. Sprinten. Sprinten.

Sprinten want het is al laat.

Sprinten en niet stoppen.

En Pietro sprintte. De helling af. Hij zag niets – wat was het donker – *maar wat kan mij het schelen*, hij trapte door het donker, met open mond. Het zwakke lampje van de fiets haalde weinig uit.

Hij boog zich voorover, liet zijn voet zakken en ging slippend over het grind door de bocht, richtte zich vervolgens weer op en schoot hard trappend verder. De wind suisde in zijn oren en deed zijn ogen tranen.

Hij kende de weg uit zijn hoofd. Elke bocht. Elk gat. Hij zou hem ook met gesloten ogen en zonder voorlicht kunnen rijden.

Hij moest een record verbeteren dat hij drie maanden geleden had gevestigd en sindsdien nog nooit had kunnen verbeteren. Maar wat had hij toch, die dag? Niemand die het wist.

Een bliksemschicht. Achttien minuten en achtentwintig seconden van Gloria's villa naar huis.

Misschien omdat hij de buitenband van zijn achterwiel had verwisseld?

Die keer was hij te ver gegaan. Zodra hij thuis was had hij zich misselijk gevoeld en had hij midden op de binnenplaats overgegeven.

Maar vanavond hoefde hij het record niet te verbeteren om de sport of omdat hij daar zin in had, maar omdat het tien over acht was en hij veel te laat was. Hij had Zagor niet in zijn hok gestopt en had de vuilnis niet buitengezet en de pomp van de moestuin niet afgesloten en…

…mijn vader maakt me af.

Sprinten. Sprinten. Sprinten.

En zoals gewoonlijk is het allemaal Gloria's schuld.

Ze liet hem nooit weggaan. 'Je ziet toch ook dat het afschuwelijk is zo. Help me tenminste met het schilderen van de letters... Het duurt maar even. Wat een rotjoch ben je toch...' drong ze aan.

En dus schilderde Pietro de letters en maakte hij vervolgens het blauwe lijstje voor de foto van de mug die bloed zoog en had hij niet gemerkt dat het intussen steeds later werd.

De poster over malaria was wel heel mooi geworden.

Juffrouw Rovi zou hem beslist in de gang ophangen.

Maar het was een grote dag geweest.

Na school was Pietro gaan eten bij Gloria.

In de rode villa op de heuvel.

Pasta met courgette en ei. Schnitzel. En patat. En o ja, roompudding.

Alles daar was prettig: de eetkamer met de ramen die uitkeken op het Engelse gazon, verderop de korenvelden en helemaal aan het eind de zee, en de grote meubels, en dat schilderij van de zeeslag bij Lepanto met de brandende schepen. En er was een meisje dat bediende.

Maar wat hij nog het prettigst vond was de gedekte tafel. Net als in een restaurant. Het spierwitte frisgewassen tafellaken. De borden. Het mandje met broodjes, focaccia en donkerbruin brood. De karaf met prikwater.

Alles perfect.

En het ging vanzelf dat hij netjes at, welopgevoed, met dichte mond. Geen ellebogen op tafel. Niet de restjes saus op je bord met brood opvegen.

Thuis moest Pietro het doen met wat er in de koelkast lag, of met het restje pasta dat op het fornuis stond.

Je pakt je bord en je glas en je gaat voor de tv aan de keukentafel zitten en je eet.

En als zijn broer Mimmo er was, dan kon hij zelfs geen tekenfilms kijken want die dwingeland pakte de afstandsbediening en keek naar soaps die Pietro verschrikkelijk vond.

'Eten en niet zeuren,' was het enige wat Mimmo zei.

'Bij Gloria thuis eten ze allemaal samen,' had Pietro zijn ouders eens verteld toen hij wat spraakzamer was dan gewoonlijk. 'Aan tafel. Net als in die serie over de Bradford-familie. Ze wachten tot Gloria's vader thuiskomt van zijn werk en dan gaan ze aan tafel. Je moet altijd eerst je handen wassen. Iedereen heeft zijn eigen plaats en Gloria's moeder vraagt altijd aan me hoe het op school was en zegt dat ik te verlegen ben en wordt boos op Gloria omdat zij zo veel praat en mij niet aan het woord laat. Een keer vertelde Gloria dat die stomme Bacci neuspeuters op het schilderij van Tregiani had geplakt en toen werd haar vader boos omdat ze geen vieze verhalen mocht vertellen aan tafel.'

'Natuurlijk, die hebben de hele dag niets te doen,' had zijn vader gezegd terwijl hij verderging met zich volproppen. 'Wat denk je, wij zouden ook best graag een dienstmeisje willen hebben. En vergeet niet dat je moeder daar thuis schoonmaakte. Jij staat dichter bij het dienstmeisje dan bij hun.'

'Waarom ga je daar niet wonen, je vindt het daar toch zo fijn?' had Mimmo eraan toegevoegd.

En Pietro had begrepen dat hij thuis maar beter niet kon praten over Gloria's familie.

Maar vandaag was een speciale dag geweest omdat ze na het eten met Gloria's vader naar Orbano waren gegaan.

Met de Range Rover!

Met de stereo aan en de lekkere geur van de leren bekleding. Gloria zong met een krachtige stem, als Pavarotti.

Pietro zat achterin. Zijn handen gevouwen. Hoofd tegen het raampje en de Via Aurelia die langs hem gleed. Hij keek naar buiten. De benzinepompen. De vijvers waar ze zeebaars kweekten. De lagune.

Hij zou het fijn hebben gevonden als ze zo verdergingen, zonder ooit te stoppen, helemaal tot aan Genua. Waar – dat had hij horen zeggen – het grootste aquarium van Europa was (en daar pasten zelfs dolfijnen in). Maar meneer Celani had zijn richtingaanwijzer aangezet en de afslag naar Orbano genomen. Op Piazza Risorgimento had hij zijn terreinwagen gewoon dubbel geparkeerd voor de bank, alsof het plein van hem was.

'Maria, als ik hem moet wegzetten, waarschuw me dan even,' had hij tegen de agente gezegd, die had geknikt.

Zijn vader zei dat meneer Celani een enorme klootzak was. 'Een en al vriendelijkheid. Een en al mooie praatjes. Een heer. Gaat u zitten... Hoe maakt u het? Wilt u een kopje koffie? Wat is uw zoon Pietro toch een aardige jongen. Hij is zo'n goede vriend van Gloria. Natuurlijk... Natuurlijk... Vanzelfsprekend. Klootzak! Hij heeft me met die hypotheek kapotgemaakt. Als ik dood ben heb ik hem nog niet afgelost. Dat soort mensen zou zelfs nog de stront uit je kont zuigen, als ze konden...'

Pietro kon zich niet echt voorstellen dat meneer Celani de stront uit de kont van zijn vader zou zuigen. Hij vond Gloria's vader aardig.

Hij is aardig. En hij geeft me geld om pizza te kopen. En hij heeft gezegd dat hij me een keer zou meenemen naar Rome...

Pietro en Gloria waren naar het ziekenhuis gegaan om meneer Colasanti op te zoeken.

Het ziekenhuis was een klein gebouw van drie verdiepingen, van rode baksteen, pal voor de lagune. Met een kleine tuin en twee grote palmbomen aan weerszijden van de ingang.

Hij was er al eens geweest, bij de eerste hulp. Toen Mimmo was gevallen bij het motorcrossen achter de Fontanile del Marchi en op de polikliniek was gaan schelden omdat de voorvork van zijn motor verbogen was.

Dokter Colasanti was een lange heer met een grijze baard en zwarte dichtbegroeide wenkbrauwen.

Hij zat achter zijn bureau in de spreekkamer. 'Zo jongens, dus jullie weten wie de beruchte Anopheles is?' had hij gevraagd terwijl hij zijn pijp opnieuw aanstak.

Hij had langdurig gepraat en Gloria had het opgenomen. Pietro had geleerd dat het niet de muggen zijn die je malaria bezorgen, maar de micro-organismen in het speeksel dat zij in je spuiten wanneer ze je bloed opzuigen. Een soort microben die binnendringen in je rode bloedlichaampjes en zich daar vermenigvuldigen. Het was gek om te bedenken dat muggen eigenlijk ook malaria hadden.

Met al deze aantekeningen konden ze onmogelijk níet een goed figuur slaan met hun spreekbeurt.

Donker en koud.

De wind zwiepte over de velden en duwde de fiets van de weg af en Pietro kon hem slechts met moeite recht houden. Wanneer er een spleet tussen de wolken verscheen, baadde de maan de velden, die tot in de verte reikten, tot de Via Aurelia, in geel licht. Zwarte golven joegen elkaar na over het zilveren gras.

Pietro trapte door, nam een binnendoorweggetje dwars door de velden en kwam bij Serra, een klein boerengehucht.

Hij schoot erdoorheen.

Hij vond het daar 's nachts helemaal niet prettig. Hij vond het er eng.

Serra: zes oude, haveloze huizen. Een loods die een paar jaar geleden was omgebouwd tot clubgebouw van de regionale afdeling van de communistische partij. De boeren en herders uit die streek kwamen daar hun lever ruïneren en *briscola* spelen. Er was ook een winkel, maar die was altijd leeg. En een kerk die gebouwd was in de jaren zeventig: een blok van gewapend beton met spleten in plaats van ramen en ernaast een klokkentoren die leek op een silo. Op de voorgevel brokkelde een mozaïek met een herrezen Christus af en de trap voor de deur lag vol gouden steentjes. De kinderen gebruikten die voor hun katapulten. Een zwakke lantaarn midden op het voorplein, een andere aan de straat en twee ramen van de communistenloods. Dat was de verlichting van Serra.

'Ach fa-zan-tje, blijf toch hier... tierelier... tierelier...'

Het leek op een spookstad uit de westerns.

Die smalle steegjes en die schaduwen van de huizen die dreigend langer werden op straat, dat hek dat klapperde in de wind en een hond die luid blafte achter een schutting.

Hij sneed af over het kerkpleintje en kwam weer op de weg. Hij ging in een andere versnelling en trapte harder op de pedalen, terwijl hij ritmisch in- en uitademde. Zijn voorlamp verlichtte maar een paar meter straat en verder was er de duisternis, de wind die ruiste tussen de olijfbomen, zijn ademhaling en het geluid van de banden van zijn fiets op het natte asfalt.

Nog even en hij was thuis.

Het kon nog lukken om eerder dan zijn vader thuis te zijn en geen

uitbrander te krijgen. Hij hoopte alleen dat hij hem niet zou tegenkomen op zijn tractor, op weg naar huis. Wanneer hij te bezopen was,
bleef hij tot sluitingstijd op de club, snurkend op een plastic stoel
naast de flipperkast, om zich vervolgens op de tractor te hijsen en naar
huis te gaan.

In de verte, op zo'n honderd meter afstand, naderden zigzaggend
drie zwakke lichten. Ze verschenen en verdwenen.

Gelach.

Fietsen.

'Everzwijntje...'

Wie kon dat zijn op dit tijdstip?

'...blijf toch...'

Op dit tijdstip fietst er niemand meer, behalve...

'...staan...'

...zij.

Adieu record.

Nee. Zij zijn het niet.

Ze naderen langzaam. Rustig.

'Eeeeh. Eeeeh. Eeeeh'

Zij zijn het.

Die stompzinnige lach, snerpend als een nagel over een schoolbord
en stotterend als het balken van een ezel, weerzinwekkend, misplaatst
en gekunsteld...

Bacci.

Zijn adem stokte in zijn keel.

...Bacci.

Alleen die idioot Bacci kon zo lachen. Want om zo te lachen moest
je wel een idioot zijn zoals Bacci.

Zij zijn het. Godverdegodver...

Pierini.

Bacci.

Ronca.

Het laatste wat hij op dat moment kon gebruiken.

Die drie wilden hem dood hebben. En het meest absurde was dat
Pietro niet wist waarom.

Waarom haten ze me? Ik heb ze niets misdaan.

Als hij had geweten wat reïncarnatie was, had hij nog kunnen denken dat die drie jongens boze geesten waren, die hem straften voor iets wat hij in een vorig leven had begaan. Maar Pietro had geleerd niet al te lang te blijven stilstaan bij de vraag waarom het ongeluk hem voortdurend achtervolgde.

Uiteindelijk dient het toch nergens toe. Als je klappen moet krijgen, dan krijg je die en daarmee uit.

Met zijn twaalf jaar had Pietro besloten niet te veel tijd te verdoen met voortborduren op het waarom van de dingen. Dat was nog veel erger. Everzwijnen vragen zich ook niet af waarom het bos brandt en fazanten vragen zich niet af waarom jagers hen doodschieten.

Ze vluchten en daarmee uit.

Dat is het enige wat je kunt doen. In dit soort gevallen moet je 'm peren, sneller dan het licht en als dat niet kan, als ze je klemrijden, dan moet je je oprollen als een egel en ze laten uitrazen tot ze tevreden zijn, net als bij een hagelbui die je overvalt als je buiten loopt te wandelen.

Maar wat moet ik nu doen?

Razendsnel overdacht hij de verschillende mogelijkheden.

Zich verstoppen en ze laten passeren.

Hij kon zich beslist verstoppen in de velden en wachten.

Denk je eens in hoe mooi het is om onzichtbaar te zijn. Net als die vrouw in de Fantastic Four. *Ze rijden langs en ze zien je niet. Jij zit daar en zij zien je niet. Geweldig. Of beter nog, niet eens bestaan. Er gewoon helemaal niet zijn. Niet eens geboren zijn.*

(Hou op. Denk na!)

Ik verstop me in het veld.

Nee, dat was onzin. Ze zouden hem zien. *En als ze je snappen terwijl jij je verstopt als een konijn, dan zit je echt in de penarie. Als je laat zien dat je bang bent, dan kun je het echt wel schudden.*

Misschien was omkeren wel het beste. Vluchten naar de communistenclub. Ze zouden hem achtervolgen. Net zo goed als hij hun voorlichten had gezien, hadden zij het zijne gezien. En voor die geestelijk gestoorden bestond er niets leukers dan een fijne, nachtelijke klopjacht op de Eikel.

Dat maakte ze blij.

Een achtervolging?

Hij wist dat hij snel was. Sneller dan wie ook op school, maar als hij een wedstrijdje deed verloor hij. En nu was hij ook nog eens doodmoe.

Hij was doodmoe, zijn benen konden niet meer en zijn kuiten waren hard als hout.

Hij zou het niet lang volhouden. Hij zou opgeven en dan...

Het enige was (uiterlijk) kalm verdergaan, hen passeren, groeten en hopen dat ze hem met rust zouden laten.

Ja, dat moet ik doen.

Hij was nu op vijftig meter afstand. Ze kwamen ontspannen pratend en lachend dichterbij en vroegen zich waarschijnlijk af van wie die naderende fiets was. Nu hoorde hij de lage stem van Pierini, de falset van Ronca en de schaterlach van Bacci.

Alledrie.

In gevechtsformatie.

Waar gingen ze naar toe?

Zeker naar Ischiano Scalo, naar de bar, waar anders?

10

Hij had gelijk, de drie vrienden gingen inderdaad naar de bar.

Wat konden ze anders doen? Elkaar bijten en knijpen, elkaar kopstoten geven, standbeeldje spelen, huiswerk maken? Het enige was zich bezatten in de bar, kijken naar de biljartende oudjes en proberen wat muntjes van achter de bar te pikken om een paar wedstrijdjes 'Mortal Kombat' te spelen.

Godkolere.

Die gedachte werd door alledrie gedeeld.

Het probleem was dat alleen Federico Pierini het zich kon veroorloven te doen wat hij wilde, schijt te hebben aan zijn vader, niet thuis te komen en tot diep in de nacht te blijven rondhangen. Andrea Bacci en Stefano Ronca hadden echter iets meer problemen bij het hanteren van de vader-zoonrelatie, maar volgden met opeengeklemde kaken en elkaar uitscheldend, de benen onder elkaars kont vandaan trappend, hun natuurlijke leider.

Ze fietsten kalm naast elkaar door het donker, midden op de weg. Kalm als een roedel jonge prairiehonden op jacht.

Prairiehonden, de wolven van de Afrikaanse graslanden, leven in roedels. De jongste vormen echter een aparte groep buiten de familiekern. Bij de jacht werken ze samen en steunen ze elkaar, maar ze kennen een strenge hiërarchie die wordt vastgesteld door middel van rituele gevechten. De leider, de grootste en moedigste (alfa) bovenaan, en onderaan de ondergeschikten. Ze zwerven begerig over de savannes op zoek naar voedsel. Ze vallen nooit de gezondste dieren aan, alleen zieke of oude beesten en jongen. Ze omsingelen een gnoe, verdoven hem met hun geblaf en vliegen hem dan met zijn allen aan, met hun krachtige kaken en scherpe tanden, totdat hij op de grond valt en – in tegenstelling tot de katachtigen die eerst de wervelkolom breken – vreten hem levend op.

Federico Pierini, de alfa-reu van de roedel, was veertien jaar oud.

Hij zat nog op de middenbouw omdat hij twee keer was blijven zitten.

Een aantal Amerikaanse neurofysiologen heeft onderzoek gedaan naar gevangenispopulaties in de Verenigde Staten. Ze hebben de gewelddadigste en slechtste individuen (vechtersbazen, verkrachters, moordenaars enzovoorts) geselecteerd en de lijnen van hun elektroencefalogrammen geanalyseerd. Ze gebruikten geen standaard elektro-encefalogram, dat de gemiddelde elektrische activiteit van de hersenen analyseert, maar een verfijnder type dat in staat is de specifieke elektrische activiteiten van elk gebied van de cortex te registreren. Ze bedekten hun schedels met elektroden en lieten hen vervolgens een documentaire zien over de industriële productie van gymschoenen.

De neurofysiologen hebben ontdekt dat in het merendeel van de gevallen de activiteit van het frontale gebied van deze individuen klein was en zwakker vergeleken bij die van normale (goede) personen.

Het frontale hersengebied is belast met de verwerking van signalen van buitenaf. Om kort te gaan: daar zetelt het vermogen je te concentreren, bij voorbeeld om naar een film te kijken en die tot het einde af te zien, ook al is die stomvervelend, zonder je te laten afleiden of onrustig te worden of je buurman te gaan te storen, maar hooguit te snuiven en zo nu en dan op je horloge te kijken.

Met dit onderzoek is men tot de hypothese gekomen dat gewelddadige personen een gering concentratievermogen hebben en dat dat op een bepaalde manier verband houdt met hun geweldsuitbarstingen. Het is alsof gewelddadige mensen onderhevig zijn aan een rusteloosheid die ze niet kunnen temperen en hun aanvallen van agressiviteit een soort ontlading zijn.

Dus als je per ongeluk tegen een auto bent aangereden en de bestuurder stapt uit met een krik in zijn hand met de bedoeling jou daarmee je kop in te slaan, probeer hem dan niet te sussen door hem een boek te geven over kometen of een abonnement op een filmtijdschrift, dat zou niet helpen. In zo'n geval kun je 'm beter, om met Pietro Moroni te spreken, peren.

Dit alles om twee dingen uit te leggen:

1) Federico Pierini was de slechtste jongen uit de hele omtrek.

2) Federico Pierini was op school een ramp. De leraren zeiden dat hij zich niet kon concentreren en gaven de Amerikaanse neurofysiologen daarmee impliciet gelijk.

Hij was lang, mager en goed geproportioneerd. Hij knipte zijn snor bij en droeg een oorringetje. Een kromme neus scheidde twee kleine ogen, zwart als kool en altijd halfgesloten. Over zijn voorhoofd viel een ravenzwarte pony met een witte streep.

Hij bezat alle noodzakelijke eigenschappen om een roedelleider te zijn.

Hij wist overal raad mee.

Brutaal en met zelfverzekerde gebaren nam hij alle beslissingen maar gaf zijn minderen het gevoel dat het hun eigen keuzes waren. Hij twijfelde nooit ergens aan. Zelfs de verschrikkelijkste dingen konden hem nauwelijks raken, alsof hij immuun was voor leed.

'Ik heb schijt aan de wereld,' zei hij altijd.

En dat was tamelijk waar. Hij had schijt aan zijn vader die volgens hem een arme mislukte idioot zonder ballen was. Hij had schijt aan zijn oma die een arm dement oud wijf was. Hij had schijt aan school en aan dat stel eikels van leraren.

'Ze moeten me niet dwarszitten' was, kort gezegd, zijn meest geliefde uitspraak.

Stefano Ronca was klein, donker, met krullend haar en een mond die altijd vochtig was. Kwiek als een vlo vol amfetamines, instabiel, klaar om een grote mond op te zetten tegen eenieder die hem belaagde en er bovenop te springen zodra de belager zich had omgedraaid. Hij had een scherpe stem, als van een wijsneuzige castraat, een brutale, hysterische toon die op je zenuwen werkte, en hij had de venijnigste en scherpste tong van de hele school.

Andrea Bacci, bijgenaamd Het Tussendoortje, vanwege zijn passie voor stukken pizza, had twee problemen:

1) Hij was de zoon van een smeris. 'En alle smerissen moeten sterven,' meende Pierini.

2) Hij was rond als een Edammer kaasje. Zijn gezicht bedekt met sproeten. Zijn blonde haar helemaal kort geknipt. Zijn kleine, uiteenstaande tanden waren verankerd met een gigantisch verzilverd apparaat. Wanneer hij praatte verstond je er geen woord van. Hij vermengde woorden met speeksel, hij sprak met een brouw 'r' en een slissende 'z'.

Als je hem zag, zo wit en rond, kreeg je spontaan de neiging hem in de maling te nemen, maar hij was een enorme rotzak.

Een enkele onbehoedzame had het wel eens geprobeerd, had tegen hem gezegd dat hij een gehaktbal was, bedekt met sproeten, maar die belandde vervolgens op de grond samen met Bacci die hem in zijn gezicht schopte. Er waren vier mensen nodig geweest om ze uit elkaar te halen en die dikzak had een kwartier lang gespuugd en onverstaanbare scheldwoorden geschreeuwd, terwijl hij bleef schoppen tegen de deur van de wc, waarin ze hem hadden opgesloten.

Alleen Pierini kon het zich veroorloven hem in de maling te nemen, want de belediging: 'Weet je wel dat je een ongelooflijke smeerlap bent wanneer je eet?' wisselde hij af met de meest vleiende en rake lofprijzingen. 'Jij bent zeker weten de sterkste van de hele school en als jij je echt kwaad maakt zou je volgens mij zelfs Fiamma lelijk kunnen toetakelen.' Hij hield hem in een staat van voortdurende onzekerheid en ontevredenheid. Soms zei hij dat hij zijn beste vriend was om vervolgens plotseling de voorkeur aan Ronca te geven.

De rangorde van Pierini's beste vrienden wisselde per dag, al naargelang zijn humeur. Soms verdween hij om met de grote jongens mee te gaan en liet hij ze allebei in de steek.

Kortom, Pierini was veranderlijk als een novemberdag en ongrijpbaar als een buizerd, en Ronca en Bacci maakten als twee rivaliserende geliefden ruzie om de aandacht van hun leider.

Bacci ging naast Pierini rijden. 'En wat doen we nu? Wat zullen we morgen tegen juffrouw Rovi zeggen?'

Ze moesten van de biologiejuffrouw een werkstuk maken over mieren en mierenhopen. Ze hadden besloten foto's te maken van de grote mieren in het bos van Acquasparta, alleen hadden ze het geld voor het fotorolletje geïnvesteerd in sigaretten en een pornoblaadje. Daarna hadden ze een condoomautomaat achter de apotheek van Borgo Carini gemold.

Ze hadden die uit de muur getrokken en op de treinrails gelegd. Toen de intercity voorbij kwam, was de automaat als een raket in de lucht gevlogen en vijftig meter verderop terechtgekomen.

Het enige resultaat was dat ze nu een hoeveelheid condooms bezaten die voldoende zou zijn om alle meisjes uit de omgeving drie keer te pakken. Het geldbakje zat nog steeds op zijn plek, opgesloten en ondoordringbaar als een Zwitserse kelderkluis.

Ze hadden zich achter een boom verstopt om de condooms uit te proberen.

Ronca had zijn snikkel in een condoom gewurmd en was begonnen vlug te masturberen terwijl hij rondsprong en zong: 'Kan ik met deze hier een roetmop naaien?'

Ja, want Pierini zei dat hij negerinnen op de Via Aurelia naaide. Hij vertelde dat hij met Riccardo, de ober van Il Vecchio Carro, en Giacanelli en Fiamma naar de zwarte hoeren ging. En dat hij het op een divan langs de kant van de weg had gedaan en dat die hoer het uitschreeuwde in het Afrikaans.

En wie zal het zeggen, misschien was het wel waar.

'Negerinnen zijn zo verpest, die voelen niet eens een lantaarnpaal. Die lachen als ze zo'n dingetje zien,' had Pierini gezegd terwijl hij Ronca's piemel bestudeerde.

Ronca had Pierini op zijn knieën gesmeekt de zijne te laten zien.

En Pierini had een sigaret opgestoken, geknipoogd en zijn pik te voorschijn gehaald.

Ronca en Bacci waren onder de indruk. Nu was het hun eindelijk duidelijk waarom de negerinnen het met hun leider deden.

Toen Bacci aan de beurt was, had die gezegd dat hij er niet zo'n zin in had. 'Flikker! Je bent een flikker!' had Ronca in extase geschreeuwd. En Pierini had daaraan toegevoegd: 'Of je laat hem zien, of je sodemietert op.'

En de arme Bacci was genoodzaakt geweest hem te voorschijn te halen.

'Wat is die klein... Kijk nou toch...' was Ronca begonnen met sarren.

'Omdat je zo'n vetzak bent,' had Pierini hem uitgelegd. 'Als je afvalt, groeit hij.'

'Ik ben al op dieet,' had Bacci hoopvol geantwoord.

'Ik heb gezien hoe jij op dieet bent. Gister heb je voor vijfduizend lire pizza gegeten,' had Ronca hem tegengesproken.

Het spel met de condooms was uit de hand gelopen toen Ronca erin was gaan pissen en helemaal in zijn nopjes met die gele bal aan zijn snikkel was gaan rondlopen. Pierini had hem met een peuk lek geprikt, Ronca's hele broek was nat geworden en hij had nog net niet gehuild.

Hoe dan ook, daarna waren ze in het bos mierenhopen gaan zoeken, maar ze hadden alleen maar kakkerlakken zo groot als hotelzeepjes gevonden, die ze met benzine hadden overgoten en als brandende bombardeerkevers op de mierenhopen hadden gelanceerd.

Ze hadden hun goede wil getoond.

'We kunnen tegen Rovi zeggen dat... dat we geen mierenhopen hebben gevonden. Of dat de foto's zijn mislukt,' hijgde Bacci.

Hoewel ze langzaam fietsten en het ijskoud was, slaagde Bacci er toch in te zweten.

'En jij denkt dat ze dat pikt...' protesteerde Ronca. 'Misschien kunnen we iets kopiëren. Foto's uit boeken knippen.'

'Nee. Morgen wordt er niet naar school gegaan,' verklaarde Pierini nadat hij een trekje had genomen van de sigaret die tussen zijn lippen bungelde.

Het was een ogenblik stil.

Ronca en Bacci namen het plan in overweging.

Eigenlijk was het de meest simpele en doeltreffende oplossing. Behalve dat...

'Nee. Dat kan echt niet. Morgen komt mijn vader me van school halen en als ik er dan niet ben... En trouwens, de vorige keer, toen we naar het strand zijn gegaan, toen heb ik ook op mijn donder gekregen,' zei Bacci timide.

'Ik kan ook niet,' voegde Ronca er plotseling heel ernstig aan toe.

'Wat zijn jullie toch altijd een klootzakken...' Pierini liet een paar seconden voorbijgaan zodat ze de gedachte tot zich konden laten doordringen, en vervolgde toen: 'Hoe dan ook, jullie hoeven niet te spijbelen. Morgen is het een vrije dag, morgen gaat niemand naar school. Ik heb een idee.'

Het was een idee dat al een tijdje in zijn hoofd spookte, en het was tijd om het in praktijk te brengen. Pierini had vaak geniale ideeën, en ze hadden altijd en hoe dan ook een vandalistische ondergrond.

Hier volgen er een paar. Met oud en nieuw had hij een rotje in de brievenbus gestopt. Hij had een keer de personeelsdeur van de Stationsbar geforceerd en sigaretten en snoepjes gejat. Ook had hij een keer de banden van juffrouw Palmieri's auto lek gestoken.

'Wat dan? Hoezo?' Ronca begreep er niets van. De volgende dag was het heel gewoon woensdag. Geen stakingen. Geen feestdag. Niks vrije dag.

Pierini nam de tijd, rookte zijn peukje op en gooide het ver weg zodat hij zijn vrienden overlaadde met verwachtingen.

'Oké, luister goed. We gaan nu naar school, nemen jouw kettingslot en sluiten daarmee het hek af,' en hij wees naar de ketting die onder het zadel van Bacci's fiets hing. 'Dan kan er morgenochtend niemand naar binnen en sturen ze iedereen naar huis.'

'Grandioos! Geniaal!' Ronca was vol bewondering. Hoe kwam Pierini toch op zulke ideeën?

'Duidelijk? Niemand gaat—'

'Ja, dat begrijp ik. Alleen...' Bacci leek niet helemaal blij met het plan. Hij hechtte veel waarde aan die fietsketting. Hij had een Graziella-fiets – klein en gammel zonder voorwielspatbord en als hij trapte kwamen zijn knieën tot aan zijn mond – en dat kettingslot dat hij van zijn vader had gekregen was het enige mooie aan de hele fiets. '...Die wil ik niet zomaar weggooien. Het kost een hoop geld. En daarbij kunnen ze dan ook mijn fiets jatten.'

'Ben jij nou helemaal getikt? Dieven spugen op jouw fiets. Als een dief die fiets ziet, moet hij kotsen. Sterker nog, de politie zou jouw fiets kunnen gebruiken als testmateriaal om dieven te pakken. Ze grijpen een dief en laten die jouw Graziella zien, als die dief dan gaat kotsen dan weten ze zeker dat hij een dief is,' hoonlachte Ronca.

Bacci liet hem zijn vuist zien. 'Sodemieter op, Ronca! Gebruik je eigen kettingslot maar!'

'Luister, Andrea,' kwam Pierini tussenbeide. 'Mijn kettingslot en dat van Stefano zijn niet sterk genoeg. Als de directeur morgenochtend de slotenmaker belt, zal die onze kettingsloten heel snel los hebben en dan moeten wij meteen naar binnen. Maar als hij jouw ketting ziet, kan hij die met geen mogelijkheid loskrijgen. Stel je voor, wij zitten allemaal rustig in de bar terwijl hij niet weet wat hij moet doen en de leraren vloeken als bootwerkers. Ze zullen de brandweer uit Orbano moeten laten komen. En dat allemaal dank zij jouw kettingslot. Duidelijk?'

'En dan hoeven we ons ook geen zorgen te maken over ons werkstuk over die kutmieren,' voegde Ronca eraan toe.

Bacci was verslagen.

Natuurlijk was het mooi om te weten dat zijn kettingslot een hele school en de brandweer van Orbano in zijn greep kon houden. 'Oké dan. We gebruiken dat van mij. Wat kan mij het ook schelen. Ik gebruik mijn oude slot wel voor mijn fiets.'

'Mooi! Laten we dan gaan!' Pierini was tevreden.

Nu moesten ze in actie komen.

Maar Ronca begon te lachen en zei almaar: 'Stomme idioten! Wat een stomme idioten zijn jullie! Wat een ezels! Het klopt niet...'

'Wat nou weer? En waarom lach je eigenlijk, imbeciel?' schoffeerde Pierini hem. Vroeg of laat zou hij hem nog eens zijn tanden uit zijn bek slaan.

'Jullie hebben aan één ding niet gedacht... hahaha.'

'Wat dan?'

'Iets heel vervelends. Hahaha.'

'Wat dan?'

'Italo. Die kan ons zien als we de ketting vastmaken... Uit het raam van zijn huis kan hij het hek heel goed zien. Die schiet—'

'Nou en? Wat zit je nou stom te lachen, hè? Er valt niets te lachen. Wat een kutzooi. Snap je niet dat we ons werkstuk morgen moeten inleveren als we die ketting niet vastmaken? Alleen een idioot als jij kan om zoiets gaan lachen.' Pierini gaf Ronca een harde duw, zodat die bijna van zijn fiets viel.

'Sorry...' piepte hij met neergeslagen ogen.

Maar Ronca had gelijk.

Het probleem was er.

Die klootzak van een conciërge kon de hele operatie in de war schoppen. Hij woonde naast het hek. En sinds er dieven hadden ingebroken bewaakte hij de school als een mastino napoletano.

De moed zonk Pierini in de schoenen.

Het kon allemaal erg gevaarlijk worden, Italo kon hen zien en het aan de directeur vertellen. Hij was gek, zo gek als een deur. Er werd gezegd dat hij een geladen dubbelloopsgeweer naast zijn bed had liggen.

Wat nu? De hele zaak afblazen... nee, dat bestaat niet.

Zo'n geniaal idee kon je niet laten varen alleen maar vanwege die oude zakkenwasser. Al moesten ze er als maden door de stront naar toe graven, ze zouden de ketting aan dat hek vastmaken.

Ik kan zelf niet gaan, bedacht hij. *Ik ben een maand geleden geschorst. Ronca moet het doen. Alleen is die zo ongelooflijk stom dat hij zich honderd procent zeker zal laten betrappen.*

Waarom had hij de grootste idioten van het hele dorp uitgekozen als vrienden?

Maar op dat moment verscheen er in de verte een fietslicht.

11

Rustig.
Rustig blijven.

Doe normaal. Laat niet zien dat je bang bent. En ook niet dat je haast hebt, dreunde Pietro in zichzelf op als een weesgegroetje.

Hij naderde langzaam.

Hoewel hij zichzelf had opgedragen dat hij het zich niet zou afvragen, bleef hij zichzelf toch kwellen met de vraag waarom die drie de pik op hem hadden.

Hij was hun favoriete speeltje. De muis waarop geleerd wordt hoe je je klauwen moet gebruiken.

Heb ik ze misschien iets misdaan?

Hij was nooit vervelend. Hij ging zijn eigen gang. Hij sprak met niemand. Hij liet iedereen begaan.

Jullie willen de leiders zijn, oké. Jullie zijn de hardste jongens van de school, oké.

Waarom lieten ze hem dan niet met rust?

En Gloria, die hen nog meer haatte dan hij, had wel duizend keer gezegd dat hij bij ze uit de buurt moest blijven, dat ze hem vroeg of laat zouden...

(*doodschoppen*)

...pakken.

Rustig.

Hij zag ze voor zich. Op een paar meter afstand.

Nu kon hij ze niet meer ontwijken, zich niet meer verstoppen, niets meer doen.

Hij remde af. Hij kon de zwarte silhouetten achter de fietslampen onderscheiden. Hij ging opzij om ze te laten passeren. Zijn hart bonkte in zijn borstkas, zijn speeksel was verdwenen en zijn tong was droog en gezwollen als een stuk schuimrubber.

Rustig blijven.

Ze praatten niet meer. Stil, midden op straat. Ze moesten hem hebben herkend. En ze waren zich aan het voorbereiden.

Hij kwam nog dichterbij.

Ze waren op tien, acht, vijf meter...

Rustig blijven.

Hij ademde diep in en dwong zichzelf zijn ogen niet neer te slaan en ze in het gezicht te kijken.

Hij was er klaar voor.

Als ze zouden proberen hem te omsingelen moest hij ze overrompelen en ertussendoor fietsen. En als ze hem niet pakten, moesten ze hun fietsen wel omkeren waardoor hij enige voorsprong zou krijgen. Misschien zou dat genoeg zijn om heelhuids thuis te komen.

Maar daarentegen gebeurde er iets ongelooflijks.

Iets absurds, nog absurder dan een marsmannetje tegenkomen op de rug van een koe die 'O sole mio' kweelt. Iets wat Pietro nooit had verwacht.

En wat hem volledig van zijn stuk bracht.

'Hé daar, Moroni, hoi. Ben jij het? Waar ga je heen?' hoorde hij Pierini vragen.

Het was ongelooflijk om verschillende redenen.

1) Pierini had hem geen Eikel genoemd.

2) Pierini sprak op een vriendelijke toon. Een toon die de stembanden van dat rotjoch voor die avond nog nooit hadden weten voort te brengen.

3) Bacci en Ronca begroetten hem. Ze wuifden als brave, welopgevoede kindertjes die hun tante begroeten.

Pietro was sprakeloos.

Opletten. Dit is een valstrik.

Hij bleef als een zwakzinnige midden op de weg stilstaan. Nu scheidden nog maar een paar meters hem van de drie.

'Hoi!' zeiden Ronca en Bacci in koor.

'H-hoi,' hoorde hij zichzelf antwoorden.

Waarschijnlijk was dit de eerste keer dat Bacci hem groette.

'Waar ga je heen?' vroeg Pierini nogmaals.

'...naar huis.'

'O. Naar huis...'

Pietro, voet op de trapper, stond klaar om weg te spurten. Als het een val was zouden ze vroeg of laat op hem af komen.

'Heb jij je biologiewerkstuk af?'

'Ja...'

'En waarover?'

'Over malaria.'

'O, mooi, malaria.'

Ondanks de duisternis kon Pietro zien dat Bacci en Ronca achter

Pierini stonden te knikken. Alsof ze plotseling alle drie in tropische ziekten gespecialiseerde microbiologen waren.

'Samen met Gloria?'

'Ja.'

'O, mooi. Zij is goed, hè?' Pierini wachtte het antwoord niet af en ging verder. 'Wij hebben een werkstuk gemaakt over mieren. Veel erger dan malaria. Luister, moet jij nu echt naar huis?'

Moet ik nu echt naar huis? Wat is dat voor een belachelijke vraag?

Wat moest hij antwoorden?

De waarheid.

'Ja.'

'O, wat jammer! Wij wilden juist iets... iets leuks gaan doen. Je zou zelfs mee mogen, het gaat jou trouwens ook aan. Jammer, we hadden het nog leuker gevonden als jij er ook bij had kunnen zijn.'

'Ja, dat is waar. Dat zouden we veel leuker hebben gevonden,' benadrukte Ronca.

'Veel en veel leuker,' herhaalde Bacci.

Een grote komedie. Drie inferieure acteurs en een inferieur script. Pietro begreep het onmiddellijk. En als ze probeerden hem nieuwsgierig te maken, vergisten ze zich. Hij had absoluut geen belangstelling voor hun leuke dingen.

'Het spijt me, maar ik moet nu naar huis.'

'Dat weet ik, dat weet ik. Maar met zijn drieën kunnen we het niet doen, we hebben een vierde nodig en we dachten dat jij... nou ja, dat jij ons kon helpen...'

Pierini's gezicht was verborgen in de duisternis. Pietro hoorde alleen zijn zoetsappige stem en de wind die door de bomen ruiste.

'Toe nou, het duurt maar even...'

'Wat duurt maar even?' Pietro spuugde de vraag uiteindelijk toch uit, maar met zo'n zachte stem dat niemand het verstond. Hij was genoodzaakt hem te herhalen. 'Wat duurt maar even?' Weer zette Pierini hem op het verkeerde been. Hij sprong van zijn fiets en pakte zijn stuur vast.

Goed zo. Het is hem weer gelukt. Hij heeft je weer te pakken.

Maar in plaats van hem te slaan, keek hij om zich heen en legde een arm om zijn schouders. Iets dat het midden hield tussen een houdgreep en een broederlijke omhelzing.

Bacci en Ronca kwamen ook dichterbij. Pietro had niet eens de tijd om te reageren of hij was al omsingeld en realiseerde zich dat ze hem nu in mootjes konden hakken.

'Luister. Wij willen het schoolhek afsluiten met een kettingslot,' fluisterde Pierini hem in zijn oor, alsof hij de vindplaats van een schat onthulde.

Ronca knikte tevreden. 'Geniaal, hè?'

Bacci liet hem de ketting zien. 'Met deze. Die kunnen ze nooit kapot krijgen. Hij is van mij.'

'En waarom?' vroeg Pietro.

'Dan is er morgen geen school, snap je? Wij vieren zorgen dat de school dicht blijft en dan gaan we dik tevreden naar huis. Iedereen zal zich afvragen: wie heeft dat gedaan? Nou, wij dus. En dan zijn we een hele tijd de helden. Stel je eens voor hoe kwaad de directeur en de onderdirecteur en alle anderen zullen zijn.'

'Wat vind je ervan?' vroeg Pierini.

Pietro wist niet wat hij moest antwoorden.

De zaak beviel hem helemaal niet. Hij wilde wél naar school gaan. Hij had zijn spreekbeurt voorbereid en wilde zijn werkstuk laten zien aan juffrouw Rovi.

En stel je voor dat je gesnapt wordt… Als zij willen dat jij ook meedoet, dan schuilt er vast en zeker ergens een addertje onder het gras.

'Nou, heb je zin om mee te doen?' Pierini haalde zijn pakje sigaretten te voorschijn en bood hem er een aan.

Pietro schudde zijn hoofd. 'Sorry, ik kan niet.'

'Waarom niet?'

'Mijn vader… wacht… op me.' Toen vatte hij moed en vroeg: 'Maar waarom willen jullie eigenlijk dat ik meega?'

'Zomaar. Omdat het iets stoers is… Dat kunnen we samen doen. Met z'n vieren gaat het makkelijker.'

Wat stonk dit zaakje!

'Sorry, maar ik moet nu naar huis. Ik kan echt niet.'

'Het duurt maar even. En denk aan morgen, bedenk wat de anderen van ons zullen zeggen.'

'Echt waar… ik kan niet.'

'Wat is er met jou aan de hand? Schijt je weer in je broek zoals gewoonlijk? Je bent bang, hè? Je moet gauw naar je papa toe, naar huisje, peuterkoekjes eten en plasje op het potje doen, hè?' onderbrak Ronca hem met dat hinderlijke stemmetje dat leek op het zoemen van een mug.

Daar heb je het, ze gaan je jennen en daarna slaan ze je in elkaar.

Pierini wierp een woeste blik op Ronca. 'Hou je bek, jij! Hij is niet bang! Hij moet gewoon naar huis. Ik moet ook zo naar huis.' En inschikkelijk: 'Anders vreet oma zich op.'

'En wat moet hij thuis dan doen wat zo belangrijk is?' hield Ronca stompzinnig vol.

'Dat gaat jou toch geen bal aan? Hij moet doen wat hij moet doen.'

'Ronca, bemoei je niet altijd met andermans zaken,' deed Bacci er een schepje bovenop.

'Hou op. Laat hem zelf in alle rust beslissen…'

De situatie was als volgt: Pierini bood hem een paar mogelijkheden aan.

1) Nee zeggen, en dan zou hij er een miljoen om hebben durven verwedden dat ze hem eerst zouden duwen en hem zodra hij op de grond lag, zouden gaan schoppen.

2) Met ze meegaan naar school en kijken wat er zou gebeuren. Er kon daar van alles gebeuren: ze zouden hem in elkaar slaan of hij zou weten te ontsnappen of…

Om eerlijk te zijn gaf hij van al die of's verreweg de voorkeur aan nu meteen afgeronseld te worden.

De goedmoedige Pierini was langzaam aan het verdwijnen. 'Nou?' vroeg hij en zijn toon klonk harder.

'Laten we gaan. Maar laten we het wel snel doen.'

'In een flits,' antwoordde Pierini.

12

Pierini was tevreden. Heel tevreden.

De Eikel had gehapt. Hij ging mee.

Hij was erin gestonken.

Hij moest wel compleet gestoord zijn om te denken dat ze iemand zoals hij nodig hadden.

Het was een makkie. Ik heb hem mooi ingepakt. Toe, ga nou met ons mee. We zullen helden zijn. Hoezo helden?

Eikel!

Hij zou hem onder zijn hol schoppen om die ketting vast te maken. Hij moest lachen. Het zou niet gek zijn als Italo zag hoe de Eikel aan het schoolhek stond te morrelen...

Daar stond één, en misschien wel twee weken schorsing op.

Hij had zin om zo'n harde brul te laten horen dat die oude zot uit zijn bed zou springen. Alleen zou dan het hele zaakje verpest zijn.

Die domme Bacci kwam naast hem fietsen en wierp blikken van verstandhouding naar hem.

Pierini keek woedend terug.

En wat als hij die ketting er niet om wil doen?

Hij glimlachte.

Laten we het hopen. God, ik smeek u, luister naar me, zorg dat hij zegt dat hij het niet wil doen. Dan kunnen wij tenminste echt lol beleven.

Hij ging naast de Eikel rijden. 'Het is maar een geintje.'

En de Eikel knikte met die rotkop van hem.

Wat vond hij hem verachtelijk.

Vanwege die slappe manier waarop hij zijn hoofd boog.

Er kwamen vreemde behoeftes in hem op. Gewelddadige behoeftes. Ja, hij had zin om hem pijn te doen, dat koppie vastgrijpen en het tegen een scherpe rand kapotslaan.

Hij vond toch alles goed.

Als hij tegen hem zou zeggen dat zijn moeder een vuile slet was die zich overdag en 's nachts van achteren liet naaien door vrachtwagenchauffeurs, dan zou hij nog ja knikken. *Dat is waar. Dat is waar. Mijn moeder laat zich kontneuken.* Alles was Moroni om het even. Hij reageerde nergens op. Hij was nog erger dan die twee idioten die hij op sleeptouw had. Die vetzak Bacci liet zich tenminste niet in elkaar slaan en Ronca maakte hem heel soms aan het lachen (en Pierini had niet veel gevoel voor humor).

Het was dat airtje van superioriteit dat zijn handen deed jeuken.

Moroni is iemand die in de klas nooit iets zegt, die bij gymnastiek nooit

met de anderen speelt en die drie meter boven de grond zweeft en niemand
is. Jij bent helemaal niemand, sterker nog, jij bent de allerlaatste, begrepen,
ventje?

Alleen zo'n slettebak als Gloria Celani, dat 'ik-ben-zo-uniek'-juffer-
tje, kon dat banale kereltje hebben als

(*vriendje?*)

vriend. Die twee deden alles om het niet te laten merken, maar
Pierini wist het al lang, dat ze verkering hadden, of iets dergelijks,
kortom dat ze elkaar erg graag mochten en het was zelfs mogelijk dat
ze het met elkaar deden.

De toestand met juffertje ik-ben-zo-uniek was als een graat in zijn
keel blijven steken.

Soms werd hij 's nachts wakker en kon hij niet meer verder slapen
omdat hij aan die snol moest denken. Een knagend gevoel dat hem
gek maakte, en als hij gek werd was hij in staat dingen te doen waarvan hij later spijt kreeg.

Een paar maanden eerder had dat lelijke wijf Caterina Marrese uit 3A
op een zaterdagmiddag een verjaardagsfeestje gegeven bij haar thuis.
Pierini noch Bacci waren uitgenodigd en Ronca al helemaal niet (en
toegegeven, Pietro ook niet).

Maar onze brave jongens waren nog nooit uitgenodigd voor een
feestje.

Voor de gelegenheid had ook Fiamma zich verwaardigd te komen,
een domkop van zestien met het karakter en het IQ van een doorge-
fokte pitbull. Een arme onaangepaste sukkel die vakken vulde in de
supermarkt van Orbano en lachte als een verstandelijk gehandicapte
wanneer hij met een pistool op de schapen schoot en op elk levend
organisme dat de pech had zijn pad te kruisen. Op een nacht was hij
de tuin van de Moroni's binnengegaan en had de ezel door zijn kop
geschoten omdat hij de vorige dag *Schindler's List* op de televisie had
gezien en verliefd was geworden op de blonde nazi.

Om zich te verontschuldigen voor het feit dat ze onuitgenodigd op
de party waren gekomen, hadden ze een cadeau meegebracht.

Een dode kat. Een mooie, grote, gevlekte kater die was platgereden
op de Via Aurelia.

'Ik weet zeker dat als hij niet zo had gestonken, Caterina er nog een bontjas van had gemaakt. Die zou haar goed staan. Maar met die stank zou het ook best gaan, de stank van die kat zou zich vermengen met die van Caterina en zo een nieuwe stank vormen,' had Ronca gezegd terwijl hij het kadaver aandachtig bestudeerde.

Toen de vier waren binnengekomen, hadden ze er een sfeer aangetroffen die op zijn zachtst gezegd je ballen uit je broek deed vallen. Zwak licht. Stoelen tegen de muur. Nichtenmuziekje. En stuntelige stelletjes die dansten en tegen elkaar aan wreven.

Allereerst had Fiamma andere muziek opgezet, een bandje van Vasco Rossi. Vervolgens was hij in zijn eentje gaan dansen midden in de woonkamer, en dat was op zich nog heel acceptabel, als hij niet de kat als een knots had rondgezwaaid waarbij hij iedereen raakte die in zijn omtrek kwam.

Nog niet tevreden, had hij alle jongens een dreun verkocht terwijl Bacci en Ronca zich hadden gestort op chips, pizza's en frisdrank.

Pierini zat in een luie stoel te roken en keek tevreden naar de onderhoudende voorstelling van zijn vriendjes.

'Complimenten, je hebt je hele bende asocialen meegenomen.'

Pierini had zich omgedraaid. Op de armleuning zat Gloria. Ze droeg niet de gebruikelijke jeans en T-shirt, maar een kort rood jurkje dat haar ongelooflijk goed stond.

'Jij kunt helemaal niets alleen doen, hè?'

Pierini had zich een regelrechte lul gevoeld. 'Natuurlijk kan ik best—'

'Ik geloof je niet.' Ze keek hem aan met een snollerig glimlachje waar zijn maag van omdraaide. 'Je voelt je verloren zonder imbecielen die achter je aanlopen.'

Pierini wist niet wat hij moest antwoorden.

'Kun je tenminste wel dansen?'

'Nee. Ik haat dansen,' had hij gezegd terwijl hij een blikje bier uit zijn leren jack haalde. 'Wil je ook?'

'Dank je,' had zij gezegd.

Pierini wist dat Gloria een stoere was. Ze was anders dan al die andere trutten die als een stel ganzen wegrenden zodra hij dichterbij kwam. Eentje die bier kon drinken. Eentje die je in de ogen keek.

Maar ze was ook het ergste vaderskindje uit de hele omgeving. En hij wilde alle vaderskindjes zien hangen. Hij had haar het bier aangereikt.

Gloria had een grimas getrokken. 'Getverdemme, het is warm...' En had vervolgens gevraagd: 'Wil je dansen?'

Daarom vond hij haar leuk.

Ze geneerde zich niet. Dat een meisje je ten dans vraagt was in Ischiano Scalo nog nooit vertoond. 'Ik zei toch al dat ik dat haat...' Eigenlijk had hij het helemaal niet erg gevonden om te slowen met dat meisje en een beetje tegen haar aan te rijden. Maar hij had geen woord gezegd, met dansen was hij een ramp en daarbij nog een plee-figuur ook.

Dus kon het niet. Punt uit.

'Ben je bang?' had zij meedogenloos aangedrongen. 'Ben je bang dat ze je uitlachen omdat je danst?'

Pierini had om zich heen gekeken.

Fiamma was boven en Bacci en Ronca zaten samen in een hoek te gniffelen en het was donker en ze draaiden dat prachtige nummer, *Alba chiara*, dat juist geknipt was om een slijpdans te wagen.

Hij had zijn sigaret in zijn mond gestopt, was opgestaan en had, alsof hij het altijd al gedaan had, haar middel vastgepakt met een hand, de andere in de zak van zijn spijkerbroek gestoken en was gaan dansen waarbij hij nauwelijks bewoog. Hij had haar tegen zich aan gedrukt en haar heerlijke geur geroken. Een geur van schoon, van badschuim.

Jezus, wat vond hij het lekker om met Gloria te dansen.

'Zie je wel dat je het kunt?' had ze in zijn oor gefluisterd, waardoor zijn nekharen recht overeind gingen staan. Hij had zijn adem ingehouden. Zijn hart bonkte als een drum.

'Vind je dit een goed nummer?'

'Heel goed.' Ze moesten absoluut verkering krijgen, had hij bedacht. Ze was voor hem gemaakt.

'Het gaat over een meisje dat altijd alleen is...'

'Weet ik,' had Pierini gemompeld en opeens was zij begonnen haar neus tegen zijn hals te wrijven en hij was bijna misselijk geworden. Tegelijk met een onweerstaanbare drang om haar te kussen had hij in zijn spijkerbroek een pijnlijke erectie gevoeld.

En hij zou haar gekust hebben als op dat moment de lichten niet aan waren gegaan.

De politie!

Fiamma had Caterina's vader geslagen met de dode kat en moest zich dus uit de voeten maken. Hij had de kat daar achtergelaten en was gevlucht, zonder dag, tot ziens of wat dan ook te hebben gezegd.

Later, in de bar, had hij behoorlijk van hem gebaald. Hij had die klootzak Fiamma, die alles voor hem had verpest, gehaat. Hij was naar huis gegaan en had zich in zijn kamer opgesloten om in gedachten die dans nog eens goed te bekijken, alsof het een edelsteen in zijn handen was.

De volgende dag was hij op het schoolplein zelfverzekerd op Gloria afgestapt en had haar gevraagd: 'Wil je verkering met me?'

Eerst had ze hem aangekeken alsof ze hem nog nooit eerder had gezien en toen was ze in lachen uitgebarsten. 'Ben je gek? Ik zou nog liever verkering hebben met Alatri (de priester die godsdienst gaf). Blijf jij maar fijn bij je vriendjes.'

Hij had haar arm hardhandig vastgepakt (*waarom wilde je dan wel met me dansen?*), maar zij had zich losgemaakt. 'Waag het niet me aan te raken, begrepen?'

En zo was Pierini met lege handen achtergebleven zonder haar zelfs een klap te hebben gegeven.

Daarom had hij de pest aan Moroni, het hartsvriendje van juffertje ik-ben-zo-uniek.

Maar hoe kon zo'n...

zo'n wat?

...mooi meisje (wat was ze mooi! Hij droomde 's nachts van haar. Hij stelde zich voor hoe hij haar rode jurkje uittrok en dan haar slipje en haar helemaal naakt kon zien. En hij zou haar overal betasten, als een pop. Hij zou er nooit genoeg van krijgen naar haar te kijken, haar overal te inspecteren omdat ze, dat wist hij zeker, volmaakt was. Overal. *Die kleine tietjes en die tepels die je door haar shirtje heen zag en die navel en dat dotje blond haar onder haar oksels en haar lange benen en haar lichtbehaarde kutje met blonde rommelige krulletjes zo zacht als konijnenbont... Hou op!*) vallen op zo'n stumper?

Hij kon het denken niet stoppen zonder kramp in zijn maag, zonder haar gezicht kapot te slaan om hoe ze hem had behandeld: erger dan stront.

En dat sletje viel op iemand die niets zegt als je hem in elkaar slaat, zelfs niet jammert, niet om medelijden smeekt en niet huilt, zoals alle anderen, maar die je stil, onbeweeglijk in de ogen kijkt... die ogen als van een onfortuinlijke puppy, als van Jezus van Nazareth, afschuwelijke ogen vol verwijt.

Zo iemand die gelooft in de ergste onzin die priesters verkopen: als je geslagen wordt, keer dan je andere wang toe.

Als jij me slaat, zorg ik dat je tanden pelotonsgewijs je reet uitkomen.

Zijn bloed steeg naar zijn hoofd wanneer hij hem braaf aan zijn tafeltje zag zitten tekenen terwijl de hele klas aan het schreeuwen was en de bordenwisser overgegooid werd.

Nou, als hij had gekund, had hij zichzelf graag getransformeerd tot een bloeddorstige bastaardhond, alleen maar om hem achterna te zitten door berg en dal en over rivieren en bergen en hem uit zijn hol te jagen, als een haas, en dan te zien hoe hij zich strompelend voortsleept door de modder. En hem dan te schoppen en zijn ribben te breken en te kijken of hij niet smeekte om medelijden en vergiffenis, en dan was hij eindelijk zoals alle anderen, niet een soort ET-lul.

Op een keer in de zomer had Pierini als klein jongetje in de moestuin een grote schildpad gevonden die rustig van de sla en de worteltjes zat te eten, alsof hij thuis was. Hij had de schildpad gepakt en meegenomen naar de garage waar de werkbank van zijn vader stond. Daar had hij hem op de schroefbank vastgezet en had hij geduldig gewacht tot het dier zijn poten en kop naar buiten stak en begon te spartelen, en toen had hij met de hamer, die grote om steenblokken mee kapot te slaan, midden op zijn schild geslagen.

Pok.

Het had geleken op het breken van een paasei, maar dan veel, veel harder. Er was een lange barst tussen de platen van het rugschild ontstaan. En er was een roodachtige, drassige brij uit gekomen. De schildpad leek er echter niets van te merken, die bleef gewoon wiebelen met zijn poten en kop en gaf geen kik.

Pierini was dichterbij gekomen om iets te vinden in zijn ogen. Maar hij had daar niets gevonden. Niets. Geen pijn, geen verbazing, geen haat.

Helemaal niets.

Twee zwarte stomme bolletjes.

Hij had hem nog eens geslagen, en nog eens, tot zijn arm zo'n pijn deed dat hij niet meer kon. De schildpad lag met zijn schild vervormd tot een benen puzzel die baadde in het bloed, maar zijn ogen waren onveranderd. Starend. Stompzinnig. Zonder geheimen. Hij had hem van de schroefbank gehaald en op de grond gezet, in de garage, en de schildpad was gaan lopen met een spoor van bloed achter zich aan, en toen was Pierini begonnen te schreeuwen.

Kijk, de Eikel leek verdomd veel op die schildpad.

13

Graziano Biglia werd tegen zeven uur 's avonds wakker, nog opgezwollen van de slemppartij. Hij nam een paar alka-seltzers en besloot de rest van de avond thuis te blijven. Om te genieten van het zalige nietsdoen.

Zijn moeder zette thee met gebakjes voor hem klaar in de woonkamer.

Graziano pakte de afstandsbediening, maar bedacht toen dat hij misschien wel iets beters te doen had, iets wat hij van nu af aan met regelmaat moest gaan doen, aangezien het buitenleven lange pauzes kent die moeten worden opgevuld en hij niet moest afstompen voor die helse kijkdoos. Hij kon een boek gaan lezen.

De bibliotheek van huize Biglia bood niet veel.

De dierenencyclopedie. Een biografie van Mussolini, door Mack Smith. Een boek van Enzo Biagi. Drie kookboeken. En *De geschiedenis van de Griekse filosofie* van Luciano de Crescenzo.

Hij koos voor De Crescenzo.

Hij ging op de bank zitten, las een paar bladzijden en dacht toen na over het feit dat Erica hem nog niet had gebeld.

Hij keek op zijn horloge.

Vreemd.

Toen hij die ochtend uit Rome was vertrokken had Erica hem half slapend gezegd dat ze hem zou bellen zodra de auditie was afgelopen.

En de auditie was om tien uur.

Die zou nu toch al lang en breed klaar moeten zijn.

Hij probeerde haar mobieltje.

Het nummer dat hij belde was momenteel niet bereikbaar.

Hoezo? Ze heeft hem altijd aan staan.

Hij probeerde haar thuis te bellen, maar ook daar werd niet opgenomen.

Waar zou ze uithangen?

Hij probeerde zich te concentreren op de Griekse filosofie.

14

Ze waren op vijftig meter afstand van de school.

De vier jongens hadden hun fietsen in een greppel gegooid en zaten gehurkt achter een laurierstruik.

Het was koud. De wind was aangewakkerd en deed de zwarte bomen schudden. Pietro trok zijn spijkerjack dichter om zich heen en blies in zijn handen om ze te verwarmen.

'Nou, wat doen we? Wie gaat de ketting eromheen doen?' vroeg Ronca fluisterend.

'We kunnen loten,' stelde Bacci voor.

'Niks loten.' Pierini stak een sigaret op en draaide zich toen naar Pietro. 'Nou, waarom hebben we de Eikel meegenomen?'

Eikel...

'Inderdaad. De Eikel moet de ketting eromheen doen. Een vette Eikel vol stront en kots die geen lef heeft en die naar zijn lieve moesje terug moet,' luidde Ronca's tevreden commentaar.

Daar.

Daar was de onverbloemde waarheid.

De reden waarom ze hem hadden meegenomen.

Dat hele toneelstukje, alleen maar omdat ze te bang waren om de ketting om het hek te binden.

In films zijn de slechteriken meestal uitzonderlijke personen. Ze

95

vechten tegen de held, dagen hem uit tot een duel en doen ongelooflijke dingen zoals bruggen opblazen, keurige gezinnetjes ontvoeren,
banken overvallen. Sylvester Stallone was nog nooit gestuit op slechteriken die een toneelstukje moesten opvoeren, zoals deze drie schijtluizen.

Hierdoor voelde Pietro zich beter.

Hij zou ze wel eens wat laten zien. 'Geef de ketting.'

'Pas op voor Italo. Die is gek. Die schiet. Die schiet kogels door je
reet en dan heb je zes gaten in je kont waaruit diarree spuit,' lachte
Ronca uitbundig.

Pietro luisterde niet eens naar hem, wurmde zich door het struikgewas en liep naar de school.

*Ze zijn bang voor Italo. Ze doen heel stoer maar ze kunnen niet eens een
hangslot aan een hek vastmaken. Ik ben niet bang.*

Hij concentreerde zich op wat hij moest doen.

Het zwarte lugubere silhouet van de school leek te deinen in de
mist. De Via Righi was 's nachts verlaten want er waren geen wonin-
gen. Alleen een verwaarloosd plantsoentje met roestige schommels en
een fontein vol modder en riet, Bar Segafredo met opschriften op het
rolluik en een straatlantaarn die het bijna begaf en daarom hinderlijk
zoemde. Auto's kwamen er niet langs.

Het enige gevaar was die gek Italo. Het huisje waar hij woonde
stond pal naast het hek.

Pietro bleef met zijn rug tegen de muur stilstaan. Hij maakte het
hangslot open. Nu moest hij over de grond kruipen tot het hek, de
ketting eromheen doen, het slot dichtmaken en dan omkeren. Het
was een rotstreek, dat wist hij wel en zijn hart protesteerde: hij had
het gevoel alsof er een stoomlocomotief in zijn borstkas zat.

Een geluid achter hem.

Hij draaide zich om. De drie rotjongens waren dichterbij gekomen
en keken toe vanachter de struiken. Ronca zwaaide met zijn arm ten
teken dat hij moest opschieten.

Hij wierp zich op de grond en begon op ellebogen en knieën te
kruipen. Tussen zijn tanden klemde hij het sleuteltje en in zijn hand
had hij de ketting. Het was smerig op de grond, er lag modder, rottend blad en vuil papier. Zijn jack en broek werden helemaal vies.

Vanwaar hij lag was het niet goed te zien of Italo achter het raam stond. Maar hij zag wel dat er door de spleten van de luiken geen licht scheen en ook niet het blauwige licht van de televisie. Hij hield zijn adem in.

Er heerste een totale stilte.

Hij verbrak zijn aarzeling, kwam met een lenige sprong overeind, klampte het hek vast en klom tot bovenin. Hij keek eroverheen, naar het huis waar Italo zijn 131 Mirafiori had staan en…

Hij is er niet. De 131 is er niet.

Italo is er niet! Hij is er niet!

Hij was waarschijnlijk in Orbano, of, nog waarschijnlijker, naar zijn boerenhuis, niet ver van Pietro's eigen huis.

Hij sprong van het hek af, legde in alle rust de ketting om de klink en draaide het sleuteltje in het slot om.

Klaar!

Hij liep terug, nog relaxter en verender dan Fonzie, en voelde een onweerstaanbare behoefte om te gaan fluiten. Maar hij liep door het struikgewas naar het plantsoentje om de schijtluizen te zoeken.

15

Panda's hebben een eenvoudig dieet: als ontbijt eten ze bamboebladeren, als lunch eten ze bamboebladeren en 's avonds eten ze bamboebladeren. Maar als die er niet zijn, zijn ze de klos, dan sterven ze binnen een maand van de honger. Aangezien bamboe niet makkelijk te vinden is, kunnen alleen de rijkste dierentuinen het zich veroorloven de grote wit-zwarte beren te herbergen tussen hun gevangen populatie.

Gespecialiseerde schepsels die door de evolutie naar kleine ecologische niches zijn verdrongen, waar hun bestaan zich moeizaam handhaaft in een kwetsbare relatie met het hen omringende milieu. Er hoeft maar een lapje weggehaald te worden (bamboebladeren voor de panda, eucalyptusbladeren voor de koala, algen voor de zeeleguaan van de Galapagoseilanden, enzovoorts), of deze dieren zijn voorgoed uitgestorven.

De pandabeer past zich niet aan, de pandabeer sterft.

Italo Miele, de vader van Bruno Miele, de politieagent en vriend van Graziano, was in zekere zin ook een gespecialiseerd wezen. De conciërge van de school Michelangelo Buonarroti was het klassieke type dat als een kaars uitdoofde als je hem geen bord spaghetti met een stevige saus voorzette en hem niet naar de hoeren liet gaan.

Ook die avond probeerde hij zijn levensbehoeften te bevredigen.

Hij zat met een servet om zijn nek geknoopt aan een tafeltje van Il Vecchio Carro en propte zich vol met de specialiteiten van het huis: lasagne *mare e monti*, een mengsel van zwijnenragout, erwten, room en mosselen.

In zijn nopjes als een parel in een oester. Of beter, als een gehaktballetje in tomatensaus.

Italo Miele's gewicht: honderdtwintig kilo.

Lengte: een meter vijfenzestig.

Waarbij echter voor de goede orde moet worden vermeld dat zijn vet niet slap was, maar juist stevig als een gekookt ei. Hij had plompe handen met korte vingers. En dat kale hoofd, zo groot en rond als een watermeloen, zat ingeklemd tussen zijn afhangende schouders en deed hem lijken op een monsterlijke matroesjka.

Hij had diabetes, maar wilde daar niets van weten. De dokter had gezegd dat hij een uitgebalanceerd dieet moest volgen, maar daar had hij lak aan. En hij was ook kreupel. Zijn rechterkuit was rond en hard als een bovenmaatse kadet en de aderen kronkelden onder zijn huid over elkaar heen waarbij ze een kluwen van blauwe regenwormen vormden.

Er waren dagen, en dit was zo'n dag, dat Italo zo veel pijn had dat zijn voet gevoelloos werd, zijn been tot aan zijn lies verstijfde en hij alleen nog maar wilde dat dat rotbeen werd geamputeerd.

Maar de lasagne van Il Vecchio Carro bracht hem weer in het reine met de schepping.

Il Vecchio Carro was een immens groot restaurant, gebouwd in rustieke Mexicaanse stijl, omheind met cactusvijgen en koeienbeenderen en neergezet naast de Via Aurelia, een paar kilometer voorbij Antiano. Het was tevens hotel met 1-uurs-kamers, disco-pub-broodjeszaak, biljartzaal, benzinepomp, verkooppunt voor elektrische auto-onderdelen en supermarkt. Wat je ook zocht, daar kon je het vinden, en als je het daar niet vond, vond je wel iets anders wat erop leek.

Het werd vooral bezocht door vrachtwagenchauffeurs en passanten. Een van de redenen waarom het Italo's favoriete restaurant was.

Er zijn daar geen klootzakken die je moet groeten. Je eet er goed en goedkoop.

Een andere reden was dat het zich op een steenworp afstand bevond van de Werkplaats.

De Werkplaats, zoals de tippelzone door de plaatselijke bevolking werd genoemd, was een stuk geasfalteerde weg van vijfhonderd meter lengte, dat begon bij de Via Aurelia en eindigde tussen de velden, en had volgens de plannen van een of andere megalomane ingenieur de nieuwe binnenweg naar Orvieto moeten worden. Maar voorlopig was het alleen maar de Werkplaats.

Vierentwintig uur per dag, driehonderdvijfenzestig dagen per jaar geopend, geen feestdagen en geen vakanties. De prijzen waren er schappelijk en stabiel. Creditcards of cheques werden er niet geaccepteerd.

De prostituees, allemaal negerinnen, zaten op krukjes langs de kant van de weg en staken bij regen of felle zon een paraplu op.

Honderd meter verderop langs de snelweg stond een bestelbusje waar de beroemde Bomber werd verkocht, een broodje met gegrilde kipfilet, kaas, aubergine in olie en paprika.

Maar Italo nam geen genoegen met een Bomber en stond zichzelf eens per week het allerbeste toe. Zijn luxe avondje.

Eerst de Werkplaats en dan Il Vecchio Carro. Een onverslaanbaar koppel. Hij had ooit geprobeerd de volgorde te veranderen. Eerst Il Vecchio Carro en dan de Werkplaats.

Een totale mislukking. Hij had zich ziek gevoeld. Tijdens het neuken was de lasagne mare e monti naar boven gekomen en had hij een vieze bende veroorzaakt op het dashboard van de auto.

Sinds ongeveer een jaar was Italo gestopt met veranderen van prostituee en was hij toegenegen klant van Alima geworden. Om half acht precies kwam Italo en dan stond ze hem al op de gebruikelijke plek op te wachten. Hij liet haar instappen in de 131 en parkeerde iets verderop achter een reclamebord. Het geheel duurde ongeveer een kleine tien minuten, zodat hij om klokslag acht uur aan tafel zat.

Alima was, laten we eerlijk zijn, geen Miss Afrika.

Nogal vlezig, met een kont zo groot als een aanlegboei, cellulitis, en twee platte, lege tieten. Ze droeg een blonde pruik die vlassig was als poppenhaar. Italo had wel betere hoeren gezien, maar Alima was, om met zijn woorden te spreken, *een professionele pikzuiger*. Als zij hem in haar mond nam, wijdde ze zich met grote ernst aan haar taak. Hij had zijn hand er niet voor in het vuur durven steken, maar hij was er vrijwel zeker van dat ze het lekker vond.

Een paar keer had hij haar ook geneukt, maar aangezien ze allebei nogal uit de kluiten gewassen waren (en het manke been er ook nog tussenin zat), was het wat krap in de 131 en werd het eerder een lijdensweg dan een genot. En daarbij kostte het vijftigduizend lire.

Daarom was het zo perfect.

Dertigduizend lire voor het pijpen en dertigduizend voor het eten. Tweehonderdveertigduizend lire per maand heel goed besteed.

Ten minste een keer per week moet je leven als een rijkaard, waar doe je het anders allemaal voor?

Italo had ook een ontdekking gedaan. Alima was een keukenprinses. Ze hield van de Italiaanse keuken. En ze was helemaal niet onsympathiek. Hij kon met haar beter praten dan met zijn eigen oude wijf, dat hij al ongeveer twintig jaar niets meer te zeggen had. En dus nam hij haar mee naar Il Vecchio Carro en had schijt aan de boze tongen.

Die avond waren ze gek genoeg aan een ander tafeltje gaan zitten dan gewoonlijk, naast het raam dat uitkeek op de Via Aurelia. De koplampen van de auto's flitsten even het restaurant in en werden vervolgens opgeslokt door de duisternis.

Italo had een overvol bord lasagne voor zich staan en Alima een bord met pasta met vleessaus.

'Je moet me eens vertellen waarom jouw Allah niet wil dat je varkensvlees eet en wijn drinkt, maar het wel goed vindt dat je tippelt,' vroeg Italo onder het kauwen. 'Volgens mij is het flauwekul, ik zeg niet dat je zou moeten stoppen met tippelen, maar omdat je toch al niet leeft als een heilige kun je net zo goed ten minste een lekkere karbonade of een paar braadworstjes eten, toch?'

Alima gaf al geen antwoord meer.

Hij had haar diezelfde vraag al een miljoen keer gesteld. Eerst had ze geprobeerd hem in te prenten dat Allah alles wist en het haar geen moeite kostte om geen wijn te drinken en varkensvlees te eten, maar de prostitutie kon ze niet laten schieten, want haar kinderen in Afrika hadden het geld nodig. Maar Italo knikte en stelde haar de volgende keer weer dezelfde vraag. Alima had begrepen dat hij eigenlijk geen antwoorden verlangde en dat de vraag een rituele waarde had, een soort 'eet smakelijk'.

Maar die avond stonden haar verrassingen te wachten.

'Hoe is je vleessaus? Lekker?' vroeg Italo tevreden. Hij had al bijna een fles Morellino di Scansano op.

'Lekker, lekker!' zei Alima. Ze had een mooie, brede glimlach die haar witte regelmatige tanden ontblootte.

'Het is lekker, hè? Weet je dat dat geen rundvleessaus is, maar saus van varkensworst?'

'Wat zei je?'

'Daar zit… var… kens… vlees in.' Italo sprak met volle mond en wees intussen met zijn vork naar Alima's bord.

'Varkensvlees?' Alima begreep het niet.

'Var-kens-vlees. Varken.' Italo begon te knorren om duidelijker te zijn.

Eindelijk begreep Alima het. 'Heb je me varkensvlees laten eten?'

'Goed zo.'

Alima stond op. Haar ogen waren plotseling gaan gloeien. Ze begon te schreeuwen. 'Jij klootzak. Grote klootzak. Ik wil je nooit meer zien. Je bent walgelijk.'

De klanten om hen heen stopten met eten en keken hen als naar vissen in een aquarium.

'Maak niet zo'n heibel. De mensen kijken naar ons. Ga zitten. Het was maar een geintje.' Italo sprak zachtjes, over tafel gebogen als een hond.

Alima trilde en stamelde en had moeite haar tranen te bedwingen. 'Ik wist wel dat je een grote klootzak was en dat… maar ik dacht… godverdomme!' en spuugde vervolgens op het bord, pakte haar handtas, haar bontjasje en liep zwaar beledigd naar de uitgang.

Italo rende haar achterna en greep haar bij een arm. 'Toe, kom nou. Dan krijg je dertigduizend lire.'

'Laat me los. Klootzak.'

'Het was maar een geintje...'

'Laat me lós!' Alima wurmde zich los.

Nu was het hele restaurant tot zwijgen gebracht.

'Goed, sorry. Sorry. Oké. Je hebt gelijk. Ik eet jouw worstsaus zelf wel op. Neem jij dan mijn lasagne. Daar zitten mosselen in en zwij— dat is geen var—'

'Sodemieter op.' Alima liep weg en Italo keek om zich heen en toen hij zag dat iedereen naar hem keek, probeerde hij zich een houding te geven door zijn borst vooruit te steken, een hand uit te steken en zich op weg naar de deur te begeven. 'En zal ik jou dan eens wat zeggen? Sodedemieterterroppe!' Hij draaide zich om en liep terug naar zijn tafeltje om verder te eten.

16

'Hier.' Pietro gaf het sleuteltje.

De drie jongens zaten op de schommels.

'Ik heb het gedaan. Pak maar aan.' Maar niemand stond op.

'Heeft Italo je niet gezien?' vroeg Bacci.

'Nee. Die is er niet.' Pietro voelde een intens, bevredigend genoegen terwijl hij dat zei, zoiets als plassen nadat je het lang hebt moeten ophouden.

Snappen jullie nu wat een schijtluizen jullie zijn? Al dat geklets, en die kerel is er niet eens. Heel flink, hoor. Hij had het fijn gevonden als hij ze dat had kunnen zeggen.

'Hoezo is hij er niet? Je lult uit je nek,' beschuldigde Pierini hem.

'Hij is er niet, ik zweer het! Zijn 131 staat er niet. Ik heb gekeken... Kan ik dan nu naar huis ga—?'

Hij kon zijn zin niet afmaken want hij vloog achterover en viel keihard op de grond.

Hij kreeg geen adem. Hij lag languit in de modder te kronkelen. De klap tegen zijn rug. Dat was het geweest. Hij sperde zijn mond wijd open, zijn ogen schoten uit hun kassen, hij probeerde adem te halen, maar tevergeefs. Alsof hij plotseling op Mars was.

Het was in een oogwenk gebeurd.

Pietro had niet eens tijd gehad om te reageren toen hij hem voor zich zag.

Pierini was van de schommel gesprongen en had zich met zijn volle gewicht op hem gestort en hem weggeduwd alsof hij een deur was die open moest.

'Waar wil jij heen? Naar huis? Jij gaat helemaal nergens heen.'

Pietro ging dood, of tenminste, dat gevoel had hij. Als hij niet binnen drie seconden zou beginnen met ademhalen, zou hij doodgaan. Hij zette alles op alles. Zoog. Zoog. Ondertussen geluidloze rochels uitstotend. Het belangrijkste was niet dood te gaan. De spieren van zijn borstkas hadden eindelijk besloten mee te werken en hij hapte en spuugde lucht. Bacci en Ronca lachten.

Pietro vroeg zich af of hij ooit in staat zou zijn net zoals Pierini te worden. Iemand met zo veel valsheid op de grond te duwen.

Hij droomde vaak dat hij de kelner in de Stationsbar neersloeg. Maar hoe hard hij ook zijn best deed en hoe kwaad hij zich ook maakte en hoe vaak hij hem ook keihard in zijn gezicht stompte, de kelner gaf geen krimp.

Zou ik er ooit de moed voor hebben? Want om iemand op de grond te duwen en in zijn gezicht te schoppen heb je erg veel moed nodig.

'Zeker weten, Eikel?' Pierini was weer op de schommel gaan zitten. Het leek of hij niet eens gemerkt had dat hij haast gestikt was.

'Zeker weten?' herhaalde Pierini.

'Hoe bedoel je?'

'Zeker weten dat de 131 er niet staat?'

'Ja. Ik zweer het.'

Pietro probeerde overeind te komen, maar Bacci wierp zich op hem. Hij ging op zijn maag zitten, met al zijn zeventig kilo's.

'Wat zit dit lekker…' Bacci deed alsof hij in een fauteuil zat. Hij sloeg zijn benen over elkaar, rekte zich uit en gebruikte Pietro's knieën als armleuningen. En Ronca sprong er vrolijk omheen.

'En nu op hem ruften! Toe, Bacci, je moet op hem ruften!'

'Ik-doe-mijn-best! Ik-doe-mijn-best!' kreunde Bacci. Die vollemaanskop van hem werd bordeauxrood van de inspanning.

'Zorg dat hij blond haar krijgt! Zorg dat hij blond wordt!'

Pietro kronkelde zonder enig resultaat, behalve dan dat hij moe werd. Bacci week geen millimeter. Pietro haalde met moeite adem en de zure zweetgeur van die dikzak maakte hem misselijk.

Kalm blijven. Hoe meer je beweegt hoe erger het is. Kalm.

In wat voor belachelijke situatie was hij terechtgekomen?

Hij had al lang thuis moeten zijn. In zijn bed. Waar het lekker warm was. Zijn boek over dinosaurussen lezen dat hij van Gloria had geleend.

'Dan gaan we naar binnen.' Pierini sprong van de schommel.

'Waar binnen?' vroeg Bacci.

'In de school.'

'Een fluitje van een cent. We klimmen over het hek en gaan naar binnen door de meisjestoiletten naast het volleybalveld. Dat raam sluit niet goed. Je hoeft er alleen maar tegenaan te duwen,' legde Pierini uit.

'Dat is zo,' bevestigde Ronca. 'Ik heb een keer door dat raam gegluurd toen dat meisje Alberti zat te poepen. Een stank dat het was... Ja, laten we naar binnen gaan. Laten we naar binnen gaan. Vet gaaf.'

'Maar als ze ons snappen? Als Italo terugkomt? Ik...' sputterde Bacci bezorgd tegen.

'Ik niks. Hij komt niet terug. En jij moet niet altijd zo bang doen.'

'En wat doen we met de Eikel? Zullen we hem in elkaar slaan?'

'Hij gaat met ons mee.' Ze trokken hem omhoog.

Zijn borstbeen en ribben deden pijn en hij zat onder de modder.

Hij probeerde niet te ontsnappen. Dat had toch geen zin.

Pierini had besloten.

Hij kon maar beter meegaan en zijn mond houden.

17

Graziano Biglia had de filosofie van De Crescenzo weggelegd en probeerde te kijken naar de video van de wedstrijd Italië-Brazilië van

1982. Maar hij kon niet enthousiast worden, hij bleef maar denken aan waar Erica toch zou uithangen.

Voor de zoveelste keer probeerde hij haar te bellen.

Niets.

Steeds die nare opgenomen stem.

Een lichte onrust begon hem te kwellen, als een ganzenveer door de halfverteerde resten van de fettuccine met hazenragout, van de trits worsten en van de crème caramel die in zijn maag stationeerden en die, als reactie op alles, in beweging waren gekomen.

Angst is een naar ding.

Iedereen heeft vroeger of later te maken gehad met die onaangename gemoedstoestand. Meestal gaat het voorbij of bestaat er een relatie met externe omstandigheden die het gevoel kunnen opwekken, maar in sommige gevallen ontstaat het vanzelf, zonder duidelijke oorzaak. Bij sommige mensen wordt het zelfs chronisch. Er zijn mensen die er hun hele leven last van houden. Die kunnen met dat beklemmende gevoel werken, slapen en sociale contacten onderhouden. Anderen daarentegen worden erdoor overmand, zijn zelfs niet meer in staat hun bed uit te komen en hebben medicijnen nodig om het te dempen.

Angst slaat je neer, holt je uit en maakt je rusteloos, het lijkt een onzichtbare pomp die de lucht uit je opzuigt die jij wanhopig probeert in te ademen. Het woord 'angst' komt van het Latijnse *angere*, 'samendrukken', en dat is precies wat het doet: het drukt je ingewanden samen en verlamt je middenrif, het is een onaangenaam signaal aan je onderbuik en gaat dikwijls gepaard met nare voorgevoelens.

Graziano had een hard pantser, was immuun voor veel van de meest voorkomende spanningen van het moderne leven, zijn ingewanden konden stenen verteren, maar nu nam zijn ongerustheid met de minuut toe en veranderde in paniek.

Hij voelde dat die stilte een heel slecht teken was.

Hij ging kijken naar een film met Lee Marvin. Nog erger dan de voetbalwedstrijd.

Hij probeerde opnieuw te bellen. Geen gehoor.

Hij moest kalm worden. Waarom was hij nou zo bang?

Ze heeft je nog niet gebeld. Nou en? Ben je bang dat...

Hij verjoeg dat afschuwelijke stemmetje.

Erica is met haar hoofd in de wolken. Ze is een onbenul. Ze is vast gaan winkelen en de batterij van haar gsm is leeg.

Zodra ze thuis was zou ze hem zeker bellen.

18

'Wat ben je toch een klootzak. Hoe durf je! Je hebt me volledig voor gek gezet. Iedereen die maar zo raar naar me zat te kijken... Wat valt er nu te zien, hè? Kijk liever naar je zelf... Niemand in dit dorp bemoeit zich met zijn eigen zaken. En kom op, ik wilde alleen maar een geintje met haar uithalen. En wat stelt het nou helemaal voor? Als ze mij iets voorzetten wat ik niet ken, bij voorbeeld in plaats van de hostie het witte spul van noga, wat kan mij dat dan schelen? Ze is echt een kutwijf. En daarbij is ze veel te snel op haar teentjes getrapt. Oké, oké, ik heb een fout gemaakt. Dat zei ik toch al. Ik héb een fout gemaakt. Ik deed het niet expres. Het spijt me en sodemieter nu allemaal op!' Italo Miele praatte hardop onder het autorijden.

Die kuthoer had zijn maaltijd verpest. Nadat ze was weggegaan, was zijn honger verdwenen. Hij had de helft van zijn gestoofde zeebaars laten liggen. Ter compensatie had hij nog een liter Morellino naar binnen gewerkt en nu was hij dronken. Hij reed met zijn neus tegen de voorruit en moest die zo nu en dan met zijn hand schoonvegen.

Hij voelde zich loodzwaar: zijn hoofd, zijn oogleden, zijn adem.

'Waar zou ze naar toe zijn gegaan? Ze heeft wel karakter...'

Hij zocht haar, maar wist niet precies wat hij haar wilde zeggen. Enerzijds wilde hij zich verontschuldigen, anderzijds haar de les lezen.

Hij was teruggegaan naar de Werkplaats. Hij had navraag gedaan bij de andere hoeren, maar niemand had haar gezien.

Hij reed de kustweg op die over een bergrug liep, evenwijdig aan de spoorlijn. Tegelijk met het vallen van de duisternis was er een koude noordenwind opgestoken. In de lucht waren de wolken, die elkaar buitelend najoegen, opengebroken en op zee hadden de golven witte schuimkoppen.

Hij zette de verwarming aan.

'...Nou ja, wat kan mij het ook verdommen. Ik heb mijn plicht gedaan. En nu? Ga ik terug naar school of ga ik naar de boerderij?'

Plotseling herinnerde hij zich dat hij zijn vrouw had beloofd het slot van de voordeur te verwisselen en dat hij dat nog niet had gedaan. Hij moest dat om de zes maanden doen, anders kon het oude mens niet slapen.

'En nu, wie heeft er nu zin in haar? Het zal vast wel weer een helse nacht worden... Morgen. Morgen zal ik het doen. Ik kan maar beter naar school gaan.'

Sinds twee jaar leefde Ida Miele in voortdurende angst voor dieven.

Op een nacht, toen Italo op school was, was er een bestelbusje gestopt voor de boerderij. Er waren drie kerels uitgestapt, die het keukenraam hadden ingeslagen en het huis waren binnengekomen. Ze hadden alle huishoudelijke apparaten en meubels gepakt en waren begonnen die in het bestelbusje te laden. Ida, die boven sliep, was wakker geworden van de geluiden.

Wie kon dat zijn?

Er was niemand thuis. Haar zoon zat in militaire dienst in Brindisi, haar dochter was in Forte dei Marmi waar ze serveerster was. Het moest Italo wel zijn, die besloten had thuis te komen om te slapen.

Maar wat was hij aan het doen?

Had hij om drie uur 's nachts besloten de opstelling van de meubels in de keuken te veranderen? Was hij soms gek geworden?

In nachtjapon, op pantoffels, zonder kunstgebit en bevend als een rietje was ze naar beneden gegaan. 'Italo, ben jij dat? Wat ben je aan het doen?' Ze was de keuken binnengegaan en...

Alles was weg. De koelkast. De marmeren tafel. Zelfs het oude gasfornuis dat nodig vervangen moest worden.

En opeens, als een duveltje uit een doosje, was er vanachter de deur een man met een bivakmuts op te voorschijn gesprongen die in haar oor had gebruld: 'KIEKEBOEMONDJETOE!'

De arme Ida was met een tot in de puntjes volmaakt hartinfarct op de grond gevallen. Italo had haar de volgende morgen daar gevonden, naast de deur, meer dood dan levend en half onderkoeld.

Sinds die nacht was ze niet meer helemaal goed bij haar hoofd.

Ze was plotseling twintig jaar ouder geworden. Haar haren waren uitgevallen. Ze wilde niet alleen thuis zijn. Ze zag overal zwarte mannen. En ze weigerde na zonsondergang het huis te verlaten. Maar dat was nog het minst erge. Veel erger was, dat ze het sindsdien obsessief had over ultrasone en infrarode inbraakpreventie, over de Beghelli Salvalavita noodlamp, over telefoontoestellen die automatisch met de politie belden, en over geblindeerde deuren ('Sorry hoor, maar waarom ga je niet werken bij Antonio Ritucci, die neemt je toch meteen aan?' had ze een keer aan Italo gevraagd, die er niet meer tegen kon. Antonio Ritucci was de technische man van de inbraakpreventie van Orbano).

Italo wist heel goed wie die drie kerels waren geweest die het brein van zijn vrouw op hol hadden doen slaan en zijn rust hadden verstoord.

Zij.

De Sardijnen.

Alleen Sardijnen zijn in staat zo een huis binnen te gaan en schijt te hebben aan wie er binnen is en alles weg te halen. Zelfs zigeuners zouden hun neus hebben opgehaald voor een fornuis dat het niet doet. Ik zou het hoofd van mijn dochter erom durven te verwedden dat zij het zijn geweest.

Dat iedereen in Ischiano Scalo nu in angst leefde, met tralies voor de ramen, bang om 's nachts naar buiten te gaan en te worden beroofd of verkracht, was volgens de bescheiden mening van Italo Miele allemaal de schuld van de Sardijnen.

'Ze zijn hier zonder toestemming gekomen. Ze hebben hun ruwe klauwen uitgestoken naar onze grond. Hun zieke schapen vreten onze graaslanden kaal en produceren die smerige schapenkaas. Barbaren zonder religie. Dieven, bandieten en dealers. Ze stelen. Ze denken dat deze grond van hun is. En ze hebben de scholen gevuld met hun kleine bastaards. Ze moeten vertrekken.' Hoe vaak had hij dat al niet tegen de jongens in de bar gezegd?

En die slappelingen die om de tafeltjes geplant zaten gaven hem gelijk, lieten hem praten, zich opblazen als een kalkoen, zeiden dat hij patrouilles moest organiseren en ze moest grijpen, maar uiteindelijk deden ze niets. En hij had gezien hoe ze elkaar aanstootten en lachten wanneer hij wegging.

En hij had er ook met zijn zoon over gesproken.

De politieagent!

Die was alleen maar goed in praatjesmaken, zijn pistool oppoetsen en door het dorp rondlopen als een op aarde neergedaalde Christus, maar had nog nooit zo'n Sardijn weten te grijpen.

Italo wist niet wat erger was: die oude mannen zonder ballen, die idiote zoon van hem, zijn vrouw of de Sardijnen.

Hij hield het echt niet langer uit met Ida.

Hij hoopte dat ze compleet gek zou worden, dan zou hij haar in de auto zetten en haar naar het gekkenhuis brengen, dan was dat hoofdstuk afgesloten en kon hij weer als een gewoon mens verder leven. Hij voelde niet eens wroeging over zijn buitenechtelijke avonturen. Die halve gek was alleen nog goed om worst van te maken en hij, hoewel hij al een tijdje de zestig gepasseerd was en een toegetakeld been had, had nog zo veel energie in zijn lijf dat mensen die veel jonger waren dan hij, er jaloers op waren.

Italo stopte bij de spoorwegovergang van Ischiano Scalo.

O, waarom staan die slagbomen nooit eens open!

Hij zette de motor uit, stak een sigaret op, wierp zijn hoofd achterover, sloot zijn ogen en wachtte op de trein.

'Vervloekte Sardijnen... Wat haat ik jullie. Wat haat ik jullie... O god, wat ben ik dronken...' begon hij te brommen, en hij zou in slaap zijn gevallen als de hogesnelheidstrein, die als een speer op weg was naar het noorden, niet piepend en gillend voor hem langs was gereden. De spoorwegbomen gingen omhoog. Italo startte de motor en reed het dorp in.

Vier donkere straten. Stilte. Een paar lichtjes in de lage huizen. Niemand op straat. Al het leven van Ischiano zat in de bar annex gokhal.

Hij stopte niet.

Zijn pakje sigaretten was nog halfvol. En hij had helemaal geen zin om te kaarten of over de jachthond van Persichetti of het volgende totoformulier te praten. Nee, hij was moe en wilde alleen nog maar naar bed, hooguit met een kopje kruidenthee, de *Maurizio Costanzo Show* en een warme kruik.

Die twee kamertjes naast de school waren een zegen van de Heer.

Toen zag hij haar.

'Alima!'

Ze liep in zuidelijke richting langs de Via Aurelia.

'Daar ben je. Heb ik je eindelijk toch te pakken.'

19

Het was waar.

Zoals gewoonlijk had Pierini gelijk. Het raampje van de toiletten zat niet goed dicht. Je hoefde er alleen maar tegenaan te duwen.

Als eerste ging Pierini naar binnen, toen Ronca en Pietro en ten slotte Bacci, die er nauwelijks doorheen paste en door twee man naar binnen getrokken moest worden.

Er was geen hand voor ogen te zien in de wc. Het was er koud en er hing een sterke geur van ontsmettingsmiddel met ammoniak.

Pietro stond apart en leunde tegen de vochtige tegeltjes.

'Niet het licht aan doen. Dan zouden ze ons kunnen zien.' Het bibberende vlammetje van de aansteker tekende een halvemaan op Pierini's gezicht. In het donker schitterden zijn ogen als die van een wolf. 'Volg me. En stil zijn. Denk erom.'

Het was duidelijk wie er aan het woord was.

Niemand durfde te vragen waar ze naar toe gingen.

De gang van afdeling B was zo donker dat het leek of iemand hem zwart had geschilderd. Ze liepen in ganzenpas. Pietro raakte even de muren aan met zijn hand.

Alle deuren waren gesloten.

Pierini opende de deur van hun klas.

Het bleke maanlicht scheen loom door de grote ramen en kleurde alles geel. De stoelen keurig op de tafeltjes. Het kruisbeeld. Achterin, op een plank, een kooi met opgerolde hamsters, een ficus en een poster van het menselijk skelet.

Ze stonden alle vier als betoverd stil bij de deur. Zo leeg en stil leek het helemaal niet hun eigen klas.

Ze marcheerden verder.

Zwijgend en angstig als schenders van heilige plaatsen.

Pierini liep met de brandende aansteker voorop.

Hun voetstappen weerklonken hol, maar als ze stilstonden en niets zeiden klonken er onder die schijnbare rust geluiden, gefluister en gepiep.

De spoelbak van de jongens-wc die druppelde. *Drup... drup... drup...* Het getik van de klok aan het eind van de gang. De wind die tegen de ramen duwde. De radiatoren die borrelden. De houtwormen die aan de lessenaars knaagden. Geluiden die overdag niet bestonden.

In Pietro's geest was die plaats altijd een geheel geweest met de mensen die erin waren. Eén enkel enorm schepsel dat bestond uit leerlingen, leraren en muren. Maar nee, als iedereen weg was en Italo de voordeur op slot draaide, ging de school verder met bestaan, met leven. En kwamen de dingen tot leven en praatten met elkaar.

Net als in het sprookje waarin speelgoed – soldaatjes die in de rij lopen, autootjes die over het tapijt scheuren, het teddybeertje dat... – tot leven komt zodra de kinderen de kamer uit zijn.

Ze kwamen bij de trap. Verderop, achter de glazen deur, bevonden zich de directeurskamer, het secretariaat en de hal.

Pierini verlichtte de trap die naar het souterrain voerde en wegzonk in de duisternis. 'We gaan naar beneden.'

20

'Alima! Waar ga je naar toe?'

De vrouw liep langs de berm zonder op te kijken.

'Laat me met rust.'

'Toe, blijf even staan.' Italo reed nu naast haar en stak zijn hoofd uit het raampje.

'Ga weg.'

'Eventjes maar. Alsjeblieft.'

'Wat wil je?'

'Waar ga je naar toe?'

'Naar Civitavecchia.'

'Ben je gek? Wat ga je daar doen met dit weer?'

'Ik ga waar ik wil.'

'Oké. Maar waarom naar Civitavecchia?'

Ze ging langzamer lopen en keek hem aan. 'Daar wonen mijn vrienden, oké? Ik probeer bij de volgende benzinepomp een lift te krijgen.'

'Blijf staan. Dan stap ik uit de auto.'

Alima bleef staan en zette haar handen op haar heupen. 'Nou? Ik sta stil.'

'Nou... Ik... Ik... Godverdomme! Ik heb een fout gemaakt. Hier. Kijk.' Hij overhandigde haar een pakje van zilverpapier.

'Wat is dat voor rommel?'

'Tiramisu. Heb ik speciaal voor jou besteld in het restaurant. Je hebt niets gegeten. Je houdt toch zo van tiramisu? En er zit zelfs geen likeur in. Heel lekker.'

'Ik heb geen honger.' Maar ze pakte het wel aan.

'Probeer een hapje en je zult zien dat je het helemaal opeet. Of anders eet je het morgenochtend, als ontbijt.'

Alima stak er een vinger in en stopte die in haar mond.

'Nou?'

'Lekker.'

'Luister, waarom kom je vannacht niet bij mij slapen? In het huisje. Het is daar godgezegend prettig. Er is een heerlijke bedbank. Het is er warm. Ik heb zelfs perziken op siroop.'

'Bij jou thuis?'

'Ja. Toe, dan kijken we samen televisie, *Maurizio Costanzo*. Die is haast zo goed als—'

'Als je maar niet denkt dat ik met je ga neuken. Ik walg veel te veel van je.'

'Wie heeft het over neuken? Ik niet. Erewoord. Heb ik helemaal geen zin in. We gaan gewoon slapen en verder niets.'

'En morgenochtend?'

'Morgenochtend breng ik je naar Antiano. Maar wel vroeg. Want als ze me zien ben ik de lul.'

'Hoe laat?'

'Vijf uur?'

'Goed,' snoof Alima.

21

Pierini wist precies waar hij naar toe moest.

Naar het technieklokaal. Waar een mooie 28-inch Philips-televisie en een Sony VHS-videorecorder stonden.

Dat was zijn doel geweest sinds hij wist dat Italo er niet was.

De didactische videoapparatuur (zo noemden ze dat) werd meestal door de biologielerares gebruikt om documentaires te laten zien aan de leerlingen.

De savanne. De wonderen van het koraalrif. De geheimen van het onderwaterleven, enzovoorts.

Maar af en toe maakte de lerares Italiaans er ook gebruik van.

Juffrouw Palmieri had de school een videoserie over de Middeleeuwen laten aanschaffen, en liet die elk jaar zien aan de tweede klas.

In oktober was 2B aan de beurt geweest.

Juf Palmieri had de kinderen voor het scherm neergezet en Italo had gezorgd dat de band werd afgespeeld.

Federico interesseerde zich geen zier voor de Middeleeuwen en dus was hij, toen het licht uitging, naar buiten geslopen en gaan volleyballen met de jongens van de derde. Voor het eind van de les was hij weer binnengekomen zonder dat iemand hem zag, en helemaal verhit en bezweet weer gaan zitten.

De week daarop stond de tweede aflevering op het programma en Pierini had weer een partijtje geregeld. Die keer werd hij wel betrapt.

'Jongens, denk erom, let heel goed op en maak aantekeningen. En jij, Pierini, jij schrijft thuis een opstel van... van vijf pagina's, aangezien jij de vorige keer liever wilde gaan spelen. En als je het morgen niet af hebt, dan wacht jou een mooie schorsing,' had juffrouw Palmieri gezegd.

'Maar juffrouw...' had Pierini geprobeerd te protesteren.

'Niks maar. Dit keer is het menens.'

'Juffrouw, ik kan vandaag niet. Ik moet naar het ziekenhuis...'

'Ach, stakkertje! Zou je alsjeblieft willen vertellen aan welke vreselijke ziekte je lijdt? Wat zei je de vorige keer ook alweer? Dat je naar de oogarts moest? En vervolgens zag ik je buiten voetballen. Of toen je vertelde dat je je huiswerk niet had gemaakt omdat je een nierkoliek had gehad. Jij die niet eens weet wat een nierkoliek is. Probeer tenminste iets meer fantasie te gebruiken als je leugens vertelt.'

Maar die dag had Pierini de waarheid gesproken.

Hij moest 's middags naar het ziekenhuis van Civitavecchia om zijn moeder te bezoeken die daar met maagkanker was opgenomen en hem had opgebeld om te vragen waarom hij nooit bij haar op bezoek kwam en toen had hij haar beloofd dat hij zou komen.

En nu durfde die roodharige trut te zeggen dat hij een leugenaar was en zette hem voor de hele klas voor gek. Voor gek gezet worden was iets wat hij niet kon verdragen.

'Nou, waarom moet je naar het ziekenhuis?'

En Pierini had met een bedroefd gezicht geantwoord: 'Nou, juf... Ik krijg... Ik krijg van die documentaires over de Middeleeuwen dunne schijt.'

De hele klas was in lachen uitgebarsten (Ronca had zijn buik vastgehouden terwijl hij over de grond rolde) en hij was naar de directeur gestuurd. Vervolgens had hij de hele middag thuis moeten blijven om zijn opstel te schrijven.

En toen zijn vader was thuisgekomen had hij harde klappen gekregen, omdat hij niet naar het ziekenhuis was gegaan.

Harde klappen konden hem niets schelen. Die voelde hij niet eens. Maar dat hij zijn belofte niet had gehouden, dat wel.

En toen, in november, was zijn moeder overleden en had juffrouw Palmieri hem gezegd dat het haar speet en dat ze niet had geweten dat zijn moeder ziek was.

Krijg maar spijt van deze klootzak.

Sinds die dag was Pierini gestopt met Italiaans leren en huiswerk maken. Als juffrouw Palmieri in de klas was, zette hij zijn hoofdtelefoon op en legde zijn voeten op tafel.

Zij zei er niets van, deed alsof ze het niet zag, vroeg hem zelfs niets. En als hij haar aankeek, sloeg zij haar ogen neer.

Nog niet tevreden, had Pierini een reeks leuke grapjes met haar uitgehaald. De banden van haar Y10 lek gestoken. Het klassenboek verbrand. Een steen door een ruit van haar huis gegooid.

En hij durfde zijn hand ervoor in het vuur te steken dat zij heel goed wist wie de dader was, maar ze zei niets. Ze deed het in haar broek.

Voortdurend daagde Pierini haar uit en telkens weer was hij de winnaar. Haar in zijn macht hebben verschafte hem een vreemd genoegen. Een intense, vuile, fysieke dronkenschap. Het wond hem op.

Hij ging in bad zitten en masturbeerde, terwijl hij fantaseerde dat hij de rooie neukte. Hij rukte de kleren van haar lijf. En hij sloeg haar met zijn pik in haar gezicht. En hij duwde enorme vibrators in haar kut. En hij sloeg haar en zij kreunde van genot.

Ze deed wel zo timide maar ze was een viezerik. Hij wist dat.

Hij zou haar nooit kunnen hebben, maar na dat voorval van de video was in Federico Pierini's hoofd de basis gelegd van de troebele en erotische fantasieën die hem gefrustreerd en onbevredigd maakten.

Nu wilde hij de trekker overhalen.

En zien hoe de rooie zou reageren.

22

De 131 stopte voor het schoolhek.

'We zijn er.' Italo zette de motor uit en wees naar zijn huisje. 'Ik weet het, van buiten ziet het er niet uit. Maar binnen is het prima.'

'Is het waar dat je fruit op siroop hebt?' vroeg Alima, die een lege maag had.

'Jazeker. Die heeft mijn vrouw gemaakt van de perziken van mijn eigen boom.'

Italo knoopte zijn sjaal om zijn hals en stapte uit. Hij haalde de sleutels uit zijn jaszak en stak ze in het slot.

'Wie heeft dat gedaan?'

Om het hek zat een ketting.

23

'En dat is één!'

Bij het contact met de vloer explodeerde het scherm van het televisietoestel met een oorverdovend gedreun. Miljoenen scherven schoten in het rond, onder de tafels, onder de stoelen, in de hoeken.

Pierini pakte de videorecorder, tilde die boven zijn hoofd en smeet hem tegen de muur waardoor hij gereduceerd werd tot een hoop metaal en printplaatjes.

'En dat is twee!'

Pietro was ontsteld.

Wat bezielde hem? Waarom vernielde hij alles?

Ronca en Bacci stonden terzijde en keken naar de natuurkracht die zich ontlaadde.

'En dan zullen we eens zien... hoe.. je ons... laat kijken... naar zo'n... klote... video... over die klote... Middeleeuwen...' hijgde Pierini terwijl hij tegen het apparaat schopte.

Hij is gek. Hij weet niet wat hij doet. Hij kan hierdoor van school gestuurd worden.

(Als ze erachter komen dat jij er ook bij was...)

Neeee, neeee, kijk nou toch wat hij doet, dat kan toch niet...

Hij sloeg ook de stereo-installatie kapot.

(Je moet iets doen... nu meteen.)

Oké. Maar wat dan?

(Je moet zorgen dat hij ermee ophoudt!)

Was hij maar...

(Chuck Norris Bruce Lee Schwarzy Sylvester Stallone)

... groter en sterker... Dan zou het makkelijker zijn.

Nooit eerder in zijn leven had hij zich zo machteloos gevoeld. Hij zag voor zijn ogen zich het einde voltrekken van de gelukkige schooljaren en kon er niets tegen doen. Zijn geest blokkeerde, toen hij zich de gevolgen probeerde voor te stellen in termen van schorsingen, definitieve verwijderingen, aangiften bij de politie. In plaats daarvan had hij het gevoel dat hem een broodje door zijn strot werd geduwd.

Hij liep naar Bacci toe. 'Zeg iets tegen hem. Laat hem stoppen, alsjeblieft.'

'Wat moet ik dan zeggen?' mompelde Bacci mismoedig.

Intussen bleef Pierini zich maar uitleven op wat er was overgebleven van de geluidsboxen. Toen draaide hij zich om en zag iets. Een kwaadaardige glimlach spleet zijn mond. Hij liep naar een grote metalen kast met boeken, elektrische apparaten en ander lesmateriaal.

Wat was hij nu weer van plan?
'Ronca, kom hier. Help eens even. Geef me een steuntje.'
Ronca liep naar hem toe en maakte een kommetje van zijn handen, Pierini zette zijn rechtervoet erop en hees zichzelf op de kast. Met een hand liet hij een kartonnen doos vallen die openging. Een stuk of tien bussen verfspray rolden over de vloer.
'Nu gaan we lol maken!'

24

Welke klootzak had een ketting om het hek gehangen?
Een arme sukkel die heel graag het jaar nog eens wil overdoen.
Italo draaide de ketting rond in zijn handen en wist niet wat hij moest doen. Hij begon het spuugzat te worden, die stomme grapjes.
Maar wat bezielde die kinderen toch?
Als hij iets tegen ze zei, overstelpten ze hem met scheldwoorden en lachten hem in zijn gezicht uit. Ze hadden geen respect voor de leraren, niet voor de school, nergens voor. Met dertien jaar waren ze al keihard op weg naar een toekomst als misdadiger en verslaafde.
Allemaal de schuld van de ouders.
Alima stak haar hoofd uit het raampje. 'Wat is er, Italo? Waarom doe je niet open? Ik heb het koud.'
'Hou even je mond. Ik denk na.'
Dit keer ga ik er echt een rel van maken. Zo waar als God bestaat.
Hij moest ze aanspreken en bestraffen, anders zouden ze de volgende keer de hele school in brand steken.
Hoe kom ik nu binnen?
Hij begon nu echt boos te worden. Hij kreeg een oprisping van woede en een ongelooflijke zin om alles kort en klein te slaan.
'Italo?!'
'Hou je mond! Stoor me niet! Je ziet toch dat ik probeer na te denken? Kop houden...'
'Godverdomme! Breng me ter—'
BOEM.
Een explosie.

In de school.

Gedempt maar luid.

'Wat was dat verdomme? Hoorde jij dat ook?' stamelde Italo.

'Wat?'

'Hoezo wat? Die knal!'

Alima wees naar de school. 'Ja. Het kwam daar vandaan.'

Italo Miele begreep het. Hij begreep alles.

Alles was hem absoluut, volledig en onmiskenbaar duidelijk.

'De Sardijnen!' Hij begon woest met zijn vuisten te zwaaien. 'Die kut-Sardijnen!'

Vervolgens, toen hij merkte dat hij brulde als een waanzinnige, hield hij een vinger voor zijn mond, waggelde als een orang-oetang naar Alima en vervolgde zijn tirade met een ijl stemmetje. 'Kutkloten, de Sardijnen. De jongens hebben die ketting er niet omheen gedaan. Er zijn Sardijnen in de school.'

Alima keek hem verbaasd aan. 'Sardijnen?'

'Sst, zachtjes! Sardijnen. Ja, de Sardijnen. Zij hebben die ketting eromheen gedaan, snap je? Zo kunnen ze in alle rust de boel leeghalen.'

'Ik weet niet...' Alima zat in de auto en at haar tiramisu op. 'Maar Italo, wie zijn de Sardijnen?'

'Wat is dat voor een stomme vraag? De Sardijnen zijn de Sardijnen. Maar ze hebben zich grandioos vergist. Ditmaal zal ik ze eens wat laten zien. Blijf hier wachten. Niet weggaan.'

'Italo?'

'Stil. Ik zei toch dat je niets moet zeggen. Wacht hier.' Italo liep langs de school en sleepte zijn manke poot achter zich aan.

Er brandde geen enkel licht in de school.

Ik heb me niet vergist. Alima heeft de knal ook gehoord.

Hij liep nog wat verder.

De kou drong door in zijn nek en hij klappertandde.

Misschien is er alleen maar iets gevallen. Het tochtte en toen sloeg er een deur dicht. En de ketting?

Maar toen zag hij een zwak licht schijnen op de achterste muur van het gebouw. Het kwam uit het tralievenster boven het technieklokaal.

'Kij—' *daar waren de Sardijnen.*

Wat moest hij doen? De politie bellen?

Hij schatte dat hij er minstens tien minuten over zou doen om bij het politiebureau te komen, nog eens tien om die sukkels uit te leggen dat er dieven waren, en nog eens tien om weer terug te komen. Dertig minuten.

Te lang. In dertig minuten waren zij al lang verdwenen.

Nee!

Hij moest ze zelf grijpen. Hij moest ze op heterdaad betrappen en grijpen.

Eindelijk kon hij iets laten zien aan al die strontkoppen van de Stationsbar die hem altijd uitlachten.

Italo Miele is voor niemand bang.

Er was alleen een probleem: hoe kwam hij over het hek?

Puffend als een luchtpomp voor rubberbootjes rende hij naar de auto. Hij pakte Alima bij een arm vast en trok haar eruit.

'Kom, je moet me helpen.'

'Laat me met rust. Breng me naar de Via Aurelia.'

'Wat zeur je nou? Je moet me nu helpen en daarmee uit.' Italo sleurde haar naar het hek. 'Jij moet nu hurken en dan klim ik op je rug. Daarna richt je je op. Dan kan ik eroverheen klimmen. Zakken, hup.'

Alima schudde haar hoofd en zette haar voeten schrap. Het was een belachelijk idee. Ze zou er op zijn minst een hernia aan overhouden.

'Zakken.' Italo had zijn handen op haar rug gelegd en duwde haar naar beneden in de hoop dat ze zou buigen.

'Nee, nee, nee, ik wil niet!' Alima had zich nu helemaal schrap gezet.

'Stil! Stil! Zakken!' Italo gaf niet op en probeerde op de schouders van de vrouw te klimmen en haar tegelijkertijd te laten bukken.

'Zakken!' Omdat het op die manier niet lukte, begon hij te smeken. 'Ik smeek je, Alima, ik smeek je. Je moet me helpen. Anders kan ik het wel vergeten. Ik ben degene die de school in de gaten moet houden. Ik word ontslagen. Ik kom in de gevangenis terecht. Ik smeek je, help me...'

Alima sputterde en ontspande heel even haar spieren, Italo profiteerde daar vlug van, duwde haar omlaag en met een voor zijn omvang onvermoede sprong belandde hij op haar schouders.

Samen waren ze, de een boven op de ander, getransformeerd tot een misvormde reus. Met twee kromme, zwarte benen. Een romp die deed denken aan een tweeliterfles Coca Cola. Vier armen en een klein hoofd, zo rond als een bowlingbal.

Onder die honderd en nog wat kilo kon Alima haar bewegingen niet controleren, ze zwalkte naar links en naar rechts en Italo, boven op haar, deinde vooruit en achteruit als een cowboy in een rodeo.

'Ooo!? Ooooo!? Waar ga je heen? Zo vallen we om. Het hek is daar. Rechtdoor. Draaien! Draaien!' Italo probeerde haar aanwijzingen te geven.

'Ik kan... niet meer...'

'Straks vallen we nog. Ga nou! Ga nou! Ga nou godverdomme!'

'Het lukt niet... Kom eraf. Kom—'

Alima stapte in een kuil en de hak van haar schoen brak. Even bleef ze nog in balans, zette nog twee stappen, maar verloor toen volledig haar evenwicht en boog voorover. Italo werd naar voren gelanceerd en greep, om houvast te vinden, met beide handen het haar van Alima vast, alsof het de manen van een dolle hengst waren.

Dat was geen slimme zet.

Italo viel met zijn gezicht en met open mond in de modder terwijl hij de pruik nog in zijn handen hield.

Alima sprong heen en weer en betastte krijsend haar kale schedel. Samen met de pruik had hij een heleboel haar weggerukt. Maar toen ze hem stil zag liggen met zijn gezicht diep in de modderplas liep ze naar hem toe. 'Italo?! Italo?!' Ze rolde hem om. 'Wat is er? Ben je dood!?'

Italo had een masker van modder op zijn gezicht. Hij deed zijn mond wijd open, begon te spugen, opende zijn ogen, sprong als een veer op en rende naar de 131.

'Nee, ik ben niet dood. De Sardijnen zijn dood.'

Hij opende het portier, trok aan de handrem en duwde de auto tot naast het hek. Hij sprong op de kofferbak en klom op het dak. Hij greep de punten van het ijzeren hek vast. En probeerde eroverheen te klimmen.

Helaas. Het lukte niet. Hij had niet genoeg kracht in zijn armen om zich op te trekken.

Met opeengeklemde kaken probeerde hij het nog eens.

Onmogelijk.

Hij was pimpelpaars geworden en zijn hart hamerde in zijn oren.

Nu krijg je een hartinfarct en stort je neer en sterf je als een lul omdat je de held wilde uithangen.

Hoewel het rationele en verstandige deel van zijn hersenen hem zei dat hij ermee op moest houden, in de auto moest stappen en naar de politie moest gaan, zei het deel dat zo koppig was als een ezel dat hij niet mocht opgeven en het nog eens moest proberen.

Ditmaal trok Italo zich niet op aan zijn handen, maar strekte hij zijn zieke been uit en legde dat op de richel van de muur. Nu was het makkelijker. Met een inspanning waarvan hij nooit had gedacht dat hij die had, steunde hij op die manke poot, hees zichzelf op en lag als een leeuwenvel uitgestrekt op het dak van zijn huisje.

Een paar minuten bleef hij zo liggen terwijl hij zichzelf vulde en leegde met lucht en wachtte tot zijn op hol geslagen hart minder toeren draaide.

Naar beneden komen was makkelijker. De oude houten ladder die hij gebruikte om de kersenboom te snoeien stond tegen de muur.

Aan de andere kant van het hek zat Alima met haar armen over elkaar op de kofferbak van de auto te mopperen.

'Ga in de auto zitten. Ik ben zo terug.' Italo ging het huis binnen zonder de lichten aan te doen. Hij liep met zijn armen vooruit gestrekt door de woonkamer en zag de hutkoffer niet waarop hij altijd at als hij televisie keek. Met zijn gezonde knie stootte hij voluit tegen de scherpe hoek. Hij zag sterretjes. Hij slikte zijn pijn in, vloekte binnensmonds en liep stoïcijns naar de oude kast, opende die en begon als een waanzinnige te zoeken tussen het schone linnengoed tot hij onder zijn vingertoppen de geruststellende kou van staal voelde.

Het geharde staal van zijn dubbelloops Beretta.

'En nu zullen we eens wat beleven... Kut-Sardijnen. We zullen eens wat beleven. Ik schop jullie allemaal terug naar jullie eiland. Zo waar als God bestaat.' En hinkend liep hij naar de school.

25

PALMIERI STOP JE VIDEOS MAAR IN JE REET

Dit enorme, rode opschrift besloeg de hele achterwand van het technieklokaal. De letters stonden scheef, doorkruisten elkaar als verstijfde vingers, de apostrof ontbrak, maar de boodschap was onmiskenbaar duidelijk.

Pierini had zijn zin opgeschreven en nu moesten de anderen ook iets schrijven. 'Kom op! Waar wachten jullie op, tot het dag wordt soms? Schrijf wat op!' Hij begon tegen Bacci aan te duwen. 'Nou, wat is er met jou, vetzak? Jullie lijken wel mietjes, zijn jullie soms bang?'

Bacci had dezelfde wanhopige uitdrukking als wanneer zijn moeder hem meenam naar de tandarts.

'Nou, wat hebben jullie allemaal opeens? Schrijf wat op! Zijn jullie allemaal nichten geworden?' Pierini kwakte Bacci tegen de muur.

Bacci aarzelde een ogenblik, misschien had hij iets willen zeggen, maar tekende toen een groot hakenkruis.

'Goed zo! Prachtig. En jij Ronca? Waar wacht jij nog op?'

Ronca liet zich niet smeken en ging onmiddellijk aan het werk met zijn spuitbus:

DE DIRECTEUR ZUIGT DE PIK
VAN DE ONDERDIRECTRICE

Pierini keurde het goed. 'Groots, Ronca. En nu jij.' Hij liep op Pietro af.

Pietro hield zijn ogen op zijn schoenen gericht en het broodje in zijn strot veranderde in een stokbrood. Hij hield de spuitbus beurtelings in zijn ene en dan weer in zijn andere hand, alsof die gloeiend heet was.

Pierini gaf hem een tik in zijn nek.

'Nou, Eikel?'

Niets.

Hij gaf nog een tik.

'Nou?'

Ik wil niet.

'Nou?'

Nog een hardere.

'Ik... wil niet...' spuugde hij uiteindelijk uit.

'Hoe komt dat nou, hè?' Pierini leek niet verbaasd.

'Nee...'

'Hoezo?'

'Ik wil gewoon niet. Ik heb geen zin...'

Wat kon Pierini tegen hem beginnen? Hoogstens een been of zijn neus of een hand breken. Hij zou hem niet vermoorden.

Ben je daar zeker van?

Het zou niet erger zijn dan toen hij als klein jongetje van het dak van de tractor was gevallen en zijn scheen- en kuitbeen had gebroken. Of dan de keer dat zijn vader hem had afgeranseld omdat hij de schroevendraaier bot had gemaakt. *Wie heeft jou daar toestemming voor gegeven, hè? Wie heeft jou daar toestemming voor gegeven? Wil je dat eens vertellen? Ik zal je leren dingen te pakken die niet van jou zijn.* Hij was afgeranseld met de mattenklopper. En hij had een week lang niet kunnen zitten. Maar het was overgegaan...

Kom maar, sla me maar in elkaar, dan is het tenminste voorbij.

Hij zou zich oprollen op de grond. Als een egel. *Ik ben er klaar voor.* Ze konden hem opblazen als een doedelzak, tegen hem aan trappen, maar hij zou absoluut geen woord op die muur schrijven.

Pierini liep weg en ging achter de lessenaar zitten. 'Om hoeveel zullen we wedden, mijn allerbeste Eikel, dat jij nu ook iets opschrijft... Om hoeveel zullen we wedden?'

'Ik... schrijf... niets... op. Dat zei ik toch. Sla me maar, als je wilt.'

Pierini hield de spuitbus bij de muur. 'En als ik nou hieronder jouw naam schrijf?' zei hij, terwijl hij wees naar de woorden die hij op de muur had gespoten. 'Pietro Moroni, in koeienletters. Nou? Nou? Wat doe jij dan?'

Dit is te erg...

Hoe kon hij zo slecht zijn? Hoe kon dat? Van wie had hij dat geleerd? Zo iemand zal je altijd te pakken krijgen. Je probeert van niet, maar hij krijgt je toch te pakken.

123

'Nou? Wat moet ik doen?' hitste Pierini hem op.

'Doe maar, het kan me niet schelen. Ik schrijf in elk geval niets op.'

'Oké. Dan krijg jij straks alle schuld. Dan zeggen ze dat jij dit allemaal hebt geschreven. Dan word je van school gestuurd. Dan zeggen ze dat jij hier alles kapot hebt gemaakt.'

De sfeer in het lokaal was verstikkend geworden. Alsof er een verwarming op de hoogste stand was gezet. Pietro's handen voelden ijskoud en zijn wangen gloeiden.

Hij keek om zich heen.

Alles leek te druipen van Pierini's slechtheid. De met verf besmeurde muren. De gele neonlichten. De restanten van de kapotte televisie.

Pietro liep naar de muur.

Wat moet ik schrijven?

Hij probeerde een tekening te bedenken, of een verschrikkelijke zin, maar het lukte niet. Hij had steeds een dom beeld voor ogen.

Een vis.

Een vis die hij op de markt van Orbano had gezien.

Die lag nog levend en naar lucht happend tussen de kisten met inktvis en sardines, een grote vis vol met punten en een enorme bek en dieprode kieuwen. Een vrouw wilde hem kopen en had aan de jongen gevraagd hem schoon te maken. Hij wilde zien hoe dat ging. De jongen van de viskraam had de vis neergelegd en met een groot mes een lange snee midden op zijn buik gemaakt en was weggegaan.

Pietro was blijven kijken hoe de vis doodging.

Uit de snee was een schaar te voorschijn gekomen, en toen nog een, en toen de rest van een krab. Een mooie, kwieke groene krab, die was ontsnapt.

Maar dat was nog niet alles. Uit de buik van de vis was nog een krab gekomen, gelijk aan de eerste, en daarna nog een en nog een. Heel veel. Ze renden diagonaal over het stalen werkblad op zoek naar een schuilplaats en vielen op de grond en Pietro wilde dat zeggen tegen de jongen (*Die vis zit vol levende krabben die ontsnappen!*), maar de jongen stond achter de kraam mosselen te verkopen en toen had Pietro zijn hand uitgestrekt en de wond dichtgehouden, zodat de krabben er niet uit konden. En de opgezwollen buik van de vis krioelde van leven, was een en al beweging, was vol met groene pootjes.

'Als je over precies tien seconden nog niets hebt geschreven, dan zal ik het voor je doen. Tien, neg—'

Pietro probeerde het beeld te verjagen.

'... zeven, zes...'

Hij haalde diep adem, richtte de spuitbus op de muur, haalde de dop eraf en schreef:

ITALO'S VOETEN STINKEN NAAR VIS

Zijn geest baarde deze zin.

En zonder er een ogenblik over na te denken schreef Pietro hem over op de muur.

26

Als iemand met een infraroodbril Italo Miele door het donker had kunnen zien lopen, had hij hem voor een terminator gehouden.

Dat geweer in zijn handen geklemd, die afwezige blik en dat stijve onderbeen gaven de conciërge het uiterlijk van een robot.

Italo liep langs het secretariaat en de lerarenkamer.

Zijn geest was vertroebeld door woede en haat.

Haat jegens de Sardijnen.

Wat wilde hij hen aandoen?

Hen doden, wegjagen, opsluiten in een lokaal, wat?

Op dat moment had hij maar een enkel doel: ze op heterdaad betrappen.

De rest zou later wel komen.

Ervaren jagers zeggen dat Afrikaanse buffels levensgevaarlijk zijn. Er is heel veel moed voor nodig om een razende buffel tegemoet te treden. Het is niet moeilijk ze te raken, zelfs een kind zou dat kunnen. Zo'n buffel is kolossaal groot en staat kalmpjes te grazen op de savanne, maar als je op hem schiet en je doodt hem niet bij het eerste schot, dan kun je maar beter gezorgd hebben voor een schuilplaats om je te verstoppen, een boom om in te klimmen, een brandkast om je te bepantseren, een kuil op het kerkhof om je in te laten begraven.

Een gewonde buffel is in staat een Range Rover met zijn horens omver te gooien. Hij is blind en getergd en wil slechts een ding: jou vernietigen.

En Italo was net zo getergd als een Afrikaanse buffel.

Door zijn woede was de geest van de conciërge gedaald tot een lager niveau op de schaal van de evolutie (inderdaad, dat van runderen) met de natuurlijke aandrang zich slechts te concentreren op het doel dat bereikt moest worden. De rest, de details, de samenhang, waren geheimen in een secundair vakje van zijn brein, en dus was het vanzelfsprekend dat hij er helemaal niet aan dacht dat Graziella, de conciërge van de tweede verdieping, de gewoonte had om alvorens naar huis te gaan de glazen deur tussen het trappenhuis en de gang af te sluiten.

Italo knalde er met volle snelheid tegenaan, stuiterde als een balletje terug en belandde languit op zijn rug op de grond.

Wie na een dergelijke frontale botsing niet zou zijn flauwgevallen of halfdood zou zijn, zou het hebben uitgebruld van de pijn. Italo niet. Italo ging tekeer in het donker. 'Waar zijn jullie? Kom te voorschijn! Kom te voorschijn!'

Tegen wie had hij het eigenlijk?

De botsing met de deur was zo hard geweest, dat hij er zeker van was dat een of andere Sardijn zich in het donker had opgesteld en hem met een ijzeren staaf in zijn gezicht had geslagen.

Vervolgens realiseerde hij zich vol afgrijzen dat hij tegen de deur was gelopen. Hij vloekte en stond versuft op. Hij was helemaal in de war. Waar was zijn dubbelloopsgeweer? Zijn neus deed heel, heel erg pijn. Hij betastte hem en voelde hoe hij tussen zijn vingers opzwol als ravioli die in hete olie wordt gefrituurd. Zijn gezicht was nat van het bloed.

'Verdomme, ik heb mijn neus gebroken…'

In het donker zocht hij naar zijn dubbelloopsgeweer. Dat was in een hoek beland. Hij greep het vast en vervolgde, nog razender dan eerst, zijn weg.

Wat een imbecielen zijn het! Hij berispte zichzelf. *Misschien hebben ze me gehoord.*

En óf ze hem hadden gehoord.

Als champagnekurken waren ze alle vier de lucht in gesprongen.

'Wat gebeurt er?' zei Ronca.

'Hoorden jullie dat? Wat was dat?' zei Bacci.

Ook Pierini was van zijn apropos. 'Wat zou dat kunnen zijn?'

Ronca, die als eerste tot bedaren kwam, gooide de spuitbus weg. 'Ik weet het niet. Laten we ervandoor gaan.'

Duwend en trekkend aan elkaar renden ze het lokaal uit.

In de donkere gang bleven ze stil luisteren.

Op de bovenverdieping klonk gevloek.

'Dat is Italo. Dat is Italo. Maar die was toch naar zijn eigen huis gegaan?' piepte Bacci tegen Pierini.

Niemand nam de moeite hem te antwoorden.

Ze moesten ervandoor. De school uit. Onmiddellijk. Maar hoe? Waar? In het technieklokaal was maar één klein bovenraampje in het plafond. Links de gymzaal. Rechts de trap en Italo.

De gymzaal, zei Pietro in zichzelf.

Maar dat was een vervloekte fuik. De deur die uitkwam op de binnenplaats was op slot en de ramen hadden ijzeren tralies.

Italo liep met ingehouden adem de trap af.

Zijn neus was gezwollen en dik. Op zijn lippen druppelde een stroompje bloed dat hij met het puntje van zijn tong oplikte.

Als een oude, gewonde, maar niet getemde beer liep hij behoedzaam en stilletjes vlak langs de muur de trap af. Zijn dubbelloopsgeweer gleed weg tussen zijn bezwete handen. Om de hoek van de trap lag een gouden vlek van licht op de zwarte vloer.

De deur was open.

De Sardijnen waren in het technieklokaal.

Hij moest ze verrassen.

Hij trok de vergrendeling los en haalde diep adem.

Nu! Naar binnen!

Hij maakte iets wat leek op een sprong en belandde in het lokaal. Hij werd verblind door het neonlicht.

Met dichte ogen richtte hij zijn geweer op het midden van het lokaal.

'Handen omhoog!'

Het lokaal was verlaten.

Er is niemand...

Hij zag de met verf bekladde muren. Opschriften. Obscene tekeningen. Hij probeerde ze te ontcijferen. Zijn ogen raakten gewend aan het licht.

De... directeur zui... zui... zuigt de pil van de onderdirectrice.

Hij was een ogenblik lang verbijsterd.

Wat betekent dat?

Hij begreep het niet.

Welke pil bedoelden ze? De onderdirectrice was toch helemaal niet ziek? Hij pakte zijn bril uit de zak van zijn jack en zette die op. Hij las opnieuw. *O, kijk! De directeur zuigt de pik van de onderdirectrice.* Hij las het andere opschrift. *Italo's voeten wat? Stinken! Stinken naar vis.*

'Schofterige hoerenzonen, jullie eigen voeten stinken naar vis!' schreeuwde hij.

Toen zag hij de andere opschriften, en de televisie en de videorecorder in stukken op de grond.

Dat konden de Sardijnen niet geweest zijn.

Die hadden echt geen belangstelling voor de directeur of juffrouw Palmieri en al helemaal niet voor zijn stinkende voeten.

Die hadden alleen belangstelling voor stelen. Deze ravage moest het werk zijn geweest van leerlingen.

Dit besef en de ineenstorting van zijn droom over roem vormden één geheel.

Hij had zich alles zo mooi voorgesteld. De politie die kwam en de Sardijnen als worsten vastgebonden en klaar voor de cel aantrof, en dan zou hij met zijn rokende dubbelloops zeggen dat hij alleen maar zijn plicht had gedaan. Hij zou officieel geprezen worden door de directeur, schouderklopjes van zijn collega's, glazen wijn aangeboden krijgen in de Stationsbar, een toelage op zijn pensioen wegens bewezen moed in de strijd met gevaar voor eigen leven. Maar niets van dat alles.

Nul komma nul.

Dat maakte hem nog razender.

Hij had er een knie aan verloren, zijn neustussenschot was vernield, en dat alles dank zij een paar vandaaltjes.

Hij zou ze deze stunt heel duur betaald zetten. Zo duur dat ze het later aan hun kleinkinderen zouden vertellen als de meest dramatische ervaring in hun leven.

Maar waar waren ze?

Hij keek om zich heen. Hij deed het licht op de gang aan.

De deur van de gymzaal stond op een kier.

Een gemene glimlach verscheen om zijn mond, hij begon hard, heel hard te lachen. 'Goed zo! Heel goed van jullie om je in de gymzaal te verstoppen. Zullen we verstoppertje doen? Oké, dan doen we verstoppertje!' brulde hij met alle adem die hij in zijn lichaam had.

29

De groene matrassen voor het hoogspringen waren op elkaar gestapeld en vastgebonden tegen het wandrek.

Pietro had zich ertussen gewurmd en stond doodstil met gesloten ogen en probeerde zijn adem in te houden.

Italo hinkte rond door de gymzaal.

Toem sssssss toem sssssss toem sssssss.

Een voetstap en een sleep, een voetstap en een sleep.

Waar zouden de anderen zich verstopt hebben?

Toen ze de gymzaal waren binnengekomen, was hij naar de eerste de beste schuilplaats gerend die hij had kunnen vinden.

'Kom te voorschijn! Schiet op! Ik doe jullie niets. Rustig maar.'

Nooit. Nooit mocht je Italo vertrouwen.

Hij was de grootste leugenaar van de hele wereld.

Hij was een klootzak. Een keer, toen Pietro nog in de eerste zat, was hij stiekem met Gloria weggeglipt van school en naar de bar aan de overkant gegaan om ijsjes te kopen. Een minuut hadden ze erover gedaan, geen seconde langer. Toen ze weer terug waren, met het zakje in hun handen, had Italo hen gesnapt. Hij had de ijsjes in beslag genomen en de twee vervolgens aan hun oren de klas ingesleurd. Hun oren hadden nog twee uur lang gegloeid als een radiator. En hij wist zeker dat Italo daarna de ijsjes in het conciërgekamertje zelf had opgegeten.

'Ik zweer het, ik doe jullie niets. Kom te voorschijn. Als jullie uit jezelf te voorschijn komen zal ik niets zeggen tegen de directeur. Dan vergeten we de hele zaak.'

En als hij Pierini en de anderen vond?

Die zouden beslist zeggen dat hij er ook bij was en bij hoog en bij laag beweren en zweren dat ze van hem naar binnen hadden moeten gaan en dat hij degene was geweest die de tv kapot had gegooid en op de muur had geschreven…

Een heleboel angstige gedachten maalden door zijn hoofd en wogen loodzwaar op hem, niet in de laatste plaats de gedachte aan zijn vader die hem levend zou villen zodra hij weer thuis zou zijn (*maar ga je dan ooit nog terug naar huis?*), omdat hij Zagor niet in zijn hok had gestopt en de vuilnis niet buiten had gezet.

Hij was moe. Hij moest zich ontspannen.

(*Ga maar slapen.*)

Nee!

(*Eventjes maar… heel eventjes maar.*)

Wat zou het heerlijk zijn om in slaap te vallen. Hij legde zijn hoofd tegen de mat. Die was zacht en stonk een beetje, maar dat gaf niets. Zijn knieën knikten. Hij zou zelfs staand kunnen slapen, als een paard, dat wist hij zeker, zo ingeklemd tussen twee matten. Zijn oogleden waren zwaar. Hij liet zich gaan. Hij viel bijna om, toen hij voelde dat de matten bewogen.

Zijn hart sprong op in zijn keel.

'Kom te voorschijn! Eruit! Kom eruit!'

Hij duwde zijn mond in de smerige stof en onderdrukte een kreet.

30

Hij begreep er niets meer van.

De gymzaal was leeg.

Waar was iedereen?

Ze moesten er wel zijn, ergens verstopt.

Italo begon aan de matten te schudden en gebruikte zijn dubbelloops als mattenklopper. 'Kom te voorschijn!'

Ze hadden geen vluchtweg. De deur die uitkwam op het volleybalveldje zat op slot en ook het kamertje met de gymnastiekmaterialen was di...

Eens even kijken.

...cht.

Het hout naast het slot was beschadigd. Ze hadden het slot geforceerd.

Hij glimlachte.

Hij opende de deur. Hij bleef op de drempel staan en stak een hand uit om het lichtknopje te zoeken. Dat zat er pal naast. Hij drukte erop. Niets. Het licht deed het niet.

Even wist hij niet wat hij zou doen, vervolgens liep hij naar binnen en dompelde zich in de duisternis. Onder zijn schoenen hoorde hij de scherven van de neonlamp knarsen.

Het kamertje stond vol kasten en grote dozen en had geen ramen.

'Ik ben gewapend. Geen grappen ma—'

Hij werd in zijn nek geraakt door een orthopedische bal, zo'n met zaagsel gevulde van tien kilo. Hij was nog niet van de schrik bekomen, of nog een bal raakte hem op zijn rechterschouder, en nog een, een basketbal ditmaal, werd met dodelijke kracht gegooid en belandde precies op zijn gezwollen neus.

Hij brulde als een varken op de slachtbank.

Scherpe, snijdende spiralen vertakten zich over zijn hele gezicht, omwikkelden zijn hals, wurgden hem en beten in de ingang van zijn maag. Hij viel neer op zijn knieën en spuugde de lasagne mare e monti, de crème caramel en al het andere uit.

Ze liepen langs hem, sprongen over hem heen, zwart als schimmen en snel als het klappen van een hand, en hij probeerde, jezus wat probeerde hij, brakend en wel, zijn arm uit te strekken en een van die kleine bastaards vast te grijpen, maar het enige wat hij vasthield was de nutteloze consistentie van een spijkerbroek.

Hij eindigde met zijn smoel in braaksel en glasscherven.

31

Hij hoorde ze rennen, tegen de deur slaan en wegschieten uit de gymzaal.

Pietro glipte snel tussen de matten uit en galoppeerde ook naar de gang.

Hij was bijna in veiligheid toen plotseling het grote raam naast de deur explodeerde.

Glasscherven vlogen in de rondte en vielen in nog kleinere scherven om hem heen op de grond.

Pietro stond stokstijf stil en toen hij begreep dat er was geschoten, plaste hij in zijn broek.

Hij opende zijn mond, zijn wervelkolom verslapte, zijn ledematen ontspanden zich en een plotselinge warmte verspreidde zich over zijn lies, zijn bovenbenen en eindigde in zijn schoenen.

Hij heeft op me geschoten.

De scherven die achter de tralies waren blijven steken, bleven maar vallen.

Hij draaide zich langzaam om.

Aan de andere kant van de gymzaal zag hij een uitgestrekte figuur op de grond die zich steunend op de ellebogen uit het berghok sleepte. Zijn gezicht was rood gekleurd. En er was een geweer op hem gericht.

'Sdop. Sdop of ik schiet. Ik zweer ob het hoobd ban mijn kinderen dat ik schiet.'

Italo.

Hij herkende de lage stem van de conciërge, ook al klonk die nu anders. Alsof hij verkouden was.

Wat was er met hem gebeurd?

Hij realiseerde zich dat het rood op Italo's gezicht geen verf maar bloed was.

'Blijb sdaan, jochie. Beweeg je niet. Begreben? Waag het niet.'

Pietro bleef staan, draaide alleen zijn hoofd om.

Daar was de deur. Op vijf meter afstand. Minder dan vijf meter.

Je kunt het. Eén sprong en je bent buiten. Vlucht! Hij mocht zich niet laten grijpen, uitgesloten, hij moest tegen elke prijs vluchten, ook al riskeerde hij daarmee een kogelregen in zijn rug.

Pietro had het graag willen doen, maar dacht dat hij zich niet zou kunnen bewegen. Sterker nog, hij wist het zeker. Hij had het gevoel alsof zijn schoenzolen vastgeplakt zaten aan de vloer en zijn benen van gelatine waren. Hij keek omlaag, tussen zijn voeten had zich een urinevlek gevormd.

Vlucht!

Italo probeerde met moeite op te staan.

Vlucht! Nu of nooit!

En toen was hij in de gang, rende als een bezetene en gleed uit en stond weer op en rende en struikelde over de traptreden en stond weer op en rende naar de meisjestoiletten en naar de vrijheid.

En intussen schreeuwde de conciërge. 'Hollen! Hollen! Hollen! Ik beb je doch wel berkend... Ik beb je doch wel berkend. Wat benk je wel?'

32

Wie kon hij opbellen om iets over Erica te weten te komen?

Natuurlijk, haar agent!

Graziano Biglia pakte zijn adresboekje en belde Erica's agent, die klootzak die haar had verplicht zich te onderwerpen aan die zinloze farce. Kennelijk was hij er niet, maar hij kreeg wel zijn secretaresse aan de lijn. 'Erica? Ja, die hebben we deze week nog gezien. Ze heeft de auditie gedaan en is daarna vertrokken,' zei ze met een vlakke stem.

'O, ze is vertrokken,' snoof Graziano, en hij voelde zich vervuld van een gevoel van welbehagen. De kanonskogel die hij had ingeslikt was op slag verdwenen.

'Ze is vertrokken met Mantovani.'

'Mantovani?!'

'Precies.'

'Mantovani?! Andrea Mantovani?!'

'Precies.'

'De presentator?!'

'Ja, wie anders?'

De kanonskogel in zijn maag had plaatsgemaakt voor een groep hooligans die zijn slokdarm probeerden binnen te stormen. 'En waar zijn ze naar toe gegaan?'

'Naar Riccione.'

'Naar Riccione?'

'Naar de galavoorstelling van Net Vijf.'

'Naar de galavoorstelling van Net Vijf?'

'Precies.'

'Precies?'

Hij had de hele avond kunnen blijven doorgaan met herhalen wat de secretaresse zei, met toevoeging van een vraagteken aan het eind.

'Sorry hoor, maar ik moet ophangen... Ik heb iemand op de andere lijn,' zei de secretaresse in een poging van hem af te komen.

'En wat is ze gaan doen op de galavoorstelling van Net Vijf?'

'Ik heb geen flauw idee... Sorry, maar...'

'Goed, ik zal ophangen. Maar kunt u me eerst het mobiele nummer van Mantovani geven?'

'Het spijt me. Dat mag ik niet doen. Nogmaals sorry, maar ik moet nu echt de andere lijn opnemen...'

'Wacht nog even, alstubl—'

Ze had opgehangen.

Graziano bleef zitten met de hoorn in zijn hand.

De eerste twintig seconden voelde hij gek genoeg niets. Alleen de enorme, onvulbare leegte van de sterrenhemel. En vervolgens begon een gezoem zijn oren te verdoven.

33

De anderen waren verdwenen.

Hij sprong op zijn fiets en reed bliksemsnel weg.

Hij kwam weer op de straat.

Op weg naar huis, door het verlaten dorp en vervolgens afsnijden achter de kerk, een modderig weggetje dat door de velden leidde.

Het stortregende. En je zag niets. De banden gleden weg in de blubber. *Langzaam rijden anders val je.* De wind maakte zijn natte broek en onderbroek ijskoud. Hij had het gevoel alsof zijn piemel zich tussen zijn benen had teruggetrokken als de kop van een schildpad.

Doorrijden! Het is al heel laat.

Hij keek op zijn horloge.

Tien voor half tien. Godallemachtig, wat is het al laat. Doorrijden! Doorrijden! Doorrijden! (Ik heb je toch wel herkend… ik heb je herkend. Wat denk je wel?)

Doorrijden! Doorrijden!

Hij kon hem niet hebben herkend. Dat was onmogelijk. De afstand was te groot. Hoe kon hij? Hij had zijn bril niet eens op.

Hij voelde zijn vingertoppen niet meer, en ook zijn oren niet, en zijn kuiten waren hard als steen, maar hij dacht er niet over om vaart te minderen. De modderspetters besmeurden zijn gezicht en kleren, maar Pietro gaf niet op.

Doorrijden! Doorr… herkend.

Hij had dat zo maar gezegd, alleen maar om hem bang te maken. Om te zorgen dat hij zou blijven staan en hem vervolgens naar de directeur te brengen. Maar hij was er niet ingetrapt. Zo stom was hij echt niet.

De wind deed zijn jack opbollen. Zijn ogen traanden.

Hij was bijna thuis.

34

Graziano Biglia had het gevoel dat hij in een horrorfilm terecht was gekomen, zo'n film waarin voorwerpen gingen zweven en ronddraaien door toedoen van een of andere klopgeest. Alleen draaide er in zijn woonkamer niets rond, behalve zijn eigen hoofd.

'Mantovani… Mantovani… Mantovani…' bleef hij maar pruttelen terwijl hij op de bank zat.

Waarom?

Hij moest er niet aan denken. Hij mocht er niet aan denken wat dit allemaal te betekenen had. Hij was als een bergbeklimmer boven een afgrond.

Hij pakte de telefoon en draaide opnieuw het nummer.

Met alle telepathische kracht die hij bezat wenste hij dat Erica dat kutmobieltje van haar zou opnemen. Misschien had hij in zijn hele leven nog nooit iets zo intens gewenst. En...

Tuuu. Tuuu. Tuuu.

Nee toch?! Hij doet het!

Neem op! Godverdomme! Neem op!

'Dit is het antwoordapparaat van Erica Trettel. Laat een bericht achter.'

Graziano was verbijsterd.

Antwoordapparaat?!

Toen, terwijl hij probeerde een normale stem op te zetten zonder daarin te slagen: 'Erica?! Met Graziano. Ik ben in Ischiano. Bel je me? Alsjeblieft? Op mijn gsm. Nu meteen.' Hij hing op.

Hij haalde adem.

Had hij de juiste dingen gezegd? Moest hij zeggen dat hij het wist van Mantovani? Moest hij terugbellen en een vastberadener bericht achterlaten?

Nee. Dat moest hij niet. Absoluut niet.

Hij pakte de hoorn op en belde terug.

'Telecom Italia Mobile. Het door u gekozen nummer is momenteel niet in gebruik. Probeert u het op een later tijdstip nog eens.'

Hoezo was er nu geen antwoordapparaat? Zat ze hem soms voor de gek te houden?

Uit woede begon hij te schoppen tegen de ladekast in Vlaamse stijl om vervolgens uitgeput neer te storten op de stoel en zijn hoofd tussen zijn handen te klemmen.

Op dat moment kwam mevrouw Biglia de woonkamer binnen met een karretje waarop een soepterrine vol bouillon met tortellini stond, een dienblad met tien verschillende soorten kaas, cichoreisalade, gekookte aardappelen, niertjes met knoflook en peterselie en een soufflé Saint-Honoré met room.

Bij die aanblik moest Graziano bijna overgeven.

'Eeeeeeeten. Soeoeoeoep,' gilde mevrouw Biglia en ze zette de televisie aan. Graziano gaf geen antwoord.

'Eeeeeeeeeeeten,' drong zij opnieuw aan.

'Ik heb geen honger! En had jij niet gezworen dat je niets zou zeggen? Als je dat hebt gezworen moet je verdomme je mond houden ook. Het telt niet, als je gromt als een mongool ga je naar de hel,' ontplofte Graziano en uitgeput zakte hij weer neer. Zijn haren voor zijn gezicht.

Die snol is er met Mantovani vandoor.

Toen liet een andere stem, de stem van de rede, zich horen. *Wacht even. Niet zo snel. Misschien heeft ze zich alleen maar een lift laten geven. Of was het iets met haar werk. Je zult zien dat ze belt en dat alles een misverstand is. Relax.*

In een poging te kalmeren begon hij te hyperventileren.

'Dames en heren, goedenavond vanuit theater Vigevani in Riccione. Welkom bij de achtste aflevering van de galavoorstelling van Net Vijf! Dit is de avond van de sterren, de avond van de prijzen…'

Graziano keek op.

De galavoorstelling was op tv.

'Het wordt een lange avond waarin we de tv-oscars uitreiken,' zei de presentatrice. Een blonde stoot met een glimlach van vierentwintig tanden die allemaal blonken. Naast haar stond een dikkig mannetje in smoking, dat ook heel vergenoegd glimlachte.

De camera nam een langdurig shot van de voorste rijen van het publiek. De mannen in smoking. De vrouwen in heel korte rokjes. En er waren een heleboel min of meer beroemde sterren. Ook een paar acteurs uit Hollywood en een enkele buitenlandse zanger.

'Allereerst een dankwoord,' vervolgde de presentatrice, 'aan onze vriendelijke sponsor die dit alles mogelijk heeft gemaakt.' Applaus. 'Synthesis! Het horloge dat weet wat de tijd is.'

De camera zwenkte boven de blonde stoot en het propje omhoog en scheerde met een volmaakte boog over de hoofden van de vips om ten slotte in te zoomen op een pols waaraan een magnifiek Synthesis sporthorloge schitterde. De pols zat vast aan een hand en de hand zat geklemd om een zelfophoudende zwarte kous en de kous omhulde een vrouwenbovenbeen. Vervolgens zoomde de camera weer uit en liet zien wie dit alles toebehoorde.

'Erica! Mantovani!' stamelde Graziano.

Erica droeg een blote jurk van donkerblauw satijn. Uit haar rommelig opgestoken haar hingen een paar lokken die haar lange hals benadrukten. Naast haar zat Andrea Mantovani, in smoking. Een blondachtige kerel met een grote neus, een rond brilletje en een glimlach als van een blij varken. Hij hield nog steeds zijn klauw op Erica's bovenbeen. Alsof het van hem was. Hij had de klassieke pose van iemand die zojuist heeft geneukt en nu met zijn poot zijn territorium markeert.

'En dan gaan we er nu even uit voor de reclame!' kondigde de presentatrice aan.

Reclame van Pampers-luiers.

'Ik zal die hand van jou eens in je reet stoppen, hufter,' schuimbekte Graziano terwijl hij zijn lippen optrok en zijn tanden ontblootte.

'Eeeeeeicaaa?' vroeg mevrouw Biglia.

Graziano nam niet de moeite haar te antwoorden, pakte de telefoon en sloot zich op in zijn kamer.

Met de snelheid van het licht toetste hij het nummer van haar gsm, hij wilde een duidelijk, simpel bericht achterlaten. 'Ik vermoord je, godvergeten klotehoer die je bent!'

'Hallo, Mariapia! Heb je me gezien? En, vind je de jurk mooi?' De stem van Erica.

'Hallo?! Hallo?! Mariapia, ben je daar?'

Graziano herstelde zich. 'Ik ben Mariapia niet. Ik ben Graziano. Ik heb je...' Toen bedacht hij dat hij maar beter kon doen alsof hij nergens van wist. 'Waar ben je?' vroeg hij, en hij probeerde nonchalant te klinken.

'Graziano...?' Erica was verbaasd, maar vervolgens leek ze enthousiast. 'Graziano! Wat ben ik blij je te horen!'

'Waar ben je?' vroeg hij koeltjes.

'Ik heb fantastisch nieuws te vertellen. Kan ik je later terugbellen?'

'Nee, dat kan niet, ik ben onderweg en mijn gsm is leeg.'

'Morgenochtend?'

'Nee, vertel het nu maar.'

'Oké. Maar ik kan maar heel even met je praten.' Haar toon was plotseling veranderd, van stralend naar kortaf, erg kortaf, om meteen daarna weer stralend te worden. 'Ik ben aangenomen! Ik kan het nog steeds niet geloven. Ik ben aangenomen bij de auditie. Ik had een auditie gedaan en wilde juist naar huis gaan toen Andrea langskwam...'

'Andrea wie?'

'Andrea Mantovani! Andrea ziet me en zegt: "Dit meisje moeten we proberen, zo te zien heeft ze alles in huis wat we nodig hebben." Zo zei hij dat. Nou, en toen lieten ze me nog een auditie doen. Ik moest iets voorlezen en wat dansen en toen hebben ze me aangenomen. Graziano, ik héb het niet meer! Ik ben áángenomen! Hoor je dat? Ik word de assistente in *Wie zijn billen brandt!*'

'O.' Graziano was verstijfd als een diepgevroren stokvis.

'Ben je niet blij?'

'Heel erg. En wanneer kom je hier?'

'Dat weet ik niet... Morgen beginnen de repetities... Snel... hoop ik.'

'Ik heb alles hier in orde gebracht. We wachten op je. Mijn moeder is druk aan het koken en ik heb mijn vrienden het grote nieuws al verteld...'

'Welk grote nieuws?'

'Dat wij gaan trouwen.'

'Luister, kunnen we het daar morgenochtend over hebben? De reclame is bijna afgelopen. Ik moet ophangen.'

'Wil je niet meer met me trouwen?' Hij had zichzelf zojuist een mes tussen de ribben gestoken.

'Kunnen we het daar morgenochtend over hebben?'

Daar, eindelijk: Graziano's woede had de top, het verzadigingspunt bereikt. Hij was woester dan een hengst in een rodeo, dan een coureur die bezig is de wereldtitel te behalen en wiens motor het in de laatste bocht laat afweten, dan een student wiens vriendin per ongeluk zijn afstudeerscriptie wist op de computer, dan een zieke bij wie ze bij vergissing een nier hebben verwijderd.

Hij was buiten zinnen.

'Trut! Hoer! Wat denk je nou, ik heb je heus wel gezien op de tv!

Met die flikker van een Mantovani tussen een stel hufters in. Je had gezegd dat je naar me toe zou komen. Maar je wilde je liever laten neuken door die flikker. Hoer! Alleen daarom heeft hij je aangenomen, stom wijf! Zie je wel dat jij nergens iets van begrijpt. Jij kan helemaal niet voor een camera staan, jij kan alleen maar pijpen.'

Het bleef een ogenblik stil.

Graziano stond zichzelf een glimlach toe. Hij had haar onderuitgehaald.

Maar het antwoord kwam even hard aan als een orkaan over de Cariben. 'Jij ongelooflijke klootzak die je bent. Ik weet niet waarom ik een relatie met jou heb gehad. Ik moet wel helemaal gek zijn geweest. Ik spring nog liever voor een trein dan dat ik met jou ga trouwen. En zal ik je eens iets zeggen? Jij brengt ongeluk! Zodra jij weg was heb ik werk gevonden. Jij brengt puur ongeluk. Jij wilde mij alleen maar verstikken, je wilde dat ik met je meeging naar dat klotedorp van je. Nooit. Ik walg van je, ik veracht je om alles wat je bent. Om hoe je je kleedt. Van de lulkoek die je verkondigt op dat wijsneuzige toontje van je. Jij hebt nooit ergens een moer van begrepen. Jij bent alleen maar een ouwe, mislukte dealer. Verdwijn uit mijn leven. Als je nog eens probeert te bellen, als je je probeert te vertonen, dan zweer ik bij God dat ik iemand inhuur om je smoel in elkaar te slaan. De voorstelling gaat weer beginnen. De groeten. O, en nog één ding, die flikker van een Mantovani heeft een grotere dan jij.'

En ze hing op.

35

Op het eerste gezicht leek het Huis van de Vijgenboom op een autosloop of een uitdragerij. Deze indruk werd gewekt door al het schroot rondom het plattelandshuisje.

Een oude tractor, een donkerblauwe Giulietta, een Philco-koelkast en een Fiat 600 zonder deuren stonden weg te roesten tussen distels, cichorei en wilde venkel naast het hek dat gemaakt was van twee tweepersoonsbedspiralen.

Daarachter lag een modderig terrein vol kuilen en plassen. Rechts verrees een berg grind dat meneer Moroni had gekregen van een buurman, maar niemand had ooit de moeite genomen het uit te strooien. Links een langwerpig afdak, gestut door hoge ijzeren palen, dat diende als overkapping voor de nieuwe tractor, de Panda en de crossmotor van Mimmo. Aan het einde van de zomer, als de overkapping werd gevuld met strobalen, klom Pietro erbovenop en ging hij duivennesten zoeken tussen de balken van het dak.

De woning was een plattelandshuisje van twee verdiepingen, met rode dakpannen en kozijnen die gebarsten waren door vorst en hitte. Op veel plekken was het pleisterwerk verdwenen en waren de bakstenen, groen van het mos, zichtbaar.

De noordzijde ging schuil achter een waterval van klimop.

De Moroni's woonden op de begane grond en hadden op zolder twee kamers en een wc gemaakt. Een voor zichzelf en de andere voor Pietro en zijn broer Mimmo. Op de begane grond was een grote keuken met kachel die ook dienstdeed als eetkamer. Achter de keuken een voorraadkamertje. Eronder de kelder. Daar werd het gereedschap bewaard, de timmerspullen, een paar vaten en de fusten voor de olijfolie, als die vier olijfbomen van ze niet ziek werden.

Het huisje werd door iedereen het Huis van de Vijgenboom genoemd, vanwege de enorme boom die zijn kromme takken uitspreidde boven het dak. Verscholen achter twee kurkeiken stonden het kippenhok, de schapenstal en het hondenhok. Een langgerekte, asymmetrische constructie van hout, metaalroosters, autobanden en golfplaat.

Tussen het onkruid zag je nog vaag een verwaarloosde moestuin en een langwerpige cementen waterbak vol stinkend water, papyrusplanten, muggenlarven en kikkervisjes. Pietro had er de muskietenvisjes ingedaan die hij in de lagune had gevangen.

's Zomers kregen die een heleboel kleintjes en die gaf hij dan aan Gloria, die ze in het zwembad gooide.

Pietro zette zijn fiets neer naast de motor van zijn broer, rende naar het hondenhok en slaakte de eerste zucht van verlichting van die avond.

Zagor lag in een hoek op de grond, in de regen. Toen hij Pietro zag, tilde hij met tegenzin zijn kop op, kwispelde even en liet toen zijn staart opnieuw tussen zijn poten neervallen.

Het was een grote hond met een vierkante kop, zwarte droevige ogen en halfverlamde achterpoten. Volgens Mimmo was hij een kruising tussen een Abruzzese en een Duitse herder. Maar wie zou het zeggen? Hij was in elk geval even hoog als een Abruzzese herder en had de rossige vacht van een herdershond. Maar hij stonk weerzinwekkend en zat onder de teken. En hij was volkomen gek. Iets in het brein van dat harige beest spoorde niet helemaal. Misschien kwam het door alle stokslagen en schoppen die hij had gekregen, misschien door de ketting, misschien door een of andere erfelijke afwijking. Hij was zo veel geslagen dat Pietro zich afvroeg hoe hij nog kon blijven staan en zijn staart kon bewegen.

Wat valt er nou te kwispelen?

En hij leerde niets. Helemaal niets. Als je hem 's nachts niet opsloot in zijn hok, ontsnapte hij en kwam de volgende ochtend terug, kruipend als een worm, staart tussen de benen, zijn vacht besmeurd met bloed en plukjes haar tussen zijn tanden.

Hij hield van doden. De smaak van bloed maakte hem dol en gelukkig. 's Nachts stroopte hij jankend de heuvels af en viel elk dier aan dat de juiste afmetingen had: schapen, kippen, konijnen, kalveren, katten en zelfs everzwijnen.

Pietro had op de tv de film over dr. Jekyll en Mr. Hyde gezien en was daar erg onthutst over geweest. Zagor was precies zo. Ze leden aan dezelfde ziekte. Overdag heel erg aardig en 's nachts een monster.

'Zo brengen dieren elkaar om zeep. Als ze bloed proeven lijken ze wel gedrogeerd en dan kun je ze nog zo hard schoppen, zodra ze de kans krijgen, ontsnappen ze weer en doen het opnieuw, begrepen? Je moet je niet laten misleiden door zijn ogen, dat is allemaal onecht, nu lijken ze lief, maar straks… En hij kan niet eens goed waken. Hij moet worden afgemaakt. Te veel ellende. Ik zal hem niet laten lijden,' had meneer Moroni gezegd terwijl hij het dubbelloopsgeweer richtte op de hond die in een hoek lag, uitgeput na een nacht vol waanzin. 'Moet je nou eens zien wat hij heeft uitgevreten…'

Overal op het erf lagen stukjes schaap. Zagor had het beest gedood, daarheen gesleept en vervolgens opengereten. De kop, de hals en de twee achterpoten waren naast de hooiberg terechtgekomen. De maag, de ingewanden en de overige organen lagen daarentegen precies in het midden, in een plas samengeklonterd bloed. Een wolk vliegen zoemde eromheen. En het ergste was dat het schaap drachtig was. De minuscule foetus, gehuld in de placenta, was terzijde gegooid. Het achterdeel, met de halve wervelkolom er nog aan vast, stak uit het hok van Zagor.

'Ik heb al twee schapen moeten betalen aan die schoft Contarello. Nu is het genoeg. Het geld groeit me niet op de rug. Ik moet het doen.'

Pietro was gaan huilen, had zich vastgeklampt aan de broek van zijn vader, hem wanhopig gesmeekt Zagor niet af te maken omdat hij van het beest hield en het ook een brave hond was, alleen maar een beetje gek, en dat hij alleen maar in het hok opgesloten moest worden en dat hij er elke nacht zelf voor zou zorgen dat dat gebeurde.

Mario Moroni had zijn smekende zoon, om zijn enkel gewikkeld als een poliep, aangekeken en iets, iets zwaks en zachts in zijn karakter wat hij niet begreep, had hem doen aarzelen.

Hij had Pietro omhooggetrokken en hem aangekeken met die ogen die, als je ze op je gericht voelt, je ziel lijken te kunnen lezen. 'Goed dan. Jij neemt een taak op je. Ik schiet hem niet dood. Maar Zagor's leven hangt nu van jou af…'

Pietro knikte.

'Of hij blijft leven of zal sterven hangt van jou af, begrepen?'

'Begrepen.'

'De eerstvolgende keer dat jij hem niet in zijn hok opsluit, dat hij ontsnapt, dat hij iets doodmaakt, al is het maar een musje, moet hij dood.'

'Goed.'

'Maar dan moet jij het doen. Ik zal je leren hoe je moet schieten en dan schiet jij hem dood. Ben je het eens met deze deal?'

'Ja.' En terwijl Pietro dat vastberaden, volwassen 'ja' had uitgesproken, voltrok zich in zijn gedachten al een ijzingwekkende scène die daar voor altijd zou blijven. Hij die met het geweer in zijn hand naar Zagor toe loopt, die op zijn beurt naar hem kwispelt en blaft omdat hij wil dat je een steen gooit en hij...

Pietro had zijn taak altijd trouw vervuld, kwam vroeg thuis, voor het donker, als Zagor nog los was.

Tenminste, tot die avond.

Dus toen hij hem in zijn hok zag voelde hij zich veel, veel beter.

Mimmo zal hem wel in zijn hok hebben gestopt.

Hij liep de trap op, opende de voordeur en kwam in het kleine halletje tussen de voordeur en de keuken.

Hij keek in de spiegel die aan de deur hing.

Deerniswekkend.

Zijn haren door de war en vol opgedroogde modder. Zijn broek besmeurd met aarde en pis. Zijn schoenen geruïneerd. En de zak van zijn jack was uitgescheurd toen hij door het wc-raampje was ontsnapt.

Als papa ontdekt dat je nieuwe jack kapot is... Hij kon er maar beter niet aan denken.

Hij hing het aan de kapstok, zette zijn schoenen onder het plankje en trok zijn pantoffels aan.

Hij moest naar zijn kamer rennen en meteen zijn broek uittrekken. Hij zou die zelf wel wassen in de wasbak van de bijkeuken.

Hij ging zachtjes, geruisloos naar binnen.

Lekker warm.

De keuken was in schemering gehuld, nauwelijks verlicht door het tv-scherm en de kolen die nagloeiden in de kachel. Een geur van tomatensaus, van vlees in de pan, en een zweem van iets wat minder goed te definiëren en vager was: het vocht van de muren en de geur van de worsten die naast de koelkast hingen.

Zijn moeder lag, gewikkeld in een deken, te doezelen op de bank. Haar hoofd lag op het bovenbeen van haar man, die, verzonken in een zware, alcoholische slaap, rechtop naast haar zat met de afstandsbediening in zijn hand. Zijn hoofd hing achterover tegen de rugleuning, zijn mond was wijdopen. Zijn kale voorhoofd weerkaatste het blauw van het scherm. Hij snurkte, met tussenpozen die werden afgewisseld met gezucht en gekreun.

Mario Moroni was drieënvijftig jaar, spichtig en klein. Hoewel hij feitelijk alcoholist was en vrat als een bootwerker, had hij geen grammetje vet. Hij had een mager, nerveus lijf, en zo'n kracht in zijn armen dat hij in zijn eentje de schaar van de grote ploeg kon optillen. Zijn gezicht had iets ondefinieerbaars dat verontrustte. Misschien kwam dat door zijn intens blauwe ogen (die Pietro niet had geërfd), of door de kleur van zijn zongebruinde huid, of misschien door het feit dat er heel weinig gevoel doorschemerde in dat gezicht van steen. Zijn haar was dun en zwart, donkerblauw bijna, en hij kamde het met brillantine naar achteren. En gek genoeg had hij niet één grijze haar, terwijl zijn baard, die hij twee keer per week schoor, spierwit was.

Pietro bleef in een hoekje staan om warm te worden.

Zijn moeder had nog niet gemerkt dat hij was binnengekomen.

Misschien slaapt ze.

Moest hij haar wakker maken?

Nee, beter van niet. Ik ga naar bed...

Vertellen wat voor verschrikkelijks hem was overkomen?

Hij dacht erover na en besloot dat het beter was niets te vertellen.

Morgenochtend misschien.

Hij wilde net naar boven lopen, toen iets wat hij eerst niet had opgemerkt, hem deed stilstaan.

Ze sliepen naast elkaar.

Raar. Die twee waren nooit zo dicht bij elkaar. Als verschillend geladen elektriciteitsdraden, die als ze elkaar aanraken kortsluiting maken. In hun slaapkamer waren de bedden gescheiden door een nachtkastje en overdag, de schaarse tijd dat zijn vader in huis was, leken ze wezens van twee verschillende planeten die om de een of andere ondoorgrondelijke noodzaak gedwongen waren hun leven, kinderen en huis te delen.

Hen zo te zien maakte dat hij zich ongemakkelijk voelde. Het was gênant.

Gloria's ouders raakten elkaar aan – maar dat was niet erg en het geneerde hem al evenmin. Wanneer vader thuiskwam na zijn werk sloeg hij zijn arm om haar middel en kuste haar in de nek en dan glimlachte zij. Een keer was Pietro de woonkamer binnengekomen om zijn schrift te zoeken en had hij gezien hoe ze elkaar voor de kachel op de mond kusten. Ze hadden hun ogen dicht, gelukkig, en hij had zich omgedraaid en was als een muis de keuken ingevlucht.

Plotseling richtte zijn moeder zich op en zag hem. 'O, ben je er weer. Gelukkig maar. Waar ben je zo laat nog geweest?' Vervolgens wreef ze haar ogen uit.

'Bij Gloria. Het is laat geworden.'

'Je vader was boos. Hij zegt dat je vroeger thuis moet komen. Dat weet je.' Ze praatte op een vlakke toon.

'Het is laat geworden...'

(*wat moet ik zeggen?*)

...we moesten ons werkstuk nog afmaken.'

'Heb je al gegeten?'

'Ja.'

'Kom eens hier.'

Drijfnat liep Pietro naar haar toe.

'Kijk toch eens hoe je je hebt toegetakeld... Ga je wassen en dan naar bed.'

'Ja, mama.'

'Geef me een zoen.'

Pietro liep naar zijn moeder toe en omhelsde haar. Hij had haar graag willen vertellen wat er allemaal gebeurd was, maar hij drukte haar alleen maar stevig tegen zich aan en kreeg behoefte om te huilen en zoende haar in haar nek.

'Wat is er? Wat zijn dat allemaal voor zoentjes?'

'Zomaar...'

'Je bent helemaal nat. Ga snel naar boven anders word je nog ziek.'

'Goed.'

'Toe maar.' Ze gaf hem een tikje op de wang.

'Welterusten, mama.'

'Welterusten. Slaap maar lekker.'

Nadat hij zich had gewassen liep Pietro in zijn onderbroek en op zijn tenen de slaapkamer in zonder het licht aan te doen.

Mimmo sliep.

De slaapkamer was klein. Behalve het stapelbed stond er een tafeltje waaraan Pietro zijn huiswerk maakte, een kast van triplex die hij deelde met Mimmo, een metalen boekenkastje waarin behalve zijn schoolboeken ook zijn collectie van fossielen stond, zongedroogde zeesterren, een mollenschedel, een bidsprinkhaan in een potje met formaline, een opgezette civetkat en een heleboel andere mooie dingen die hij op zijn wandelingen in de bossen had gevonden. In Mimmo's boekenkast stonden daarentegen een radiocassetterecorder, bandjes, een verzameling *Diaboliks*, een paar nummers van *Man en Motor* en een elektrische gitaar met versterker. Aan de muren hingen twee posters: een van een vliegende crossmotor en een van Iron Maiden, met een soort zombie die zwaaiend met een bebloede zeis uit een grafzerk springt.

Met ingehouden adem klom Pietro op het trapje van het stapelbed waarbij hij zijn best deed het niet te laten kraken. Hij trok zijn pyjama aan en gleed tussen de lakens.

Wat voelde hij zich nu goed.

Onder de dekens leek het vreselijke avontuur dat hij zojuist had beleefd ver weg. Nu hij de hele nacht had om erover te slapen, leek die geschiedenis veel kleiner, minder belangrijk, niet zo ernstig.

Natuurlijk, als de conciërge hem had ontdekt, ja dan...

Maar dat was niet gebeurd.

Hij had weten te ontsnappen en Italo kon hem niet herkend hebben. Ten eerste had hij geen bril op. Ten tweede was de afstand te groot.

Niemand zou hem ooit ontdekken.

En een gedachte als van een volwassene, als van iemand met ervaring en niet als van een jongetje, schoot door zijn hoofd.

Dit zou voorbijgaan, zei hij in zichzelf, want alles in het leven gaat altijd voorbij, net als in een rivier. Zelfs de moeilijkste dingen, waarvan je denkt dat je er onmogelijk overheen komt, even later heb je die achter je en moet je weer verder.

Er wachten nieuwe dingen op je.

Hij rolde zich op onder de dekens. Hij was bekaf, zijn oogleden voelden als lood en hij wilde zich juist overgeven aan zijn slaap toen de stem van zijn broer hem terugriep. 'Pietro, ik moet je iets vertellen...'

'Ik dacht dat je sliep.'

'Nee, ik dacht na.'

'O...'

'Ik heb goed nieuws over Alaska...'

36

Dit is een goed moment voor een korte onderbreking en het te hebben over Domenico Moroni, door iedereen Mimmo genoemd.

Ten tijde van dit verhaal was Mimmo twintig, acht jaar ouder dan Pietro, en herder. Hij hoedde een kleine kudde van de familie. Tweeëndertig schapen in totaal. De tijd die hij overhad werkte hij, als bijverdienste, in de werkplaats van een stoffeerder in Casale del Bra. Hij verkoos de schapen boven de divans en omschreef zichzelf als de enige heavy-metalherder van Ischiano Scalo. Eigenlijk was hij dat ook ten voeten uit.

Wanneer hij over de graaslanden dwaalde, droeg hij een zwartleren jack, een spijkerbroek zo strak als een maillot, een riem met een heleboel zilverkleurige spijkers, enorme soldatenkistjes en een lange ketting die tussen zijn benen bungelde. Koptelefoon op zijn hoofd en de herdersstok in zijn hand.

Uiterlijk leek Mimmo in veel opzichten op zijn vader. Hij was even spichtig, ook al was hij langer, en hij had dezelfde lichte ogen, maar met een minder starre en stuurse uitdrukking, en hetzelfde ravenzwarte haar, maar dat van hem was lang, tot halverwege zijn rug. Van zijn moeder had hij de grote mond met de vooruitstekende lippen en de kleine kin. Hij was geen schoonheid en wanneer hij zich uitdoste als heavy-metalrocker was het nog erger, maar er was niets aan te doen, dat was nou eenmaal een van zijn obsessies.

Ja, want Mimmo had obsessies.

Die hechtten zich op zijn neuronen als kalkaanslag op leidingbuizen en maakten hem monomaan en op den duur vervelend. Daarom had hij niet veel vrienden. Na een tijdje hadden zelfs de geduldigsten er genoeg van.

Zijn eerste obsessie was heavy metal. Zwaar metaal.

'Maar wel de klassieke.'

Voor hem was het een religie, een levensfilosofie, alles. Zijn god was Ozzy Osbourne, een bezetene met krulhaar en het brein van een psychopathische adolescent. Mimmo adoreerde hem, omdat zijn fans hem tijdens concerten kadavers toewierpen en hij die dan opat en hij een keer een dode vleermuis had verorberd en hondsdolheid had gekregen en ze hem in zijn buik hadden moeten vaccineren. 'En weet je wat de oude Ozzy zei? Dat die injecties erger waren dan twintig golfballen in zijn reet...' placht Mimmo graag te memoreren.

Onduidelijk was wat hij zo groots vond aan dat alles. Vaststond dat hij hem heel hoog achtte, de oude Ozzy. Ook Iron Maiden achtte hij hoog, en Black Sabbath, waarvan hij alle T-shirts kocht die hij kon vinden. Cd's had hij echter weinig. Zeven, hooguit acht, en hij draaide ze zelden.

Soms, als zijn vader weg was, zette hij een cd van AC/DC op en begon als een gek met Pietro door de kamer te springen. 'Metal! Metal! Zuipen! Zuipen! Rammen! Rammen! Alles moet kapot!' brulden ze desperaat waarbij ze tegen elkaar aanduwden en aan elkaar trokken totdat ze allebei uitgeput op bed neervielen.

Eerlijk gezegd vond Mimmo die muziek afschuwelijk.

Veel te hard (Amedeo Minghi vond hij niet slecht). Wat hem zo enthousiast maakte over heavy metal was de *look*, de *lifestyle* en het feit dat ze '*outcasts* zijn, overal schijt aan hebben, geen muziek kunnen maken en toch een heleboel vrouwen en motoren hebben, bakken met geld verdienen en alles kapot maken. Tering, wat zijn ze *cool*...'

Zijn tweede obsessie betrof crossmotoren.

Hij kende het hele motorjaarverslag uit zijn hoofd. De merken, de modellen, hoeveel cilinders, de prijzen. Met enorme inspanning en na langdurig sparen, waardoor hij twee jaar lang praktisch als een asceet had geleefd, had hij een tweedehands KTM 300 gekocht. Een oude tweetakt rammelbak die benzine zoop als een hydrovoor en die de ene dag kapot ging en de volgende dag opnieuw. Met al het geld dat hij had uitgegeven aan nieuwe onderdelen had hij drie nieuwe motoren kunnen kopen. Hij had ook meegedaan aan een paar wedstrijden. De eerste keer had hij zijn voorvork gebroken, de tweede keer zijn scheenbeen.

Zijn derde obsessie was Patrizia Loria. Patti. Zijn vaste vriendin. 'Beslist het mooiste meisje van Ischiano Scalo.' In zekere zin kon je hem geen ongelijk geven. Patti had een prachtig lichaam. Lang, een en al rondingen en vooral een 'kont die kan praten, sterker nog: die kan zingen'. Helemaal waar.

Het enige probleem was haar gezicht. Verschrikkelijk. Haar voorhoofd was bedekt met een dichte laag puisten. Met al die kraters leek haar huid op een foto van het maanoppervlak. Patrizia smeerde er Clearasil op, homeopathische middeltjes, pleisters met geneeskrachtige kruiden, wat je maar kon bedenken, maar niets hielp, haar acne leek er dol op te zijn. Na elke behandeling was ze nog puisteriger en pokdaliger dan voorheen. Haar kleine ogen stonden vreselijk dicht bij elkaar en op haar neus zaten een heleboel zwarte puntjes.

Maar Mimmo leek dat niet op te merken. Hij was smoorverliefd op haar. Voor hem was ze beeldschoon en dat was het belangrijkste. Hij zwoer dat ze op de dag dat ze eindelijk genezen zou zijn van haar acne, zelfs Kim Basinger met gemak van haar troon zou stoten.

Patrizia was tweeëntwintig, werkte in een winkel, maar droomde ervan kleuterleidster te worden. Ze had een sterk, vastberaden karakter. Ze liet de arme Mimmo als een hondje voor haar rennen.

En dan komen we nu bij de laatste en ergste obsessie. Alaska.

Ene Fabio Lo Turco, een jonge freak die beweerde in zijn eentje met een zeilboot de wereld rond te hebben gevaren, maar die in werkelijkheid uit Porto Ercole was vertrokken en niet verder was gekomen dan Stromboli, waar hij een kraampje met rommel uit India en T-shirts van Jim Morrison was begonnen, was op een avond in de kroeg van de vuurtoren van Orbano op Mimmo afgestapt, had zich drankjes en sigaretten laten aanbieden en had Mimmo verteld over Alaska.

'Weet je, de ommekeer is Alaska. Ga erheen, naar die beestachtige kou, en je vindt de ommekeer. Je scheept in Anchorage in op een grote vissersboot, de Findus, en je vaart naar de noordpool om te vissen. Je zit zeven, acht, misschien wel twintig maanden op die boot, je komt er nooit af. Ze vissen daar hoofdzakelijk op kabeljauw. Op de boot zijn Japanse meesters die experts zijn in het snijden van levende vis. Die leren je hoe je vissticks maakt, want Findus-vissticks worden allemaal met de hand gesneden. Vervolgens leg je ze in de kisten en die zet je in de vriescellen...'

'En wanneer worden ze dan gepaneerd?' had Mimmo hem onderbroken.

'Later, aan land, maar wat heeft dat ermee te maken?' had de freak geërgerd geantwoord, maar vervolgens was hij op zijn goeroetoon verder gaan bazelen. 'Op die schepen zijn mensen van over de hele wereld. Eskimo's, Finnen, Russen, heel wat Koreanen. Je verdient een hoop. Puur goud. Een paar jaar op zo'n boot en je kunt een paalwoning op Paaseiland kopen.'

Onnozel had Mimmo gevraagd waarom ze zo veel betaalden.

'Waarom? Omdat het keihard werk is. Je moet wel twee van zulke ballen hebben wil je het daar minstens dertig maanden uithouden. Je ogen vriezen uit je kop bij die temperaturen. Op de hele wereld zijn er – afgezien van de Eskimo's en de Japanners – hooguit drie-, vierduizend mensen die onder dat soort kutomstandigheden kunnen werken. De bazen van de vissersschepen weten dat. In het contract dat je moet ondertekenen staat dat je geen cent krijgt uitbetaald als je het niet de volle zes maanden volhoudt. Weet je hoeveel mensen zijn ingescheept om zich na dertig dagen door een helikopter te laten afvoeren? Heel veel. Je wordt daar gek. Je moet keihard zijn, een olifantenhuid hebben... Maar als je het volhoudt is het natuurlijk prachtig. Je ziet daar kleuren die nergens anders op de wereld bestaan...'

Mimmo had dit alles heel serieus opgevat. Er was niets grappigs aan.

Lo Turco had gelijk, dit kon werkelijk de ommekeer in zijn leven zijn. En Mimmo twijfelde er niet aan dat hij een olifantenhuid had, dat had hij wel gemerkt tijdens die ijskoude ochtenden met de schapen.

Hij moest het alleen maar tonen.

Ja, hij voelde dat hij geknipt was voor de visserij op de grote vaart, voor de poolzeeën, voor de nachten met zon.

En hij hield het leven bij zijn ouders niet meer uit, telkens wanneer hij het huis binnenkwam dacht hij dat hij gek werd. Hij posteerde zich in zijn kamer om niet in de nabijheid van zijn vader te hoeven zijn, maar hij voelde de aanwezigheid van die zak als een dodelijk gif door de muren sijpelen.

Wat haatte hij die man! Hij wist zelf niet precies waarom. Het was een pijnlijke haat, die hem verdriet deed, een rancune die hem elke seconde vergiftigde en hem nooit verliet, waarmee hij had leren leven maar die hopelijk ophield op de dag dat hij zou weggaan.

Weg.

Ja, weg. Ver weg.

Om zich eindelijk vrij te kunnen voelen moest er tussen hem en zijn vader minstens een oceaan liggen.

Zijn vader kon alleen maar commanderen, hem zeggen dat hij nergens voor deugde, dat hij een lapzwans zonder ruggengraat was, dat hij zelfs niet bij machte was om vier schapen te hoeden, dat hij zich kleedde als een idioot, dat hij best mocht weggaan als hij wilde want niemand zou hem tegenhouden.

Nooit een vriendelijk woord, nooit een glimlach.

Dus waarom zou hij nog langer blijven, zijn bestaan ruïneren naast de man die hij haatte?

Omdat hij wachtte op de grote kans.

En de grote kans was Alaska.

Hoe vaak had hij, terwijl hij de schapen hoedde, niet gedroomd dat hij het tegen zijn vader zou zeggen. 'Ik ga naar Alaska. Het bevalt me hier niet meer. Sorry dat ik niet de zoon ben die jij je had gewenst, maar jij bent ook niet de vader die ik me had gewenst. Vaarwel.' Wat een genot! Ja, precies zo zou hij het zeggen. Hij zou zijn moeder en zijn broer een kus geven en weggaan.

Het enige probleem was het ticket. Dat kostte een boel geld. Toen hij naar het reisbureau was gegaan om ernaar te informeren had het meisje achter de balie hem aangekeken zoals je kijkt naar een oude dwaas, en na een kwartier lang op haar computer te hebben gerommeld, had ze de prijs genoemd.

Drie miljoen tweehonderdduizend lire.

Wat een bedrag!

En dat was waarover hij lag na te denken toen hij zijn broer de kamer hoorde binnenkomen.

'Pietro, ik moet je iets vertellen...'

'Ik dacht dat je sliep.'

'Nee, ik lag na te denken.'

'O...'

'Ik heb goed nieuws over Alaska. Ik heb een idee hoe ik aan geld moet komen.'

'Wat dan?'

'Luister. Ik zou het aan de ouders van jouw vriendin Gloria kunnen vragen. Haar vader is bankdirecteur en haar moeder heeft al die grond geërfd. Het zou hun niets uitmaken om het mij te lenen en dan zou ik weg kunnen gaan. En dan stuur ik mijn eerste salaris meteen naar ze op, snap je?'

'Ja.' Pietro had zich opgerold, het bed was ijskoud. Zijn handen tussen zijn bovenbenen geklemd.

'Het zou een kortetermijnlening zijn. Het enige is dat ik ze niet goed genoeg ken. Jij zou het moeten vragen aan meneer Celani... Jij kent hem goed. Dat is beter. De Celani's houden van jou als van hun eigen kind. Wat vind je ervan?'

37

Hij wist het niet.

Boven alles schaamde hij zich.

Ik wilde u iets vragen, mijn broer...

Nee.

Het was niet goed om op die manier een lening te vragen, het was net alsof je om een aalmoes bedelt. En daarbij had zijn vader al een lening afgesloten bij de bank van meneer Celani. En hij was er niet zeker van (dat zou hij nooit tegen hem zeggen, al werd hij vermoord) dat Mimmo het geld zou terugbetalen. Hij vond het niet juist, dat was het, dat zijn broer altijd anderen voor zijn karretje spande om zijn problemen op te lossen. Dat was te makkelijk, alsof de graaf van Montecristo, in plaats van al die moeite om met een lepeltje een gat te graven om uit zijn cel te ontsnappen, gewoon de sleutel van zijn cel onder zijn bed had gevonden en alle bewakers niets merkten omdat ze lagen te slapen. Hij moest het verdienen, dat geld, dan zou het pas mooi zijn en dan kon, om met Mimmo's woorden te spreken, *papa alles in zijn reet stoppen.*

Maar het belangrijkste was dat hij het helemaal niet leuk vond dat Mimmo naar Alaska ging.

Dan zou hij alleen achterblijven.

'Nou, wat vind je ervan?'

'Ik weet het niet,' aarzelde Pietro. 'Misschien zou ik het tegen Gloria kunnen zeggen...'

Onder hem zweeg Mimmo, maar niet voor lang. 'Oké, het doet er ook niet toe. Ik bedenk wel een ander systeem. Ik zou mijn motor kunnen verkopen, daar krijg ik natuurlijk niet veel geld voor...'

Pietro luisterde niet meer.

Hij vroeg zich af of het goed zou zijn Mimmo te vertellen over wat er op school was gebeurd.

Ja, misschien moest hij het vertellen, maar hij voelde zich doodmoe. Het verhaal was te lang. En daarbij was het pijnlijk voor hem er weer aan te moeten denken hoe die drie schoften hem hadden belazerd en gedwongen... Zijn broer zou zeggen dat hij een watje was, een groentje, dat hij met zich had laten sollen, en dat was wel het laatste wat hij op dat moment wilde horen.

Dat weet ik zelf ook al.

'...een vliegtuig en kom je ook. Dan zouden we 's winters in Alaska wonen en 's zomers met al het geld dat we verdiend hadden naar een eiland in de Cariben gaan. Daar zou Patti dan ook komen. Stranden met palmbomen, zie je het al voor je, het koraalrif, al die vissen... Wat zou dat mooi...'

Ja, dat zou heel mooi zijn. Pietro droomde weg.

In Alaska wonen, een slee met honden hebben, een verwarmde barak van staalplaat. Hij zou voor de honden zorgen. En hij zou lange wandelingen maken over de ijsvlakten, goed ingepakt in zijn windjack en met sneeuwschoenen aan zijn voeten. En dan 's zomers duiken tussen het koraal met Gloria (Gloria zou samen met Patti overkomen).

Hoe vaak hadden Mimmo en hij daar al over gepraat als ze op de heuvels zaten naast de schapen. Dan verzonnen ze absurde verhalen waaraan telkens weer een nieuw detail werd toegevoegd. De helikopter (Mimmo zou zo snel mogelijk zijn vliegbrevet halen) die landde op een ijsberg, de walvissen, de kleine hut met de hangmatten, de koelkast vol koude drankjes, het strand, de schildpadden die hun eieren in het zand leggen.

Voor het eerst in zijn leven hoopte Pietro het echt, met al zijn kracht, wanhopig.

'Maar Mimmo, meen je het echt dat ik ook kan komen? Zeg eens heel eerlijk, toe, alsjeblieft.' Hij sprak met een gebroken stem en met zo'n intensiteit dat Mimmo niet meteen antwoord gaf.

In het donker was een ingehouden adem te horen.

'Natuurlijk, dat is duidelijk. Als het mij tenminste lukt om weg te komen... Je weet dat dat moeilijk is...'

'Welterusten, Mimmo.'

'Welterusten, Pietro.'

Een 9 kaliber Beretta voor agent Miele

Op de Via Aurelia, zo'n twintig kilometer ten zuiden van Ischiano Scalo, is een lang, dalend stuk tweebaansweg dat eindigt in een wijde, brede bocht. Eromheen strekt het platteland zich uit. Er is geen enkele gevaarlijke kruising. Op dat weggedeelte worden zelfs oude Fiat Panda's en Ritmo's weer jong en halen onverwachte krachten uit hun uitgeputte motoren.

Alle automobilisten, zelfs de voorzichtigste – die voor het eerst over de Via Aurelia rijden – worden door die mooie glooiing geprikkeld het gaspedaal een beetje verder in te trappen en de huivering van de snelheid te proeven. Maar wie de weg goed kent, doet dat vooral niet, want weet dat in negenennegentig van de honderd gevallen iets verderop politie staat om het bestuurdersgenot te temperen door bekeuringen uit te schrijven en rijbewijzen in te trekken.

De agenten hier zijn niet zo zachtmoedig als in de stad, hier lijken ze in sommige opzichten op die agenten die de Amerikaanse freeways bevolken. Harde jongens die hun beroep uitoefenen en met wie je niet in discussie kunt gaan, laat staan onderhandelen.

Ze straffen je genadeloos af.

Rijden zonder veiligheidsriemen? Driehonderdduizend lire. Een kapot remlicht? Tweehonderdduizend. Geen apk-keuring? Je auto wordt in beslag genomen.

Max (Massimiliano) Franzini wist dit alles heel goed. Hij reed die weg minstens tien keer per jaar met zijn ouders om naar zee te gaan, naar

San Folco (de Franzini's bezaten een villa in het villapark Le Agavi, pal voor het Isola Rossa) en zijn vader, professor Mariano Franzini, hoofd van de afdeling orthopedie in het Gemelli-ziekenhuis in Rome en eigenaar van een paar klinieken aan de rand van de ringweg, was een paar keer staande gehouden en had astronomische bekeuringen gekregen wegens overtreding van de maximumsnelheid.

Maar in die regenachtige nacht was Max Franzini net twee weken twintig jaar, had hij zijn rijbewijs amper drie maanden, zat hij achter het stuur van een Mercedes die binnen een kilometer tweehonderd-twintig haalde en had hij Martina Trevisan, een meisje dat hij heel leuk vond, naast zich zitten en had hij drie joints gerookt en...

Als het zo stortregent controleert de politie niet. Dat weet iedereen.

...de weg was verlaten, het was geen weekend, de Romeinen gingen niet op vakantie, er was geen enkele reden om niet hard te rijden en Max wilde zo snel mogelijk thuis zijn en de auto van zijn vader ver-hinderde hem beslist niet deze wens te vervullen.

Hij dacht erover na hoe hij het die nacht met Martina zou regelen.

Ik neem de slaapkamer van papa en mama en dan vraag ik haar of ze liever alleen wil slapen in de logeerkamer of samen met mij in het grote bed. Als ze zegt dat dat laatste goed is, dan heb ik beet. Dat betekent dat ze wil. Dan hoef ik haast niets te doen. We gaan in bed liggen en... Maar als ze zegt dat ze liever in de logeerkamer slaapt, dan is dat vervelend. Ook al wil dat niet per se zeggen dat ze niet wil, ze zou ook gewoon verlegen kun-nen zijn. Anders zou ik haar ook nog kunnen vragen of ze zin heeft om een video te kijken in de woonkamer en dan gaan we op de bank liggen met een deken en dan zien we daar wel wat er verder gebeurt...

Max had problemen om ter zake te komen met meisjes.

Hij was een held in het verleiden, praten, lachen, naar de film gaan, opbellen en al die andere flauwekul, maar wanneer het vreselijke moment van ter zake komen daar was, in feite de zaak van de kus, raakte hij al zijn overmoed kwijt en werd hij overspoeld door de angst te worden afgewezen, een angst die hem verlamde als een groen sol-daatje dat voor het eerst een wapen in handen heeft. (Iets dergelijks had hij ook bij tennissen. Hij kon urenlang terugslaan met sterke forehands en backhands, maar wanneer hij de beslissende slag moest maken en het punt moest winnen, liet hij zich overmannen door paniek en sloeg hij geregeld de bal in het net of uit. Om te winnen moest hij hopen op de fouten van zijn tegenstander.)

Voor Max was ter zake komen gelijk aan een duik van een hoge rots. Je loopt naar de rand, je kijkt naar beneden, je draait je om en je zegt: daar begin ik niet aan, je probeert het opnieuw, je aarzelt, je schudt je hoofd en wanneer iedereen al heeft gedoken en geïrriteerd op jou wacht, sla je een kruisje, sluit je je ogen en gooi je jezelf schreeuwend in de diepte.

Wat een ramp.

En joints hielpen hem beslist niet om zijn gedachten te herordenen. En Martina was bezig er nog een te draaien.

Fijne junk, dat meisje.

Max realiseerde zich dat ze sinds Civitavecchia niet meer hadden gesproken. Al die rook had hem een beetje zwaar gemaakt. *En dat is niet goed.* Martina zou kunnen denken dat hij niets te zeggen had, en dat was niet waar. *Maar er is muziek.* Ze luisterden naar de laatste cd van REM.

Oké, ik zal haar iets vragen.

Hij concentreerde zich, zette de muziek zachter en sprak met een dikke tong. 'Hou jij meer van de Russische of de Franse literatuur?'

Martina nam een trekje en hield de rook even binnen. 'Hoe bedoel je?' reutelde ze.

Ze was zo mager dat het haast leek of ze anorexia had, haar kortgeknipte haar was elektrisch blauw geverfd, ze had een piercing in haar lip en in een wenkbrauw, en zwarte nagellak. Ze droeg een Benettonjurkje met donkerblauwe en oranje strepen, een zwart vest, een jack van rendierleer en groen gespoten kistjes die ze tegen het dashboard liet rusten.

'Waar hou je meer van? Van de Russische schrijvers of van de Franse?'

Martina zuchtte diep. 'Sorry dat ik het zeg, maar dat is een beetje een stompzinnige vraag. Te algemeen. Als je me vraagt welk boek ik beter vind, dan kan ik wel antwoord geven. Als je me vraagt of ik Schwarzenegger of Stallone beter vind, dan kan ik je antwoord geven. Maar als je me vraagt of ik meer hou van de Franse of de Russische literatuur, dan weet ik het niet... Dat is te algemeen.'

'En wie vind je beter?'

'Hoe bedoel je?'

'Schwarzenegger of Stallone?'

'Ik denk Stallone. Veel beter. Schwarzenegger heeft nooit een film gemaakt als *Rambo* of *Rocky*.'

Max dacht even na. 'Dat is waar. Maar Schwarzenegger heeft *Predator* gemaakt, een meesterwerk.'

'Dat is ook weer waar.'

'Je hebt gelijk. Ik heb je inderdaad de klassieke onzinvraag gesteld. Net als wanneer je gevraagd wordt of je meer van de zee of van de bergen houdt. Dat hangt ervan af. Als je onder zee verstaat Ladispoli en onder bergen Nepal, dan hou ik meer van de bergen, maar als je onder zee Griekenland en onder bergen Abetone verstaat, dan hou ik meer van de zee. Waar of niet?'

'Waar.'

Max zette de muziek weer harder.

Max en Martina hadden elkaar die ochtend leren kennen op de universiteit, voor het mededelingenbord van contemporaine geschiedenis. Ze waren in gesprek geraakt over het komende tentamen en de saaie stof die ze moesten leren en hadden begrepen dat als ze niet keihard zouden studeren, ze nooit op tijd klaar zouden zijn voor de komende tentamens. Max was nogal verbaasd geweest over de spontaniteit van Martina. Tot nu toe was het hem dit eerste jaar aan de universiteit nog nooit gelukt met een meisje te praten. En daarbij waren de meisjes met wie hij college volgde allemaal lelijke wijven, studiebollen met een vette huid. Maar deze hier was bloedmooi en leek nog aardig ook.

'Wat een ramp... Dat lukt me nooit,' had Max overdreven zorgelijk tegen haar gezegd. In werkelijkheid had hij al een paar weken geleden besloten om het tentamen niet te doen.

'Helemaal mee eens... Ik zou het tentamen het liefst willen laten schieten en pas over drie maanden doen.'

'De enige manier om het te halen is naar zee gaan om te studeren. Me opsluiten waar het rustig is.' Na een technische pauze had hij het gesprek vervolgd. 'Maar in je eentje aan zee, daar is niets aan. Dan verveel je je stierlijk.'

Kletskoek van de bovenste plank.

Hij zou nog liever zijn pink en ringvinger laten afhakken dan in zijn eentje naar zee gaan. Maar hij had het idee opgeworpen als een visser die gewoon om maar wat te proberen zijn broodje kaas als aas voor de tonijn uitwerpt.

Je weet maar nooit in het leven.

En inderdaad, de tonijn had gehapt. 'Mag ik met je mee? Vind je dat goed? Ik heb ruzie met mijn ouders, ik kan ze niet meer verdragen...' had Martina onbevangen gevraagd.

Max was sprakeloos en had vervolgens, met moeite zijn enthousiasme bedwingend, het genadeschot gegeven. 'Natuurlijk, geen probleem. Als je het goed vindt vertrekken we vanavond.'

'Geweldig. Maar we gaan wel studeren, hoor.'

'Natuurlijk gaan we studeren.'

Ze zouden elkaar om zeven uur treffen bij de metrohalte van Rebibbia vlak bij het huis van Martina.

Max was zo nerveus dat het wel het eerste afspraakje van zijn leven leek. En eigenlijk was het dat ook. Martina leek heel weinig op de meisjes met wie hij gewoonlijk omging. Twee verschillende rassen. De meisjes met wie hij omging zouden niet naar zee gaan met een onbekende, zelfs niet voor twee miljoen dollar. Ze woonden in Parioli, in het oude centrum en in de Fleming, en wisten niet eens wat Rebibbia was. En hoewel hij een paardenstaart had en vijf oorringetjes in zijn linkeroor, broeken droeg die drie maten te groot waren en in buurthuizen kwam, had zelfs Max op de kaart moeten opzoeken waar Rebibbia was.

Vak 12 c2. De ware periferie. Fantastisch!

Max was ervan overtuigd dat hij iets met Martina kon hebben. Ook al was hij steenrijk en woonde hij in Parioli, ook al was hij haar gaan ophalen met de Mercedes die een paar honderd miljoen lire kostte om haar mee te nemen naar een villa van twee verdiepingen met sauna, fitnessruimte en een koelkast die leek op een kelderkluis van een Zwitserse bank, al die flauwekul interesseerde hem niets. Hij zou drummer worden en zichzelf niet afbeulen om rotwerk te doen zoals die sukkel van een vader van hem.

Hij en Martina zaten op dezelfde golflengte en hij kleedde zich net zo lomp als zij en ze leken op elkaar, ook al kwamen ze uit verschillende werelden, dat bewees het feit dat ze allebei hielden van ecstasy, The Jesus&MaryChain en Hüsker Dü.

Hij kon er niets aan doen dat hij in Parioli was geboren.

En zo reden ze dus samen, Max en Martina, met honderdtachtig de helling af in de Mercedes van professor Mariano Franzini die op dat moment naast zijn vrouw lag te slapen in het Hilton van Istanboel, vanwege een internationaal congres over de implantatie van heupprotheses, in de vaste veronderstelling dat zijn nieuwe auto in de garage aan de Via Monti Parioli stond en niet in handen was van die ellendige zoon van hem.

De sleepnetten met lichtbak die de nacht verlichten. De warmte. De vissers die aan boord vis roosteren. Inktvis om middernacht. Wandelingen door het regenwoud. Het viersterrenhotel. Het zwembad. De onderbreking van twee dagen in Colombo, de kleurrijkste stad van het Oosten. De zon. Bruin worden…

Al die beelden verschenen als een film in het hoofd van politieagent Antonio Bacci terwijl hij als versteend in de regen langs de weg stond in zijn vochtige uniform, met het signaalbord in zijn hand en het bloed dat onder zijn nagels vandaan kwam.

Hij keek op zijn horloge.

Op dat moment had hij al een paar uur op de Malediven moeten zijn.

Hij kon het nog steeds niet geloven. Hij stond hier in de regen en kon het niet geloven dat zijn reis naar de tropen dank zij dat stelletje lapzwansen in de soep was gelopen.

Hij had alles al geregeld.

Hij had vrije dagen opgenomen. En Antonella, zijn vrouw, had ook tien dagen vrijgenomen. Zijn zoon Andrea zou bij oma logeren. Hij had zelfs een siliconen-duikbril, zwemvliezen en een snorkel gekocht. Honderdtachtigduizend lire weggegooid.

Als hij daar geen goede reden voor zou verzinnen, dan riskeerde hij het gek te worden. De vakantie waarvan hij vijf jaar gedroomd had, was binnen de vijf minuten van één telefoontje in rook opgegaan.

'Dag meneer Bacci, u spreekt met Cristiano Piccino van het district Francorosso. Ik bel u om te zeggen dat het ons vreselijk spijt maar uw reis naar de Malediven is geannuleerd wegens overmacht.'

Wegens overmacht?

Hij had het drie keer in zichzelf moeten herhalen voordat hij begreep dat hij niet zou vertrekken.

Wegens overmacht = staking van piloten en vliegtuigpersoneel.

'Klootzakken, ik haat jullie!' brulde hij wanhopig in de nacht.

Dit was de categorie mensen die hij het meest haatte. Nog meer dan fundamentalistische Arabieren. Nog meer dan de aanhangers van de Lega Nord. Nog meer dan antiprohibitionisten. Hij haatte ze hardnekkig en vastberaden sinds hij een jongetje was en naar het journaal begon te kijken, en ging begrijpen dat de slechtsten het in de wereld het altijd voor het zeggen hadden.

Eén keer per week staking. Maar wat valt er eigenlijk te staken?

Ze hadden alles in het leven. Een salaris waarvoor hij drie keer zou tekenen, plus de mogelijkheid om te reizen en stewardessen te pakken en een vliegtuig te besturen. Ze hadden alles en ze staakten.

En wat zou ik dan moeten zeggen, hè?

Wat had agent Antonio Bacci moeten zeggen, die de helft van zijn leven met bevroren billen doorbracht op een vluchtstrook langs de weg en bekeuringen moest uitdelen aan vrachtwagenchauffeurs, en de andere helft ruzie maakte met zijn vrouw? Moest hij in hongerstaking gaan? Moest hij zichzelf doodhongeren? Nee, hij kon zich nog beter in zijn mond schieten zodat hij er voorgoed vanaf was.

'Verdomme!'

En daarbij was het niet om hemzelf. Hij zou hoe dan ook, ook wel zonder de Malediven overleven. Met een gebroken hart, maar hij zou doorgaan. Zijn vrouw niet. Antonella zou zich hier niet zo maar bij neerleggen. Met dat karakter van haar zou ze hem er het hele volgende millennium voor laten boeten. Ze maakte zijn leven tot een hel, alsof het zijn schuld was dat de piloten gingen staken. Ze praatte niet meer tegen hem, ze behandelde hem nog erger dan een vreemdeling, ze kwakte het bord voor hem neer en zat de hele avond voor de tv.

Waarom had hij zo weinig geluk? Wat had hij toch verkeerd gedaan dat hij dit verdiende?

Hou op. Laat zitten. Niet over nadenken.

Hij zat zichzelf onnodig te kwellen.

Hij deed zijn regenjas beter dicht en ging dichter bij de weg staan. Twee koplampen kwamen uit de bocht te voorschijn, Antonio Bacci hief zijn signaalbord op en bad dat er in die Mercedes een piloot of een stewardess zaten, of nog beter, die twee samen.

'Ik weet niet of je het hebt gezien, maar de politie gaf een stopsignaal,' kondigde Martina aan terwijl ze een trekje van haar joint nam.

'Waar?' Max trapte hard op de rem.

De auto begon te slippen en te glibberen over de natte weg. Max probeerde tevergeefs de macht over het stuur te houden. Uiteindelijk trok hij aan de handrem (nooit aan de handrem trekken terwijl je rijdt!) en de Mercedes maakte twee pirouettes en kwam ten slotte tot stilstand met de voorkant op een halve meter afstand van de greppel naast de weg.

'Poeh, wat een toestand...' pufte Max met de adem die hem restte. 'Het scheelde een haar of we waren over de kop geslagen.' Hij was wit als een vaatdoek.

'Heb je ze niet gezien?' Martina was kalm. Alsof ze een kettingbotsing in de botsautotootjes had gehad, en niet met honderdzestig was geslipt op een snelweg waar ze bijna hun nek hadden gebroken.

'Ja... Nee, niet echt.' Hij had wel een blauw licht gezien, maar hij dacht dat het een reclamebord van een pizzeria was. 'Wat zal ik doen?' In zijn achteruitkijkspiegel, gestreept door de regen, leek het licht van de surveillancewagen op een vuurtoren in de storm. 'Zal ik omkeren?' Hij kon niet praten. Zijn stembanden waren uitgedroogd.

'Weet ik veel... Dat moet jij toch weten.'

'Ik rijd liever door. Met deze regen kunnen ze het nummerbord toch niet gezien hebben. Ik rijd door. Wat vind jij?'

'Ik vind dat ongelooflijk stom. Ze achtervolgen je toch en dan ben je er gloeiend bij.'

'Zal ik dan maar teruggaan?' Hij zette de muziek uit en schakelde in zijn achteruit. 'Alles is toch in orde. Doe je riemen om. En gooi die joint weg.'

Hij heeft zelfs geen vaart verminderd.

Hij was met minstens honderdzestig uit de bocht gekomen en was doodleuk doorgereden.

Agent Antonio Bacci had niet eens de tijd gehad om het kentekennummer te noteren.

CRF 3... *huh?* Hij wist het niet meer.

Geen sprake van dat hij de achtervolging zou inzetten. Dat was wel het laatste waar hij op dat moment zin in had.

Je stapt in de auto, gooit die idiote Miele met zijn luie kont van de bestuurdersplaats, je moet ruzie maken omdat hij dat niet wil, ten slotte rij je weg en stort je je als een desperado in de achtervolging, en voordat je hem te pakken hebt ben je minstens al in Orbano en je loopt ook nog het risico dat je tegen een boom rijdt. En waarom? Omdat een of andere eikel een stopsignaal niet heeft gezien.

'Naa. Het is mijn nacht niet.'

Over een uur kap ik ermee, dan ga ik naar huis, neem een lekkere douche, pak een kop soep en ga naar bed en als dat zeikwijf van me niet tegen me praat is dat maar beter ook. Als ze haar mond houdt kan ze tenminste ook niet klagen.

Hij keek op zijn horloge. Het was Miele's beurt om buiten te staan. Hij liep naar de auto, veegde het raampje droog en keek wat zijn collega aan het doen was.

Hij slaapt. Hij slaapt als een os!

Hij stond al een half uur in de regen en dat stuk stront zat doodleuk en tevreden te snurken. Volgens de regels moest degene die in de auto bleef naar de politieradio luisteren. Als er een noodgeval was en er niet werd geantwoord, zat je ernstig in de problemen. Hij was onverantwoordelijk. Hij zat een jaar bij de politie en dacht dat hij kon slapen terwijl een ander al het werk opknapte.

Dit was niet de eerste streek die hij leverde. En daarbij vond hij hem veel te onvriendelijk. Een stuk bordkarton. Toen hij hem had verteld dat hij niet op reis kon vanwege de staking van de piloten en dat zijn vrouw buiten zinnen was, had die kerel niet één vriendelijk woordje gesproken, niet één vriendschappelijk gebaar gemaakt. Hij had alleen maar gezegd dat hij zich nooit door reisbureaus zou laten verneuken en dat hij op vakantie ging met de auto. *Bravo!* En wat een achterlijk gezicht had hij! Met die grote aardappelneus en die paddenogen. En die vaalblonde krullen vol gel. En hij glimlachte in zijn slaap.

Ik sta als een boerenlul in de regen en hij slaapt...

De tot dan toe met zo veel inspanning onderdrukte woede begon op hem te drukken als een giftig gas tegen de wanden van zijn slokdarm. Om zichzelf te kalmeren begon hij te tellen. 'Een, twee, drie, vier... Godverdomme!'

Een grijns als van een waanzinnige vervormde zijn gezicht. Hij begon met zijn vuisten tegen de voorruit te slaan.

Bruno Miele, de agent in de auto, sliep helemaal niet.

Hij liet zijn nek rusten op de hoofdsteun en bedacht met gesloten ogen dat Graziano Biglia er geen kwaad aan had gedaan Delia te neuken, maar dat hij er duizend keer beter aan had gedaan een presentatrice te neuken.

Showassistentes zijn duizend keer beter dan actrices.

En de presentatrices van sportprogramma's vond hij zo mogelijk nog geiler. Het was gek, maar van het feit dat die mokkeltjes over voetbal praatten en voorspellingen deden voor wedstrijduitslagen (altijd mis) en meningen verkondigden over de speltactiek (altijd belachelijk), kreeg hij een stijve.

Hij had begrepen waar die uitzendingen goed voor waren. Om de presentatrices te laten neuken met de voetballers. Daar was het allemaal om te doen, de rest was vooropgezet. En het feit dat ze vervolgens ook met elkaar trouwden bewees dat.

Die programma's werden gemaakt door de voorzitters van de voetbalclubs zodat hun spelers konden neuken, en dan stonden die spelers vervolgens bij hen in het krijt zodat ze in hun teams moesten spelen.

Als hij geen carrière bij de politie had gekozen, was hij graag voetballer geworden. Het was fout geweest dat hij er al zo vroeg mee gestopt was. Want misschien, als hij nog harder zijn best had gedaan...

Ja, wat zou ik graag een voetballer zijn.

Niet zo maar een voetballer, nee, *als je zo maar een voetballer bent dan zien de presentatrices je niet staan*, nee, hij moest een vedette zijn, zeg maar een De Franco. Hij zou te gast zijn bij de sportprogramma's en hij zou ze allemaal neuken: Simona Reggi, Antonella Cavalieri,

Miriana…? Miriana, Luisa Somaini toen ze nog bij TMC werkte en Michela Guadagni. Ja, allemaal, zonder zinloos onderscheid te maken.

Hij raakte opgewonden.

Wie zou de heetste van allemaal zijn?

Guadagni. Wat een lekker stuk, die Guadagni. Onder dat uiterlijk van braaf meisje gaat een hitsige teef schuil. Je moet alleen wel een topsporter zijn, jezus, om bij haar in de buurt te kunnen komen.

Hij begon zich voor te stellen dat hij meedeed aan een orgie met Michela, Simona en Andrea Mantovani, de presentator.

Hij glimlachte. Met gesloten ogen. Blij als een kind.

Tok tok tok tok.

Een spervuur van harde tikken deed hem letterlijk opspringen.

'Wat gebeurt er?' Hij wreef zijn ogen uit en schreeuwde. 'Ahhhhh!'

Door het raampje werd hij aangestaard door een monsterlijk gezicht.

Toen herkende hij hem.

Die klootzak Bacci!

Grommend liet hij het raampje een paar centimeter zakken. 'Ben je helemaal gek geworden?! Ik kreeg haast een hartverzakking! Wat is er?'

'Eruit!'

'Waarom?'

'Daarom. Je sliep.'

'Ik sliep niet.'

'Eruit!'

Miele keek op zijn horloge. 'Ik hoef nog niet.'

'Kom eruit.'

'Ik hoef nog niet. Ieder een half uur.'

'Dat half uur is al lang voorbij.'

Miele controleerde de tijd en schudde zijn hoofd. 'Niet waar, pas over een paar minuten. Over vier minuten kom ik eruit.'

'Verdomme, er zijn al meer dan veertig minuten voorbij. Eruit.'

Bacci stortte zich op de greep van het portier maar Miele was hem te snel af en drukte het knopje van het slot naar beneden, voordat die dwaas het portier kon openen.

'Jij vuil hoerenjong, kom eruit,' foeterde Bacci en hij begon opnieuw met zijn vuisten tegen het raampje te bonken.

'Wat heb jij?! Wat bezielt jou, ben je soms gek geworden? Ontspan. Wees kalm. Ik weet dat je reis naar de tropen niet is doorgegaan, maar ontspan. Het is maar een reis, niet het einde van de wereld.' Miele probeerde niet te lachen, maar die kerel was echt een loser. Twee maanden lang had hij opgeschept over atollen, napoleonvissen en palmbomen, en nu was hij niet eens vertrokken. Om je rot te lachen.

'O, jij lacht, stuk stront dat je d'r bent! Doe open! Pas op of ik sla het raampje in en je tanden uit je bek, godnogantoe.'

Miele stond op het punt de dosis te verhogen en te zeggen dat hij zich niet zo moest opwinden, dat het niet erg was dat hij niet naar Mauritius was gegaan, dat hij hier toch ook kon zwemmen, maar hij beheerste zich. Iets in hem zei dat die man werkelijk in staat was het raampje in te slaan.

'Doe open!'

'Nee, ik doe niet open. Als jij niet kalmeert, doe ik niet open.'

'Ik ben kalm. Doe nu open.'

'Je bent niet kalm, dat zie ik.'

'Ik ben kalm, ik zweer het je. Ik ben doodkalm. Kom, doe open.' Bacci liep van de auto weg met zijn handen omhoog. Hij was nu helemaal doorweekt.

'Ik geloof je niet.' Miele keek opnieuw op zijn horloge. 'En daarbij heb ik nog een paar minuten.'

'Je gelooft het niet, hè? Kijk dan maar.' Bacci trok zijn pistool en richtte het op Miele. 'Zie je wel dat ik kalm ben? Zie je wel, hè?'

Miele kon het niet geloven, hoe kón hij ook geloven dat die idioot zijn Beretta op hem richtte? Zijn brein was zeker doorgedraaid, net als bij die mensen die worden ontslagen en dan hun werkgever vermoorden. Maar Miele was niet bereid zich te laten vermoorden door een psychopaat. Hij trok ook zijn pistool. 'Ik ben ook kalm,' zei hij met een uitdagend glimlachje. 'Wij zijn allebei heel kalm. Stoned van de kamille.'

'Moet je kijken wat die agent doet,' zei Martina.

Er klonk een minuscuul vleugje verbazing door in haar stem.

'Wat doet hij? Ik kan het niet zien.' Max leunde over het meisje heen maar kon niets zien, zijn veiligheidsriem hield hem tegen en buiten was het donker.

In het blauwe licht was een menselijke silhouet te zien.

'Hij heeft een pistool in zijn hand.'

Max stikte er haast in. 'Hoezo hij heeft een pistool in zijn hand?'

'Hij richt ermee op de auto.'

'Hij richt ermee op de auto?!' Max trok zijn handen omhoog en begon te schreeuwen. 'We hebben niets gedaan! We hebben niets gedaan! Ik had hem niet gezien, die blokkade, ik zweer het!'

'Mond houden, mongool, hij richt hem niet op ons.' Martina opende haar rugzakje, haalde er een pakje Camel light uit en stak een sigaret op.

'En waar richt hij hem dan wel op?' vroeg Max.

'Hou nou eens even je mond. Laat me eens goed kijken.' Ze liet het raampje zakken. 'Op de politieauto.'

'O!' Max pufte van opluchting. 'En waarom?' vroeg hij vervolgens.

'Dat weet ik niet. Misschien zit er een dief in.' Martina blies een rookwolk naar buiten.

'Denk je?'

'Het zou kunnen. Misschien is die in de politieauto gekropen terwijl de agent auto's aan het stoppen was. Het gebeurt vaak dat surveillancewagens op die manier worden beroofd. Dat heb ik eens ergens gelezen. Maar waarschijnlijk heeft de agent hem betrapt.'

'Wat zullen we doen? Wegrijden?'

'Wacht. Wacht even… Laat mij maar.' Martina hing uit het raampje. 'Agent! Agent, hebt u hulp nodig? Kunnen we iets voor u doen?'

Nu begrijp ik waarom ze met me is meegegaan zonder dat ze me kende, dacht Max wanhopig bij zichzelf. *Ze is knettergek. In tegenstelling tot mijn vriendinnen is deze hier compleet gestoord.*

'Agent! Agent, hebt u hulp nodig? Kunnen we iets voor u doen?' Een stem in de verte.

Bacci keek op en zag langs de weg de donkerblauwe Mercedes die niet was gestopt. Een vrouwenstem riep hem.

'Wat?' brulde hij. 'Ik versta u niet.'

'Hebt u hulp nodig?' schreeuwde het meisje.

Hebt u hulp nodig? 'Nee!'

Wat waren dat voor vragen? Toen herinnerde hij zich het pistool en schoof het vlug in het foedraal. 'Zijn jullie degenen die daarnet niet stopten?'

'Ja. Dat zijn wij.'

'Waarom zijn jullie teruggereden?'

Het meisje wachtte een ogenblik alvorens te antwoorden. 'Gebaarde u niet met het stopbord dat we moesten stoppen?'

'Ja, maar daarnet...'

'Kunnen we dus nu gaan?' vroeg het meisje hoopvol.

'Ja,' zei Bacci, maar toen bedacht hij zich. 'Een momentje. Wat voor werk doen jullie?'

'Wij werken niet. Wij studeren.'

'Wat?'

'Literatuur.'

'Jij bent toch geen stewardess, hè?'

'Nee. Ik zweer het.'

'En waarom stopten jullie daarnet niet?'

'Mijn vriend had het stopsignaal niet gezien. Het regende te hard.'

'Ja, je vriend reed ook als een gek. Een kilometer terug staat een mooi groot bord met 80 erop. Dat is de maximumsnelheid op deze weg.'

'Mijn vriend heeft het niet gezien. We zijn ons rot geschrokken. Echt waar. Mijn vriend vindt het heel vervelend.'

'Nou goed, voor deze ene keer komen jullie er goed vanaf. Maar voortaan niet zo hard rijden. Vooral niet als het regent.'

'Dank u, agent. We zullen heel langzaam rijden.'

In de auto juichte Max om drie redenen.

1) Omdat Martina had gezegd 'mijn vriend'. Dat betekende waarschijnlijk niets, maar het kon ook wel iets betekenen. Iemand zegt niet zomaar 'mijn vriend'. Daar moet een reden voor zijn. Misschien een vergezochte reden, maar er moet een reden voor zijn.

2) Martina was helemaal niet gestoord. Integendeel. Ze was geniaal. Ze had die agent op grootse wijze ingepakt. Als ze nog even doorging

escorteerde hij hen persoonlijk naar huis.

3) Hij had geen bekeuring gekregen. Die had hij van zijn vader tot de laatste cent zelf moeten betalen, nog afgezien van het feit dat hij zijn nieuwe auto had gepikt…

Maar hij had te vroeg gejuicht, want precies op dat moment begon de dienst van Bruno Miele.

Toen hij dat juweel van een auto had zien stoppen was agent Miele naar buiten geschoten alsof er zwerm wespen in de surveillancewagen zat.

Een 650 TX. De beste auto ter wereld, volgens het Amerikaanse tijdschrift Motors & Cars.

Hij stak zijn lantaarn aan en richtte die op de auto.

Kobaltblauw. De enige kleur voor een 650 TX.

'Jullie in de Mercedes, aan de kant,' gebood hij de twee inzittenden en hij richtte zich vervolgens tot Bacci. 'Laat maar zitten. Ik regel het verder wel.'

De krachtige lichtbundel van de lantaarn deed de regendruppels glimmen die dicht opeen en gestaag neerkwamen. Daarachter het gezicht van een meisje dat verblind haar ogen opensperde.

Miele bekeek haar aandachtig.

Ze had blauw haar, een ring door haar lip en door haar wenkbrauw.

Een punk?! Wat doet een punk in een 650 TX?!

Miele haatte punks in een Panda, laat staan in het vlaggenschip van de Duitse vloot.

Hij haatte hun geverfde haar, hun tatoeages, hun ringen, hun zwetende oksels en alle andere anarchistisch-communistische flauwekul.

Lorena Santini, zijn verloofde, had eens gezegd dat ze graag een ringetje door haar navel wilde hebben, net als Naomi Campbell en Pietra Mura. 'Als je dat doet ga ik bij je weg!' had hij geantwoord. En de onzin was net zo snel uit Lorena's hoofd verdwenen als hij gekomen was. Als ze verloofd was geweest met iemand met minder ballen had ze nu zelfs een ring door haar kut gehad.

Een verontrustende gedachte deed hem verstenen. *En als Guadagni nou een ring door haar kut heeft?*

Bij haar zou dat heel goed passen. Guadagni is niet als Lorena. Sommige dingen kan zij zich gewoon permitteren.

'Uw collega zei dat we konden gaan,' zei de punk met een arm voor haar ogen en een stemmetje als van viswijf uit een Romeinse volkswijk.

'Maar ik zeg dat jullie hier blijven. Aan de kant.'

De auto werd op de vluchtstrook geparkeerd.

'Het is waar. Ik heb gezegd dat ze konden gaan,' protesteerde Bacci fluisterend.

Miele zette zijn volume geen decibel lager. 'Dat heb ik gehoord. En dat was fout. Ze zijn niet gestopt bij een stopteken. Dat is zeer ernstig…'

'Laat ze toch gaan,' onderbrak Bacci hem.

'Nee. Nooit.' Miele zette een stap naar de Mercedes, maar Bacci pakte hem vast bij zijn arm.

'Waar ben jij verdomme mee bezig? Ik heb ze aangehouden. Wat heb jij daarmee te maken?'

'Laat mijn arm los.' Miele wurmde zich los.

Bacci begon te springen van woede en vanuit zijn mondhoeken in en uit te blazen. Zijn wangen zwollen op en slonken vervolgens als twee doedelzakken.

Miele keek hem hoofdschuddend aan. *Stakker. Wat jammer. Hij is volledig de kluts kwijt. Ik moet zijn zorgwekkende geestelijke toestand rapporteren. Hij is niet meer verantwoordelijk voor zijn daden. Hij realiseert zich niet dat het heel erg slecht met hem gaat.*

Als die twee studenten waren, dan was hij een merengueganser. En die imbeciel wilde hen laten gaan…

Het waren twee dieven.

Hoe kon een punkgrietje in zo'n auto zitten? Duidelijk. Ze brachten de Mercedes naar een of andere heler. Maar als ze dachten dat Bruno Miele dat niet in de gaten had, dan begingen ze een grote vergissing, zo groot als het Olympisch stadion.

'Luister, ga terug naar de auto. Droog je af, je bent drijfnat. Ik regel het verder wel. Het is nu mijn beurt. Ieder een half uur. Toe, Antonio, ga in de auto zitten, alsjeblieft.' Hij probeerde de meest verzoenende toon te gebruiken die mogelijk was.

'Ze zijn teruggekomen. Ik had ze het stopteken gegeven en ze zijn teruggekomen. Waarom? Als ze dieven waren, zouden ze dan zijn teruggekomen volgens jou?' Bacci zag er nu uitgeput uit. Alsof er drie liter bloed van hem was afgenomen.

'Wat doet dat er toe? Erin, toe.' Miele opende het portier van de surveillancewagen. 'Je hebt een zware dag achter de rug. Ik controleer hun papieren en dan laat ik ze gaan.' Hij duwde hem naar binnen.

'Maar wel opschieten, dan kunnen we naar huis,' zei Bacci volledig uitgeput.

En nu zijn wij aan de beurt.

Hij zette zijn pet recht en liep met vastberaden tred naar de gestolen Mercedes.

De referentiemodellen van Bruno Miele waren de vroegere Clint Eastwood, inspecteur Callahan, en Steve McQueen in *Bullit*. Mannen uit één stuk. Mannen van staal die zonder blikken of blozen iemand door de kop schoten. Weinig woorden, grote daden.

Miele wilde net zo worden. Maar hij had begrepen dat hij, wilde hij daarin slagen, een missie moest hebben. En hij had er een gevonden. De hele omgeving zuiveren van verloedering en criminaliteit. En als hij daarbij geweld moest gebruiken: des te beter.

Het probleem was dat hij het uniform dat hij droeg haatte. Hij vond het vreselijk. Het was afzichtelijk, belachelijk. Belabberde snit. Stof van slechte kwaliteit. Rommel voor de Poolse politie. Keek hij in de spiegel dan moest hij braken. In dat uniform zou hij nooit het beste van zichzelf kunnen geven. Zelfs Dirty Harry zou in een Italiaans politie-uniform een doorsnee jongen zijn, die droeg niet voor niets tweedjasjes en strakke broeken. Nog een jaar, dan kon hij vragen om toetreding tot de bijzondere eenheden. Als ze hem aannamen zou hij in burgerkleding werken en dan zou hij pas echt op zijn gemak zijn. De P38 in het okselfoedraal. En die mooie witte trenchcoat aan die hij in de zomeruitverkoop in Orbano had gekocht.

Miele sloeg met zijn lantaarn op het raampje aan de bestuurderszijde.

Het raampje ging open.

Er zat een jongen achter het stuur.

Zonder enige emotie te tonen nam hij hem op (ook een onderscheidend kenmerk van Clint).

Hij was erg lelijk.

Waarschijnlijk een jaar of twintig.

Over vijf, nou vooruit, hooguit zes jaar zou hij kaal zijn. Hij pikte ze er zo uit, de kaalkoppen. Al droeg die jongen zijn lange haar samengebonden in een paardenstaart, boven zijn voorhoofd was zijn haar al dun, net als bij bomen in een verbrand bos. Hij had oren zo groot als donuts en zijn linkeroor flapte meer dan zijn rechter. Alsof die deformatie nog niet genoeg was hingen er vijf zilveren oorringen aan zijn lel. De punk vond waarschijnlijk dat hij op Bob Marley of zo'n andere gedrogeerde kut-rockster leek, maar hij had meer weg van Mr Bean verkleed als de Tovenaar van Oz.

Het grietje met dat blauwe haar keek met een verkrampte onderkaak voor zich uit. Ze had haarlokjes op haar oren. Ze was niet spuuglelijk. Zonder al dat ijzerwerk in haar gezicht en die verf op haar hoofd zou ze er best mee door kunnen. Niets bijzonders eigenlijk, maar voor pijpen of rampetampen in het donker was ze best geschikt.

Miele keek in de auto. 'Goedenavond, meneer. Mag ik uw papieren even zien?'

Een sterk aroma, even onmiskenbaar als dat van koeienstront, prikkelde zijn reukorgaan en veroorzaakte een stroom van ionen die via zijn hersenzenuwen zijn brein bereikte, waar neurotransmitters werden losgelaten op de synapsen van het geheugencentrum. En Bruno Miele herinnerde het zich weer.

Hij was zeventien, op het strand van Castone en zong *Blowing in the Wind*, samen met een paar jongelui van de regionale vestiging van Gemeenschap & Bevrijding van Albano Laziale, die daar in de buurt kampeerden. Plotseling waren er vier freaks gekomen die sigaretten begonnen te draaien. Ze hadden hem er ook een aangeboden en om indruk te maken op een brunette van G&B had hij die aangenomen. Eén trekje en hij was gaan hoesten en tranen en toen hij had gevraagd wat dat voor rommel was, waren de freaks gaan lachen. Vervolgens legde iemand hem uit dat die sigaret vol drugs zat. Hij had een angstige week doorgemaakt, ervan overtuigd dat hij een drugsverslaafde was geworden.

Dezelfde geur hing in die Mercedes.

Hasj.

Rook.

Drugs.

Mr Bean en Mooie Haren hadden een heleboel joints gerookt. Hij richtte zijn lantaarn op de asbak.

Bingo. En die zak van een Bacci wilde ze wegsturen...

Niet een heleboel, maar een berg. De asbak liep over van de peuken. Ze hadden niet eens de moeite genomen ze te verstoppen. Ofwel het waren twee geestelijk gehandicapten, ofwel ze waren te stoned om zo'n simpele handeling te verrichten.

Mr Bean opende het handschoenenvakje en overhandigde hem het kentekenbewijs en de groene kaart.

'Rijbewijs?'

De jongen haalde zijn portefeuille uit zijn zak en gaf hem het rijbewijs.

Mr Bean heette in werkelijkheid Massimiliano Franzini. Hij was geboren op 25 juli 1975 en woonde in Rome aan de Via Monti Parioli 28.

Het rijbewijs was in orde.

'Van wie is de auto?'

'Van mijn vader.'

Hij controleerde het kentekenbewijs. De auto stond op naam van Mariano Franzini, wonende aan de Via Monti Parioli 28.

'En jouw vader kan zich een dergelijke auto veroorloven?'

'Ja.'

Miele strekte zijn arm uit en raakte met het puntje van de lantaarn het bovenbeen van het meisje aan. 'Haal die koptelefoon eens van je hoofd. Papieren.'

Mooie Haren haalde een oordopje uit haar oor, trok een gezicht alsof ze een dode muis had ingeslikt en pakte uit haar buidel haar identiteitsbewijs dat ze met een nukkig gebaar overhandigde.

Ze heette Martina Trevisan. Ook uit Rome, Via Palenco 34. Miele was niet erg bekend met de plattegrond van de hoofdstad, maar hij meende zich te herinneren dat Via Palenco vlak bij Piazza Euclide was. Parioli dus.

Hij gaf de documenten terug en bekeek de twee nauwkeurig.

Twee kut-Pariolen die punk waren.

Erger nog dan dieven. Veel erger. Dieven namen tenminste nog risico's. Zij niet. Zij waren rijkeluiskindjes verkleed als vandalen. Vanaf hun geboorte in de watten gelegd en opgevoed met klappen van honderdduizend lire en met ouders die hen leerden dat ze de heersers van het universum waren, dat het leven een lolletje is en dat ze een joint mochten roken als ze dat wilden en dat het niet erg was als ze zich wilden uitdossen als landlopers.

Een gelukzalige glimlach verscheen op Miele's gezicht, waardoor een haag van gele tanden zichtbaar werd.

Die A van anarchie die met viltstift op de jeans was geschreven, was een schop tegen het zere been voor wie zich krom werkt in de ijskoude regen om de orde te handhaven. Die joints in de asbak waren een belediging voor wie één keer per ongeluk een trekje van een joint heeft genomen en een week lang doodsbang was dat hij verslaafd zou zijn. Die colablikjes, nonchalant weggegooid onder de stoelen van een auto die een normaal mens zich nooit zou kunnen veroorloven, al zou hij er zijn leven lang voor sparen, waren een krenking voor wie een Alfa 33 Twin Spark bezit, die hij op zondag met de hand wast, en op zoek moet naar gebruikte onderdelen. Kortom, alles wat die twee vertegenwoordigden was een pure belediging voor hemzelf en het hele politiekorps.

Die etterbakjes zaten hem te sarren.

'Weet je vader dat je zijn auto hebt gepikt?'

'Ja.'

Terwijl hij net deed of hij de verzekeringspapieren controleerde vervolgde Miele op informele toon: 'Roken jullie graag?' Hij hief zijn blik op en zag dat Mr Bean haast een zenuwinzinking kreeg.

Dit bracht bij hem een weldadige schok teweeg, waardoor hij weer helemaal opknapte.

De kou was verdwenen. De regen maakte hem niet meer nat. Hij voelde zich goed. Vredig.

Het is duizendmaal beter om politieagent te zijn dan voetballer.

Hij had ze tuk.

'Roken jullie graag?' herhaalde hij op dezelfde toon.

'Hoezo, agent, ik snap niet wat u bedoelt,' stamelde Mr Bean.

'Roken jullie graag?'

'Ja.'

'Wat?'

'Wat wat?'

'Wat roken jullie graag?'

'Chesterfield.'

'En houden jullie niet van stickies?'

'Nee.' Maar de stem van Bean vibreerde als de snaar van een viool.

'Neeee? En waarom tril je dan?'

'Ik tril niet.'

'O. Je trilt niet. Neem me niet kwalijk.' Hij glimlachte tevreden en scheen het licht in het gezicht van Mooie Haren.

'De jongeman hier zegt dat jullie niet van joints houden. Is dat zo?'

Martina beschermde haar ogen tegen het licht en schudde haar hoofd.

'Wat is er met jou aan de hand? Ben je te stoned om te praten?'

'We hebben een paar stickies gerookt, nou en?' antwoordde Mooie Haren met een schelle, scherpe stem, als een nagel die over het schoolbord krast.

Aha... jij bent een lastpak! Jij bent niet zo'n schijtluis als Flapoorbel.

'Nou en? Misschien is het je ontgaan, maar in Italië is dat een misdrijf.'

'Het is voor eigen gebruik,' verweerde het grietje zich op een schooljuffentoon.

'O, het is voor eigen gebruik. Kijk dan maar eens. Kijk dan maar eens wat er gebeurt.'

Max lag in het water.

Als een tapijtje.

Hij had geen tijd gehad om te reageren, zich te verdedigen, iets te doen.

Het portier was opengevlogen en die hufter had hem met twee handen bij zijn paardenstaart gegrepen en hem naar buiten getrokken. Even was hij bang geweest dat hij al zijn haar eruit wilde rukken, maar die klootzak had hem midden op de vluchtstrook gesleurd, alsof hij een zware zak was die aan een touw vastgebonden zat. En Max was naar voren gelanceerd, met zijn hoofd omlaag, en belandde met zijn gezicht in een modderplas.

Hij kon niet ademen.

Hij krabbelde overeind en ging op zijn knieën zitten. De botsing met het asfalt had zijn borstbeen ingedrukt waardoor zijn longen waren ingeklapt. Hij sperde zijn mond open en stootte gorgelende klanken uit. Geen resultaat. Hij probeerde te ademen maar het lukte niet om lucht naar binnen te zuigen. Happend naar lucht lag hij voorover in de regen en alles om hem heen verdampte en werd donker. Zwart en geel. Gele bloemen sproten met honderden tegelijk voor zijn ogen de grond uit. In zijn oren hoorde hij een dof, kloppend geronk als de motor van een verre olietanker.

Ik ga dood. Ik ga dood. Ik ga dood. Tering, ik ga dood.

Toen hij er zeker van was dat hij het loodje zou leggen, sprong er iets los in zijn borstkas, een klep misschien, kortom: iets ontspande zich, een vleugje lucht werd gulzig opgezogen in zijn uitgedroogde longen. Max ademde. En hij ademde en ademde opnieuw. Zijn gezicht werd van paars, kardinaalrood. Vervolgens begon hij te hoesten en te spugen en voelde hij weer de regen die in zijn nek droop en zijn haren doorweekte.

'Sta op. Kom overeind.'

Een hand pakte zijn kraag vast. Hij stond.

'Gaat het?'

Max schudde van nee.

'Wel waar, het gaat best. Ik heb je van je sufheid afgeholpen. Ik wed dat je me nu beter begrijpt.'

Max keek op.

Dat stuk ellende stond midden op de parkeerplaats, volledig doorweekt, en spreidde zijn armen als een bezeten prediker of iets dergelijks. Zijn gezicht verborgen in het donker.

En Martina was er ook. Ze stond. Met gespreide benen. Haar handen tegen het portier van de Mercedes.

'Als datgene wat jullie hebben gerookt inderdaad voor eigen gebruik is, zoals de jongedame zojuist zei, moeten wij ons er nu van vergewissen dat er niet ergens nog meer drugs verstopt zijn, want dat zou veel erger zijn, heel veel erger, en willen jullie weten waarom? Omdat het dan gaat om onrechtmatig bezit van verdovende middelen bedoeld voor verkoop.'

'Max, voel je je goed? Gaat het?' Martina riep hem wanhopig toe zonder zich om te draaien.

'Ja. En jij?'

'Goed...' Haar stem klonk gebarsten. Ze stond op het punt in huilen uit te barsten.

'Fantastisch. Met mij gaat het ook goed. Het gaat met ons alledrie goed. Dan kunnen we ons nu gaan bezighouden met de serieuzere zaken,' zei de agent in het midden van de vluchtstrook.

Hij is gek. Volkomen gek, zei Max in zichzelf.

Waarschijnlijk was hij niet eens een echte smeris. Wellicht een gevaarlijke psychopaat, verkleed als smeris. Net als in *Maniac Cop*. Die andere, die agent die ze eerst hadden gezien, die met dat pistool, wat was daarmee gebeurd? Had hij die vermoord? In de surveillancewagen brandde de binnenverlichting, maar door de regen op de raampjes kon je niet naar binnen kijken.

Hij werd verblind door de lantaarn van de smeris.

'Waar is het spul?'

'Welk spul? Er is... geen... spul.' *Kut, nou ga ik zelf ook bijna huilen.* Hij voelde de tranen hun vervloekte tentakels uitslaan rondom zijn adamsappel en luchtpijp. Een oncontroleerbaar getril deed hem van top tot teen schudden.

'Kleed je uit!' beval de smeris hem.

'Hoezo, kleed je uit?'

'Kleed je uit. Ik moet je fouilleren.'

'Ik heb niets bij me.'

'Laat maar zien.' De smeris had zijn stem verheven. En stond op het punt zijn kalmte te verliezen.

'Maar...'

'Niets maar. Jij moet gehoorzamen. Ik vertegenwoordig de gevestigde orde en jij de anarchie en jij bent op heterdaad betrapt op een misdrijf, dus als ik jou beveel dat je je moet uitkleden dan moet jij je uitkleden, begrepen? Of moet ik soms mijn pistool te voorschijn halen en dat tussen je amandelen stoppen? Wil je dat ik dat doe?' Hij had die rustige toon weer terug, die toon die rampspoed en geweld voorspelde.

Max trok zijn geruite bloes uit en legde die op de grond. Vervolgens zijn sweater en T-shirt. Intussen stond de agent met gekruiste armen toe te kijken. Hij gebaarde dat hij door moest gaan. Hij maakte zijn riem los en zijn broek, die drie maten te groot was en omlaag gleed als een losgescheurd toneeldoek zodat hij in zijn onderbroek stond. Hij had onbehaarde, witte magere benen als twijgjes.

'Alles uittrekken. Misschien heb je het daar verst—'

'Hier! Hier is het! Hij heeft het niet. Ik heb het,' schreeuwde Martina, die nog steeds met haar handen tegen de auto stond.

'Wat heb jij?' De smeris liep naar haar toe.

'Hier! Kijk maar.' Martina opende haar buidel en pakte een stukje hasj. Een kleine hoeveelheid. Hooguit een paar gram. 'Hier is het.'

Dat was alles wat ze hadden.

Slechts een half uur daarvoor, op een planeet die lichtjaren verwijderd was, een planeet met automatische verwarming, de muziek van REM en leren stoelen, had Martina gezegd: 'Ik heb geprobeerd nog wat te kopen. Ik heb Pinocchio opgebeld,' (en Max had toen gedacht dat dealers altijd van diezelfde idiote bijnamen hadden) 'maar ik kreeg hem niet te pakken. Het is weinig, maar wat kan ons dat schelen. We zorgen gewoon dat het genoeg is en trouwens, als we helemaal stoned zijn kunnen we niet studeren…'

'Geef hier.' De smeris pakte het stukje hasj en hield het onder zijn neus. 'Laat me niet lachen. Dit zijn alleen maar de kruimeltjes. Waar is het grote spul verstopt? Achter in de auto? Of dragen jullie dat bij je?'

'Ik zweer het, ik zweer bij God dat dit alles is wat we hebben. Er niet meer. Dat is de waarheid. Verdomme. Klootzak die je bent. Het is de waarh…' Martina stopte met praten en begon te huilen.

Ze leek kleiner nu ze eindelijk huilde. Er liep snot uit haar neus en de mascara was uitgelopen onder haar ogen en de donkerblauwe borstel op haar hoofd was ingestort en plakte op haar voorhoofd. Een meisje van vijftien dat schokkend snikte.

'Is het in de auto? Zeg op, hebben jullie het in de auto verstopt?'

'Kijk zelf maar, hufter. Er is helemaal niets!' brulde Martina en wierp zich vervolgens met gebalde vuisten op hem en de smeris greep haar polsen vast en Martina gromde en huilde en de smeris schreeuwde. 'Wat wil je nou? Wat wil je nou? Je positie wordt er alleen maar slechter op,' en hij boog een arm achter haar rug waardoor ze het uitgilde van pijn en deed een handboei om haar pols en de andere aan het portier.

Max keek met zijn broek op zijn enkels toe hoe zijn studiegenootje en toekomstige verloofde werd mishandeld, en kon niets doen.

Het was de toon van de smeris die hem belette te reageren. Te rustig. Alsof het voor hem de normaalste zaak van de wereld was om iemand bij zijn haren te grijpen en op de grond te gooien, en vervolgens een meisje te slaan.

Hij is zo gek als een deur. In plaats van hem volledig in paniek te brengen, maakte deze overweging hem rustig.

Hij was gek. Daarom moest hij absoluut niets doen.

Je hoort wel eens van mensen die zijn overleden en toen weer tot leven zijn gekomen. Een kwestie van een paar seconden waarin de longen zijn gestopt, het elektrocardiogram plat ligt en elk teken van leven afwezig is. Klinisch dood zijn die dan. Dan brengen de inspanningen van de artsen, de adrenaline, de elektrische schokken en de hartmassages het hart weer tot leven, dat langzaam begint te kloppen, en dan gaan die geluksvogels verder met leven.

Sommigen zeiden bij het ontwaken, als dat de juiste term is, dat ze, terwijl ze dood waren, de sensatie hadden gehad los te komen van hun lichaam en zichzelf te zien liggen op de operatietafel omringd door artsen en verpleegkundigen. Ze keken van bovenaf naar wat er gebeurde, alsof hun stoffelijk overschot (voor anderen de ziel) behept was met een camera die los was geraakt en naar achteren en boven was gezwenkt.

Een sensatie die leek op wat Max op dat moment voelde.

Hij zag vanaf een afstand wat er gebeurde. Als in een film, of beter gezegd, als op een filmset. Een film over geweld. Het blauwe zwaailicht van de surveillancewagen. De koplampen van de Mercedes die de regenplassen deden glinsteren. De door de regen gegeselde duisternis. De auto's die langsflitsten. Een kerkklok die in de verte sloeg.

Dat was me nog niet eerder opgevallen.

En die smeris, en een mager meisje op haar knieën
dat ik vanochtend heb leren kennen
dat met handboeien geketend aan het portier zat te huilen. En dan stond hij daar, in zijn onderbroek, trillend en klappertandend, niet in staat iets te doen.

Het was volmaakt. Als in een script.

En het meest absurde was dat het echt was en dat het hem overkwam, hij die zo dol was op actiefilms, hij die heel vaak *Duel* had gezien en vier keer *A Quiet Weekend of Fear* en minstens een paar keer *The Hitcher*, hij die op de tweede rij van de Embassy met een zak popcorn op schoot zou hebben genoten van zo'n scène. Wat gek, nu zat hij er middenin, juist hij, juist hij die zou hebben geapplaudisseerd...

De jongen zet zich niet in en doet niet mee.

Hoe vaak had die flauwekul niet op zijn rapport gestaan?

'Laat haar met rust!' brulde hij uit volle borst. Zijn stembanden hadden ervan kunnen knappen. 'Laat haar met rust!'

Hij stormde als een gewond wild beest op die kutklotesmeris af, maar belandde na nauwelijks een stap op de grond.

Hij was over zijn broek gestruikeld.

En bleef liggen huilen in de koude nacht.

Misschien ga ik iets te ver.

Het was de erbarmelijke aanblik van Mr Bean die, krijsend als een gekeeld varken, over zijn broek struikelde en terechtkwam in een modderplas die deze vraag van morele orde ontlokte aan politieagent Bruno Miele.

Het had iets dolkomisch, iets voor Fantozzi bij voorbeeld, die stakker met zijn broek op zijn enkels die hem probeerde aan te vallen maar struikelde, maar de scène had zijn glimlach doen verstarren. Plotseling kreeg hij een beetje medelijden met die sloeber. Iemand van twintig die als een snotneus begint te dreinen en zijn eigen verantwoordelijkheden niet kan nemen. Toen hij de film *The Bear* had gezien, had hij iets dergelijks gevoeld, op het moment dat de jagers mamabeer doden en het welpje begrijpt dat de aarde een rotplek is, bevolkt door schoften, en hij zichzelf zal moeten redden. Een brok in zijn keel en een onwillekeurige samentrekking van zijn gelaatsspieren.

(Wat gebeurt er verdomme met je?)
Wat gebeurt er verdomme met me?! Niets!
Het meisje boezemde hem geen medelijden in.

Integendeel. Hij zou haar slaan. Ze haalde zodanig het bloed onder zijn nagels vandaan met dat hysterische stemmetje van haar, dat leek op het krassen van een elektrische zaag, dat hij haar niet eens had willen neuken. Ja, hij zou haar dolgraag slaan. Maar die sukkel moest ophouden met jammeren, anders zou hij zelf ook nog gaan huilen.

Hij hurkte neer naast Mr... Hoe heette hij ook alweer? Massimiliano Franzini. Hij zette een honingzoete toon op, net een Siciliaanse *cassata*. 'Sta op. Niet huilen. Toe, daar op de grond krijg je het koud.'

Niets.

Het leek of hij hem niet had gehoord, maar hij was tenminste wel opgehouden met huilen. Hij pakte hem bij een arm en probeerde hem op te trekken, maar er gebeurde niets.

'Toe, doe niet zo gek. Ik controleer de auto en als ik niets vind laat ik jullie gaan. Nou tevreden?'

Hij had dat gezegd om hem te laten opstaan. Hij was er niet zo zeker van of hij ze uiteindelijk echt zou laten gaan. Die opgerookte peuken waren er nog steeds. En hij moest ook nog de namen controleren bij de centrale. Het proces-verbaal. Er was nog heel wat te doen.

'Sta op want anders word ik boos.'

Flapoor tilde eindelijk zijn hoofd op. Zijn gezicht was besmeurd met modder en op zijn voorhoofd zat een tweede mond die bloed braakte. Hij had glanzende, vermoeide ogen, maar ze waren bezield met een vreemde vastberadenheid. Hij liet zijn tanden zien.

'Waarom?'

'Daarom. Je kunt niet op de grond blijven liggen.'

'Waarom?'

'Omdat je dan ziek wordt.'

'Waarom? Waarom doe je zo?'

'Hoe bedoel je?'

'Waarom gedraag je je zo?'

Miele deed een stap achteruit.

Alsof plotseling Mr Bean niet meer daar op de grond lag, maar een giftige cobra die zijn nek opblies.

'Sta op. Ik ben hier degene die de vragen stelt. Sta...'

(Leg hem uit waarom je je zo gedraagt.)

...op,' stamelde hij.

(Zeg het.)

Wat?

(Zeg hem de waarheid. Leg het hem uit, toe. En verkoop hem geen onzin. Zo leg je het ook aan ons uit. Want we hebben het niet goed begrepen. Zeg het hem, vooruit, waar wacht je nog op?)

Miele liep een eindje weg. Hij leek wel een etalagepop. De broek van zijn uniform was tot aan de knieën doorweekt, het jasje had een donkere kring op de schouders en de rug. 'Wil je dat ik het zeg? Ik zal het je zeggen. Ik zal het je zeggen, als je wilt.' En hij liep naar Flapoor toe, greep diens hoofd en draaide het in de richting van de Mercedes. 'Zie je die auto daar? Die auto kost, zonder extra's, honderdnegenenzestig miljoen lire, inclusief btw, maar als je er een open dak bijneemt en bredere banden en een gecomputeriseerde airconditioning, een hifi-stereo-installatie met cd-wisselaar in de bagageruimte en actieve subwoofer, lederen bekleding, laterale airbag en al het andere, dan kom je rustig op tweehonderdtien, tweehonderdtwintig miljoen. Die auto heeft een remsysteem, gecontroleerd door een zeventien-bits processor die identiek is aan die van McLaren in de Formule 1, hij heeft een verzegelde doos met binnenin een chip gemaakt door Motorola die de gewichtsverdeling van de wagen controleert, de druk van de banden en de hoogte van de schokbrekers regelt, ook al is dat allemaal maar flauwekul die je ook, zij het iets slechter, bij een topmodel van BMW of Saab hebt. Het bijzondere van deze auto, waar de fanatici zich letterlijk op aftrekken, is de motor. Een motor van drieënzestighonderdvijfentwintig kubieke centimeter, verdeeld over twaalf zuigers van een speciale legering, waarvan alleen Mercedes de exacte samenstelling kent. Hij is ontworpen door Hans Peter Fenning, de Zweedse ingenieur die ook verantwoordelijk is voor het propulsiesysteem van de Space Shuttle en de Amerikaanse atoomonderzeeër *Alabama*. Heb je wel eens geprobeerd weg te rijden in de vijfde versnelling? Waarschijnlijk niet, maar als je het doet zul je merken dat die auto zelfs in de vijfde versnelling optrekt. De motor is zo soepel dat je kunt schakelen zonder het koppelingspedaal in te drukken. Zijn acceleratie verslaat al die klotecoupés die tegenwoordig zo in de mode zijn en overtreft met glans auto's als Lamborghini of Corvette, ik weet niet of je begrijpt wat ik bedoel. En zullen we het over zijn vorm hebben? Elegant. Sober. Niets lomps. Geen idiote vernuftige koplampen. Geen opsmuk in reliëf. Geraffineerd. De klassieke Mercedes sedan. Deze auto wordt gebruikt door Gianmaria Davoli, de presentator van de Grand Prix, die ook best een Ferrari 306 of een Testarossa zou kunnen verslijten zoals ik een paar sandalen verslijt. En weet je wat onze eigen premier heeft gezegd bij de auto-expo in Turijn? Hij zei dat deze auto een mijlpaal is, en dat wij onszelf pas een democratisch land kunnen noemen als we in Italië ook zo'n auto kunnen maken. Maar ik denk dat we dat nooit zullen kunnen, wij hebben niet de mentaliteit om zo'n auto te fabriceren. En nu weet ik niet wie jouw vader is en ook niet hoe hij zijn geld verdient. Hij zal vast wel een mafioos of een afperser of een pooier zijn, kan mij niet schelen. Maar ik acht jouw vader hoog, hij verdient respect want hij heeft een 650 TX. Jouw vader is een man die dingen van waarde weet te waarderen, hij heeft deze auto gekocht, hij heeft er een smak geld voor betaald en ik zou er mijn rechterhand om durven te verwedden dat hij zich niet uitdost als een landloper en ik zou er mijn linkerhand om durven te verwedden dat hij niet weet dat jij, rotjoch, zijn auto hebt gejat om een snolletje met blauw haar en oorringen in haar gezicht mee uit rijden te nemen en stickies te roken in een 650 TX. Misschien heeft een of andere lul van een rockster er wel eens een lijntje coke in gesnoven, maar niemand, ik herhaal: niemand heeft er ooit een stickie in gerookt. Jullie tweeën hebben heiligschennis gepleegd, blasfemie op zijn zachtst gezegd, toen jullie besloten stoned te worden in een 650 TX. Jullie hebben een ernstig misdrijf begaan, zoiets als schijten op het Altaar des Vaderlands. Is het nu duidelijk waarom ik me zo gedraag?'

Als agent Antonio Bacci niet als een blok in slaap was gevallen zodra hij goed en wel in de surveillancewagen zat, zou de 'Bruno Miele Magic Show', rechtstreeks uitgezonden vanaf kilometerpaal honderdtwaalf aan de Via Aurelia, niet zo goed geslaagd zijn en zouden Max Franzini en Martina Trevisan niet nog jarenlang hebben verteld over die verschrikkelijke nachtelijke ervaring (als bewijs waarvan Max het litteken op zijn kalende voorhoofd zou laten zien).

Maar Antonio Bacci had, zodra hij de behaaglijke warmte van de auto betrad, de veters van zijn kistjes losgemaakt, zijn armen over elkaar geslagen en was ongemerkt in een diepe slaap gevallen die bevolkt werd door kokosnoten, ballonvissen, duikbrillen en stewardessen in bikini.

Bacci werd wakker door het geluid van de politieradio. 'Patrouillewagen 12! Patrouillewagen 12! Noodgeval. U moet zich onmiddellijk naar de middenschool van Ischiano Scalo begeven, onbekenden zijn het gebouw binnengedrongen. Patrouil—'

Kut, ik ben in slaap gevallen, realiseerde hij zich terwijl hij de microfoon pakte en op zijn horloge keek. *Hoe kan dat nou, slaap ik al meer dan een half uur? Wat doet Miele daar buiten?*

Het duurde een paar seconden voordat hij begreep wat de centrale wilde, maar ten slotte slaagde hij erin te antwoorden. 'Ontvangen. We gaan meteen. Over hooguit tien minuten zijn we er.'

Dieven. In de school van zijn zoon.

Hij stapte uit. Het regende nog even hard als eerst en daarbij waaide er een wind die je wegblies. Hij zette twee flinke stappen, maar hield meteen in.

De Mercedes stond er nog steeds. Het meisje met de blauwe haren zat met handboeien aan het portier geketend. Ze zat op de grond en klemde een arm om haar benen heen. Miele daarentegen zat gehurkt op de vluchtstrook naast de jongen, die languit in zijn onderbroek in een modderplas lag, en sprak tegen hem.

Hij liep naar zijn collega toe en vroeg met verwrongen stem wat er aan de hand was.

'O, daar ben je.' Miele hief zijn hoofd op en glimlachte blij. Hij was volledig doorweekt. 'Gewoon. Ik legde hem iets uit.'

'En waarom is hij in onderbroek?' Bacci was verbijsterd.

De jongen trilde als een rietje en was ook nog gewond aan zijn hoofd.

'Ik heb hem gefouilleerd. Ik heb ze betrapt op hasjroken. Ze hebben me een klein stukje gegeven, maar ik heb gegronde verdenkingen dat ze nog meer hebben, ergens verstopt in de auto. We moeten controleren—'

Bacci pakte hem bij een arm en sleurde hem weg, zodat de andere twee hen niet konden horen. 'Ben je helemaal gek geworden? Heb je hem te grazen genomen? Als die twee je aangeven heb je stront aan de knikker.'

Miele wrong zich los. 'Hoe vaak heb ik al gezegd dat je me niet moet aanraken! Ik heb hem niet te grazen genomen. Hij is zelf gevallen. Alles onder controle.'

'En waarom heb je dat meisje in de boeien geslagen?'

'Ze is hysterisch. Ze probeerde me aan te vallen. Rustig maar. Er is niets gebeurd.'

'Luister. We moeten onmiddellijk naar het schoolgebouw van Ischiano. Een noodgeval. Het schijnt dat iemand het gebouw is binnengedrongen en er is geschoten...'

'Hoezo geschoten?' Miele begon druk te bewegen. Hij wapperde nerveus met zijn handen. 'Zijn er schoten gehoord in de school?'

'Ja.'

'In de school?'

'Ja, zei ik toch.'

'Ogodogodogodogod...' Nu hield Miele zijn vingers, die spartelden als de pootjes van een sprinkhaan, voor zijn gezicht, trok ermee aan zijn lippen, zijn neus en ging ermee door zijn haar.

'Wat heb je?'

'Eikel, mijn vader is daarbinnen. De Sardijnen! Papa had gelijk. Kom, kom, we moeten meteen gaan, er is geen tijd te verliezen...' riep Miele met een verwilderde stem en hij liep naar de twee jongelui.

Dat is waar ook. Bacci was het vergeten. *Miele's vader is conciërge van de school...*

Miele rende naar de jongen die intussen was opgestaan, raapte de inmiddels tot natte vodden gereduceerde kleren van de grond op en gaf die aan de jongen, ging vervolgens naar het meisje en maakte haar los, keerde zich om maar bleef opeens staan. 'Luister goed, ditmaal ontspringen jullie de dans, maar de volgende keer zal het anders gaan. Houd op met stickies roken. Je hersens rotten weg van dat spul. En houd ook op met je zo uitdossen. Ik zeg het voor je eigen bestwil. Wij moeten nu weg. Kleed je goed aan, anders krijgen jullie nog griep.'

Vervolgens richtte hij zich alleen tot de jongen. 'O, en feliciteer je vader met zijn auto.' Hij voegde zich bij Bacci en de beide smerissen stapten in de auto en reden met loeiende sirenes weg.

Max zag ze verdwijnen over de Via Aurelia. Hij gooide zijn kleren weg, trok zijn broek op, rende naar Martina toe en omhelsde haar.

Een hele tijd bleven ze staan in een stevige omstrengeling, als een Siamese tweeling. En in stilte huilden ze. Ze woelden door elkaars haar, terwijl de ijskoude regen hen genadeloos bleef geselen.

Ze kusten elkaar. Eerst in de hals, toen op de wangen en ten slotte op de lippen.

'Laten we in de auto gaan zitten,' zei Martina terwijl ze hem naar binnen trok. Ze sloten de portieren en zetten de gecomputeriseerde temperatuurregelaar aan die de ruimte binnen een paar seconden veranderde in een oven. Ze kleedden zich uit, ze droogden zich af, ze trokken de warmste spullen aan die ze hadden en ze kusten elkaar opnieuw.

Op die manier doorstond Max Franzini de verschrikkelijke proeve van de kus.

En die kussen waren de eerste van een heel lange reeks. Max en Martina werden verliefd, waren drie jaar verloofd (in het tweede jaar werd er een meisje geboren dat ze Stella noemden) en trouwden vervolgens in Seattle, waar ze een Italiaans restaurant openden.

Gedurende de daaropvolgende dagen in de villa in San Folco dachten ze lang na hoe ze die hufter konden aangeven, maar uiteindelijk lieten ze het erbij zitten. Je wist maar nooit hoe het zou aflopen en daarbij moesten ze niet vergeten dat ze die stickies bij zich hadden en dat ze de auto stiekem hadden meegenomen. Beter om het erbij te laten zitten.

Maar die nacht bleef voorgoed in hun geheugen gegrift. De verschrikkelijke nacht dat ze de pech hadden agent Miele tegen te komen en de grote vreugde te ontkomen en verliefd te worden.

Max startte de auto, deed de REM-cd in de cd-speler en vertrok voorgoed uit dit verhaal.

10 december

38

tring tring tring.

Toen de telefoon begon te rinkelen, droomde juffrouw Flora Palmieri net dat ze bij de schoonheidsspecialiste was. Ze lag rustig en tevreden op de behandelstoel, toen de deur openging en er een dozijn zilverkleurige koalabeertjes binnenkwam. De juf wist, zonder te weten waarom, dat die marsmannetjes haar teennagels wilden knippen.

Ze hielden kniptangen in hun klauwtjes en dansten allemaal vrolijk zingend om haar heen.

'*Trik trik trik.* Wij zijn koala's, wij zijn snoezige beertjes en wij gaan nu je teennageltjes knippen. *Trik trik trik tring tring tring.*'

Met hun kniptangen in hun vuistjes.

tring tring tring.

En de telefoon bleef maar rinkelen.

Flora Palmieri sperde haar ogen wijd open.

Donker.

tring tring tring.

Met haar hand zocht ze het lichtknopje en deed het nachtlampje aan.

Ze keek op de digitale wekker op het nachtkastje naast haar bed.

Tien over half zes.

En de telefoon bleef maar rinkelen.

Wie kan dat zijn?

Ze stond op, trok haar pantoffels aan en rende naar de woonkamer.

'Hallo?'

'Juffrouw Palmieri? Neemt u mij niet kwalijk dat ik u op dit tijdstip bel... U spreekt met Giovanni Cosenza.'

De directeur!

'Heb ik u wakker gemaakt?' vroeg hij aarzelend.

'Nou, het is tien over half zes.'

'Mijn excuses. Ik had u liever niet gebeld, maar er is iets heel ergs gebeurd...'

Flora probeerde zich iets heel ergs voor te stellen wat voor de directeur een reden kon zijn haar op dat tijdstip wakker te bellen, maar kon absoluut niets bedenken.

'Wat dan?'

'Er is vannacht ingebroken op school. Alles is kort en klein geslagen.'

'Wie heeft dat gedaan?'

'Vandalen.'

'Wat zegt u?'

'Ja, ze hebben ingebroken en de televisie en de videorecorder vernield, de muren met verf beklad en het hek van de school afgesloten met een fietsketting. Italo heeft geprobeerd ze tegen te houden maar is in het ziekenhuis beland en nu is de politie er...'

'Wat is er met Italo gebeurd?'

'Ik geloof dat zijn neus is gebroken en hij is gewond aan zijn armen.'

'Maar wie waren het?'

'Dat weten we niet. Ze hebben dingen op de muur geschreven die doen vermoeden dat het om leerlingen van de school gaat, ik weet het niet... De politie is nu hier, er moet een heleboel gedaan worden, beslissingen genomen worden, en die opschriften...'

'Welke opschriften?'

De directeur aarzelde. 'Lelijke opschriften...'

'Hoezo lelijk?'

'Lelijk. Lelijk. Heel lelijk, juffrouw...'

'Lelijke opschriften? Wat staat er dan?'

'Niets... Zou u hier naar toe kunnen komen?'

'Wanneer?'

'Nu.'

'Ja, natuurlijk, ik kom... Ik kleed me aan en dan kom ik... Over een half uur?'

'Goed. Ik zal op u wachten.'

Juffrouw Palmieri legde volledig in verwarring de hoorn neer. 'Goeie god, wat zou er gebeurd zijn?' Ze drentelde twee minuten door het huis zonder te weten wat ze moest doen. Ze was een methodische vrouw. En noodgevallen brachten haar in paniek. 'O ja, ik moet naar de badkamer.'

39

Ta ta ta ta ta ta ta…

Graziano Biglia had het gevoel of er een helikopter in zijn schedel zat.

Een Apache, zo'n grote gevechtshelikopter.

En als hij zijn hoofd optilde van het kussen werd het nog veel erger, want dan begon de helikopter napalm uit te werpen over zijn arme, gekwelde brein.

Hoe was het ook al weer? Je liet je toch niet kennen? Alles zou toch goed komen? Ik kan ook zonder haar heel prima leven… Poeh!

En dan te bedenken dat alles gladjes was verlopen totdat hij die verdomde Bar Western was binnengestapt.

De herinneringen aan de vorige nacht leken op een zwart doek vol mottengaten. Hier en daar een gaatje waar wat licht doorheen scheen.

Hij was op het strand terechtgekomen. Dat herinnerde hij zich nog. Het was ijskoud op dat klotestrand en hij was ergens uitgegleden en languit tussen de kleedhokjes terechtgekomen. Hij lag in de regen en zong.

Golven op golven, het schip op drift, bananen, frambozen…

Ta ta ta ta ta…

Hij moest onmiddellijk iets innemen.

Een toverpil die de helikopter die in zijn hoofd vastzat zou neerhalen. De schoepen maalden zijn brein fijn als appelmoes.

Graziano strekte zijn arm uit en deed het licht aan. Hij opende zijn ogen. En sloot ze weer. Langzaam opende hij ze opnieuw en zag John Travolta.

Ik ben tenminste thuis.

Flora Palmieri had 's ochtends altijd een lang ritueel af te werken.

Eerst in bad met het badschuim van Ierse lelietjes-van-dalen. Dan luisteren naar de radio, naar het eerste deel van *Buongiorno Italia* met Elisabetta Baffigi en Paolo d'Andreis. En het ontbijt met cornflakes.

Die ochtend zou alles worden overgeslagen.

De heel lelijke opschriften. Honderd procent zeker dat het over haar ging.

Wat zouden ze hebben geschreven?

Eigenlijk was ze wel een beetje blij. Bij zulk overtuigend bewijs zouden de directeur en de onderdirectrice wel maatregelen nemen.

Een paar maanden geleden waren de flauwe grappen begonnen. Eerst nog onschuldig. De bordenwisser op de lessenaar geplakt. Een pad in haar tas. Een karikatuur op het schoolbord. Punaises op haar stoel. Vervolgens hadden ze het klassenboek kwijt gemaakt. Nog niet tevreden, hadden ze de schootsafstand verkleind en de banden van haar Y10 doorgeprikt, een aardappel in de uitlaatpijp gestopt en tot besluit op een avond, toen ze televisie zat te kijken, een steen door het raam van haar woonkamer gegooid. Het scheelde weinig of ze had een hartinfarct gekregen.

Toen was ze naar de onderdirectrice gegaan en had haar alles verteld. 'Het spijt me, maar ik kan er niets aan doen,' had die feeks gezegd. 'We weten niet wie het geweest is. We kunnen niets doen omdat dit buiten school gebeurd is. En daarbij denk ik, als u mij toestaat, juffrouw, dat het ook uw eigen schuld is dat het zover gekomen is. U slaagt er niet in een constructieve dialoog met uw leerlingen tot stand te brengen.'

Flora had aangifte tegen de onbekenden gedaan, maar er was niets gebeurd.

Misschien dat nu...

Eindelijk besloot ze de badkamer in te gaan, ze zette de douchekraan aan en kleedde zich uit.

Hij was aangekleed.

De Timberlands aan zijn voeten. Een zure, bijtende geur van...

'Jezus, ik heb mezelf onder gekotst.'

Weer een gaatje.

Graziano reed in de auto. Op een gegeven moment was er vanuit zijn strot een scherpe stroom Jack Daniel's opgestegen, had hij zijn hoofd omgedraaid en uit het raampje gebraakt. Alleen was het raampje dicht.

Gadverdamme...

Hij opende de la en gooide er blindelings doosjes uit.

Alka-seltzer. Paracetamol. Aspirine. APC. Norit.

Het was hem niet gelukt. Hij had zich niet kunnen verzetten tegen die golf van stront die over hem heen was gekomen.

En dan te bedenken dat hij na het telefoontje een paar uur lang had verkeerd in een raar euforisch gevoel van zen-loslating.

42

Dat juffrouw Palmieri er goed uitzag, daar was geen twijfel over mogelijk.

Ze was lang, mager, en had slanke benen. Ze had misschien wat weinig heupen, maar de natuur had haar bedeeld met weelderige borsten die opvielen bij haar slanke lichaam. Een witte huid, heel wit, wit als van een dode. Volledig onbehaard, behalve een peenkleurig plukje op haar schaambeen.

Haar gezicht leek uit hout gesneden. Een en al hoeken en twee puntige jukbeenderen. Een brede mond met smalle, bleke lippen. Sterke tanden, een beetje geel. Een lange, scherpe neus scheidde als een stabilisatievin twee ronde, grijze ogen die leken op rivierkiezels.

Ze had een opmerkelijke bos rood haar, gekroesde manen die tot halverwege haar rug reikten. Buitenshuis bond ze die altijd samen in een knot.

Toen ze uit de douche stapte, bekeek ze zich ondanks de kou in de spiegel.

Dat was iets wat ze vroeger zelden deed, maar sinds een tijdje deed ze het wel vaker.

Ze werd oud. Niet dat ze dat erg vond, integendeel. Ze was nieuwsgierig naar de manier waarop haar huid elke dag minder vitaal werd, haar haar minder ging glanzen en haar ogen valer werden. Ze was tweeëndertig en ze zou jonger lijken als ze niet dat spinnenweb van rimpeltjes rond haar mond had en de huid van haar hals niet wat slap was.

Ze bekeek zichzelf en wat ze zag beviel haar niet.

Ze haatte haar borsten. Die waren te zwaar. Ze droeg een e-cup, maar als ze haar menstruatie had, paste die nauwelijks.

Ze nam ze in haar handen. Ze kreeg zin om er zo hard in te knijpen dat ze zouden knappen, alsof het rijpe meloenen waren. Waarom had de natuur zo'n obscene grap met haar uitgehaald? Die twee monsterachtige, hypotrofische klieren pasten helemaal niet bij haar tengere figuur. Haar moeder had nooit zulke borsten gehad. Ze maakten dat ze kon doorgaan voor een vrouw van lichte zeden, en als ze ze niet platdrukte in elastische bh's, ze niet camoufleerde onder strenge kleren, voelde ze altijd de blikken van de mannen op zich gericht. Als ze de moed had, zou ze er een gedeelte van laten weghalen.

Ze trok haar badjas aan en liep naar de kleine keuken. Ze trok het rolluik omhoog.

Weer een regenachtige dag.

Ze pakte gebakken levertjes, courgettes en gekookte wortelen uit de koelkast. Ze stopte alles in de blender.

'Goeie god, ik moet gaan,' zei ze hardop. 'Vandaag moet je wat vroeger ontbijten, het spijt me maar ik moet naar school rennen...' Ze zette de blender aan. Binnen een tel veranderde alles in een rozige brij. Ze zette hem weer uit.

'Het was de directeur. Ik moet vlug naar school.' Ze haalde het deksel van de blender en deed er water en sojasaus bij. Ze roerde alles door elkaar. 'Er is vannacht ingebroken op school. Ik maak me een beetje zorgen.' Ze goot het mengsel in een zuigfles en verwarmde die in de magnetron. 'Ze hebben lelijke dingen geschreven... Waarschijnlijk over mij.'

Ze liep met de fles in haar hand door de keuken naar de donkere

kamer. Ze drukte op het lichtknopje. Het neonlicht flikkerde en verlichtte een kleine kamer. Nauwelijks groter dan de keuken. Vier witte
muren, een klein raam met neergelaten rolluik, grijs linoleum op de
vloer, een kruisbeeld, een aluminium bed met spijlen, een stoel, een
nachtkastje en een driepoot voor het infuus. Dat was alles.

Op het bed lag Lucia Palmieri.

43

Graziano had uitgebreid gedoucht en om half tien 's avonds het huis
verlaten.

Bestemming? Bioscoop Mignon in Orbano.

Titel van de film? *Knock off*.

Acteur? Jean-Claude Van Damme. Een kanjer.

*Wanneer ze je hart hebben uitgerukt en het hebben verpulverd, is de bios-
coop een wondermiddel*, had hij tegen zichzelf gezegd.

Na de film een stuk pizza en dan lekker slapen, als een oude, wijze
man.

Alles zou waarschijnlijk volgens plan zijn verlopen, als hij niet was
gestopt bij de Western Bar om sigaretten te kopen. Juist toen hij de
bar weer wilde verlaten, had hij tegen zichzelf gezegd dat één glaasje whisky geen kwaad kon, integendeel, dat hij daarvan zou opkikke-
ren.

Niets op tegen, als het bij één was gebleven.

Graziano was aan de bar gaan zitten en had een hele reeks glaasjes
whisky die geen kwaad konden achterovergeslagen, en zijn verdriet,
tot dan toe onderdrukt in het diepst van zijn wezen, was in beweging
gekomen en gaan blaffen als een gemartelde zwerfhond.

*Heb je mij verlaten? Prima. Wat kun jij me ook schelen. Helemaal geen
probleem. Zonder jou is Graziano Biglia's leven veel beter, sloerie. Ga maar
weg. Neuk maar met Mantovani. Mij kan het geen kloot schelen.*

Hij was in zichzelf gaan praten. 'Het gaat geweldig met me. Ik voel
me prima. Wat denk je, schatje, dat ik soms ga huilen? Nee, schatje,
dan vergis je je. Het spijt me zeer. Weet je hoeveel vrouwen beter zijn
dan jij? Miljoenen. Van mij zul je je leven lang geen woord meer

horen. Je zult nog wel merken hoe erg je me zult missen, want je zult me missen en je zult me zoeken maar niet vinden.'

Een groep jongens aan een tafeltje keek naar hem. 'Waarom kijken jullie zo? Kom maar hier en zeg me recht in mijn gezicht wat er niet goed is.' Hij had geblaft, had de fles van de bar gepakt, was, gekwetst en wanhopig, gaan zitten aan het donkerste tafeltje dat er was, en had zijn mobieltje te voorschijn gehaald.

44

Voor haar ziekte was Lucia Palmieri even lang als haar dochter, nu was ze ongeveer een meter tweeënvijftig en woog ze vijfendertig kilo. Alsof een buitenaardse parasiet haar vlees en inwendige organen had leeggezogen. Ze was gereduceerd tot een skelet, bedekt met slap, bleek vel.

Ze was zeventig en leed aan een zeldzame en onomkeerbare vorm van degeneratie van het centrale en perifere zenuwstelsel.

Ze leefde, als je het leven kon noemen, geketend aan haar bed. Gedachtelozer dan een tweekleppige mossel. Ze praatte niet, hoorde niet, bewoog geen spier, deed niets.

Eigenlijk deed ze maar één ding wel.

Ze keek naar je.

Met twee enorme grijze koplampen, dezelfde kleur als die van haar dochter. Ogen die zoiets immens groots leken te hebben gezien dat ze er als door de bliksem getroffen door waren, zodat er in haar hele organisme kortsluiting was ontstaan. Doordat ze al zo lang onbeweeglijk op bed lag, waren haar spieren gereduceerd tot een gelatineachtige brij en haar botten verschrompeld en krom als takken van een vijgenboom. Wanneer haar dochter haar bed moest verschonen, tilde ze haar op en hield haar in haar armen alsof ze een baby was.

45

Graziano had het eerste nummer van het adresboek in zijn gsm gebeld.

'Met Graziano. Met wie spreek ik?'

'Met Tony.'

'Hallo Tony.'

Tony Dawson, de dj van de Antrax en een ex van Erica.

(Natuurlijk kende Graziano dit detail niet.)

'Graziano? Waar ben je?'

'Thuis. In Ischiano. Hoe is het met je?'

'Gaat wel. Hard werken. En met jou?'

'Goed. Heel goed.' Vervolgens had hij de tennisbal in zijn keel doorgeslikt. 'Ik heb het uitgemaakt met Erica,' had hij eraan toegevoegd.

'Nee toch?!'

'Ja.' En ik ben blij, had hij willen zeggen, maar dat was hem niet gelukt.

'En waarom? Jullie leken zo goed bij elkaar te passen...'

Daar. Daar was de belabberde vraag die hem de komende jaren zou achtervolgen.

Hoe kon je zo stom zijn om zo'n stuk als Erica te laten gaan?

'Ja, waarom? Het boterde de laatste tijd niet meer zo tussen ons.'

'O! Ben jij bij haar weggegaan of... of zij bij jou?'

'Nou, laten we zeggen dat ik bij haar ben weggegaan.'

'Waarom?'

'Ach, laten we zeggen dat ik bij haar ben weggegaan vanwege onverenigbaarheid van karakters... We zijn totaal verschillende personen, onze levensvisies zijn lichtjaren van elkaar verwijderd.'

'O...'

Ondanks de whisky die zijn maag marineerde had Graziano in dat 'O...' heel veel verbazing, heel veel ongeloof, heel veel medelijden en heel veel andere dingen gehoord die hem niet bevielen. Het was alsof die klootzak had gezegd: Ja, hallo, maar daar trap ik niet in.

'Ja, ik ben bij haar weggegaan omdat ze, als je het echt wilt weten, half gek is. Het spijt me want ze is een vriendin van jou, maar Erica heeft water waar hersenen zouden moeten zitten. Zo iemand is ze. Iemand die je niet kunt vertrouwen. Ik snap niet hoe jij nog met haar bevriend kunt zijn. Ze spreekt trouwens ook kwaad over jou. Ze zegt dat jij iemand bent die zodra hij de kans krijgt de achterdeur neemt.

Begrijp me goed, ik zeg dat niet omdat ik boos ben, maar je kunt haar maar beter laten barsten. Ze is zo'n sloe... ach, laat ook eigenlijk maar.' Op dat moment had Graziano een vage perceptie gehad die hem adviseerde het gesprek te beëindigen. Tony Dawson was niet bepaald de juiste persoon om, zeg maar, je hart bij uit te storten, gezien het feit dat hij een van Sloerie's beste vrienden was.

Alsof het zo nog niet genoeg was gaf de dj, onbetrouwbaar als een gifslang, hem de doodsteek.

'Erica is nou eenmaal een beetje hoerig. Zo is ze gewoon. Dat weet ik, dat weet ik heel goed.'

Graziano had een slok whisky genomen om zichzelf moed in te drinken.

'Weet jij dat ook? Des te beter. Ja, ze is een gigantische sloerie. Eentje die over lijken gaat voor een beetje succes. Je weet niet half waartoe zij in staat is.'

'Waartoe dan?'

'Alles. Weet je waarom ze bij me weg is gegaan? Omdat ze haar hebben aangenomen als assistente in het programma *Wie zijn billen brandt*, dat programma van die nicht Andrea Mantovani. En ze kon natuurlijk geen ballast gebruiken die haar zou belemmeren zich uit te drukken volgens de wetten van haar natuurlijke aard, namelijk die van de grote hoer die ze is. Ze is bij me weggegaan omdat... Hoe zei ze het ook alweer?' Graziano probeerde een pathetische imitatie te geven van Erica's noordelijke accent. 'Omdat ik je veracht om alles wat jij bent. Om hoe je je kleedt. Om de lulkoek die je verkondigt... Vuile gore slettebak die je bent.'

Aan de andere kant van de lijn heerste een doodse stilte, maar dat interesseerde Graziano niet, hij gooide de karrenvracht stront leeg die hij had opgestapeld in zes maanden van kwellingen en frustraties, en hij had net zo goed Michael Jackson, Eta Beta of Sai Baba in hoogsteigen persoon aan de telefoon kunnen hebben, het kon hem geen barst schelen. Hij moest zijn hart uitstorten.

'Mij verachten om wat ik ben?! Hoor je wat ze zei? Wat ben ik dan verdomme, hè?! De lul die jou heeft overladen met cadeaus, die jou heeft getolereerd, van je heeft gehouden zoals niemand anders op de hele wereld, die alles heeft gedaan, alles, all... Kut! Ik hang op. Dag.'

Hij had het gesprek afgekapt omdat een pijn zo venijnig als een bijensteek zijn halsslagader folterde, en zijn breekbare zen-onderbouwing intussen was ingestort.

Graziano had de whiskyfles gepakt en waggelend de Western Bar verlaten.

De nacht, dat booswicht, had haar muil wijd opengesperd en hem opgeslokt.

46

'Hier. Ruik eens wat lekker. Ik heb er ook levertjes door gedaan...' Flora Palmieri tilde het hoofd van haar moeder op en stopte de zuigfles in haar mond. De oude vrouw begon te zuigen. Met die twee uitpuilende oogbollen en haar hoofd gereduceerd tot enkel schedel, leek ze op een kuikentje dat net uit het ei was gekropen.

Flora was een perfecte verpleegster, ze goot drie keer per dag gladgemalen papjes in de keel van haar moeder en waste haar elke morgen, liet haar 's avonds gymnastiek doen en leegde het zakje met ontlasting en het zakje met urine, verschoonde twee keer per week de lakens en legde versterkende infusen aan, praatte altijd tegen haar en vertelde haar een heleboel dingen en gaf haar een overvloed aan medicijnen en...

...en in deze situatie leefde ze nu al twaalf jaar.

En moeder leek niet van plan het loodje te leggen. Dat organisme van haar bleef aan het leven vasthouden als een zeeanemoon aan een rots. Ze had een pomp in zich die tikte als een Zwitsers horloge. 'Geweldig! Uw moeder heeft het hart van een topsporter, u hebt geen idee hoeveel mensen haar zouden benijden,' had de cardioloog eens gezegd.

Flora zette haar moeder wat meer rechtop. 'Lekker, hè? Heb je me gehoord? Er is vannacht ingebroken in de school. Ze hebben alles kapotgeslagen. Rustig, rustig, straks stik je nog...' Ze veegde met een servetje een straaltje pap af dat uit een mondhoek droop. 'Nu kunnen ze met eigen ogen zien hoe sommige leerlingen zijn. Vandalen. Ze hebben het over een dialoog. En die vandalen komen gewoon 's nachts de school binnen...'

Lucia Palmieri bleef gulzig doorzuigen en staarde naar een hoek van de kamer.

'Arm mamaatje, nou moet je zo vroeg al eten...' Flora borstelde de lange, witte haren van haar moeder. 'Ik zal proberen vroeg thuis te zijn. Maar nu moet ik echt gaan. Braaf zijn.' Ze haalde het buisje uit de katheter en pakte de urinezak van de vloer, gaf haar moeder een kus op haar voorhoofd en liep de kamer uit. 'Vanavond gaan we in bad. Fijn?'

47

De angst die hij de avond tevoren had weten te bedwingen sleurde hem bruut uit zijn slaap.

Pietro Moroni opende een oog en zoemde in op de grote Mickey Mouse-wekker die vrolijk tikte op het nachtkastje.

Tien voor zes.

Vandaag ga ik echt niet naar school.

Hij voelde aan zijn voorhoofd in de hoop dat hij koorts had.

Het was koud als dat van een lijk.

Door het kleine raam naast het bed kwam een beetje licht naar binnen dat een hoek van de kamer verlichtte. Zijn broer sliep. Het kussen over zijn hoofd. Een witte voet zo lang als een stokvis stak buiten de dekens.

Pietro stond op, stapte in zijn pantoffels en ging plassen.

In de badkamer was het ijskoud. Er kwam damp uit zijn mond. Terwijl hij plaste, haalde hij een hand over het vochtige raam en keek naar buiten.

Wat een rotweer.

De lucht was bedekt door een eenvormige massa dikke wolken die grimmig en dreigend boven het drijfnatte land hingen.

Als het zo hard regende nam Pietro de gele schoolbus. De halte was bijna een kilometer verderop (de bus kwam niet langs zijn huis want de weg naar het Huis van de Vijgenboom was vol hobbels en gaten). Af en toe bracht zijn vader hem, maar normaal gesproken ging hij lopen, onder zijn paraplu. Als het niet zo heel hard regende trok hij zijn gele regenpak aan en nam de fiets.

Zijn moeder was al in de keuken.

Er klonk geluid van pannen en er hing een geur van tomatensaus.

Zagor blafte.

Hij keek uit het raam.

Zijn vader, weggedoken onder zijn regenjas, was bij het hondenhok en pakte de cementzakken die naast het hok van Zagor stonden. Zagor lag aan de ketting, jankte en rolde kwispelend in de modder in een poging de aandacht te trekken.

Zal ik het hem vertellen?

Zijn vader gunde het dier geen blik waardig, alsof het niet bestond, pakte een zak, hees die op een schouder en gooide hem vervolgens met zijn hoofd omlaag op de aanhanger van zijn tractor, en begon opnieuw.

Moest hij het hem vertellen? Hem alles vertellen, hem zeggen dat ze hem hadden gedwongen op school in te breken?

(Papa, sorry, maar ik moet je iets vertellen. Gisteren…)

Nee.

Hij had het gevoel dat zijn vader hem niet zou begrijpen en boos zou worden. En niet zo'n klein beetje ook.

(Als hij er later achter komt, is dat niet veel erger?)

Maar het was niet mijn schuld.

Hij gaf een energiek rukje aan zijn piemel en rende naar zijn kamer.

Hij moest ophouden te denken dat het niet zijn schuld was. Dat veranderde niets, het maakte alles alleen maar moeilijker. Hij moest ophouden te denken aan school. Hij moest slapen.

'Wat een kutzooi,' mompelde hij en met een sprongetje nestelde hij zich weer in het warme bed.

De wasmachine

Raar verschijnsel, schuld.

Pietro had nog niet goed begrepen hoe het werkte.

Overal, op school, in Italië, in de hele wereld, geldt dat als je iets doet wat niet mag, kortom als je een streek uithaalt, je schuld hebt en straf krijgt.

Er zou de rechtvaardigheid moeten zijn dat iedereen die ergens schuld aan heeft, daarvoor moet boeten. Maar bij hem thuis lagen de zaken bepaald anders.

Dat had Pietro al heel vroeg geleerd.

Bij hem thuis viel schuld als een meteoriet uit de hemel. Soms, eigenlijk heel vaak, viel hij boven op jou, en soms had je geluk en kon je hem ontlopen.

Kortom, een loterij.

En alles hing af van hoe papa's pet stond.

Als hij een goed humeur had kon je nog zo iets verschrikkelijks hebben uitgespookt, maar dan gebeurde er niets. Maar als papa's pet verkeerd stond (de laatste tijd steeds vaker) dan was zelfs een vliegtuigongeluk op Barbados of de val van de regering van Kongo jouw schuld.

Vlak voor de zomer had Mimmo de wasmachine kapot gemaakt.

Stonewashed, had hij op het etiket van Patti's spijkerbroek gelezen. Hij vond die broek heel mooi. Zijn verloofde had hem uitgelegd dat ze zo mooi waren omdat ze stonewashed werden genoemd, ofte wel gewassen met stenen. De stenen maakten de spijkerbroek licht van kleur en soepel. Mimmo had er niet al te diep over nagedacht, had een emmer gevuld met stenen en die in de wasmachine gedaan, samen met zijn spijkerbroek en een halve liter bleekmiddel.

Resultaat: spijkerbroek en wasmachinetrommel konden worden weggegooid.

Toen meneer Moroni erachter was gekomen, had hij bijna een flauwte gekregen. 'Hoe is het mogelijk dat ik zo'n rund van een zoon heb? Het bestaat toch niet dat ik zo veel pech heb,' had hij gebruld terwijl hij zichzelf op de borst sloeg, om vervolgens te gaan foeteren op het genetische erfgoed van zijn vrouw die met royale hand zijn kinderen had voorzien van idiotie.

Hij had de klantenservice gebeld en de dag waarop de monteur zou komen was juist de dag waarop hij zijn vrouw naar de dokter in Civitavecchia zou brengen, dus had hij tegen Pietro gezegd: 'Jij moet thuisblijven, denk erom. Laat de monteur zien waar de wasmachine staat. Hij moet die meenemen. Je moeder en ik komen vanavond weer thuis. Denk erom, niet de deur uitgaan.'

En Pietro was rustig thuisgebleven, had al zijn huiswerk gemaakt en was om precies half zes voor de tv gaan zitten om naar *Star Trek* te kijken.

Toen was zijn broer thuisgekomen, met Patti, en ook zij hadden zich geïnstalleerd om naar de film te kijken.

Maar Mimmo had geen enkele bedoeling de avonturen van gezag-voerder Kirk en zijn bemanning te volgen. Het gebeurde zelden dat zijn moeder niet thuis was en hij wilde daar nu van profiteren. Als een hitsige poliep knuffelde en betastte hij zijn verloofde.

Maar Patriza ontweek hem, tikte hem op zijn handen en sputterde tegen.

'Laat me met rust, raak me niet aan. Wil je nu eens ophouden?'

'Wat heb je? Waarom wil je dat niet? Ben je soms je-weet-wel?' had Mimmo in haar oor gefluisterd, waarna hij had geprobeerd haar met het puntje van zijn tong te inspecteren.

Patrizia was opgesprongen en had met haar vinger naar Pietro gewezen. 'Je weet heel goed waarom. Je broer is er bij. Daarom. Hij is er altijd bij... Hij is een luis in mijn pels, hij kijkt altijd met van die ogen... Hij bespiedt ons. Stuur hem weg.'

Dat was niet waar.

Het enige wat Pietro interesseerde was hoe het zou aflopen met Spock en hij had geen enkele behoefte om die twee te bespioneren terwijl ze elkaar aflebberden en allerlei smerigs deden.

De waarheid lag heel anders. Patti had een hekel aan Pietro. Ze was jaloers. De twee broers speelden altijd onder een hoedje, maakten iets te veel grapjes naar haar zin en Patrizia was uit principe jaloers op iedereen die te nauwe banden onderhield met haar verloofde.

'Maar je ziet toch dat hij televisie zit te kijken...' had Mimmo geantwoord.

'Stuur hem weg. Anders gebeurt er niets.'

Mimmo had tegen Pietro gezegd: 'Waarom ga jij niet buiten spe-len? Lekker een eindje fietsen.' En vervolgens had hij gebluft. 'Ik heb deze aflevering al gezien, hij is heel stom...'

'Maar ik vind het leuk...' had Pietro ertegen ingebracht.

Moedeloos had Mimmo door de kamer gedrenteld op zoek naar een oplossing, die hij ten slotte had gevonden. Eenvoudig. De twee bedden van zijn ouwelui tegen elkaar schuiven zodat het één groot bed werd.

Magnifieke oplossing.

'Hoe laat komen papa en mama terug?' had hij aan Pietro gevraagd.

'Ze zijn naar de dokter. Om een uur of half negen, negen uur. Laat. Ik weet het niet.'

'Perfect. Laten we gaan, kom mee.' Mimmo had Patti bij haar hand gepakt en geprobeerd haar mee te trekken. Maar zij gaf geen krimp. Ze stond op haar strepen.

'Geen sprake van. Ik kom niet mee. Niet met die schaamluis in huis.'

Toen had Mimmo de laatste troef gespeeld die hij nog in handen had, met een royaal gebaar tienduizend lire uit zijn portemonnee getrokken en tegen Pietro gezegd dat hij sigaretten voor hem moest kopen. 'En van het geld dat je overhoudt mag je een lekkere magnum kopen en een paar potjes met de speelautomaat spelen.'

'Ik kan niet. Papa heeft gezegd dat ik thuis moet blijven. Ik moet wachten op die man van de wasmachine,' had Pietro doodernstig geantwoord. 'Als ik wegga wordt hij kwaad.'

'Maak je geen zorgen. Ik regel het wel. Ik laat die man wel zien waar de wasmachine staat. Ga jij nou maar sigaretten halen.'

'Maar… maar… dan wordt papa kwaad. Ik mag niet…'

'Eruit. Ophoepelen.' Mimmo had het geld in Pietro's broekzak gestopt en hem naar buiten geduwd.

Natuurlijk loopt dit alles heel slecht af.

Pietro fietst hard naar het dorp, komt onderweg Gloria tegen die naar paardrijles gaat en hem smeekt met haar mee te gaan en zoals gewoonlijk laat hij zich overhalen. Intussen komt de monteur van de wasmachine. Die ziet dat de voordeur dicht is, drukt op de bel, maar Mimmo hoort die niet, die is verwikkeld in een hevig gevecht met Patti's stretchbroek (die, slecht als geen ander, de bel wel hoort maar niets zegt). De monteur gaat weer weg. Om half acht, een uur eerder dan verwacht, parkeren meneer Moroni en zijn echtgenote hun Panda op het erf voor het huis.

Mario Moroni stapt uit de auto, is des duivels omdat hij driehonderdvijfennegentigduizend lire heeft uitgegeven aan neuroflauwekul voor zijn vrouw en loopt 'het enige waar dat geld goed voor is, is het verrijken van een zootje oplichters' schreeuwend naar de schuur en ziet dat de wasmachine daar nog steeds staat. Hij gaat het huis binnen. Pietro is er niet. Hij voelt dat zijn handen plotseling warm worden en beginnen te jeuken alsof hij netelroos heeft, hij voelt zijn ingewanden knappen, hij loopt naar boven (hij moest al plassen sinds hij uit Civitavecchia vertrok), haalt zijn snikkel alvast in de gang te voorschijn, doet de deur van de wc open en blijft met open mond staan.

Op de wc-pot zit...

...*die trut Patrizia!*

Haar haren zijn nat en ze heeft zijn donkerblauwe badjas aan en ze is bezig haar teennagels rood te lakken, maar als ze hem ziet met zijn snikkel uit zijn gulp begint ze als een krankzinnige te schreeuwen alsof hij haar wil verkrachten. Meneer Moroni duwt zijn pik terug in zijn broek en smijt de deur van de wc met zo veel geweld dicht dat een groot stuk stucwerk loskomt van de muur en op de grond valt. Razend als een wrattenzwijn balt hij een vuist die als een hamer op een aambeeld neerkomt op het mahoniehouten dressoir waardoor dat in tweeën breekt. Hij breekt bijna zijn hand. Hij onderdrukt een beestachtige brul en gaat naar Mimmo's kamer.

Die is er niet.

Hij gooit de deur van zíjn slaapkamer open en ziet Mimmo languit op het leeuwenvel op zíjn bed liggen ronken, naakt en tevreden, met op zijn gezicht de voldane en serene uitdrukking van een engeltje dat zojuist is gepijpt.

...*ze hebben ge... geneukt op mijn bed vieze vuile gore klootzak die je bent respect geen greintje respect smerige slet ik zal je leren wat respect is ik maak je af ik zweer het ik zal je helpen je leven lang te herinneren wat respect is ik zal je goede manieren bijbrengen dat zal ik...*

Een primitieve, brute razernij, verborgen in de oudste plekjes van zijn DNA, wordt briesend wakker, een blinde woede die onmiddellijk bevredigd moet worden.

...*ik maak hem af ik zweer het ik maak hem af al kom ik in de bak al*

kom ik in de bak het kan me geen kloot schelen ik blijf er de rest van mijn
leven zitten beter veel beter het kan me geen kloot schelen ik ben moe kut
kut kut ik kan niet meeeeeeeeer.

Gelukkig weet hij zich te beheersen, hij grijpt zijn zoon bij een oor.
Mimmo wordt wakker en begint als een bezetene te krijsen. Hij probeert zich te bevrijden uit die stalen greep die zijn oorschelp verbrij-
zelt. Geen resultaat. Zijn vader sleurt hem vloekend en tierend de
gang op en geeft hem een schop met zijn voetzool en Mimmo den-
dert van de trap en slaagt erin, vraag niet hoe, misschien door een
wonder, gedurende de hele afdaling te blijven staan maar struikelt op
de laatste tree, vervloekte pech, verstuikt zijn enkel en stort op de
grond, staat weer op en schiet naakt en vol pijn, zijn poot achter zich
aan slepend, het huis uit, de kou en de velden in. Meneer Moroni rent
achter hem aan, komt buiten op het balkon en briest. 'Ik wil je hier
nooit meer zien. Als je terugkomt breek ik al je botten. Dat zweer ik,
zo waar als Onze Lieve Vrouwe bestaat. Laat je hier nooit meer zien.
Laat je hier nooit meer zien, dat is het beste...' Hij gaat het huis binnen en zijn handen jeuken nog steeds en hij hoort achter zich een verstikte snik, een gejank. Hij draait zich om.

Zijn vrouw.

Ze zit naast de kachel met haar handen voor haar gezicht en huilt.
Die koe zit daar maar naast de kachel te huilen en haar neus op te
halen. Dat doet ze. Ze huilt en haalt haar neus op.

Goed zo goed zo dat is het enige wat je kunt grienen zo heb je je zoons
opgevoed ja zo wat ben je toch een domme stomme koe en ik moet overal voor
zorgen en boeten omdat jij huilt huilt... lelijke stomme koe... volgepropt
met medicijnen.

'Waarom? Wat heeft hij gedaan?' jammert mevrouw Moroni, haar
gezicht in haar handen verborgen.

'Wat hij heeft gedaaaaan? Wil je weten wat hij heeft gedaan? Hij
heeft liggen neuken in onze slaapkamer! In onze slaapkamer, hoor je?
Ik ga nu naar boven en gooi die slet eruit...' Hij loopt naar de trap
maar mevrouw Moroni rent achter hem aan en grijpt hem bij een arm.

'Mario, wacht, wa—'

'Laat me gaaaaaan!'

En hij slaat haar met de rug van zijn hand op haar mond.

Willen jullie weten wat je voelt als meneer Moroni je slaat met de rug van zijn hand? Nou, net zoiets als wanneer Mats Wilander je met een koekenpan op je tandvlees slaat.

De vrouw zakt als een in stukken gesneden pop ineen en blijft liggen.

En wie komt er precies op dat moment binnen?

Pietro.

Pietro, blij omdat hij in zijn eentje de hele manege is rondgereden op de rug van Principessa en haar vervolgens samen met Gloria heeft gewassen met een borstel en zeep. Pietro, die zich heeft gehaast om MS light te gaan kopen voor zijn broer. Pietro, die geen magnum is gaan eten maar vijfduizend lire apart heeft gehouden om de katvis te kopen die hij in de dierenwinkel in Orbano heeft gezien.

'Je siga—' De zin blijft onafgemaakt.

'Aha, daar ben je dan eindelijk, meneertje. Hebben we ons vermaakt? Zijn we lekker ons gangetje gegaan? Leuk rondgefietst?' grijnslacht zijn vader.

Pietro vormt zich een nauwkeurig beeld van alles. Zijn vader met zijn overhemd uit zijn broek. Zijn haren door de war, zijn rood aangelopen gezicht, zijn glimmende ogen, het schilderij van de clowns op de grond, de omgegooide stoel en daarachter een soort bundel. Een bundel met benen en de goede schoenen van zijn moeder.

'Mama! Mama!' Pietro rent naar zijn moeder, maar zijn vader grijpt hem in zijn nek, tilt hem op, en begint hem rond te draaien en lijkt hem tegen een muur te willen smakken en Pietro gilt, trapt om zich heen, spartelt als een robot met kortsluiting in een poging zich los te maken, maar de greep van zijn vader is stevig, muurvast, houdt hem klem alsof hij een zuiglam is.

Meneer Moroni schopt de voordeur open, loopt de trap af terwijl Pietro nog steeds vergeefs probeert zich los te maken, brengt hem naar beneden naar de bijkeuken en zet hem op de grond.

Voor de wasmachine.

Pietro huilt als een fontein, zijn gelaatstrekken zijn vervormd en zijn mond lijkt een gapende oven.

'Wat is dit?' vraagt zijn vader, maar het jongetje kan niet antwoorden, hij huilt te veel.

'Wat is dit?' Zijn vader pakt zijn armen vast en schudt hem door elkaar.

Pietro is knalrood. Hij krijgt geen lucht, hij hapt wanhopig naar adem.

'Wat is dit? Geef antwoord!' Hij geeft hem een harde klap op zijn hoofd. Dan, als hij hem ziet reutelen, gaat hij zitten op de kruk, sluit zijn ogen en begint langzaam zijn slapen te masseren.

Het zal wel weer overgaan, er is nog nooit iemand doodgegaan door te veel huilen.

Nog een keer. 'Wat is dit?'

Pietro's lichaam schokt van het huilen en hij geeft geen antwoord. Dan geeft zijn vader hem nog een klap, minder hard ditmaal.

'Nou? Krijg ik nog antwoord? Wat is dit?'

En eindelijk lukt het Pietro tussen de snikken door uit zijn mond te krijgen: 'Hhh dehhh wwwasss mmaa chiii nnnne...'

'Heel goed. En waarom staat die nog steeds hier?'

'Hhhet is is is nnnniet mmmijn sch schuld. Ik ww wwou wou nnn nniet wweg. Mimmo Mimmo... zz zei... het is is niet mijn schuld.' Pietro begint weer te snikken.

'Luister eens goed. Je vergist je. Het is wel jouw schuld, begrepen?' zegt meneer Moroni plotseling kalm en opvoedkundig. 'Het is wel jouw schuld. Wat had ik tegen jou gezegd? Dat je thuis moest blijven. Maar jij bent toch weggegaan...'

'Maar...'

'Geen gemaar. Een zin die met maar begint is bij voorbaat al fout. Als jij niet had gedaan wat je broer zei en gewoon thuis was gebleven zoals ik je had gezegd, dan was dit allemaal niet gebeurd. Dan had de monteur de wasmachine meegenomen, dan had jouw broer niet gedaan wat hij heeft gedaan en dan was je moeder niets overkomen. Wiens schuld is het dus?'

Pietro blijft een ogenblik zwijgen en richt dan zijn enorme hazelnootkleurige ogen, die nu helemaal rood en nat zijn, in de ijzige ogen van zijn vader en zucht met moeite.

'Mijn schuld.'

'Zeg dat nog eens.'

'Mijn schuld.'

'Goed. En nu ga je als de bliksem naar boven om te kijken hoe het met mama gaat. Ik kan maar beter naar de club gaan.'

Meneer Moroni stopt zijn hemd in zijn broek, trekt met zijn vingers een scheiding in zijn haar, doet zijn oude werkjack aan en staat op het punt weg te gaan, als hij zich omdraait. 'Pietro, je moet één ding goed onthouden, de belangrijkste regel in het leven is dat je je eigen schuld kunt toegeven. Begrepen?'

'Begrepen.'

Vijf uur later, om middernacht, is de cycloon van geweld die boven het Huis van de Vijgenboom was losgebarsten, overgewaaid.

Iedereen slaapt.

Mevrouw Moroni met een gezwollen lip opgerold in een hoekje van het bed. Meneer Moroni in het hoekje ernaast, verzonken in een dromenloze dronkemansslaap. Hij snurkt als een varken en zijn verbonden rechterhand leunt op het nachtkastje. Mimmo slaapt beneden in de schuur, verstopt achter de dekzijlen van de tractor en gewikkeld in een oude, door de motten aangevreten slaapzak. Een paar kilometer verderop slaapt Patti met haar lange benen vol pleisters. Ze heeft schrammen opgelopen toen ze door het badkamerraam naar buiten klom. Ze hield zich vast aan de dakgoot maar gleed eraf en belandde tussen de klimrozen.

De enige die nog niet slaapt, maar wel bijna, is Pietro. Hij heeft zijn ogen dicht.

Wat heeft hij gehuild!

Zijn moeder heeft hem in haar armen moeten nemen en moeten wiegen net als toen hij nog klein was en zei almaar, ondanks het bloed dat op haar kin droop: 'Stil maar, stil maar, alles is voorbij, alles is voorbij, het is over. Rustig, rustig maar, zo is het genoeg. Je weet toch hoe je vader is...'

Maar nu voelt Pietro zich goed.

Alsof hij een lange wandeling heeft gemaakt die al zijn krachten heeft verbruikt. Ontspannen ledematen. Zijn voeten geklemd om de warmwaterkruik. Hij mompelt een slaapliedje. 'Het was niet mijn schuld het was niet mijn schuld het was niet...'

De familie Moroni leek een beetje op die volkeren van de eilanden in de Stille Zuidzee die in een voortdurende toestand van bezorgdheid leven, altijd klaar staan om hun dorp te verlaten zodra ze in de hemel voortekenen van een orkaan zien. Dan gaan ze ervandoor, vluchten ze naar de grotten en laten de natuurkrachten zich ontladen. Ze weten dat de storm hevig maar van korte duur is. Zodra die over is, keren ze terug naar hun hutten en bouwen met geduld en wijsheid die vier houten schotten op die ze nodig hebben voor het dak boven hun hoofd.

48

Om zes uur 's ochtends zat een vogelverschrikker verkleed als Graziano Biglia in een hoek van de Stationsbar. Hij zat terneergeslagen op een stoel en ondersteunde zijn voorhoofd met een vuist. Voor hem stond een koud geworden cappuccino die hij niet van plan leek op te drinken.

Gelukkig was er niemand die hem stoorde.

Hij moest nadenken. Ook al voelde elke gedachte die hij formuleerde als een hamerslag in zijn hoofd.

Allereerst moest hij een ernstig probleem oplossen. Hoe verkocht hij het aan het dorp en aan zijn vrienden?

Iedereen binnen een straal van twintig kilometer wist dat hij ging trouwen.

Wat ongelooflijk stom dat ik dat heb verteld. Waarom heb ik het aan iedereen verteld?

Dat was een retorische vraag die geen enkel antwoord impliceerde. Vergelijkbaar met een bever die zich zou afvragen: 'Waarom ben ik in godsnaam dammen aan het bouwen?' Als het kon zou het knaagdier waarschijnlijk antwoorden: 'Ik weet het niet, het gaat vanzelf. Dat zit in mijn aard.'

Als ze zouden horen dat hij niet ging trouwen, zouden ze tot 2020 de spot met hem drijven.

En dan te bedenken dat ze het heeft aangelegd met die Nicht...

De gastritis schudde zijn maag dooreen.

Hij had ze zelfs verteld hoe de Sloerie heette. En ze zouden haar op televisie zien. Of in die rotkranten die ze lezen.

Gelukkig paar in de schijnwerpers: Mantovani en zijn nieuwe vlam Erica Trettel... Stel je voor.

Om nog maar te zwijgen over Saturnia.

Van alle stompzinnige ideeën had hij het allerstompzinnigste gekozen. Zwemmen in de bronnen van Saturnia had hij als klein kind al vreselijk gevonden. De stank van het zwavelhoudend water vond hij walgelijk. Een meur van rotte eieren die doordrong in je haren, je kleren, de stoelen van je auto en niet meer wegging. En dan die ijzige kou waardoor je bevangen werd wanneer je uit die halfkokende soep stapte. En dat alles om het lichaam van de Sloerie te laten zien aan die holbewoners.

Alleen hij kon zo'n stompzinnig plan bekenken.

Als hij erover nadacht moest hij bijna braken. Ook al was er intussen niets meer over om uit te braken behalve zijn ziel.

Om nog maar te zwijgen over zijn moeder en haar gelofte.

'O, mijn gastritis. Ik heb zo'n pijn...' klaagde Graziano.

Een moeder die zo ongelooflijk stom is, is moeilijk te vinden. *Kan iemand een stommere gelofte doen...?* De enige mogelijkheid was haar de waarheid zeggen. Ze zou zich toch wel iets hebben afgevraagd na het telefoontje van gisteravond. En verder moest hij naar zijn vrienden gaan en zeggen: 'Jongens, het spijt me van Saturnia, we gaan helemaal nergens naar toe, ik ga niet meer trouwen.'

Te moeilijk. Sterker nog: onmogelijk. Hetzelfde als je eigen ego kapot trappen. En Graziano was niet geboren om te lijden. De enige optie was in de auto stappen en vluchten.

Nee!

Dat was ook geen goed plan. Niets voor hem. Biglia vluchtte niet.

Hij moest gewoon naar Saturnia gaan.

Met iemand anders.

Ja. Hij moest iemand anders vinden. Een echte stoot. Een soort Marina Delia. Maar wie?

Hij kon die Venetiaanse bellen, Petra Biagioni. Lekker ding. Alleen had hij al een tijd niets meer van haar gehoord en de laatste keer was het niet allemaal koek en ei geweest. Hij kon haar opbellen en zeggen: 'Hé, waarom scheur je niet vierhonderd kilometer hier naar toe, dan gaan we zwemmen in Saturnia?' Nee.

Hij moest iets in de buurt vinden. Iets nieuws. Iets waarover gepraat zou worden en wat de aandacht van zijn vrienden zou afleiden van zijn huwelijk.

Maar wie?

Het punt was dat Graziano Biglia als een gulzige muskiet alles al had opgezogen wat die schrale grond te bieden had. Iedereen die de moeite waard was (en laten we eerlijk zijn, ook heel wat die niet de moeite waard waren), was al door zijn handen gegaan. Hij was daar beroemd om. De meisjes van het dorp zeiden tegen elkaar dat als je niet was gedoopt door Biglia, je dan een monster was en geen hond meer zou vinden. Het was voorgekomen dat meisjes zich aan hem hadden aangeboden alleen maar om niet onder te doen voor andere meisjes.

En Graziano was jegens iedereen gul geweest.

Maar die gloriedagen waren verleden tijd. Nu keerde hij terug naar de ledigheid van het dorp om uit te rusten, als een Romeinse centurion, vermoeid van de veldtocht naar een vreemd land, en kende hij geen enkel nieuw meisje.

Ivana Zampetti?

Nee... Die potvis paste niet eens in de poeltjes van Saturnia. En wat was er verdomme verder nog voor nieuws? Alle toppers waren inmiddels getrouwd en als er nog iemand beschikbaar was om een middagje met hem door te brengen in een motel in Civitavecchia, dan nog zou niemand er zin in hebben om met hem naar de bronnen te gaan.

Hij kon het maar beter vergeten.

Het was treurig, maar de enige oplossing, laf maar noodzakelijk, was hem te smeren. Hij zou nu naar huis gaan en tegen zijn moeder zeggen dat ze haar culinaire Le Mans moest onderbreken en haar gelofte moest verbreken, vervolgens zou hij haar op de Madonnina van Civitavecchia laten zweren dat ze nooit de waarheid mocht onthullen en haar alles vertellen. 'Mama, ik ga niet trouwen. Erica is bij me w—' Nou goed, hij zou het haar vertellen en haar smeken hem te dekken met een leugentje, zoiets als: Graziano moest plotseling vertrekken voor een toernee door Latijns-Amerika. Of beter nog: hij werd vanochtend gebeld door Paco di Lucía, die hem smeekte naar

Spanje te komen om hem te helpen zijn nieuwe cd af te maken. Kortom, iets dergelijks. En ten slotte zou hij haar wat geld te leen vragen om een ticket naar Jamaica te kopen.

Dat moest hij doen.

Zijn wonden zouden genezen in Port Edward door veel joints te roken en aan één stuk door mulatten te neuken. Zelfs het idee van de jeansstore kwam hem plotseling voor als een gigantische mislukking. Hij was muzikant, dat mocht hij niet vergeten. *Zie je mij al als winkelier? Ik moet wel gek zijn geweest. Ik ben een albatros, meegevoerd door de positieve stromingen die ik beheers met een lichte vleugelslag. Godverdomme.*

Hij voelde zich al weer beter. Een stuk beter.

Hij pakte het kopje en dronk de cappuccino in een teug op.

49

Juffrouw Palmieri hield niet van de Stationsbar.

Het meisje achter de bar was onaardig en het was een broeinest van griezels. Ze keken je de kleren van het lijf. Ze smoesden achter je rug. Je hoorde ze opgewonden piepen als muizen. Nee, je voelde je daarbinnen niet op je gemak. En daarom ging ze er nooit naar binnen.

Maar die ochtend besloot ze om twee redenen te stoppen.

1) Omdat het heel vroeg was en er dus niet veel mensen waren.

2) Omdat ze zo haastig van huis was weggegaan dat ze niet eens had ontbeten. En zonder ontbijt kon ze niet helder denken.

Ze parkeerde haar Y10 en ging de bar binnen.

50

Graziano was aan het afrekenen toen hij haar zag.

Wie is dat?

Hij nam even de tijd om haar te bekijken.

Ik weet wie ze is... Ze is... Ze is de lerares van de middenbouw. Pal... Palmiri. Of zoiets.

Hij had haar een paar keer gezien. Toen ze boodschappen deed in de supermarkt. Maar hij had nooit met haar gepraat.

Er waren mannen die hun ballen aanraakten wanneer ze voorbijkwam. Ze zeiden dat ze ongeluk bracht. En hij had zelf ook wel eens bezwerende gebaren gemaakt achter haar rug toen hij nog in Ischiano woonde. Ze zeiden dat ze een kreng was, een zonderling, een halve heks.

Hij wist heel weinig van haar. Ze kwam van buiten, dat wist hij zeker, ze was een paar jaar geleden plotseling opgedoken en woonde in een van de woonkernen met kleine huisjes langs de weg naar Castrone. Iemand had hem ook eens verteld dat ze alleen woonde en een zieke moeder had.

Graziano bestudeerde haar aandachtig.

Lekker.

Nee, ze was niet lekker, ze was mooi. Een kille, vreemde schoonheid, van het Angelsaksische soort.

Hij had ze gezien, die kerels die opsprongen van hun tafeltjes in de Stationsbar, stopten met het doorbladeren van de *Gazzetta*, met kaarten, rotopmerkingen maakten wanneer de juf het plein overstak.

Ze zeiden dat ze ongeluk bracht, maar de keren dat ze zich intussen afrukten...

Hij gunde haar een volledige check-up.

Hoe oud zou ze zijn?

Een jaar of dertig. Om en nabij.

Onder haar regenjas droeg ze een grijze rok tot over haar knieën waaronder slanke kuiten en smalle enkels te zien waren. Een goed stel benen, niets op aan te merken. Ze droeg donkere schoenen met lage hakken. Ze was lang. Mager. Aristocratische hals. Hij had haar altijd gezien met samengebonden haar, maar hij stelde zich voor dat het lang en zacht was. En ze moest ook mooie tieten hebben. De zwarte coltrui vormde twee bergen op haar borstkas. Haar gezicht was heel vreemd. Die hoge, uitstekende jukbeenderen. Die puntige kin. Die brede mond. Die blauwe ogen. Die juffenbril...

Ja, ze is heel vreemd. En ze heeft ook een lekkere kont, concludeerde hij.

Waarom woonde zo'n mooie vrouw alleen en had nog niemand geprobeerd haar te benaderen?

Misschien was het waar dat ze een kreng was, zoals gezegd werd. Maar Graziano was daar niet zo zeker van. Ze was gewoon iemand van buiten het dorp en ging haar eigen gang. Ze was een gereserveerd type.

En als je in dit dorp je eigen gang gaat, zeggen ze dat je een trut bent, dat je ongeluk brengt, dat je een heks bent. Iedereen is hier zo ruimdenkend, in dit kutoord.

Misschien had iemand het wel eens geprobeerd, zoals dingen in dorpen geprobeerd worden: ruw, en had zij hem de bons gegeven. En toen had diegene het gerucht verspreid dat juffrouw Palmieri ongeluk bracht. Toen was het afgelopen. Was haar lot bezegeld. De mannen van Ischiano waren gewend aan een dieet van kleine knaagdieren, spinnen en hagedissen, ze hadden niet de middelen om die zwaluw te vangen die te hoog vloog voor hun tanden. En ze hadden haar verstoten.

Ze was schuw, angstig en onbenaderbaar geworden.

Maar dat mocht dan voor anderen gelden, niet voor Graziano Biglia. Als je het over vrouwen had, was onbenaderbaar een woord dat niet in zijn vocabulaire voorkwam. Graziano Biglia was zelfs verloofd geweest met de Sloerie, stel je voor dat hij niet een Italiaanse juf uit Ischiano Scalo kon doen capituleren.

De eerste regel van een vrouwenversierder is dat elke vrouw haar zwakke punt heeft, je hoeft het alleen maar te ontdekken. Zelfs het stevigste huis ter wereld heeft een barst en als je die raakt, stort de hele constructie in. En Graziano was een expert op het gebied van zwakke punten.

Zij zou het kunnen zijn.

Hij kreeg een diep gevoel van verbondenheid met die vrouw die hij niet kende. Ook tegen hem had een Sloerie gezegd dat hij ongeluk bracht. En hij wist hoe rot je je voelde als er zoiets lelijks tegen je werd gezegd. Het is de zekerste manier om iemand te verwonden, te verbannen en diens hart te breken.

Ja, hij zou haar helpen. En hij zou laten zien dat ongeluk niet bestaat. Dat dat iets primitiefs en wreeds is. En hij zou haar uit haar isolement bevrijden. Hij voelde zich belast met een grootse taak, een taak die Bob Geldof en Nelson Mandela waardig was.

Ja, zij is het.

Die nacht zou hij haar meenemen naar Saturnia, naar de bronnen. En hij zou haar neuken.

En Roscio, Miele en de gebroeders Franceschini zouden moeten knielen, eens te meer zijn superioriteit, zijn onvervaarde verbeeldingskracht, zijn ijver tegen het dorpse obscurantisme erkennen.

Ja, dat kon de laatste daad van een latin lover zijn. Zoals het afscheid in de ring van een grote bokser. Daarna zou hij het condoom aan de wilgen hangen en naar Jamaica gaan.

Hij haalde een hand door zijn haar en ging naar de juf.

51

Flora Palmieri had zich vergist. Zelfs op dat vroege uur waren er griezels.

Het lukte haar niet haar cappuccino te drinken. Er zat iemand naar haar te staren. Ze voelde zijn blik als een scan dwars door haar heen gaan. En als mannen dat deden, werd zij onhandig. Ze had de suiker al laten vallen en nog net niet de cappuccino over zich heen gegoten. Ze had zich niet omgedraaid om naar hem te kijken. Maar uit haar ooghoeken had ze gezien wie het was.

Het was een man die vroeger altijd in de bar rondhing en daarna was verdwenen. Ze had hem al een paar jaar niet meer gezien. Een mooiige boerenkinkel die vol was van zichzelf. Hij reed rond op een motor, was een opschepper en had altijd wel een meisje bij zich. In die tijd had hij nog zwart haar, borstelig bovenop en lang aan de zijkanten. Nu leek hij met dat geblondeerde haar en die bruine kleur op Tarzan.

En hij was een van die mannen die hun ballen aanraakten wanneer zij langsliep. Dat was voldoende om hem op de laagste tree van de mensheid te zetten, samen met zo veel andere mannen die in die bar kwamen.

Ze merkte dat hij naar haar toeliep en naast haar kwam staan. Flora schoof opzij.

'Pardon, bent u juffrouw Palmiri?'

Wat wil hij nu? Flora begon nerveus te bewegen.

'Palmieri,' mompelde ze terwijl ze in haar cappuccino keek.

'Palmieri. Neem me niet kwalijk, juffrouw Palmieri. Neem me niet kwalijk. Ik wilde u iets vragen, ik hoop dat ik u niet stoor...'

Voor het eerst keek ze in zijn gezicht. Hij leek wel de piraat uit *Mystery Island*, een hoofdpersoon uit zo'n lowbudget piratenfilm die ze in de jaren zestig in Italië maakten. Een kruising tussen Fabio Testi en Kabir Bedi. Met dat geblondeerde haar... en die gouden oorringen... Hij leek trouwens niet goed in vorm, hij zou wel niet geslapen hebben die nacht. Hij had kringen onder zijn ogen en was ongeschoren.

'Zegt u het maar.'

'Kijk, ik heb een probleem...' Opeens blokkeerde de patser alsof zijn hersens motorpech hadden, maar vervolgens herstelde hij zich weer. 'Neem me niet kwalijk, ik heb me nog niet voorgesteld. Mijn naam is Graziano Biglia. We kennen elkaar niet. Ik ben de zoon van de eigenaresse van de fourniturenzaak. En ik ben een tijd weggeweest... In het buitenland, voor werk...' Hij stak zijn hand naar haar uit.

Flora schudde die fijntjes.

Het leek of hij niet wist hoe hij verder moest.

Flora wilde zeggen dat ze haast had. Dat ze naar school moest.

'Nou wilde ik u om een gunst vragen. Ik ga over een paar maanden werken in een vakantiedorp aan de Rode Zee. Bent u ooit bij de Rode Zee geweest?'

'Nee.' *God, wat wil hij van me?* Ze vatte moed en fluisterde: 'Ik heb een beetje haast...'

'O, sorry. Ik zal proberen het kort te houden. De Rode Zee is een ongelooflijke plek, met witte stranden. Het zijn de stukjes koraal die het strand wit maken. En er is het rif... Kortom, het is er schitterend. Ik ga gitaar spelen in het dorp, want ik speel gitaar en ik moet ook animator zijn, spelletjes organiseren voor de gasten. Dus, om een lang verhaal kort te maken, ze hebben me gevraagd of ik een cv wil sturen. En ik wil daar graag iets goeds van maken, niet een afgezaagd curriculum, maar iets fris. Ik wil indruk op ze maken. Weet u, ik ben erg gebrand op die baan...'

Wat bedoelt hij met een fris curriculum?

'Als u nu zo vriendelijk zou willen zijn mij daarbij te helpen, dan zou ik u eeuwig dankbaar zijn. Ik moet het beslist morgen opsturen. Want dat is de laatste dag. Het hoeft niet lang te duren en als ze me aannemen, dan zweer ik dat ik u uitnodig om naar het dorp te komen.'

Godzijdank was hij ermee voor de draad gekomen. Hij was niet in staat zijn eigen cv te schrijven.

'Als het een andere dag was geweest had ik u graag geholpen. Maar vandaag heb ik het erg druk... Ik kan echt niet.'

'Ik smeek u. Ik wil niet aandringen, maar het zou voor mij fantastisch zijn als u me hielp, u zou me er zo gelukkig mee maken...' Graziano zei dit met zo'n kinderlijk vuur dat Flora een soort glimlach ontsnapte.

'Ach, eindelijk glimlacht u. Wat mooi, ik dacht dat u niet kon glimlachen. Het duurt maar tien minuten...'

Flora was met stomheid geslagen. Wat moest ze doen? Hoe kon ze nee zeggen? Hij moest het vandaag opsturen en in zijn eentje zou hij er een puinhoop van maken, dat wist ze zeker.

Je moet hem niet helpen. Hij is een van diegenen die hun ballen aanraakten als jij langskwam, zei een stemmetje in haar hoofd.

Jawel, antwoordde ze zichzelf, *maar er zijn vele jaren voorbij, hij is misschien veranderd. Hij is naar het buitenland geweest... Wat is het voor moeite? Ondanks alles is hij vriendelijk.*

'Goed, ik zal u helpen. Maar ik weet niet of ik het kan.'

'Dank u. U kunt het zeker. Hoe laat spreken we af?'

'Ik weet niet, zou tegen half zeven goed zijn?'

'Heel goed. Zal ik naar u toe komen?'

'Naar mij toe komen?!' stamelde Flora.

Niemand (afgezien van dokters en verpleegsters) was ooit bij haar thuis geweest.

Ja, één keer, toen was de pastoor gekomen voor de kerstzegening, en met de smoes dat hij de wierook moest verspreiden, had hij in alle kamers rondgeneusd, en Flora had dat heel vervelend gevonden. 'Wilt u niet dat ik een gebed opzeg voor uw moeder?' had hij gevraagd.

'Laat u mijn moeder met rust,' had zij met een kwade kop geantwoord, met een heftigheid die haar zelf had verbaasd. Ze geloofde niet in gebeden. En ze vond het hinderlijk om vreemden in huis te hebben. Daar werd ze zenuwachtig van.

Graziano schoof dichterbij. 'Dat is beter. Weet u, bij mij thuis is mijn moeder. En dat is zo'n kletskous. Die zou ons niet met rust laten.'

'Goed dan.'

'Perfect.'

Flora keek op haar horloge.

Het was al heel laat. Ze moest zich haasten naar school. 'Sorry, maar ik moet nu echt gaan.' Ze pakte geld uit haar jaszak en wilde het aan de caissière geven, maar hij pakte haar hand vast. Flora sprong achteruit en trok haar hand weg alsof hij erin gebeten had.

'O, pardon. Schrok u? Ik wilde alleen maar dat u niet betaalt, die cappuccino is voor mijn rekening.'

'Dank u...' stamelde Flora en ze liep naar de deur.

'Tot vanavond dan,' zei Graziano, maar de juf was al verdwenen.

52

Geregeld.

De opzet met het cv was gelukt.

De juffrouw was erg verlegen en bang voor mannen. Een beginnelinge. Toen hij haar hand had aangeraakt, had zij een sprong van twee meter gemaakt.

Ze zou een lastige maar prikkelende prooi zijn. Graziano voorzag geen grote problemen om zijn missie tot een goed einde te brengen.

Hij betaalde en ging naar buiten.

Het was gaan regenen. Voor de afwisseling weer een afschuwelijke dag. Hij zou naar huis gaan, eens goed slapen en zich voorbereiden op de ontmoeting.

Hij deed zijn jack dicht en begon te lopen.

Wie was ze en wat deed ze in Ischiano Scalo, dit vreemde schepsel genaamd Flora Palmieri?

Ze was tweeëndertig jaar eerder geboren in Napels. Als enig kind van een oud stel dat moeite had gehad met kinderen krijgen en dat na veel inspanningen beloond was door de natuur met de geboorte van een meisje dat drieënhalf kilo woog, blank was als een albinosalamander en een ongelooflijke bos rood haar had.

De Palmieri's waren bescheiden mensen die in een appartement in Vomero woonden. Mevrouw Lucia gaf les aan de basisschool en meneer Mario werkte bij een verzekeringskantoor verderop, aan zee.

De kleine Flora was opgegroeid, naar de kleuterschool gegaan en had op de basisschool bij haar moeder in de klas gezeten.

Toen Flora tien jaar was, was meneer Mario plotseling overleden aan een rap vorderende longkanker en had moeder en dochter ontroostbaar en met heel weinig geld achtergelaten.

Meteen was het leven heel zwaar geworden. Het salaris van mevrouw Lucia en het pensioen van meneer Mario (een habbekrats) waren net voldoende om het eind van de maand te halen. Ze hadden hun uitgaven beperkt door de auto te verkopen en niet meer op vakantie te gaan naar Procida, maar nog steeds was hun financiële toestand precair.

De kleine Flora hield van lezen en studeren en toen ze klaar was met de middenbouw had haar moeder haar naar het gymnasium gestuurd, ondanks de enorme inspanningen die dat zou vereisen. Ze was een verlegen en introvert meisje. Maar op school ging het goed.

Op een avond – Flora was toen veertien – zat ze aan de eettafel haar huiswerk te maken, toen ze een kreet uit de keuken hoorde. Ze was er naar toe gerend.

Haar moeder stond midden in de keuken. Het mes op de grond. Met een hand hield ze de andere vast, verkrampt als een klauw. 'Het is niets. Het is niets, lieverd. Het gaat zo over. Maak je geen zorgen.'

Al een tijd had mevrouw Lucia geklaagd over pijnlijke gewrichten: soms waren haar benen 's nachts even verlamd.

De ziekenfondsarts werd geroepen. Hij zei dat het artritis was. In de loop van de volgende dagen begon haar hand weer beter te functioneren, ook al deed het pijn als ze die sloot. Nu had mevrouw Lucia problemen met lesgeven, maar ze was een sterke vrouw, gewend om pijn te trotseren, en ze klaagde niet. Flora deed de boodschappen, kookte, maakte het huis schoon en slaagde er ook nog in tijd te vinden om te studeren.

Op een dag was mevrouw Lucia wakker geworden met een totaal verlamde arm.

Ditmaal werd er een specialist bijgehaald, die haar liet opnemen in het Cardarelli-ziekenhuis. Daar deden ze talloze onderzoeken, riepen de hulp in van beroemde neurofysiologen, en concludeerden dat mevrouw Palmieri leed aan een zeldzame vorm van degeneratie van de cellen van het zenuwstelsel.

In de medische literatuur werd er nauwelijks over gerept. Er waren maar weinig gevallen bekend en tot nu toe bestonden er geen remedies. Wie weet, misschien in Amerika, maar daar was een hoop geld voor nodig.

Mevrouw Lucia lag een maand in het ziekenhuis en toen ze weer thuiskwam was de rechterhelft van haar lichaam verlamd.

Op dat moment liet oom Armando van zich horen, de jongere broer van mevrouw Lucia.

Een brombeer, vol zwarte haren die uit zijn boordje, zijn neus en zijn oren staken. Een reus. Hij bezat een schoenenwinkel in Rettifilo. Een wezen dat alleen geïnteresseerd was in geld en getrouwd was met een dikke, onaardige vrouw.

Oom Armando suste zijn geweten door de twee vrouwen een karig maandgeld toe te stoppen.

Het lukte Flora alleen nog naar school te gaan omdat de vrouw van de portier, een goed mens, voor haar moeder zorgde als zij les had.

Naarmate de maanden verstreken werd de situatie er niet beter op, integendeel. Mevrouw Lucia kon inmiddels alleen nog haar linkerhand, haar rechtervoet en de helft van haar mond bewegen. Ze praatte moeizaam en kon zichzelf niet meer redden. Ze moest gewassen, gevoerd en afgeveegd worden.

Een keer per maand kwam oom Armando haar opzoeken, ging een

uurtje naast zijn zuster zitten en hield haar hand vast, gaf het maandgeld en een doos met gebakjes aan Flora, en vertrok weer.

Op een ochtend toen Flora zestien jaar was, werd ze wakker, maakte
het ontbijt klaar en ging naar haar moeder. Ze trof haar helemaal opgerold in een hoekje van het bed aan. Alsof haar ledematen gedurende de
nacht plotseling losgeschoten waren van de veren die ze gestrekt hielden en waren ingetrokken, als die van een verdroogde spin.

Haar gezicht tegen de muur.

'Mama…?' Flora stond naast het bed. 'Mama…?' Haar stem trilde.
Haar benen trilden.

Niets.

'Mama…? Mama, hoor je me?'

Ze bleef een tijdlang daar staan terwijl ze op haar vuist beet. En stilletjes huilde. Toen rende ze schreeuwend de trap af. 'Ze is dood. Ze is
dood. Mijn moeder is dood. Help!'

De portiersvrouw kwam. Oom Armando kwam. Tante Giovanna
kwam. De dokters kwamen.

Haar moeder was niet dood.

Haar moeder was er niet meer.

Haar geest was vertrokken, verhuisd naar een wereld ver weg, een
wereld die waarschijnlijk bevolkt werd door schimmen en stilte, en
had een levend lichaam achtergelaten. De kans dat ze zou terugkeren,
zo legden ze uit, was heel gering.

Oom Armando nam de leiding in deze situatie, verkocht het huis in
Vomero en nam Flora en haar moeder in huis. Hij stopte ze in een
kamertje. Een bed voor haar en een voor haar moeder. Een tafeltje
om huiswerk aan te maken.

'Ik heb je moeder beloofd dat ik ervoor zou zorgen dat je het gymnasium afmaakt. Dus maak je het af. Daarna kom je bij mij in de winkel werken.'

En zo begon de lange periode in het huis van oom Armando.

Ze werd niet slecht behandeld. Maar ook niet goed. Ze negeerden
haar. Tante Giovanna richtte nauwelijks een woord tot haar. Het huis
was groot en donker en er was niet veel leuks te doen.

Flora ging naar school, zorgde voor haar moeder, studeerde, maakte schoon in huis, en groeide intussen op. Ze was zeventien. Ze was

lang, haar borsten waren gegroeid, ze zaten haar in de weg en vervulden haar met schaamte.

Op een dag dat tante Giovanna op bezoek was bij familie in Avellino, stond Flora te douchen.

Plotseling ging de badkamerdeur open en...

En voilà, oom Armando.

Gewoonlijk deed Flora altijd de deur op slot, maar die dag had hij gezegd dat hij naar Agnano ging voor de paardenrennen. Maar nee, daar was hij.

Hij droeg een kamerjas (*van zijde, met rode en blauwe strepen die ik nog nooit eerder had gezien*) en pantoffels.

'Lieve Flora, vind je het goed als ik ook onder de douche kom?' Hij vroeg het op de gewone toon waarop je aan tafel vraagt of je het zout even mag.

Flora was met stomheid geslagen.

Ze had willen schreeuwen, hem willen wegjagen. Maar de aanblik van die man daar, terwijl zij naakt was, had haar verlamd.

Wat had ze hem graag willen schoppen en slaan, hem uit het raam willen meppen en drie verdiepingen laten vallen, zodat hij midden op straat terecht zou komen, vlak voordat er een 38 Barrato zou langskomen. Ze stond daarentegen doodstil, als een opgezet dier en kon niet schreeuwen noch de twee meter afleggen om de handdoek te pakken.

Ze kon alleen maar naar hem kijken.

'Mag ik je helpen inzepen?' Zonder haar antwoord af te wachten liep oom Armando naar haar toe, pakte de zeep die op de bodem van het bad terecht was gekomen, sopte die in zijn handen totdat er veel schuim was en begon haar in te zepen. Flora stond stil, ademde door haar neus, drukte haar armen tegen haar borsten en klemde haar benen tegen elkaar.

'Wat ben je mooi, Flora... Wat ben je mooi... Je bent zo mooi geschapen en je bent helemaal rood, ook hier... Laat je maar inzepen. Haal die handen eens weg. Niet bang zijn,' zei hij met schorre, verstikte stem.

Flora gehoorzaamde.

En hij begon haar borsten in te zepen. 'Dat is fijn, hè? Wat een grote tetters heb je...'

Dat is om jou beter te kunnen opeten, had ze willen zeggen.

Het monster kneep in haar tepels en het enige wat in haar opkwam was het sprookje van Roodkapje.

En nee, het is helemaal niet fijn. Het is het meest walgelijke van de hele wereld. Het meest walgelijke van de hele wereld. Niets is walgelijker dan dit.

Flora stond daar maar, versteend, niet in staat te reageren op de verschrikking van dat monster dat haar aanraakte.

Opeens – ongelooflijk – zag ze iets wat haar deed glimlachen. Uit de kamerjas van oom Armando gluurde een lang, dik, donker ding. Het leek wel zo'n houten soldaatje, met van die armen die vastzitten aan de romp. De piemel (*enorm!*) van oom Armando had zijn kop tussen de toneeldoeken gestoken. *Hij wilde het ook zien, snap je?*

Oom Armando merkte het en er verscheen een voldane glimlach op zijn vlezige, vochtige lippen. 'Mag ik ook komen douchen?'

De kamerjas viel op de grond en toonde dat plompe, behaarde lichaam in al zijn fierheid, die korte benen met die kuiten die wel stootranden van een schip leken en die lange armen en die grote handen en die slurf daar, recht als de ra van een boot.

Oom nam het ding in zijn hand en stapte in het bad.

Bij het contact met het monster knapte er eindelijk iets in Flora en explodeerde de vervloekte glazen bal die haar gevangen hield in duizend stukken. Ze werd wakker en gaf oom Armando een harde duw zodat hij met zijn negentig kilo achterovergleed en terwijl hij uitgleed klampte hij zich als een orang-oetang vast aan het douchegordijn en de ringen begonnen af te breken en tak de een na de ander en tak daar vlogen ze door de hele badkamer en tak Flora sprong uit het bad maar bleef met een voet haken achter de badrand en dus struikelde ze en viel op de grond en terwijl ze zich vasthield aan de wastafel stond ze op hoewel haar knie brulde en oom Armando brulde en zij brulde en ze stond op en ze gleed uit over de kamerjas met de rode en blauwe strepen van oom Armando en daar lag ze opnieuw op de grond en ze stond weer op en ze greep de deurkruk en draaide die om en de deur ging open en ze was op de gang.

Op de gang.

Ze rende weg en sloot zich op in haar kamer. Ze rolde zich op naast haar moeder en begon te huilen.

Oom riep haar vanuit de badkamer. 'Flora? Waar ben je? Kom terug. Ben je boos?'

'Mama, alsjeblieft, help me. Help me. Doe iets. Ik smeek je.'

Maar haar moeder staarde naar het plafond.

Het oude zwijn heeft het nooit weer geprobeerd.

Waarom niet?

Misschien was hij juist die dag dronken teruggekomen van de paardenrennen en functioneerden de remmen van zijn natuurlijke inhibitie niet goed. Misschien had tante Giovanna iets ontdekt, het douchegordijn, de blauwe plek op de arm van haar man, misschien had hij alleen maar een aanval van onbeheersbaar libido gehad waarvan hij spijt had (onwaarschijnlijke hypothese). Hoe het ook zij, sinds die dag viel hij haar niet meer lastig en werd hij zoetsappiger dan marsepein.

Flora sprak niet meer tegen hem en ook toen ze haar gymnasium had afgerond en in de schoenenwinkel ging werken, richtte ze nooit het woord tot hem. 's Nachts studeerde ze als een gek, daar in het kamertje met haar moeder. Ze had zich ingeschreven aan de letterenfaculteit. Binnen vier jaar was ze afgestudeerd.

Ze deed mee aan het nationale concours om lerares te worden. Ze won en nam de eerste de beste baan aan die ze kreeg aangeboden.

Dat was in Ischiano Scalo.

Samen met haar moeder verliet ze Napels per ambulance, om er nooit meer terug te keren.

53

Maar wat was er op school gebeurd nadat Pietro en zijn kornuiten waren ontsnapt?

Alima, die in de auto zat te wachten, had gezien hoe drie jongetjes als zwarte duveltjes uit een raam van de school waren gekropen, over het hek waren geklommen en in het plantsoentje aan de overkant waren verdwenen.

Een minuut lang twijfelde ze wat ze moest doen. Naar binnen gaan? Weggaan?

Een geweerschot had haar overpeinzingen onderbroken.

Een paar minuten later was er nog een jongetje uit hetzelfde raam gekropen, ook over het hek geklommen en hard weggerend.

Die gek van een Italo had waarschijnlijk op iemand geschoten. Of misschien hadden zij op hem geschoten?

Alima had haar pruik in haar jaszak gestopt, was uit de 131 gestapt en er als een haas vandoor gegaan.

Ze was niet gek. Ze had geen verblijfsvergunning en als ze bij een dergelijke toestand betrapt zou worden, zou ze binnen drie dagen terug zijn in Nigeria.

Ze had driehonderd meter gelopen in de regen, ondertussen Italo, dit kloteland en het vuile werk dat ze gedwongen was te doen vervloekend, en was toen teruggegaan.

Wat als Italo dood was, of ernstig gewond?

Alima was over het hek geklommen en het huisje van Italo binnengegaan en had toen iets heel ergs gedaan, iets wat indruist tegen de beroepscode van elke hoer.

Ze had de politie gebeld.

'Kom naar de school. De Sardijnen hebben op Italo geschoten. Schiet op.'

Een kwartier later haastten de agenten Bacci en Miele zich naar de school, waar ze een negerin zagen die zich achter een struik verstopte.

Bruno Miele was uit de auto gesprongen, de negerin wilde vluchten en hij had zijn pistool op haar gericht. Hij had haar tegengehouden en in de boeien geslagen en in de politiewagen geduwd.

'Ik ben degene die de politie heeft gebeld. Laat me met rust,' huilde Alima.

'Jij blijft braaf hier, hoer,' had Miele geantwoord en ze waren met loeiende sirenes naar de school gereden.

Ze waren met getrokken pistool uitgestapt.

Starsky en Hutch.

Aan de buitenkant leek alles normaal.

Miele had gezien dat het huisje van zijn vader donker was, maar de school verlicht.

'Laten we naar binnen gaan,' had hij gezegd. Zijn zesde zintuig zei hem dat er daarbinnen iets ergs was gebeurd.

Om zich heen kijkend waren ze over het hek geklommen. En vervolgens waren ze met getrokken pistolen, benen wijd uit elkaar, sprongsgewijs de school binnengegaan.

Ze hadden het hele gebouw doorzocht zonder iets te vinden en waren vervolgens achter elkaar, ruggen tegen de muur, afgedaald naar het souterrain. En daar brandde licht.

Ze hadden zich aan weerszijden van de deur plat tegen de muur gedrukt terwijl ze hun pistool met beide handen omklemden.

'Klaar?' had Bacci gevraagd.

'Klaar!' had Miele geantwoord en hij was met een onhandige duik de gymzaal in gerold en was weer opgestaan terwijl hij met zijn pistool naar links en naar rechts zwaaide.

Aanvankelijk had hij niemand gezien.

Toen had hij naar de grond gekeken. Daar lag een lichaam.

Een lichaam?!

Een lichaam dat hem deed denken aan zijn…

'Papa! Papa!' had Bruno Miele wanhopig geschreeuwd en hij was naar zijn vader toe gerend (en onder het rennen kon hij het niet laten te denken aan die grootse film waarin agent Kevin Kostner het lichaam vindt van Sean Connery, die haast als een vader voor hem was, en wanhopig in zijn eentje het recht wil doen zegevieren door de mafiozen uit hun hol te lokken. Hoe heette die film verdomme ook al weer?) 'Hebben ze je vermoord, papa? Geef antwoord! Geef antwoord! Hebben de Sardijnen je vermoord?!'

Hij was naast het lichaam van zijn vader neergeknield alsof er ergens een camera stond. 'Maak je geen zorgen, ik zal je wreken.' Hij had gemerkt dat het lichaam leefde en kreunde. 'Ben je gewond?' Hij zag het dubbelloopsgeweer. 'Hebben ze op je geschoten?'

De conciërge mompelde onverstaanbare woorden. Een walrus na een botsing met een motorjacht.

'Wie heeft je verwond? Waren het de Sardijnen? Zeg iets!' Bruno had zijn oor naast de mond van zijn vader gehouden.

'Neueueu…' had Italo weten uit te brengen.

'Heb je ze verjaagd?'

'Eueueus...'

'Goed zo, papa.' Hij had zijn voorhoofd gestreeld en met moeite zijn tranen weten te bedwingen.

Wat een held! Wat een held! Nu zou niemand kunnen zeggen dat zijn vader een lafaard was. En iedereen die had gezegd dat zijn vader zich had verstopt, toen er twee jaar geleden dieven waren geweest, moest nu zijn tong in zijn reet stoppen. Hij was trots op zijn pappie.

'Heb je op ze geschoten?'

Italo had met gesloten ogen ja geknikt.

'Op wie dan?' had Antonio Bacci gevraagd.

'Op wie? Op wie? Op de Sardijnen, toch?' was Bruno losgebarsten. Wat voor vragen stelde die idioot?

Maar Italo schudde met moeite zijn hoofd.

'Hoezo niet, papa?! Op wie heb je dan geschoten?'

Italo had diep ademgehaald en gerocheld: 'Op... op... leer... lingen.'

'Op leerlingen?' hadden de beide agenten in koor gevraagd.

De ambulance en de brandweer waren een uur later gearriveerd.

Met een knip van de nijptang had de brandweer de onverwoestbare ketting doorgeknipt. En agent Bacci had zich niet gerealiseerd dat die ketting dezelfde was als die hij een paar maanden daarvoor aan zijn zoon had gegeven. De twee verpleegkundigen waren met brancard de school binnengegaan en hadden de conciërge erop gelegd.

Toen hadden ze de directeur gebeld.

54

Om zeven uur parkeerde Flora Palmieri haar Y10 op de parkeerplaats van de school.

Daar stonden de Ritmo van de directeur, de Uno van de onderdirectrice en...

Een politiewagen? Niet te geloven!

Ze ging naar binnen.

Onderdirectrice Gatta en directeur Cosenza stonden in een hoek van de hal te smoezen als twee *carbonari*.

Toen ze haar zagen, liep Gatta haar tegemoet. 'Ach, eindelijk bent u er.'

'Ik ben zo snel mogelijk gekomen...' excuseerde Flora zich. 'Maar wat is er gebeurd?'

'Kom, kom, dan kunt u zien wat ze hebben gedaan...' zei Gatta.

'Wie is het geweest?'

'Dat weten we niet.' En toen wendde ze zich tot de directeur. 'Giovanni, we gaan naar beneden, dan kan de juffrouw zien wat een mooi staaltje werk onze leerlingen hebben verricht.'

De onderdirectrice liep voorop en Flora en directeur volgden.

55

Als je hen zo samen zag, directeur Cosenza en onderdirectrice Gatta, dan zou je kunnen denken dat je rechtstreeks in de Boven-Jura was beland.

Mariuccia Gatta, zestig jaar, ongetrouwd, met haar kop die leek op een schoenendoos en ogen zo rond als biljartballen gevat in hun kassen, en die platte neus, was het evenbeeld van een Tyrannosaurus Rex, de beruchtste en moorddadigste van alle dinosaurussen.

Giovanni Cosenza, drieënvijftig, gehuwd en vader van twee kinderen leek daarentegen sprekend op een Docodon. Dat op een muis gelijkend diertje met onopvallend uiterlijk, met een puntige snuit en uitstekende snijtanden, is volgens sommige paleontologen het eerste zoogdier dat op aarde verscheen toen de reptielen er nog heer en meester waren.

Klein, onzichtbaar, brachten onze voorouders (wij zijn ook zoogdieren!) hun kroost voort in de rotsspleten van de aarde, voedden zich met bessen en zaden en kwamen pas te voorschijn na zonsondergang, wanneer de dinosaurussen met hun vertraagde stofwisseling sliepen, en stalen hun eieren. Toen de grote chaos kwam (meteorieten, ijstijden, verplaatsing van aardassen, wat dan ook) stierven de geschubde kolossen een voor een uit en waren de Docodons plotseling heer en meester van het hele paradijs.

Dikwijls gaat het zo: degenen die je geen cent zou geven, lachen op het laatst het best.

En inderdaad, de Docodon was directeur geworden en de T. Rex onderdirectrice. Maar dat was helemaal niet belangrijk, want mevrouw Gatta had de macht over de school in handen en deelde de lesuren in, maakte de roosters, stelde de klassen samen en deed al het overige. Zij nam altijd alle beslissingen zonder aarzeling. Ze had een arrogant karakter en commandeerde de directeur, het lerarenteam en de scholieren als een legertroep.

Bij de directeur, Giovanni Cosenza, vielen als eerste zijn vooruitstekende tanden op en zijn snor en die oogjes die overal op gericht waren behalve op jou, wanneer hij met je sprak.

De eerste keer dat Flora hem had ontmoet was ze in de war geraakt, want terwijl hij praatte hield hij zijn blik naar boven gericht, naar een punt op het plafond, alsof daar een vleermuis of een grote scheur zat, om maar wat te noemen. Hij bewoog met schokjes, alsof elke beweging het product was van een afzonderlijke zenuwsamentrekking. Voor de rest was hij een banaal en nogal gewoontjes type. Magertjes. Met een grijzend pony'tje dat op zijn kleine snuitje viel. Verlegen als een schoolmeisje. Ceremonieel als een Japanner.

Hij had twee pakken. Een voor de zomer en een voor de winter. Van tussenseizoenen had hij nog nooit gehoord. Als het koud was, zoals toen die dag, droeg hij het pak van donkerbruin flanel en als het warm was, het pak van blauw katoen. De pantalons van beide pakken waren te kort en de schouders van de colberts te veel gevuld.

56

Ze wist wie het was geweest zodra ze de tekst (PALMIERI STOP JE VIDEOS MAAR IN JE REET) en de vernielde televisie en videorecorder zag.

Federico Pierini.

Het was een boodschap voor haar.

Ik moest van jou naar die video over de Middeleeuwen kijken en nu zie je wat ervan komt.

Duidelijk.

Sinds de dag dat ze hem had gestraft, had ze in die jongen een woeste wrok voelen groeien. Hij deed zijn huiswerk niet meer en zette zijn koptelefoon op tijdens haar lessen.

Hij haat me.

Dat had ze gemerkt aan hoe hij naar haar keek. Met valse ogen die angst inboezemden, die haar beschuldigden, doordrenkt van alle haat van de wereld.

Flora had het begrepen en vroeg verder niets en aan het eind van het jaar zou ze hem laten overgaan.

Ze wist niet goed hoe, maar ze had het gevoel dat die haat verband hield met de dood van Pierini's moeder. Misschien omdat ze gestorven was op de dag dat zij Pierini had laten nablijven.

Wie zal het zeggen?

Hoe dan ook, Pierini betichtte haar van vreselijke dingen.

Goed, ik heb een fout gemaakt. Maar ik wist het niet. Hij had me echt tot het uiterste getergd, hij liet me mijn werk niet doen, hij stoorde, hij vertelde al die leugens en ik wist het niet, ik zweer het, van zijn moeder. Ik heb hem zelfs nog mijn verontschuldigingen aangeboden.

En hij had haar aangekeken alsof ze het grootste uitschot van de hele aarde was.

En dan die grappen: de steen tegen het raam, de autobanden doorgeprikt, en de rest.

Hij was het. Ze wist het nu zeker.

Dat jongetje maakte haar bang. Heel bang. Als hij ouder was geweest had hij beslist geprobeerd haar te vermoorden. Haar verschrikkelijke dingen proberen aan te doen.

Op het moment dat ze hem zag, toen, had Flora de neiging om te zeggen: Sorry, ik heb spijt van alles wat ik kan hebben gedaan, vergeef me. Ik heb een fout gemaakt, maar ik zal je van nu af aan niets meer doen, als jij maar ophoudt mij te haten. Maar ze wist dat dat zijn vijandigheid alleen maar zou hebben versterkt.

Hij had niet alleen ingebroken op school.

Dat was evident. De verschillende opschriften op de muur toonden dat aan. Hij had waarschijnlijk een van zijn slaafjes meegenomen. Maar ze zou er een hand voor in het vuur hebben durven steken dat hij degene was geweest die de televisie kapot had gegooid.

'Kijk toch wat een ramp,' jammerde de directeur, waarmee hij haar weer op aarde terugbracht.

In de techniekklas waren behalve Flora, de directeur en de onderdirectrice, ook twee politieagenten die proces-verbaal opmaakten. Een van hen was de vader van Andrea Bacci. Flora kende hem omdat hij een paar keer op school was geweest om over zijn zoon te praten. De ander was de zoon van Italo, de conciërge.

Ze las de andere opschriften.

De directeur zuigt de pik van de onderdirectrice.

Italo's voeten stinken naar vis.

Flora moest glimlachen. Dat was beslist een komisch beeld. De directeur op zijn knieën en de onderdirectrice met haar rok omhoog en... *Misschien is het waar, misschien is de onderdirectrice een man.*

(*Flora, hou op...*)

Ze zag de boosaardige ogen van Gatta die haar onderzoekend aankeken om haar gedachten te lezen.

'Hebt u gezien wat ze hebben geschreven?'

'Ja...' mompelde Flora.

De onderdirectrice balde haar vuisten en hief ze ten hemel. 'Vandalen. Ellendelingen. Hoe durven ze? We moeten ze straffen. We moeten deze geïnfecteerde wond die onze arme school besmet onmiddellijk genezen.'

Als juffrouw Gatta een normale vrouw was geweest, zou een dergelijk opschrift haar hebben kunnen aansporen tot een reeks overdenkingen over hoe haar sexuele identiteit en haar verhouding tot de directeur werden waargenomen door een bepaald gedeelte van de scholieren.

Maar juffrouw Gatta was een superieure vrouw en had zulke overdenkingen niet. Niets kon haar afbrengen van haar volmaakte stompzinnigheid. Geen spoortje schaamte, geen greintje ongemak. Het tuig dat had ingebroken op school had alleen maar haar strijdlustige geest wakker geschud en nu was de Pruisische generaal klaar voor de strijd.

Directeur Cosenza daarentegen was knalrood, een teken dat het opschrift hem had aangegrepen.

230

'Hebben jullie een vermoeden?'

'Nee, maar we zullen uitvinden wie het heeft gedaan. Juffrouw Palmieri, u kunt uw loon erom verwedden dat wij het zullen uitvinden,' steigerde juffrouw Gatta. Sinds hun kennismaking had ze haar nog nooit zo razend gezien. Van woede trilde een mondhoek. 'Hebt u gelezen wat ze over u hebben geschreven?'

'Ja.'

'Je zou denken dat het een boodschap voor u is,' stelde ze op Hercule Poirot-achtige toon.

Flora zei niets.

'Wie zou het geweest kunnen zijn? Waarom juist een videorecorder en niet een—' Gatta realiseerde zich dat ze iets ongepasts ging zeggen en zweeg.

'Ik weet het niet... Ik heb geen idee,' zei Flora hoofdschuddend. Maar waarom had ze, nu ze de kans had om Pierini aan te geven, dat niet gedaan? *Ik zou hem in de problemen brengen.*

Dat jongetje had op zijn voorhoofd geschreven dat de wet als een klimplant om zijn bestaan zou woekeren en zij wilde niet de aanleiding zijn van die verbintenis.

En daarbij was ze, om een veel eenvoudiger en praktischer reden, bang dat Pierini haar er zwaar voor zou laten boeten als hij erachter kwam dat zij hem had aangegeven. Heel zwaar.

'Juffrouw Palmieri, ik heb aan Giovanni gevraagd of hij u wilde laten komen voordat de andere leraren er zouden zijn, omdat u zich er een tijdje geleden over heeft beklaagd dat sommige leerlingen het u lastig maakten. Het zouden dezelfden kunnen zijn die dit hebben gedaan. Beseft u dat? Ik zou niet willen dat dit een represaille tegen u is. U zei dat u met sommige van uw leerlingen niet kunt communiceren en soms komt onbegrip ook op deze manier tot uiting.' Vervolgens vroeg ze bevestiging bij de directeur. 'Denk je ook niet, Giovanni?'

'Ja...' gaf hij toe en hij boog zich voorover om een glasscherf op te rapen.

'Alsjeblieft, Giovanni! Laat toch liggen! Straks snijd je je nog!' schreeuwde de onderdirectrice en de directeur stond meteen weer in het gelid. 'Juffrouw, denkt u dat dat waar kan zijn?'

En waarom hebben ze dan geschreven dat zij dat ene kan doen bij de direc-teur? Wat had ze er veel voor overgehad om dat tegen haar te kunnen zeggen, tegen die vervloekte harpij. Maar daarentegen stamelde ze: 'Nou... ik denk het niet... Waarom zouden ze anders die andere... dingen hebben geschreven?' Ze zei het met horten en stoten, maar ze zei het.

Gatta's ogen verdwenen in de kassen. 'Wat heeft dat ermee te maken?!' grauwde ze. 'Vergeet niet dat de onderdirecteur en ik hier op school de hoogste autoriteiten zijn. Het is normaal dat ze het op ons hebben gemunt, maar het is helemaal niet normaal dat ze het op u hebben gemunt. Van alle leraren bent juist u uitgekozen. Waarom hebben ze het niet op juffrouw Rovi gemunt, die gebruikt toch ook de videorecorder? Laten we geen domme dingen zeggen, beste juffrouw Palmieri. Degene die dat heeft opgeschreven heeft het op u gemunt. En het verbaast me niets dat u zich niet kunt voorstellen wie het heeft gedaan. U volgt uw klassen niet met de benodigde en vereiste aan-dacht.'

Flora sloeg haar blik neer.

'Wat doen we nu?' mengde de directeur zich in het gesprek in een poging de T. Rex te kalmeren.

'Wat we doen? De orde herstellen. Over de manier van lesgeven van deze juffrouw hebben we het nog wel een andere keer,' zei de onderdirectrice handenwrijvend.

'Zo direct komen de kinderen. Misschien is het beter als we ze niet binnenlaten... Dat we ze naar huis sturen en een vergadering beleg-gen met alle docenten om te praten over een doeltreffend antwoord op deze schanddaad...' stelde de directeur voor.

'Nee. Dat lijkt me helemaal geen goed idee. We moeten de kinde-ren binnenlaten. En we geven gewoon les. De techniekklas gaat op slot. Meneer Decaro geeft boven les. De leerlingen mogen hier niets van weten. En ook de docenten zo min mogelijk. We bellen Margherita en laten haar alles schoonmaken, en daarna, vandaag nog, laten we de schilder komen om de muren over te schilderen en wij tweeën...' Gatta keek strak naar Flora, 'sterker nog, wij drieën, want u, juffrouw, gaat met ons mee zodat u kunt helpen bij het onderzoek, wij drieën gaan naar Orbano om te zien hoe het met Italo gaat en we gaan proberen uit te vinden wie de schuldigen zijn.'

De directeur stond helemaal te wiebelen. Net als zo'n harig hondje dat beeft bij de aanblik van het baasje. 'Goed zo, goed zo, heel goed, heel goed.' Hij keek op zijn horloge. 'De leerlingen komen zo. Zal ik dus zeggen dat de school open moet?'

Gatta gunde hem een goedkeurende grijns.

De directeur verliet de ruimte.

Op dat moment richtte de onderdirectrice haar aandacht op de politieagenten. 'En jullie daar, wat zijn jullie aan het doen? Als jullie die foto moeten maken, doe dat dan. Wij moeten hier afsluiten. We hebben geen tijd te verliezen.'

57

Het geluid van het kraakbeen van een gebroken neustussenschot dat weer op zijn plaats wordt gezet lijkt in bepaalde opzichten op dat van tanden die bijten in een magnum almond.

Skrooooskt.

Meer nog dan de pijn is het dat geluid dat je zenuwen doet exploderen, je hartslag doet versnellen en je kippenvel bezorgt.

Die onaangename ervaring had Italo Miele al eerder gehad, toen hij drieëntwintig was en een jager hem de fazant had afgepikt die hij had neergeschoten. Ze waren op de vuist gegaan, midden in een zonnebloemveld, en die vent (vast en zeker een bokser) die niet kon lezen en schrijven had hem een enorme dreun vol in zijn gezicht gegeven. Die keer had zijn vader zijn neus weer rechtgezet.

Daarom brulde en smeekte hij nu op de polikliniek van het Sandro Petrini-hospitaal in Orbano dat niemand zijn neus mocht aanraken, laat staan een doktertje dat nog in zijn bed plaste.

'Maar zo kan hij niet blijven. Doet u maar wat u wilt… maar u blijft een scheve neus houden,' hakkelde de jonge arts beledigd.

Italo stond moeizaam op van de brancard waarop ze hem hadden neergelegd. Een mollige verpleegster probeerde hem tegen te houden, maar hij veegde haar weg als een hinderlijke vlieg en liep naar de spiegel.

'Babbabia…' mompelde hij.

Wat een ramp!

Een baviaan.

Zijn neus, paars en groot als een aubergine, was naar rechts gebogen. Hij gloeide als een strijkbout. Zijn ogen zaten verstopt onder twee gezwollen reddingsboeien, die begonnen vanuit het magenta-rood en vervloeiden in het kobaltblauw. Een grote wond, met negen hechtingen en geverfd met jodium, spleet zijn voorhoofd doormidden.

'Goed, ik baak het zelf wel in orde.'

Met zijn linkerhand pakte hij zijn kaak vast en met zijn rechter zijn neus, hapte een grote slok lucht in en…

Skrooooskt…

…zette hem met een korte ruk recht.

Hij onderdrukte een woeste kreet. Zijn maag draaide om en vulde zich met sappen. Even kon hij niet rechtop blijven staan van de pijn. Zijn benen begaven het een ogenblik en hij moest zich vasthouden aan de wastafel om niet op de grond te vallen.

De arts en de twee verpleegsters konden hun ogen niet geloven.

'Klaar.' Strompelend ging hij weer op de brancard liggen. 'En breng be nu baar naar bed. Ik ben boe. Ik wil slapen.'

Hij sloot zijn ogen.

'Het bloeden moet nog worden gestelpt en u moet uw medicijnen nog krijgen.' De jengelige stem van de dokter.

'Goed…'

Wat was hij moe…

Uitgeputter, afgematter, afgepeigerder en vermoeider dan enig ander menselijk wezen ter wereld. Hij moest minstens twee dagen slapen. Dan zou hij de pijn niet meer voelen, niets meer voelen, en als hij wakker werd zou hij naar huis gaan en zich drie weken ziek melden en zich laten verwennen en beklagen door het oude mens en zich fettuccine met vleessaus laten voorzetten en heel veel televisie kijken en de mooiste plannen smeden om ze te laten boeten voor wat ze hem in die verschrikkelijke nacht hadden aangedaan.

Ja, ze moesten ervoor boeten.

De staat. De school. De families van die vandalen. Het deed er niet

toe wie. Maar iemand moest ervoor boeten, tot de allerlaatste vervloekte cent.

*Een advocaat. Ik heb een advocaat nodig. Een goeie. Eentje met ballen, die
ze goed het vel over de oren haalt.*

Terwijl de arts en de verpleegsters tampons in zijn neusgaten stopten, bedacht hij dat dit de kans was waar hij al zo lang op had gewacht.
En die kwam precies op het goede moment, perfect, vlak voor zijn
pensioen.

Die klootzakken hadden hem een dienst bewezen.

Nu was hij een held, hij had zijn plicht vervuld, hij had ze de school
uit gejaagd en hij zou er een boel geld aan verdienen.

Gecompliceerde breuk van het neustussenschot met ernstige adem-
halingscomplicaties. Verwondingen en blijvende ontvelling en allerlei
andere dingen die met het verstrijken van de tijd aan het licht zouden
komen.

*Voor dat alles vang je toch minimaal zo'n... weet ik veel, zo'n twintig
miljoen lire. Nee, veel te weinig. Als blijkt dat ik niet meer door mijn neus
kan ademen krijg ik op zijn allerminst toch zeker vijftig miljoen en misschien zelfs meer.*

Hij spuide maar in het wilde weg wat getallen, maar het lag in zijn
impulsieve aard om zonder enige kennis van zaken onmiddellijk een
schatting te maken van de hoogte van de schadevergoeding.

Hij zou een nieuwe auto kopen met airconditioning en radio, een
grotere televisie, en hij zou alle huishoudelijke apparaten in de keuken vervangen en ook de kozijnen van de bovenverdieping van het
boerenhuis.

En dat eigenlijk allemaal dank zij een gebroken neus en een paar
flutwondjes.

Hoewel die drie sukkels hem een beestachtige pijn hadden bezorgd,
voelde hij innerlijk een spontaan en oprecht gevoel van genegenheid en
dankbaarheid opwellen voor dat canaille dat hem zo had toegetakeld.

58

Achter de zwarte heuvels was de hemel bedekt met zware wolken die

zich kromden en over elkaar heen buitelden tussen donder en bliksem, een laatste oordeel waardig. De wind voerde zand en de geur van
zeewater en algen mee. De witte koeien in de wei bekommerden zich
niet om de regen, graasden gulzig en methodisch en tilden zo nu en
dan hun kop op om zonder belangstelling te kijken naar de natuurkrachten die losbarstten.

Pietro haastte zich naar school. En hoewel het hard regende had hij
zijn fiets gepakt.

Hij had het thuis niet langer uitgehouden. De nieuwsgierigheid, de
wil om te weten wat er gebeurd was, hadden het gewonnen van zijn
plan om te doen alsof hij ziek was.

Hij had de thermometer in warm water gestopt, maar op het
moment dat hij tegen zijn moeder zou zeggen dat hij zevenendertig-
half had, had hij gezwegen.

Hoe kon hij de hele dag in bed blijven zonder te weten of het ze was
gelukt het hek open te krijgen, zonder te horen wat de reacties van
zijn vriendjes en de leraren waren?

Toen hij de beslissing had genomen om in beweging te komen, was
het al laat en dus had hij zich als een haas aangekleed, zijn koffie met
melk in een teug opgedronken, een paar koekjes naar binnen geschrokt,
zijn regenpak aangetrokken en, om sneller te zijn, zijn fiets gepakt.

Nu hij nog maar op een kilometer van school was, was elke trap op
het pedaal een extra knoop in zijn ingewanden.

59

Toen ze de kamer binnenging had juffrouw Palmieri de indruk dat ze
niet in een Italiaans ziekenhuis was maar in een dierenartsenpraktijk
in Zuid-Florida. Midden in de grote kamer, onder witte projectors,
uitgestrekt op een bed, lag een lamantijn.

Flora, die geen deskundige op het gebied van zoölogie was, wist wat
een lamantijn was omdat ze daar een paar weken eerder op de tv een
documentaire van National Geographic over had gezien.

De lamantijn behoort tot de familie van de zeekoeien. Een soort
reusachtige, dikke, witte zeehond die in het Tsjaad-meer en in de

mondingen van de grote rivieren van Zuid-Amerika leeft. Aangezien het dieren zijn met een luie en trage aard, eindigen ze dikwijls tussen de schroeven van de boten.

De conciërge, languit op zijn rug, in onderbroek, leek precies op zo'n groot beest.

Hij was afgrijselijk. Rond en wit als een sneeuwpop. De strakgespannen, bolle buik had de vorm van een paasei dat op het punt stond te knappen. Op zijn hoofd groeide een dikke bos wit haar dat zich vermengde met dat op zijn borst. De korte, gedrongen benen waren onbehaard en bedekt met dikke blauwe aderen. Het manke been had een paarsachtige kuit en was rond als een Bossche bol. De uitgestrekte armen leken twee vinnen. De dikke vingers sigaren.

De natuur, valse stiefmoeder, had niet de moeite genomen hem te begiftigen met een hals, zodat die ronde kop rechtstreeks aan de schouders vastzat.

Hij was behoorlijk toegetakeld.

Zowel zijn onderarmen als zijn knieën zaten vol krassen, snij- en schaafwonden. Zijn voorhoofd gehecht en zijn neus in het verband.

Flora mocht hem niet. Hij was een nietsnut. Agressief tegen de leerlingen. En hij was een viezerik. Als zij langs het conciërgehokje liep had ze altijd het gevoel dat hij haar met zijn ogen uitkleedde. En juffrouw Cirillo had haar verteld dat hij ook een notoire hoerenloper was. Hij ging elke nacht naar die arme gekleurde meisjes die langs de Via Aurelia tippelden.

Flora had geen enkele behoefte om daar samen met die twee onderzoeksrechtertje te spelen. Ze had op school willen zijn. Om les te geven.

'Kom... vooruit,' zei Gatta tegen haar.

Ze gingen alledrie naast het ziekbed van de conciërge zitten.

De onderdirectrice maakte een knikje als groet en begon vervolgens te praten op de meest bezorgde toon van de wereld. 'Italo, hoe gaat het nu?'

Ondanks de blauwe plekken en bulten op dat gezicht dat deed denken aan een geslagen hond, flikkerde er een uitdrukking van afkeer en geveinsde vriendelijkheid in de varkensoogjes van de conciërge.

60

'Batig. Hoe het bet be gaat? Heel batig!'

Italo prentte zichzelf goed in welke rol hij moest spelen. Hij moest zorgen dat ze hem vreselijk zielig vonden, overkomen als een arme kreupele die medische hulp nodig had en die zich had opgeofferd voor het welzijn van de school en de leerkrachten had beschermd tegen delinquente minderjarigen.

'Wel, Italo, als u kunt, vertelt u dan eens precies wat er de afgelopen nacht in de school is gebeurd,' zei de directeur.

Italo keek om zich heen en begon een verhaal te vertellen dat ten minste zestig procent waarheid bevatte, voor dertig procent helemaal zelf verzonnen was en tien procent om het verhaal op te smukken met overdrijvingen, pathos, beeldende beschrijvingen, sentimentele details en tranentrekkers (...jullie kunnen je niet voorstellen hoe koud het 's winters is in dat kamertje waar ik woon, alleen, ver van huis, van mijn vrouw, van de kinderen van wie ik hou...)

Een reeks onbelangrijke details liet hij weg, die zouden het verhaal alleen maar zwaarder en de clou te ingewikkeld maken. (Mijn neus? Hoe ik die heb gebroken? Een van die jongens zal me wel een klap met een ijzeren staaf hebben gegeven toen ik in het donker liep.)

En hij besloot: 'Du ben ik hier. Jullie zien be. In dit ziekenhuis. Geruïneerd. Ik kan bijn been diet beer bewegen en ik geloof dat ik een paar gekneusde ribben heb baar dat geeft diet, ik heb de school gered van de vandalen. En dat is het belangrijkste. Bietwaar? Ik vraag jullie slechts een ding: help be, jullie hebben geleerd. Ik ben baar een arme dobberik. Zorg dat ik krijg waar ik recht op heb ba al die jaren werken en ba dit vreselijke incident waardoor ik dat kleine beetje gezondheid dat ik bog had bu ook al kwijt ben. Voorlopig zou een collecte onder de leerkrachten en de ouders voldoende zijn. Dank u, dank u van harte.'

Toen het pleidooi beëindigd was, controleerde hij het effect ervan op zijn toehoorders.

De directeur zat gebogen op de stoel, zijn handen voor zijn mond en zijn ogen op de grond gericht. Hij beoordeelde die houding als een uiting van diepe deelneming over zijn droeve en ongelukkige situatie.

Mooi.

Toen ging hij over tot de inspectie van juffrouw Palmieri.

De rooie keek hem uitdrukkingsloos aan. Maar wat kon je van zo iemand ook anders verwachten?

En tot slot onderzocht hij het gezicht van de onderdirectrice.

Juffrouw Gatta had een gezicht van marmer dat weinig goeds liet doorschemeren. Een spottende plooi speelde om haar lippen.

Wat betekende dat? Wat betekende verdomme dat rottige glimlachje? Geloofde die zure ouwe vrijster hem soms niet?

Italo knipperde met zijn ogen en trok zijn gelaatsspieren samen in een poging alle pijn die hij voelde tot uitdrukking te brengen. En bleef wachten op een troostend gebaar, een vriendelijk woord, een handdruk, iets.

De onderdirectrice kuchte en haalde toen uit haar kleine suède handtasje een blocnote en een bril. 'Italo, een paar dingen die je vertelde begrijp ik niet. Die lijken niet overeen te komen met wat we samen met de politie op school hebben geconstateerd. Als u ertoe in staat bent zou ik u graag een paar vragen stellen.'

'Goed. Baar dan wel snel graag want ik voel me biet zo goed.'

'Om te beginnen zei u dat u de nacht alleen hebt doorgebracht. Wie is dan die Alima Guabré? Het blijkt dat dat Nigeriaanse meisje, overigens niet in het bezit van een verblijfsvergunning, degene is geweest die de politie heeft gebeld.'

Een scherpe pijn ontwikkelde zich in de ingewanden van de conciërge, perste zich omhoog en zette zijn keelamandelen in brand. Italo probeerde die wolk van zuur gas die uit zijn slokdarm was opgestegen tegen te houden, maar het lukte hem niet en hij liet een oorverdovende boer.

De drie deden of ze niets hadden gehoord.

Italo legde een hand voor zijn mond. 'Wat was de vraag ook alweer, juffrouw? Aliba wie? Die vrouw ken ik niet, dooit van gehoord...'

'Wat gek. De jonge vrouw, die naar het schijnt het beroep van prostituee uitoefent, zegt dat zij u heel goed kent, dat ze door u naar de school is gebracht en dat ze was uitgenodigd om de nacht samen met u door te brengen...'

Italo pufte. Nu klopte zijn neus als een defecte verwarmingsradiator.

Wacht, wacht even... Dat klotewijf was bezig hem een verhoor af te nemen. Hem? Hij die de school had gered, die er bijna in gebleven was? Wat was hier verdomme aan de ha— Ze waren bezig hem in de neer te steken. Hij die een omhelzing verwachtte, een doos Ferrero Rocher, een bos bloemen.

'Ze zal wel gek zijn. Ze heeft alles verzonnen. Wie is ze? Wat wil ze van be? Ik ken haar diet...' zei hij terwijl hij met zijn armen zwaaide alsof hij probeerde een zwerm wespen weg te jagen.

'Ze zegt dat jullie elke week samen eten in Il Vecchio Carro en ze had het over een grap...' De juffrouw maakte een grimas en hield de blocnote een beetje van zich af, als om beter te kunnen lezen. 'Ik begrijp het niet goed... De agenten zeggen dat ze heel boos op u was... Een grap die u onder het eten zou hebben gemaakt.'

'Wat verbeeldt ze zich wel, die vuile sl—?' Met moeite kon Italo de zin nog net afbreken.

De onderdirectrice wierp hem een blik toe die even dodelijk was als de ronddraaiende valhamer van Mazinga Z.

'Mij komt deze hele geschiedenis ook tamelijk vreemd voor. Er is een ding dat de versie van juffrouw Guabré zou bevestigen. Uw 131 stond vanochtend buiten het met de ketting afgesloten hek. En verder is er een getuigenis van de obers van Il Vecchio Carro...'

De conciërge begon te trillen als een rietje terwijl hij keek naar dat harteloze monster dat zich amuseerde met hem te kwellen, en het liefst wilde hij boven op haar springen en die kippennek afknijpen als een oud vod en al haar tanden eruit rukken en er een ketting van maken. Dit was geen vrouw... dit was een duivel zonder gevoel en zonder mededogen. In plaats van een hart had ze een loden bal en in plaats van een kut een vrieskist.

'Dat brengt mij ertoe te denken dat u niet aanwezig was toen de vandalen de school binnendrongen... Net zoals het waarschijnlijk twee jaar geleden is gegaan, toen er dieven waren binnengekomen.'

'Neeee! Toen was ik er wel, baar ik sliep! Dat zweer ik bij God. Het is niet bijn schuld dat ik diep slaap!' Italo richtte zich tot de directeur. 'Ik sbeek u, beneer de directeur, tenminste u. Wat wil die vrouw van be? Ik voel be zo rot. Ik kan deze bare beschuldigingen biet langer verdragen. Dat ik daar de hoeren ga, dat ik bijn plicht diet doe. Ik heb bijda dertig jaar eervolle carrière achter de rug. Directeur, ik sbeek u, zeg toch iets.'

Het mannetje keek naar hem zoals je naar het laatste exemplaar van een uitgestorven diersoort kijkt. 'Wat kan ik zeggen? Probeert u eerlijker te zijn, de waarheid te spreken. De waarheid spreken is altijd het beste...'

Toen keek Italo naar juffrouw Palmieri op zoek naar begrip, maar dat vond hij niet.

'Gaad jullie toch weg... ga weg...' mompelde hij met gesloten ogen, als een stervende die in alle rust zijn laatste adem wil uitblazen.

Maar juffrouw Gatta liet zich niet week maken. 'U zou die arme vrouw juist moeten bedanken. Als juffrouw Guabré er niet was geweest zou u nu waarschijnlijk nog steeds bewusteloos in een plas bloed liggen. U bent een ondankbaar mens. En nu gaan we over tot het onderwerp dat mij het meest zorgen baart. Het geweer.'

Italo had het gevoel dat hij doodging. Gelukkig had hij een visioen, dat heel even de pijn aan zijn neus en de druk op zijn borst verlichtte. Die oude vrijster aan een paal geregen, ja, hij die een hoogspanningsmast volgesmeerd met Spaanse peper en zand in haar kont schoof en zij die schreeuwde als een terdoodveroordeelde.

'U hebt een geweer gebruikt in de klaslokalen.'

'Dat is diet waar!'

Italo paste nu de laatste en meest wanhopige verdedigingsstrategie toe. Alles ontkennen. Wat dan ook. Is de zon warm? Nee, niet waar! Kunnen zwaluwen vliegen? Nee, niet waar!

Altijd en alleen maar nee antwoorden.

'U hebt een schot gelost. U hebt geprobeerd ze te raken. En u hebt een raam van de gymzaal vernie—'

'Dee, diet waar!'

'Genoeg met dat nee niet waar!' Onderdirectrice Gatta schreeuwde, daarmee het flegma dat ze tot dan toe had weten te bewaren doorbrekend, en veranderde in een Chinese draak met gemene oogjes.

Italo bond in en schrompelde ineen tot de afmetingen van een zandvlo.

'Mariuccia, toe, blijf kalm, blijf kalm...' De directeur, verlamd op zijn stoel, smeekte haar. Alle patiënten op de zaal hadden zich omgedraaid en de verpleegster wierp bezorgde blikken.

De onderdirectrice dempte haar toon en vervolgde met samenge-
knepen kaken.

'Mijn beste Italo, u bevindt zich in een heel slechte situatie. En het
lijkt of u zich dat niet beseft. U riskeert een meervoudige aanklacht
wegens onrechtmatig wapenbezit, poging tot doodslag, misbruik van
prostitutie, gewelddadige dronkenschap...'

'Bee bee bee bee beeeeee,' herhaalde Italo gebroken van verdriet
terwijl hij zijn grote kop schudde.

'U bent de grootste imbeciel die er bestaat. Wat wilt u? Heb ik u
goed gehoord? Schadevergoeding? U hebt zelfs de botheid om te vragen om een collecte. Nu moet u eens heel, heel goed naar mij luisteren.' Mariuccia Gatta stond op en plotseling werden die kille ogen
licht, alsof er lampjes van duizend watt in zaten. Haar wangen werden
rood. Ze pakte de conciërge bij de kraag van zijn pyjama en tilde hem
haast uit bed. 'De directeur en ik doen wat we kunnen om u te helpen
en alleen maar omdat uw zoon, een politieagent, ons dat op zijn
knieën heeft gesmeekt en zei dat zijn moeder zou sterven van verdriet
als ze dit te weten komt. Alleen daarom hebben wij u niet aangegeven
bij de politie. Wij doen al het mogelijke om uw hachje te redden, om
te zorgen dat u niet een paar jaar krijgt, om te zorgen dat u uw baan,
uw pensioen, alles kunt behouden, maar nu moet ik absoluut weten
wie die vandalen waren.'

Italo hapte naar adem als een grote zeelt die aan de haak is geslagen, en ademde vervolgens uit door zijn neus. Uit de tampons in zijn
neus begonnen stroompjes bloed sijpelen.

'Ik weet het diet. Ik weet het diet, ik zweer het op het hoofd van
bijn kinderen,' jammerde de conciërge spartelend op het bed. 'Ik heb
ze diet gezien. Toen ik het berghok binnenkwam was het donker. Ze
hebben ballen tegen be aan gegooid. Ik ben gevallen. Ze zijn over be
heen gerend. Het waren er twee of drie. Ik heb geprobeerd ze te grijpen. Dat lukte diet. Klootzakken.'

'Is dat alles?'

'Bou, er was er dog een. Die kwam te voorschijn tussen de batten.
En...'

'En?'

'Dou, ik weet het diet zeker, de afstand was te groot, ik had geen bril op, baar hij was zo bager en klein, hij leek op... dou, hij leek op de zoon van de schaapherder, die uit Serra... Ik weet diet beer hoe die heet... Baar ik weet het diet zeker. Die uit 2B.'

'Moroni?'

Italo knikte. 'Alleen is het vreemd...'

'Vreemd?'

'Ja, ik vind het vreemd dat zo'n aardige jongen als hij zoiets kan doen. Baar hij kon het zijn geweest.'

'Goed. Dat zullen we natrekken.' De onderdirectrice liet de pyjama van de conciërge los en leek tevreden. 'Zorgt u nu maar dat u beter wordt. Daarna zullen we zien wat we voor u kunnen doen.' Vervolgens wendde ze zich tot haar kompanen. 'Laten we gaan, het is al heel laat. We worden op school verwacht.'

'Dank u, dank u... Ik zal alles doen wat jullie willen. Kom me nog eens opzoeken.'

De drie liepen weg en lieten de conciërge trillend in zijn bed achter, ten prooi aan de doodsangst de laatste jaren van zijn leven in de gevangenis te moeten slijten, zonder een rooie cent en zelfs zonder pensioen.

61

Binnen in hem woedde een oorlog.

Zijn nieuwsgierigheid was in gevecht met de behoefte om naar huis terug te gaan.

Pietro had een droge mond alsof hij een handvol zout had gegeten, de wind kroop in zijn muts en deed zijn regenjack opbollen, en de regen sloeg tegen zijn gezicht dat koud en gevoelloos als een blok graniet was geworden.

Bijna zonder adem te halen fietste hij door Ischiano Scalo tussen de modderplassen en hij wilde juist de straat van de school inslaan toen hij met piepende remmen stopte.

Wat zou hij om de hoek aantreffen?

Honden. Grommende Duitse herders. Muilkorven. Halsbanden

met ijzerbeslag. Zijn schoolvrienden op een rij, naakt, bibberend in het noodweer. Hun handen tegen de schoolmuren. Mannen in blauwe overalls met zwarte maskers voor hun gezicht en soldatenkistjes aan hun voeten, die door de plassen lopen. Als jullie niet zeggen wie het heeft gedaan zullen we om de tien minuten een van jullie terechtstellen.

Wie heeft het gedaan?

Ik.

Kijk, daar stapt Pietro naar voren.

Ik heb het gedaan.

Hij zou beslist een heleboel mensen onder paraplu's aantreffen, de bar propvol en de brandweer die de ketting losmaakt. En onder hen zouden Pierini, Bacci en Ronca zijn, die genoten van het spektakel. Hij had geen enkele behoefte om die drie tegen te komen. En nog minder om dat geheim, dat brandde in zijn ziel, met hun te delen.

Wat zou hij graag iemand anders zijn, iemand die voor de bar stond te genieten van het schouwspel en die gewoon naar huis zou gaan zonder die loodzware steen in zijn maag.

Nog iets anders wat hem verschrikkelijk veel angst inboezemde was de gedachte om Gloria tegen te komen. Hij zag haar al voor zich. Ze zou een hele scène maken, opgewonden heen en weer springen, zich afvragen wie dat genie was geweest dat het hek had afgesloten.

En wat doe ik dan? Zeg ik het? Vertel ik haar hoe het gegaan is?

(*Kom op, verder fietsen. Wil je de hele dag achter deze muur blijven staan?*)

Hij sloeg de hoek om.

Er stond niemand voor de school. En ook niet voor de bar.

Hij kwam nog dichterbij. Het hek was open zoals altijd. Geen spoor van de brandweer. Op de parkeerplaats stonden de auto's van de leerkrachten. De 131 van Italo. De ramen van de lokalen waren verlicht.

Er is dus school.

Hij fietste langzaam, alsof hij het gebouw voor het eerst in zijn leven zag.

Hij passeerde het hek. Hij keek op de grond om te zien of er resten van de ketting lagen. Niets. Hij zette zijn fiets tegen de muur. Hij keek op zijn horloge.

Bijna twintig minuten te laat.

Hij riskeerde een aantekening maar liep rustig, als betoverd de trap op, als een ziel van een gestorvene die de lange trap naar het paradijs op loopt.

'Wat doe jij? Schiet eens een beetje op! Het is al laat!'

De andere conciërge.

Ze had de deur opengedaan en gebaarde dat hij naar binnen moest komen.

Pietro rende naar binnen.

'Ben je gek geworden? Ben je op de fiets? Wil je soms een longontsteking krijgen?' schreeuwde ze tegen hem.

'Hè? Ja… Nee!' Pietro hoorde niet wat ze zei.

'Maar wat bezielt jou?'

'Niets. Niets.'

Hij liep als een robot naar zijn klas.

'Waar denk jij heen te gaan? Zie je niet dat je de hele vloer nat maakt? Trek dat ding uit en hang het aan het haakje!'

Pietro kwam terug en trok zijn regenpak uit. Hij realiseerde zich dat zij de conciërge van groep A was en dat Italo daar in zijn hokje moest zitten.

Waar was hij?

Hij wilde het niet weten.

Het was prima zo. Hij was er niet en daarmee uit.

De zomen van zijn broekspijpen waren doorweekt, maar het was lekker warm en ze zouden snel weer opdrogen. Even hield hij zijn ijskoude handen tegen de radiator. De conciërge was gaan zitten en bladerde een tijdschrift door. Verder was de school verlaten en stil. Er klonk geluid van druppels die tegen de ramen tikten en van water dat door de regenpijp stroomde.

De lessen waren begonnen en iedereen zat in de klas. Hij liep naar zijn lokaal. De deur van het secretariaat stond open en de secretaresse zat aan de telefoon. De deur van de directeurskamer was dicht. Zoals altijd trouwens. De docentenkamer leeg.

Alles normaal.

Alvorens zijn lokaal binnen te gaan moest hij absoluut even beneden gaan kijken in het technieklokaal. Als daar ook alles normaal was, zonder opschriften, de televisie op zijn plaats, dan konden er twee dingen zijn gebeurd. Of hij had alles gedroomd, wat hetzelfde was als zeggen dat hij knettergek was, of er waren goede buitenaardse wezens gekomen die alles in orde hadden gemaakt. *Tsjak!* Eén straal van het laserpistool en de tv en de videorecorder worden weer zo goed als nieuw (zoals wanneer je naar een film kijkt die achteruit wordt afgespeeld). *Tsjak!* En weg zijn de opschriften op de muren. En Italo is uit elkaar gespat.

Hij liep de trap af. Hij draaide de deurklink om, maar de deur zat op slot. De gymzaal ook.

Misschien hebben ze besloten alles op te ruimen en te doen alsof er niets is gebeurd.

(*Waarom?*)

Omdat ze niet weten wie het gedaan heeft en dan is het maar beter te doen of er niets aan de hand is. Toch?

Deze conclusie stelde hem gerust.

Hij rende naar zijn lokaal. Zodra hij zijn hand op de deurkruk legde begon zijn hart uitzinnig te bonken. Verlegen deed hij de deur open en ging naar binnen.

62

Flora Palmieri zat op de achterbank van de Ritmo van de directeur.

De auto beklom met moeite de heuvel van Orbano. De regen viel met bakken uit de hemel. Rondom was het een en al grijs en donder en in de verte, op zee, zo nu en dan een bliksemschicht. De druppels trommelden in een koortsachtig ritme op het dak. De ruitenwissers konden met moeite de voorruit droog houden. De provinciale weg leek op een kolkende rivier en de vrachtwagens schoten donker en dreigend als walvissen langs de auto, waarbij ze water opspatten, als motorboten.

Directeur Cosenza zat aan het stuur gekleefd. 'Je ziet geen hand voor ogen. En die vrachtwagenchauffeurs rijden als gekken.'

Onderdirectrice Gatta was zijn navigator. 'Haal toch in, waar wacht je op? Zie je niet dat hij ruimte voor je maakt? Giovanni, rijd eens door.'

Flora dacht na over wat de conciërge had gezegd en hoe langer ze erover nadacht, des te absurder ze het vond.

Pietro Moroni die op school had ingebroken en alles kort en klein had geslagen?

Nee. Dat verhaal overtuigde haar niet.

Het was niets voor Moroni om zich zo te gedragen. Je moest hem al op je knieën smeken om een woord uit zijn mond te krijgen. Hij was zo stil en braaf dat Flora vaak vergat dat hij er was.

Pierini had die dingen opgeschreven, dat wist ze zeker.

Maar wat deed Moroni samen met Pierini?

Een paar weken daarvoor had Flora aan 2B opdracht gegeven voor een opstel met het onvermijdelijke onderwerp 'Wat wil je later worden?'.

En Moroni had geschreven:

> Ik zou heel graag dieren willen bestuderen. Als ik later groot ben wil ik bioloog worden en naar Afrika gaan en documentaires maken over dieren. Ik zou heel hard werken en een documentaire over de kikkers van de Sahara maken. Niemand weet dat, maar er zijn kikkers in de Sahara. Ze leven onder het zand en slapen daar elf maanden en drie weken (een jaar min een week) en worden precies wakker in de week dat het regent in de woestijn, die dan blank komt te staan. Ze hebben weinig tijd en ze hebben een heleboel te doen, bij voorbeeld eten (vooral insecten) en kinderen maken (kikkervisjes) en een nieuw gat graven. Dat is hun leven. Ik wil graag naar het gymnasium maar mijn vader zegt dat ik herder moet worden en me moet bezighouden met de graaslanden, net als mijn broer Mimmo. Mimmo wil ook geen herder worden. Hij wil naar de noordpool om kabeljauw te vangen maar ik denk niet dat hij gaat. Ik wil graag naar het gymnasium en ook naar de universiteit om de dieren te bestuderen maar mijn vader zegt dat ik de schapen kan bestuderen. Ik heb de schapen bestudeerd en ik vind er niets aan.

Dat was Pietro Moroni.

Een jongetje met zijn hoofd in de wolken, op zoek naar kikkers in de woestijn, zachtaardig en timide als een mus.

En nu? Wat was er nu met hem gebeurd?

Was hij van het ene moment op het andere veranderd in een vandaal en spande hij samen met Pierini?

Nee.

63

Iedereen zat in de klas.

Pierini, Bacci en Ronca wierpen hem bezorgde blikken toe. Op de eerste rij glimlachte Gloria naar hem.

Ze waren allemaal heel stil, een teken dat juffrouw Rovi bezig was met een overhoring. De spanning was met een mes te snijden.

'Moroni, weet je eigenlijk wel dat je te laat bent? Wat sta je daar nou, schiet eens op. Kom binnen en ga op je plaats zitten,' beval juffrouw Rovi terwijl ze hem van top tot teen bekeek vanachter haar brillenglazen zo dik als flessenbodems.

Diana Rovi was een oude, mollige vrouw met een rond gezicht. Ze leek op een wasbeertje.

Pietro ging naar zijn tafeltje op de derde rij naast het raam en begon de boeken uit zijn rugzak te halen.

De juffrouw ging verder met het overhoren van Giannini en Puddu die naast de lessenaar stonden en hun spreekbeurt hielden: vlinders en hun levenscyclus.

Pietro ging zitten en stootte met zijn elleboog Tonno aan, zijn tafelgenootje dat zijn spreekbeurt over sprinkhanen doornam.

Antonio Irace, door iedereen Tonno genoemd, was een lang en dun jongetje met een klein, ovaal hoofd, een studiebol met wie Pietro nooit veel was omgegaan maar die hem met rust liet.

'Tonno, is er vandaag iets bijzonders gebeurd?' fluisterde hij met zijn handen voor zijn mond.

'Hoe bedoel je?'

'Ik weet niet, iets... Heb jij de directeur of de onderdirectrice gezien?'

Antonio keek niet op uit zijn boek. 'Nee, die heb ik niet gezien. Laat me verder leren, alsjeblieft, straks pakt ze me nog.'

Intussen zwaaide Gloria met haar armen om zijn aandacht te trekken. 'Ik was al bang dat je niet zou komen,' zei ze zachtjes terwijl ze naar een kant overboog. 'Straks zijn wij aan de beurt. Ben je er klaar voor?'

Pietro knikte.

Op dat moment was de spreekbeurt wel het laatste waar hij aan dacht.

Als het een andere dag was geweest had hij het waarschijnlijk in zijn broek gedaan, maar vandaag had hij wel wat anders aan zijn hoofd.

Pierini gooide een propje naar hem.

Hij vouwde het open. Er stond op geschreven:

KLOOTZAK WAT IS ER GEBEURD HAD JE DE KETTING WEL GOED VASTGEMAAKT? TOEN WE KWAMEN WAS ALLES NORMAAL. WAT HEB JE VERDOMME UITGE- SPOOKT?

Hij wist zeker dat hij de ketting goed had vastgemaakt. Hij had er zelfs aan getrokken om het te controleren. Hij scheurde een blaadje uit zijn schrift en schreef:

IK HEB HEM HEEL GOED VASTGEMAAKT

Hij rolde het op en gooide het naar Pierini. Het miste grandioos zijn doel en belandde op de tafel van Gianna Loria, de dochter van de sigarenboer, het vervelendste en stomste meisje uit de klas. Ze pakte het propje, stopte het met een vals glimlachje in haar mond en zou het hebben opgegeten als Pierini niet op tijd had ingegrepen door haar een goed geplaatste tik tegen haar achterhoofd te geven. Gianna spuugde het briefje uit op haar tafel en Pierini, snel als een fret, pakte het en ging weer op zijn plaats zitten.

Geen van drieën had gemerkt dat de oude juffrouw Rovi vanachter haar kogelvrije glazen alles had gezien.

'Moroni! Heb jij door al die regen soms je verstand verloren? Wat is er met jou aan de hand? Je komt te laat, je zit te kletsen, je gooit propjes, wat heb jij toch?' Juffrouw Rovi zei dit alles zonder boosheid, ze leek alleen maar nieuwsgierig naar het uitzonderlijke gedrag van dat jongetje dat ze gewoonlijk hoorde noch zag. 'Moroni, heb jij je spreekbeurt voorbereid?'

'Ja, juffrouw…'

'En met wie heb je dat gedaan?'

'Met Gloria.'

'Heel goed. Komen jullie dan nu hier om erover te vertellen?' Vervolgens wendde ze zich tot de twee kinderen die naast haar stonden. 'Jullie kunnen gaan zitten. Maak maar plaats voor Pietro en Gloria. Hopelijk doen zij het beter dan jullie en halen ze tenminste wel een voldoende.'

Juffrouw Rovi was net een enorme, trage olietanker die de zee van het leven doorkruiste zonder zich te bekommeren om stormen of windstilte. Een loopbaan van dertig jaar had haar ongevoelig gemaakt voor hoge golven. Ze kon de leerlingen laten werken zonder al te veel moeite om respect af te dwingen.

Pietro en Gloria gingen naast de lessenaar staan. Gloria begon te vertellen over de leefgewoontes van muskieten en de larvenfase in het water. Terwijl ze praatte zocht ze Pietro's blik. *Zie je wel? Ik heb het uiteindelijk toch goed geleerd.*

Biologie was Pietro's favoriete vak en hij moest Gloria ertoe aansporen haar lessen te leren. Met oneindig veel geduld nam hij de lessen met haar door, terwijl zij zich door het minste of geringste liet afleiden.

Maar nu gaat het heel goed.

En ze was van een adembenemende schoonheid.

Er is niets fijners dan een mooie hartsvriendin hebben, dan kun je naar haar kijken wanneer je maar wilt zonder dat zij denkt dat je haar het hof maakt.

Toen het zijn beurt was, begon hij zonder enige aarzeling. Rustig. Hij vertelde over de drooggelegde gebieden en over DDT en terwijl hij praatte voelde hij zich euforisch en blij. Alsof hij dronken was.

De ravage was voorbij en de school was er en je kon over muskieten vertellen.

Hij stond zichzelf een lange uitweiding toe over de beste methoden om muskieten uit huis te weren. Hij vertelde over de voor- en nadelen van rookspiralen, kleefstroken, ultraviolet licht en autan. En vervolgens praatte hij over een door hem zelf uitgevonden crème op basis van basilicum en wilde venkel waarmee je je moest insmeren en waardoor de muskieten, zodra ze die roken, niet alleen weggingen, maar op de vlucht sloegen en vegetariërs werden.

'Dank je, Pietro. Heel goed. Jullie hebben het heel goed gedaan. Meer heb ik er niet over te zeggen,' onderbrak juffrouw Rovi hem tevreden. 'Nu moet ik alleen nog beslissen welk cijfer ik jullie moet ge—'

De deur ging open.

De conciërge.

'Wat is er, Rosaria?'

'Moroni moet bij de directeur komen.'

Juffrouw Rovi draaide zich om naar Pietro.

'Pietro...?'

Hij was bleek geworden en ademde door zijn neus en hield zijn mond stijf dicht. Alsof hij had gehoord dat de elektrische stoel gereed stond. Met bloedeloze handen omklemde hij de rand van de lessenaar alsof hij die doormidden wilde breken.

'Wat is er, Pietro? Voel je je wel goed?'

Pietro knikte. Hij draaide zich om en liep zonder iemand aan te kijken naar de deur.

Pierini stond op van zijn stoel en greep Pietro in zijn nek en fluisterde hem iets in het oor voordat hij de klas kon verlaten.

'Pierini! Wie heeft gezegd dat jij mag opstaan? Ga onmiddellijk zitten!' schreeuwde juffrouw Rovi terwijl ze met het klassenboek op de tafel sloeg.

Pierini draaide zich naar haar om en glimlachte spottend. 'Neem me niet kwalijk, juf. Ik ga meteen weer zitten.'

Toen keek de juffrouw waar Pietro was.

Die was al door de deur verdwenen, samen met Rosaria.

Italo heeft me herkend.

Toen de conciërge had gezegd dat hij bij de directeur moest komen, had Pietro ernstig overwogen uit het raam te springen.

Er waren echter twee problemen. Ten eerste: het raam was dicht (*ik zou het met mijn hoofd kapot kunnen slaan*). En ten tweede: al had hij het open kunnen maken, dan nog was zijn lokaal op de eerste verdieping en als hij op het volleybalveld terecht zou komen dan zou hij verlamd zijn, hooguit een been breken.

Kortom, hij zou niet dood zijn.

Hij moest op slag de pijp uit gaan.

En als er een rechtvaardige God was geweest, was zijn klaslokaal op de bovenste verdieping van zo'n hoge wolkenkrabber geweest, zodat ze hem uiteengespat als een rotte tomaat hadden gevonden en dan zou de politie de zaak onderzoeken en ontdekken dat hij er niets mee te maken had.

En op zijn begrafenis zou de priester zeggen dat hij er niets mee te maken had en dat het niet zijn schuld was.

Hij liep naar de directeurskamer en voelde zich doodziek, echt doodziek.

'Als je probeert ook maar iets te zeggen, een naam noemt, dan keel ik je, ik zweer het op het graf van mijn moeder.' Dat was wat Pierini hem in het oor had gefluisterd. En Pierini's moeder was nog maar kort geleden overleden.

Hij kon niets meer inhouden. Plas. Poep. Braaksel.

Hij keek naar die meedogenloze cipier die op het punt stond hem over te leveren aan de beul.

Mag ik alstublieft even naar de wc?

(*Nee. Beslist niet.*)

Als de directeur je verwacht kun je nergens naar toe gaan en daarbij zou de cipier zeker denken dat hij uit het raam wilde vluchten.

(*Je had niet naar school moeten gaan. Waarom ben je niet thuis gebleven?*)

Omdat ik een geboren klootzak ben. Hij werd wanhopig. *Ik ben een geboren klootzak omdat ik zo ben gemaakt. Een volmaakte klootzak.*

Italo had hem herkend. En hij had het aan de directeur verteld.

Hij heeft me herkend.

Hij was nog nooit bij de directeur geroepen. Gloria twee keer. Een keer toen ze de werkmap van Loria had verstopt in de spoelbak van de wc, en de andere keer toen ze in de gymzaal met Ronca op de vuist was gegaan. Ze had twee aantekeningen gekregen.

Ik niet een. Waarom heeft hij alleen mij herkend?

(Je hebt je verstopt tussen de matten. Waarom heb je je tussen de matten verstopt? Als je je samen met de anderen had verstopt... Hij heeft je gezien.)

Maar hij had geen bril op, het was te ver weg...

(Kalm worden nu. Je doet het in je broek. Ze zullen het meteen doorhebben. Niets zeggen. Je weet van niets. Je was thuis. Je weet van niets.)

'Ga je ga—' De conciërge wees naar de dichte deur.

Christus, wat voelde hij zich ellendig, zijn oren... zijn oren gloeiden en hij voelde rivieren van zweet langs zijn benen lopen.

Langzaam deed hij de deur open.

De directeurskamer was een grote, kale ruimte.

Twee lange neonlampen verlichtten de kamer met een gedempt geel licht waardoor het wel een mortuarium leek. Links stond een houten bureau vol paperassen en een metalen boekenkast met twee groene ordners. Rechts een kunstleren bankje, twee stoelen met versleten bekleding, een glazen tafeltje, een houten asbak en een ficus die gevaarlijk naar een kant overhelde. Aan de muur, tussen de ramen, een litho van drie ruiters die een kudde koeien voortdreven.

Ze waren er alledrie.

De directeur zat op een van de stoelen. Op de andere zat de onderdirectrice (de gemeenste vrouw van de wereld). Juffrouw Palmieri zat daarentegen, iets meer achterovergeleund, op een gewone stoel.

'Kom verder. Ga daar maar zitten,' zei de directeur.

Pietro sleepte zich door de kamer en ging op de bank zitten.

Het was tien over half tien.

64

Moeilijk opvoedbare kinderen.

Zo werden kinderen als Pietro Moroni in leerkrachtenjargon genoemd.

Kinderen die problemen hadden met integratie in de groep. Kinderen met moeilijkheden bij het aangaan van relaties met vriendjes en bij het communiceren met de docenten. Agressieve kinderen. Introverte kinderen. Kinderen met karakterstoornissen. Kinderen met grote gezinsproblemen in het verleden. Met vaders die problemen hadden met de wet. Met broers die problemen hadden op school.

Moeilijk opvoedbare kinderen.

Zodra Flora hem de directeurskamer zag binnenkomen, besefte ze dat Pietro Moroni een heel vervelend moment tegemoet ging.

Hij zag bleek als een vaatdoek en hij was...

(*schuldig.*)

...bang.

(*nog schuldiger dan Judas.*)

Uit al zijn poriën zweette hij schuld.

Italo had gelijk. Hij heeft ingebroken op school.

65

Om drie minuten voor tien had Pietro bekend dat hij had ingebroken op school en hij huilde.

Hij huilde ineengedoken op het kunstleren bankje van de directeurskamer. In stilte. Nu en dan trok hij zijn neus op en droogde zijn tranen met zijn handpalm.

Juffrouw Gatta was erin geslaagd hem te laten praten.

Maar nu zou hij verder niets meer zeggen, zelfs niet als ze hem dreigden te vermoorden. Ze hadden hem in de val gelokt.

De directeur was aardig. Juffrouw Gatta gemeen.

Samen verneukten ze je.

Eerst had de directeur hem op zijn gemak gesteld en toen had juffrouw Gatta hem de waarheid onder zijn neus gewreven. 'Moroni, jij bent gisteravond door Italo gezien in de school.'

Het lag Pietro op de lippen om te zeggen dat dat niet waar was, maar zijn woorden klonken niet overtuigend, niet voor hemzelf, laat staan voor de anderen. De onderdirectrice had hem gevraagd: 'Waar was jij gisteravond om negen uur?' En Pietro had gezegd dat hij thuis was, maar vervolgens had hij zich in de nesten gewerkt en gezegd bij Gloria Celani thuis en juffrouw Gatta had geglimlacht. 'Heel goed.

Dan bellen we nu mevrouw Celani om te vragen of ze dat kan bevestigen.' En ze had de telefoonlijst gepakt en Pietro wilde niet dat Gloria's moeder zou praten met juffrouw Gatta omdat juffrouw Gatta tegen Gloria's moeder zou zeggen dat hij inbrak op scholen en dat hij een vandaal was en dat zou verschrikkelijk zijn en dus had hij gepraat.

'Ja, het is wel waar, ik heb ingebroken op school.' Vervolgens was hij gaan huilen.

Het maakte juffrouw Gatta niets uit of hij huilde of niet. 'Was er iemand bij je?'

(*Als je probeert ook maar iets te zeggen, een naam noemt, dan keel ik je, ik zweer het op het graf van mijn moeder.*)

Pietro had zijn hoofd geschud.

'Wil je soms beweren dat jij helemaal alleen de ketting hebt vastgemaakt en hebt ingebroken en de televisie hebt vernield en daarna op de muur hebt geschreven en Italo hebt geraakt? Moroni! Je moet de waarheid spreken. Als je de waarheid niet spreekt dan verspeel je je jaar. Begrijp je dat? Wil je dat geen enkele school in Italië je meer aanneemt? Wil je de gevangenis in? Wie was er samen met jou? Italo heeft gezegd dat er meer waren. Spreek op, anders loopt het slecht met je af.'

66

Genoeg.

Deze hele geschiedenis werd een dodelijke kwelling.

Was dit soms de Inquisitie? Wie dacht die harpij wel dat ze was, inquisiteur Eymerich?

Eerst Italo. En nu Moroni.

Flora voelde zich niet goed, ze voelde een verschrikkelijk verdriet over dat jongetje.

Die valse Gatta terroriseerde hem en nu huilde Pietro als een fontein.

Tot nu toe was ze zwijgend blijven zitten.

Maar nu is het genoeg!

Ze stond op, ging weer zitten, stond opnieuw op. Ze liep naar juffrouw Gatta toe, die rokend als een schoorsteen heen en weer door de kamer banjerde.

'Mag ik iets tegen hem zeggen?' vroeg Flora zachtjes.

De onderdirectrice blies een rookwolk naar buiten. 'Hoezo?'

'Omdat ik hem ken. En ik weet dat dit niet de beste manier is om hem iets te vragen.'

'Ach, u kent hem dus beter? Laat maar eens zien dan... Toe dan, laat maar zien.'

'Zou ik hem onder vier ogen kunnen spreken?'

'Mariuccia, we moeten juffrouw Palmieri een kans geven. We laten ze even alleen. Wij gaan naar de bar...' onderbrak de directeur verzoenend.

Juffrouw Gatta drukte bokkig haar peuk uit in de asbak, ging samen met de directeur de kamer uit en sloeg de deur achter zich dicht.

Eindelijk waren ze alleen.

Flora ging op haar knieën zitten voor Pietro, die bleef huilen en zijn handen voor zijn gezicht hield. Zo bleef ze een paar seconden zitten en strekte toen haar hand uit en streelde hem teder. 'Pietro, alsjeblieft. Stop daarmee. Er is niets onherstelbaars gebeurd. Wees maar niet bang. Luister, je moet vertellen wie er bij je was. De onderdirectrice wil het weten, ze zal het er niet bij laten zitten. Ze zal je dwingen het te vertellen.' Ze ging naast hem zitten. 'Ik denk dat ik weet waarom je niets wil zeggen. Je wilt geen verrader zijn, toch?'

Pietro haalde zijn handen van zijn gezicht. Hij huilde niet meer maar schokte nog van de snikken.

'Nee. Ik heb het gedaan...' stamelde hij terwijl hij het snot afveegde aan de mouw van zijn trui.

Flora drukte zijn handen. Ze waren warm en klam. 'Het was Pierini? Toch?'

'Ik kan het niet, ik kan het niet...' Hij smeekte haar.

'Je moet het zeggen. En dan zal alles makkelijker zijn.'

'Hij zei dat hij me keelt als ik iets zeg.' En hij barstte opnieuw in snikken uit.

'Nee, hij is een bluffer. Hij zal je niets doen.'

'Het was niet mijn schuld... Ik wilde niet inbreken...'

Flora omarmde hem. 'Genoeg, zo is het genoeg. Vertel me hoe het gegaan is. Mij kun je vertrouwen.'

'Ik kan het niet...' Maar toen, met zijn gezicht verstopt in de trui van zijn juf, vertelde Pietro snikkend over de fietsketting en dat Pierini, Bacci en Ronca hem hadden gedwongen de school binnen te gaan en op de muur te schrijven dat Italo's voeten stinken en dat hij zich had verstopt tussen de matten in de gymzaal en dat Italo op hem had geschoten.

En terwijl Pietro praatte, bedacht Flora hoe onrechtvaardig de wereld was waarin ze leefden.

Waarom verlenen rechters aan mafiosen die berouw hebben en praten een nieuwe identiteit, een hele reeks garanties en strafvermindering, en krijgt een weerloos kind van niemand iets, behalve doodsangst en bedreigingen?

De situatie waarin Pietro zich nu bevond was niet beter dan die van spijtoptanten en een bedreiging van Pierini was niet minder gevaarlijk dan een bedreiging door een boss van de Cosa Nostra.

Toen Pietro zijn verhaal had verteld, tilde hij zijn hoofd op en keek haar met vuurrode ogen aan. 'Ik wilde er niets mee te maken hebben. Maar ik moest van ze. Nu heb ik de waarheid verteld. Ik wil niet van school gestuurd worden. Als ik van school word gestuurd mag ik van mijn vader niet naar het gymnasium.'

Flora voelde een scheut van genegenheid voor Pietro door zich heen gaan die haar de adem benam. Ze drukte hem stevig tegen zich aan.

Ze had hem willen oppakken en meenemen. Ze had hem willen adopteren. Ze had elk bedrag betaald om hem haar zoon te laten worden, dan zou ze voor hem kunnen zorgen en hem naar het gymnasium laten gaan, ergens ver weg, miljoenen kilometers verwijderd van dit land vol beesten, en hem gelukkig maken. 'Maak je geen zorgen. Niemand zal jou van school sturen. Dat beloof ik. Niemand zal jou kwaad doen. Pietro, kijk me aan.'

En Pietro richtte zijn verfrommelde ogen op de hare.

'Ik zal zeggen dat ik het ben geweest die jou de naam van Pierini en die andere twee heeft ingefluisterd. Jij hebt alleen maar ja gezegd. Jij hebt er niets mee te maken. Jij hebt die ravage niet veroorzaakt. Juffrouw Gatta zal je een paar dagen schorsen, en dat is maar goed

ook. Dan zal Pierini niet denken dat jij hem verraden hebt. Je moet je
geen zorgen maken. Je bent braaf, je doet het goed op school en niemand zal jou van school sturen. Begrepen? Dat beloof ik je.'

Pietro knikte.

'Nu ga je naar de wc, je wast je gezicht en gaat terug naar de klas. Ik
zorg wel voor de rest.'

67

Vijf dagen geschorst.

Pierini. Bacci. Ronca. En Moroni.

En de verplichting aan de ouders om daarna op school te komen
voor een gesprek met de directeur en de leerkrachten.

Aldus besloten door onderdirectrice Gatta (en directeur Cosenza).

Het technieklokaal werd in aller ijl overgeschilderd. De restanten
van de televisie en de videorecorder weggegooid. Het schoolbestuur
werd gevraagd om toestemming te geven een beroep te doen op het
schoolfonds om nieuwe videoapparatuur aan te schaffen.

Moroni had bekend. Bacci had bekend. Ronca had bekend. Pierini
had bekend.

Een voor een waren ze bij de directeur geroepen en hadden ze
bekend.

Een ochtend van bekentenissen.

Juffrouw Gatta kon tevreden zijn.

68

Nu was er een ander probleem.

Het aan papa vertellen.

Gloria had hem een advies gegeven. 'Vertel het aan je moeder. Laat
haar gaan praten met de leraren. En zeg haar dat ze niets aan je vader
mag vertellen. Deze vijf dagen doe je net alsof je naar school gaat
maar je gaat naar mijn huis. Je gaat naar mijn kamer en leest stripboe-
ken. Als je honger hebt pak je een broodje en als je zin hebt om een

film te kijken pak je een video. Eitje.'

Dat was het grote verschil tussen die twee.

Voor Gloria was alles 'eitje'.

Voor Pietro niet.

Als dit alles haar was overkomen, zou ze naar haar moeder zijn gegaan en had haar moeder haar geknuffeld en als troost mee uit winkelen hebben genomen in Orbano.

Zijn moeder daarentegen zou dat allemaal niet doen. Ze zou gaan huilen en almaar blijven vragen waarom.

Waarom heb je het gedaan? Waarom werk je je altijd in de nesten?

En ze zou niet luisteren naar de antwoorden. Ze zou niet eens willen weten of het wel of niet Pietro's schuld was. Ze zou alleen maar bezorgd zijn over het feit dat ze met de leraren moest gaan praten (dat red ik niet, je weet dat ik me niet goed voel, dit kun je niet ook nog van me vragen, Pietro), dat haar zoon was geschorst en zo, en de vervloekte redenen waarom zouden haar ene oor in en haar andere uit gaan. Ze zou er geen moer van begrijpen.

En tot slot zou ze jammeren: 'Weet je, over dit soort dingen moet je met je vader praten. Ik kan er niets aan doen.'

De tractor van zijn vader stond voor de communistenclub.

Pietro stapte van zijn fiets, nam een hap lucht en ging naar binnen.

Er was niemand.

Mooi.

Alleen Gabriele, de barkeeper, die gewapend met schroevendraaier en hamer de espressomachine uit elkaar haalde.

Zijn vader zat aan een tafeltje de krant te lezen. Zijn zwarte haar glom in het neonlicht. Brillantine. Zijn bril op het puntje van zijn neus. Zijn wenkbrauwen waren gefronst en met zijn wijsvinger volgde hij de regels in de krant terwijl hij in zichzelf bromde. De nieuwsberichten werkten op zijn zenuwen en haalden het bloed onder zijn nagels vandaan (het beeld van de nagels van zijn vader waar bloed onder vandaan kwam zou voor altijd in Pietro's geheugen gegrift staan).

Zachtjes liep hij op hem toe en toen hij tot een meter afstand was genaderd, riep hij hem. 'Papa...'

Meneer Moroni draaide zich om. Hij zag hem. Hij glimlachte.

'Pietro! Wat doe jij hier?'

'Ik wilde...'

'Ga zitten.'

Pietro gehoorzaamde.

'Wil je een ijsje?'

'Nee, dank je.'

'Friet? Wat wil je?'

'Niets, dank je.'

'Ik ben bijna klaar. Dan gaan we naar huis.' Hij las verder in de krant.

Hij had een goed humeur. Dat was gunstig.

Misschien...

'Papa, ik wilde je iets zeggen...' Hij maakte zijn rugtas open, haalde er een briefje uit en gaf dat aan zijn vader.

Meneer Moroni las het. 'Wat is dit?' De toon van zijn stem was een octaaf gedaald.

'Ik ben geschorst... Je moet gaan praten bij de onderdirectrice.'

'Wat heb je uitgespookt?'

'Niets. Er is gisteravond iets vreselijks gebeurd...' En in dertig seconden vertelde hij het verhaal. Het was redelijk waarheidsgetrouw. Hij bespaarde zich het gedeelte van de opschriften, maar vertelde wel over de tv en de videorecorder en over hoe de drie anderen hem hadden gedwongen om mee te doen.

Toen hij klaar was, keek hij zijn vader aan.

Die gaf geen teken van woede, maar bleef staren naar het briefje alsof het een Egyptisch hiëroglief was.

Pietro zweeg en speelde nerveus met zijn vingers in afwachting van een antwoord.

Eindelijk sprak zijn vader. 'En wat wil je nu van mij?'

'Je moet op school komen. Het is belangrijk. Het moet van de onderdirectrice...' Pietro probeerde het zo te zeggen dat het een formaliteit leek, een zaakje dat in een minuut zou zijn gepiept.

'En wat wil de onderdirectrice van mij?'

'Niets bijzonders... Ze zal je wel zeggen dat... ik weet niet. Dat ik een fout heb gemaakt. Dat ik iets heb gedaan wat niet mag. Zoiets.'

'En wat heb ik daarmee te maken?'

Hoezo wat heb jij ermee te maken? 'Nou… je bent mijn vader.'

'Ja, maar ík heb toch niet ingebroken op school. Ík heb toch niet over me heen laten lopen door een stel uilskuikens. Ik deed gisteravond gewoon mijn werk en ben toen gaan slapen.' Hij las weer verder.

Het onderwerp was afgesloten.

Pietro probeerde het nog eens. 'Dus je gaat niet?'

Meneer Moroni keek op uit de krant. 'Nee. Natuurlijk ga ik niet. Ik ga mij niet excuseren voor jouw stommiteiten. Je regelt het zelf maar. Je bent groot genoeg. Jij doet domme dingen en dan wil je dat ik alles voor je oplos?'

'Maar papa, het is niet zo dat ik wil dat jij gaat praten. De onderdirectrice wil met je praten. Als jij niet komt, denkt zij…'

'Wat denkt ze dan? Vertel op?' beet meneer Moroni hem geërgerd toe.

Zijn uiterlijke kalmte begon barsten te vertonen.

Dat ik een vader heb die zich niets van me aantrekt, dat is wat ze denkt. Dat hij een gek is, dat hij problemen heeft met de wet, dat hij een zuiplap is. (Die trut van een Gianna Loria had dat een keer tegen hem gezegd toen ze ruzie hadden gehad over een plaats in de bus.) *Dat ik anders ben dan de andere kinderen, die ouders hebben die komen praten met de leerkrachten.*

'Ik weet het niet. Maar als je niet gaat sturen ze me van school. Als je geschorst wordt, moeten je ouders komen. Dat is verplicht. Zo werkt het nou eenmaal. Jij moet tegen ze zeggen dat…' *Ik braaf ben.*

'Ik hoef helemaal nergens heen. Als ze jou van school sturen is dat terecht. Dan doe je dat jaar maar over. Net als die sukkel van een broer van je. En dan is het eindelijk afgelopen met dat gezeur over school en gymnasium. En nu is het genoeg. Ik ben het zat om te praten. Ga weg. Ik wil de krant lezen.'

'Dus je gaat niet?' vroeg Pietro nogmaals.

'Nee.'

'Zeker weten?'

'Laat me met rust.'

Maar waarom werd er in het dorp gezegd dat Mario Moroni gek was en waaruit bestonden die beruchte problemen met de wet?

Jullie moeten weten dat meneer Moroni, als hij niet zwoegde op het land of naar de club in Serra ging om zijn lever te verweken met Fernet, een hobby had.

Hij bouwde dingen van hout.

Meestal maakte hij kastjes, lijsten, kleine boekenkasten. Eens had hij zelfs een soort karretje in elkaar getimmerd met de banden van een Vespa, dat achter de motor van Mimmo kon worden bevestigd. Dat gebruikten ze om het hooi naar de schapen te brengen. In zijn opslagplaats had hij een kleine timmermanswerkplaats met allerlei cirkelzagen, schaafmachines, beitels en overige timmerbenodigdheden.

Op een avond had meneer Moroni op de televisie een film over de oude Romeinen gezien. Daarin kwam een grandioze scène voor met duizenden figuranten. De legionairs belegerden een fort met oorlogsmachinerieën. Rammen, schilddaken en katapults waarmee ze steenblokken en brandende kogels naar de vijandige muren lanceerden.

Mario Moroni was er zeer van onder de indruk geweest.

De volgende dag was hij naar de openbare bibliotheek van Ischiano gegaan en had daar met behulp van de bibliothecaresse in de geïllustreerde encyclopedie *Kennen is Weten* tekeningen van katapults gevonden. Hij had er fotokopieën van laten maken en die mee naar huis genomen. Daar had hij ze aandachtig bestudeerd. Vervolgens had hij zijn zoons geroepen en gezegd dat hij een katapult wilde bouwen.

Geen van beiden had de moed hem te vragen waarom. Dat soort vragen kon je maar beter niet stellen aan meneer Moroni. Wat hij zei gebeurde, en daarmee uit, zonder allerlei zinloze waaroms en daaroms.

Een goede gewoonte in huize Moroni.

Pietro vond het meteen een fantastisch plan. Geen van zijn vriendjes had een katapult in de tuin. Ze zouden er stenen mee kunnen afschieten, wat muurtjes neerhalen. Maar Mimmo vond het een ongelooflijk stom plan. Ze zouden zich de eerstvolgende zondagen moeten kromwerken om iets te bouwen wat absoluut nergens toe diende.

Op een zondag waren de werkzaamheden begonnen.

En na een paar uur had iedereen de smaak te pakken. Dat bouwen aan iets wat nergens toe diende had iets groots en nieuws in zich. Hoewel je je er even hard voor moest inspannen en er evenveel bij zweette, leek het niet op de inspanningen van toen ze de nieuwe omheining voor de schapen hadden gebouwd.

Ze werkten met zijn vieren.

Meneer Moroni, Pietro, Mimmo en Poppi.

Augusto, bijgenaamd Poppi, was een oude ezel, halfkaal en grijs door zijn hoge leeftijd, die jarenlang hard had gewerkt totdat meneer Moroni de tractor had gekocht. Nu was de ezel met pensioen en sleet hij zijn laatste levensdagen grazend op het weiland achter het huis. Hij had een heel slecht karakter en liet zich alleen aanraken door meneer Moroni. De anderen beet hij. En wanneer een ezel je bijt doet dat echt pijn, dus werd hij uit de buurt van de rest van de familie gehouden.

Het eerste wat ze deden was een grote naaldboom omzagen die aan de rand van het bos stond. Met behulp van Poppi sleepten ze de boom tot aan het huis en verkleinden hem met behulp van elektrische zaag, bijlen en schaven tot een lange paal.

In de daaropvolgende weekends bouwden ze om die paal heen de katapult. Nu en dan werd meneer Moroni boos op zijn zoons omdat ze te haastig en te slordig werkten en zich er met een jantje-van-leiden van afmaakten, en dan gaf hij ze een schop onder hun achterste, en soms zei hij, wanneer hij zag dat ze iets naar behoren hadden gedaan: 'Goed zo, mooi werk.' En dan verscheen er op zijn lippen een vluchtige glimlach, zeldzaam als een zonnige dag in februari.

Vervolgens kwam mevrouw Moroni broodjes met ham en kaas brengen en dan gingen ze naast de katapult zitten eten terwijl ze bespraken wat er nog gedaan moest worden.

Mimmo en Pietro waren gelukkig, het goede humeur van hun vader werkte aanstekelijk.

Na een paar maanden troonde de katapult in al zijn glorie achter het Huis van de Vijgenboom. Het was een vreemde machine, nogal lelijk om te zien, die een beetje leek op een Romeinse katapult, maar niet eens heel erg. Eigenlijk was het een enorme hefboom. Het draai-punt was vastgemaakt met een stalen scharnier (speciaal laten maken door de smid) aan twee omgekeerde V's die waren vastgespijkerd op een karretje met vier wielen. Aan het korte deel van de hefboom zat een soort mand met zandzakken (van in totaal zeshonderd kilo!). Het lange deel eindigde in een soort lepel waarin het te lanceren steen-blok zou worden geplaatst.

Bij het laden ging de mand met zand omhoog en de lepel naar bene-den, die op de grond werd gehouden met een dik touw. Om dat te doen had meneer Moroni een reeks katrollen met touwen bedacht die aan het draaien werden gebracht door een lier, die op zijn beurt werd rondgedraaid door de arme Poppi. En wanneer de ezel zijn hakken in het zand zette en begon te balken, dan ging Moroni naar hem toe, aaide hem een beetje, fluisterde iets in zijn oor en dan draaide de ezel weer verder.

Voor de inhuldiging van de katapult werd zelfs een feest georgani-seerd. Het enige feest dat ooit in het Huis van de Vijgenboom is gehouden.

Mevrouw Biglia maakte drie schalen lasagne. Pietro werd voor de gelegenheid in zijn goede colbertje gehesen. Mimmo nodigde Patti uit. En meneer Moroni schoor zich.

Oom Giovanni kwam met zijn zwangere vrouw en hun kinderen, er kwamen vrienden van de club, er werd een vuur aangestoken en er werden worstjes en karbonades geroosterd. Nadat ze zich hadden vol-gestouwd met eten en wijn, kwam de doop. Oom Giovanni wierp een wijnfles kapot tegen een wiel van de katapult en meneer Moroni kwam – halfdronken een marsdeuntje fluitend – aangereden op zijn tractor die een kar voorttrok waarop min of meer bolvormige stenen lagen die hij gevonden had op de weg naar Gazzina. Met zijn vieren pakten ze een steen en legden die met moeite op de al geladen kata-pult.

Pietro was behoorlijk geëmotioneerd en ook Mimmo, die het niet wilde laten merken, volgde alles aandachtig.

Iedereen ging een eindje verderop staan en meneer Moroni hakte het touw met een nauwkeurige bijlslag door. Er klonk een korte klik, de arm schoot los, de mand met zand ging omhoog en de steen vloog weg, maakte een boog in de lucht en belandde tweehonderd meter verderop in het bos. Er was geluid van brekende takken te horen en je zag vogels wegvliegen uit de toppen van de bomen.

Onder het publiek barstte een enthousiast applaus los.

Meneer Moroni was gelukzalig. Hij liep op Mimmo af en greep hem bij zijn hals. 'Hoorde je dat geluid? Dat geluid wilde ik horen. Schitterend gedaan, Mimmo.' Vervolgens pakte hij Pietro in zijn armen en kuste hem. 'Snel, ga kijken waar hij terecht is gekomen.'

Pietro en zijn neefjes renden het bos in. Ze vonden de steen weggezakt in de aarde naast een grote eikenboom. En gebroken takken.

Daarna kwam eindelijk het moment van Poppi. Ze hadden hem uitgedost met een nieuw tuig en gekleurde linten. Hij leek wel een Siciliaanse muilezel. Met uiterste inspanning begon de ezel rondom de lier te lopen. Iedereen lachte en zei dat het arme dier nog zou bezwijken.

Maar meneer Moroni sloeg geen acht op die ongelovigen, hij wist dat Poppi het kon. Poppi was koppig en eigenzinnig als de beste vertegenwoordiger van zijn ras. Toen hij jonger was, had meneer Moroni zijn rug beladen met bakstenen en zakken cement om de verdieping op zijn huis te bouwen.

En nu laadde hij de katapult, zonder te stoppen, zonder zijn hakken in het zand te zetten, zonder te balken zoals gewoonlijk. *Hij weet dat hij een goed figuur moet slaan*, zei meneer Moroni ontroerd in zichzelf.

Hij was zo trots op zijn dier.

Toen Poppi klaar was, begon meneer Moroni in zijn handen te klappen en alle anderen deden hetzelfde.

Een tweede blok werd gelanceerd en er klonk opnieuw applaus, maar iets gematigder. Daarna stortte iedereen zich op de pasta.

Dat is begrijpelijk. Kijken hoe een katapult stenen in het bos afschiet is niet het meest vermakelijke ter wereld.

Dat vond meneer Moroni wel.

Contarello had de ezel met een geweerschot in het voorhoofd koud gemaakt.

Poppi was dood op de grond gevallen.

Hij lag languit, met stijve poten en stijve oren en een stijve staart, naast de omheining die grensde aan het land van Contarello.

'Contarello, vuile hoerenzoon, ik vermoord je,' rochelde meneer Moroni, neergeknield naast het kadaver van Poppi.

Als zijn traanklieren niet droger dan de Kalahari-woestijn waren geweest, had meneer Moroni gehuild.

De oorlog met Contarello duurde al oneindig lang. Een vete tussen hen beiden, die voor de rest van de wereld onbegrijpelijk was. Begonnen over een paar meter graasgrond die ze beiden beschouwden als hun eigendom, en voortgezet met beledigingen, bedreigingen met de dood, grofheden en getreiter.

Geen van beiden was ooit op de gedachte gekomen om er de kadastrale kaarten eens op na te slaan.

Meneer Moroni begon te schoppen in de modder, te slaan tegen de bomen.

'Contarello, dit had je niet moeten doen... Echt niet.' En toen slaakte hij een woeste kreet naar de hemel. Hij pakte Poppi's poten vast en laadde het kadaver met al de kracht van zijn woede op zijn rug. De arme Poppi woog honderdvijftig kilo, misschien een onsje meer of minder, maar dat mannetje van zestig kilo, dat zoop als een spons, liep er wijdbeens, waggelend van rechts naar links mee over het gras. De inspanning had zijn gezicht doen veranderen in een hoop bobbels en kuilen. 'Nu zul je wat beleven, Contarello,' zei hij knarsetandend.

Hij kwam bij het huis en gooide Poppi op de grond. Toen maakte hij een touw vast aan de tractor en draaide de katapult om.

Hij wist precies waar het huis van Contarello lag.

In het dorp wordt gezegd dat Contarello en zijn gezin in de woonkamer *Caramba, wat een verrassing!* keken toen het gebeurde.

De programmamaker was erin geslaagd een tweeling uit Macerata samen te brengen die bij de geboorte was gescheiden en elkaar nu huilend in de armen viel, en ook de Contarello's snotterden van ontroering. Een echte tranentrekker, die scène.

Maar plotseling leek het of er een explosie boven hun hoofd plaatsvond. Er was iets op hun huis gevallen waardoor het tot op de fundamenten trilde.

De televisie ging tegelijk met het licht uit.

'Godallemachtig, wat is er gebeurd?' schreeuwde oma Ottavia terwijl ze zich vastklampte aan haar dochter.

'Een meteoriet!' schreeuwde Contarello. 'Een verdomde meteoriet heeft ons geraakt. Dat werd al gezegd in *Quark*. Dat gebeurt soms.'

Het licht ging weer aan. Doodsbang keken ze elkaar aan en vervolgens keken ze omhoog. Een balk van het plafond was gebarsten en er waren stukken kalk naar beneden gekomen.

De familie liep angstig de trap op.

Boven leek alles normaal.

Contarello gooide de deur van de slaapkamer open en viel op zijn knieën. Handen voor zijn mond.

Het dak was er niet meer.

De muren waren rood. De vloer was rood. De doorgestikte deken, met de hand gemaakt door oma Ottavia, was rood. De ruiten waren rood. Alles was rood.

Stukken van Poppi (ingewanden en botten en stront en haren) lagen verspreid door de kamer, samen met stukken kalk en dakpannen.

Er was niemand op straat toen meneer Moroni het kadaver met zijn katapult wegschoot, maar als er iemand was geweest, had die gezien hoe er een ezel door de lucht vloog, een volmaakte boog maakte, over het bosje kurkeiken, het riviertje, de wijngaard, en als een scudraket neerkwam op het dak van huize Contarello.

Deze grap kwam meneer Moroni duur te staan.

Er werd aangifte tegen hem gedaan, hij werd schuldig bevonden, hij werd verplicht de schade te vergoeden, en alleen omdat hij geen crimineel verleden had belandde hij niet in de gevangenis wegens poging tot doodslag. Zijn strafblad was bevlekt.

O ja, en hij moest ook zijn katapult ontmantelen.

Nergens aan denken is heel moeilijk.

En het is het eerste wat je moet leren als je met yoga begint.

Je probeert het, je wringt je hersens uit en je gaat denken dat je nergens aan moet denken en je hebt jezelf al voor de gek gehouden omdat dat een gedachte is.

Nee, het is niet makkelijk.

Graziano Biglia kon het echter van nature.

Hij zat midden in zijn kamer in de lotushouding en had een half uurtje zijn geest leeg gemaakt. Vervolgens had hij een lekker warm bad genomen, zich aangekleed en Roccia opgebeld om te zeggen dat Saturnia volgens plan zou doorgaan, maar samen eten niet zou lukken. Ze zouden elkaar bij de waterval ontmoeten rond half elf, elf uur.

Al met al was zijn eerste dag als vrijgezel niet zo slecht verlopen. Hij was veilig thuis gebleven. Hij had tennis gekeken op tv en in bed gegeten. Een depressie had om hem heen gezoemd als een horzel, klaar om een angel in zijn borst te boren, maar Graziano was vakkundig te werk gegaan, had geslapen, gegeten en naar sport gekeken in een soort domme apathie, onaantastbaar voor zijn zieleroerselen.

Nu was hij gereed voor de juffrouw.

Hij keek een laatste keer in de spiegel. Hij had besloten de country gentlemanlook te laten varen. Die flatteerde hem niet, en daarbij zaten het overhemd en jasje onder de kots. Hij had gekozen voor iets casuals en tegelijkertijd elegants. Spandau Ballet-oude stijl, zeg maar.

Zwart satijnen overhemd met puntige kraag. Rood gilet. Zwart fluwelen colbert met drie knopen. Spijkerbroek. Pythonleren laarzen. Okergele sjaal. Zwart elastiekje in zijn haar.

En o ja: onder zijn spijkerbroek een paarse Speedo-zwembroek.

Hij trok juist zijn overjas aan toen zijn moeder brommend uit de keuken kwam. Zonder een poging te doen om te begrijpen wat ze wilde, antwoordde hij: 'Nee mama, ik eet vanavond niet thuis. Het wordt laat.'

Hij deed de deur open en ging naar buiten.

Het bad was altijd problematisch.

En Flora Palmieri had het gevoel dat haar moeder het helemaal niet fijn vond. Ze zag het in haar ogen. (Lieve Flora, waarom in bad? Ik wil niet...)

'Ik weet het, mama, het is vervelend, maar het moet af en toe.'

Het was een delicate operatie.

Als ze niet goed oplette, bestond het gevaar dat het hoofd van haar moeder onder water kwam en ze verdronk. En ze moest de kachel minstens een uur van te voren aanzetten, anders vatte ze kou en dat zou pas echt rampzalig zijn. Met een dichte neus kon ze niet ademen.

'We zijn bijna klaar...' Flora zat op haar knieën, had haar moeder ingezeept en begon nu dat witte, verstijfde en in een hoekje van het bad opgerolde lichaam met de douche af te spoelen. 'Nog heel even... en dan leg ik je weer in bed...'

De neuroloog had gezegd dat het brein van haar moeder als een computer in standby-modus was. Eén druk op het toetsenbord en het scherm licht weer op en de harddisk doet het weer. Het probleem was dat haar moeder niet in verbinding stond met een toetsenbord en er geen manier was om haar te reactiveren.

'Ze kan u niet horen. Op geen enkele manier. Uw moeder is er niet. Onthoud dat goed. Ze is elektro-encefalisch plat,' had de neuroloog gezegd met de sensibiliteit die kenmerkend is voor zijn soort.

Volgens Flora begreep meneer de neuroloog er helemaal niets van. Haar moeder was er wel, en hoe. Een barrière scheidde haar van de wereld, maar haar woorden konden door die barrière heen breken. Dat merkte ze aan zo veel dingen die onmogelijk zichtbaar waren voor een vreemde, of voor een dokter die zich alleen maar baseert op elektro-encefalogrammen, *Tacs*, echo's en andere wetenschappelijke duivelskunsten, maar die voor haar overduidelijk waren. Een beweging van de wenkbrauw, een samentrekking van de lippen, een iets minder vage blik dan gewoonlijk, een trilling.

Dat was haar onzichtbare manier van zich uiten.

En Flora wist zeker dat het haar woorden waren die haar moeder in leven hielden.

Er was een periode geweest waarin de gezondheid van haar moeder verslechterd was en zij voortdurend verzorging behoefde, dag en nacht. Op een gegeven moment kon Flora het niet meer opbrengen en had ze op aanraden van de dokter een verpleegster aangenomen, die haar moeder behandelde alsof ze een etalagepop was. Ze sprak nooit tegen haar, streelde haar nooit en in plaats van te verbeteren was de gezondheid van haar moeder nog slechter geworden. Flora had de verpleegster weggestuurd en was weer zelf voor haar moeder gaan zorgen, en onmiddellijk knapte haar moeder op.

En nog iets. Flora had heel duidelijk de indruk dat haar moeder geestelijk met haar kon communiceren. Af en toe hoorde ze de stem van haar moeder die haar eigen gedachten onderbrak. Ze was niet gek of schizofreen, maar omdat ze haar dochter was, wist ze precies wat haar moeder zou zeggen van dit of van dat, wat ze fijn vond, wat ze vervelend vond en wat haar moeder zou hebben geadviseerd als er een beslissing genomen moest worden.

'Zo, we zijn klaar.' Ze tilde haar moeder uit bad en bracht haar druipend naar de slaapkamer waar de handdoek al klaar lag.

Ze begon haar stevig droog te wrijven en wilde haar net met talkpoeder inwrijven, toen de bel van de intercom ging.

'Wie is dat nou? O god...!'

De afspraak!

De afspraak die ze die ochtend in de Stationsbar had gemaakt met de zoon van de eigenaresse van de fourniturenwinkel.

'O god, mamaatje, dat was ik helemaal vergeten. Waar ben ik met mijn hoofd? Er was iemand die vroeg of ik hem wilde helpen bij het schrijven van zijn cv.'

Ze zag dat haar moeder haar mond samenkneep.

'Maak je geen zorgen, ik zorg dat hij binnen een uurtje weer weg is. Ik weet het, het is heel vervelend. Maar hij is er nu eenmaal.' Ze stopte haar moeder onder de dekens.

Opnieuw klonk de intercom.

'Ik ben er al! Ik kom! Een ogenblikje.' Ze liep de kamer uit, trok haar schort uit dat ze gebruikte wanneer ze haar moeder waste, keek snel even in de spiegel...

Waarom kijk je in de spiegel?
...en beantwoordde de intercom.

71

De juffrouw stond hem bij de deur op te wachten.

En ze had zich niet verkleed.

Betekent dat misschien dat ze het niet belangrijk vindt om me te zien? vroeg Graziano zich af, en overhandigde haar vervolgens een fles whisky. 'Ik heb een kleinigheidje voor u meegebracht.'

Flora draaide met de fles in haar handen. 'Dank u, dat had u niet hoeven doen.'

'Geen dank. Kleine moeite.'

'Kom verder.'

Ze ging hem voor naar de woonkamer.

'Kunt u heel even wachten...? Ik ben zo terug. Gaat u intussen zitten,' zei Flora houterig en ze verdween in de donkere gang.

Graziano bleef alleen.

Hij spiegelde zich een ogenblik in het raam. Hij trok het boordje van zijn overhemd recht. En met langzame, uitgemeten passen, handen achter zijn rug, liep hij onderzoekend door de kamer.

Het was een vierkante kamer met twee ramen die uitkeken op de landerijen. Door een raam zag je een stukje zee. Er was een kacheltje waarin een vuurtje gloeide. Een kleine bank, bekleed met blauwe stof met roze bloemetjes. Een oude leren fauteuil. Een kruk. Een boekenkast, klein maar propvol boeken. Een Perzisch tapijt. Een ronde tafel waarop keurig geordende paperassen en boeken lagen. Een klein televisietoestel op een tafeltje. Twee aquarellen aan de muur. Een van een stormachtige zee. De ander een strandgezicht met een grote aangespoelde boomstam, het leek wel het strand van Castrone. Ze waren eenvoudig en niet echt goed, maar de kleuren waren zacht, ingetogen en wekten een gevoel van weemoed op. Foto's opgesteld op de schoorsteenmantel. Zwart-wit foto's. Een vrouw die op Flora leek, zittend op een muurtje met achter haar de baai van Mergellina. En een foto van een pas getrouwd stel dat de kerk uitkwam. En nog meer familiekiekjes.

271

Dit is haar nest. Hier brengt ze haar eenzame avonden door...

Die woonkamer bezat een speciale sfeer.

Misschien door het schaarse, warme licht. Ze is beslist een vrouw met veel smaak...

72

De vrouw met veel smaak was in de slaapkamer van haar moeder en babbelde.

'Mamaatje, je hebt geen idee hoe hij zich heeft opgetut. Met dat overhemd... En die strakke broek... Wat ben ik dom geweest, ik had hem nooit moeten laten komen.' Ze trok de dekens van haar moeder recht. 'Goed. Genoeg nu. Ik ga. En ik zal er niet meer aan denken.'

Ze pakte een stapeltje blanco papier uit de gangkast, haalde diep adem en liep terug naar de woonkamer. 'Laten we eerst een kladversie maken die u daarna in het net overschrijft. Laten we hier gaan zitten.' Ze schoof wat paperassen op tafel opzij en zette twee stoelen klaar, tegenover elkaar.

'Hebt u die gemaakt?' Graziano wees naar de aquarellen.

'Ja...' mompelde Flora.

'Heel mooi. Echt waar... U hebt veel talent.'

'Dank u,' antwoordde zij blozend.

73

Ze was niet mooi.

Of tenminste, die ochtend had ze mooier geleken.

Als je elk onderdeel van haar gezicht apart bekeek, de kromme neus, de grote mond, de wijkende kin, de fletse ogen, dan was ze een ramp. Maar als je alles bij elkaar stopte, dan kwam er iets magnetisch te voorschijn, iets van een heel eigen disharmonische schoonheid.

Ja, juffrouw Palmieri beviel hem wel.

'Meneer Biglia, hoort u wat ik zeg?'

272

'Natuurlijk...' Zijn gedachten waren afgedwaald.

'Ik zei dat ik nog nooit een cv in mijn leven heb geschreven, maar ik heb er wel eens een gezien en ik denk dat we moeten beginnen bij het begin, wanneer u bent geboren, en dan verder gaan en informatie proberen te vinden die van belang kan zijn voor die baan die u wilt krijgen...'

'Goed, laten we beginnen... Ik ben geboren in Ischiano op...'

En hij ging pijlsnel van start.

Hij blufte meteen over zijn geboortedatum. Hij trok er vier jaar vanaf.

Wat een geweldig idee was dat, dat van het curriculum vitae.

Hij zou haar kunnen vertellen over het avontuurlijke leven dat hij had geleid, haar boeien met de duizenden interessante ontmoetingen die hij over de hele wereld had gehad, haar vertellen over zijn passie voor de muziek, en al het andere.

74

Flora keek op haar horloge.

Er was meer dan een half uur voorbij sinds die vent was begonnen met praten en ze had nog steeds niet kunnen opschrijven. Hij had haar verdoofd met zo'n grote hoeveelheid woorden dat haar hoofd ervan tolde.

Die man was een opgeblazen ballon. Vol zekerheden die nergens op gebaseerd waren. Zo vol van zichzelf dat hij nog ontplofte, zo overtuigd van alles wat hij had gedaan, alsof hij de eerste mens was die voet op de maan had gezet, of de klimmer Reinhold Messner.

En het meest onverdraaglijke was dat hij zijn ondernemingen versierde en opvulde: als dj in een New Yorkse nachtclub, als aangever in een Peruaanse groep op tournee door Argentinië, als scheepsjongen op een jacht waarmee hij de Atlantische Oceaan met windkracht negen was overgestoken, als vrijwilligerswerker in een lazaret, als gast in een Tibetaans klooster met een tweedehands nepfilosofie. Een samenraapsel van new age, boeddhistische principes van de koude grond, *on the road* subcultuur, echo's van de Beat Generation, ansichtkaarten en jongerencultuur uit de discotheek. Om kort te gaan, als je alle heroïsche ondernemingen schrapte, was deze man alleen geïnteresseerd in luieren op tropische stranden en het spelen van die gezegende Spaanse muziek bij maanlicht.

Allemaal zaken die niet van belang waren voor een cv.

Als ik hem niet onderbreek kan hij de hele nacht zo doorgaan. Flora wilde het afronden en hem wegsturen.

De aanwezigheid van die man in huis maakte haar nerveus. Hij keek haar aan met van die ogen die haar bloed sneller deden stromen. Hij had iets sensueels dat haar onrustig maakte.

Ze was moe. Juffrouw Gatta had haar een helse dag bezorgd en ze had het gevoel dat haar moeder haar nodig had.

'Goed, ik zou de herbevolking van herten op Sardinië kunnen laten zitten en proberen me te concentreren op iets concreters. U had het over die Paco de Lucía. We zouden kunnnen zeggen dat u met hem gitaar hebt gespeeld. Is hij een belangrijk musicus?'

Graziano sprong op van zijn stoel. 'Is Paco de Lucía belangrijk? Hij is superbelangrijk! Paco is een genie. Hij heeft de flamenco wereldwijde bekendheid gegeven. Hij is wat Ravi Shankar is voor de Indiase muziek... Zeker weten.'

'Goed, meneer Biglia. Dan zouden we dat dus kunnen toevoegen...'

Ze probeerde iets op te schrijven, maar hij raakte haar arm aan.

Flora verstijfde.

'Juffrouw, mag ik u iets vragen?'

'Natuurlijk.'

'Noem me niet meneer Biglia. Voor u ben ik Graziano en meer niet. En laten we elkaar alstublieft tutoyeren.'

Flora keek hem geïrriteerd aan. 'Goed, Graziano. Dus Paco...'

'En hoe heet jij? Mag ik dat weten?'

'Flora,' fluisterde ze na een korte aarzeling.

'Flora...' Graziano sloot quasi geïnspireerd zijn ogen. 'Wat een mooie naam... Als ik een dochter had zou ik haar graag zo noemen.'

75

Wat een harde dobber.

Graziano Biglia had niet gedacht dat hij met generaal Patton in hoogsteigen persoon te maken zou krijgen.

De verhalen die hij vertelde waren langs haar afgegleden. Niettemin had hij het beste van zichzelf gegeven, was hij creatief geweest, fantasierijk, boeiend, had hij alles ingezet wat de vrouwen in Riccione in bosjes aan zijn voeten in katzwijm had laten vallen. En toen hij had gemerkt dat het gebruikelijke repertoire niet meer volstond, was hij zo'n enorme hoeveelheid flauwekul gaan spuien dat hij, als hij maar de helft van al die dingen had gedaan, de rest van zijn leven gelukkig zou zijn.

Maar alles tevergeefs.

De juf was een klimmuur van de zesde graad.

Ze keek op haar horloge.

De tijd verstreek en de kans om haar mee te krijgen naar Saturnia leek hem plotseling ver weg, onbereikbaar. Het was hem niet gelukt de juiste sfeer te scheppen. Flora had het cv te ernstig opgevat.

Als ik haar nu vraag of ze mee wil naar Saturnia om te zwemmen, dan weet ik al wat ze gaat antwoorden...

Hoe moest hij het aanpakken?

Moest hij de Zonin-Lenci-techniek toepassen (twee vrienden van hem uit Riccione), ofte wel haar gewoon bespringen? Zomaar, voor de vuist weg, zonder al dat zinloze gebabbel?

Je komt dichterbij en zo snel als een cobra, zonder dat zij het beseft, steek je je tong in haar mond. Dat kon een manier zijn, maar de Zonin-Lenci-techniek kende een reeks tegenstrijdigheden. Wilde de techniek functioneren, dan moest de prooi tam zijn, kortom, al gewend aan benaderingen van een zekere betekenis – anders riskeerde je dat er aangifte tegen je werd gedaan wegens poging tot verkrachting – en verder is het zo'n techniek van buigen of barsten.

En hier barst hij, verdomme. De enige mogelijkheid is duidelijker zijn, zonder haar bang te maken.

'Flora, ik zou je graag die whisky willen laten proeven die ik heb meegebracht. Hij is heel bijzonder. Ik heb hem uit Schotland laten komen.' En hij begon aan een trage, haast onzichtbare maar onver-biddelijke verplaatsing van de stoel in de richting van het gebied van generaal Patton.

76

Kijk, dat was nou Flora's probleem. Het lukte haar nooit om over-wicht te krijgen. Haar mening te geven. Zich te doen gelden. Als ze iets meer daadkracht had gehad, zoals de rest van de mensheid, zou ze tegen hem hebben gezegd: Graziano (en wat een kwelling om je en jij tegen hem te zeggen), sorry, het is al laat, het is beter dat je gaat.

Maar nee, ze bracht hem iets te drinken. Ze kwam terug uit de keuken met een dienblad met de drank en twee glazen.

'Daar ben ik weer. Sorry, ik ben zo terug. Voor mij heel weinig. Ik hou niet zo van alcohol. Ik drink heel soms een citroenbittertje.' Ze zette het dienblad neer op het tafeltje voor de bank en haastte zich weg om een pauze te nemen met mamaatje.

77

Kwart voor negen!

Tijd voor delicate toenaderingspogingen was er niet meer.

Dit is het moment om de Mul-techniek toe te passen, zei Graziano in zichzelf terwijl hij geïrriteerd zijn hoofd schudde. Hij hield er niet van, maar hij zag geen andere mogelijkheid.

Mul was een andere vriend van hem, een verslaafde uit Città di Castello die zo werd genoemd vanwege de gelijkenis met de besnorde vis.

Ze hadden allebei ogen die zo rond en rood waren als kersen.

Mul had hem eens, in een plotselinge aanval van welsprekendheid, uitgelegd: 'Kijk, het is simpel. Stel je voor, je bent op een feestje en ziet een meisje dat je wilt versieren. Zij drinkt zo te zien gin-tonic of iets zonder alcohol, jij gaat naast haar staan of zitten en zodra ze haar glas even onbewaakt laat staan of zich omdraait gooi je er een pilletje

276

in, dat je van mij krijgt, en dan is het kat in 't bakkie. Binnen een half uur is ze gaar en klaar om te worden gepakt.'

De Mul-techniek was niet erg sportief, daar was geen twijfel over mogelijk. Hij had hem heel zelden toegepast en alleen in extreem ernstige gevallen. Bij de wedstrijden was de techniek ten strengste verboden en als je erop betrapt werd, werd je beslist gediskwalificeerd.

Maar zoals het spreekwoord luidt: het doel heiligt de middelen.

Graziano pakte zijn portefeuille uit zijn jasje.

Eens kijken wat we hier hebben...

Hij maakte hem open en haalde drie blauwe pilletjes uit een binnenvakje.

'*Spiderman...*' mompelde hij tevreden, als een alchemist die de oude steen der wijsheid weer in handen heeft.

Spiderman is een pilletje dat er banaal uitziet, met dat lichtblauwe suikerlaagje en dat gleufje in het midden zou het gerust kunnen doorgaan voor een pilletje tegen hoofdpijn of maagzuur, maar dat is het niet. Dat is het beslist niet.

In die zestig milligram zitten meer moleculen met psychotrope werking dan in een hele apotheek. Het is begin jaren negentig ontwikkeld in Goa door een groep jonge Californische neurobiologen – die door het MIT waren weggestuurd wegens bio-ethisch incorrect gedrag – in samenwerking met een groep sjamanen van het schiereiland Yucatan en een team van Duitse behavioristische psychiaters.

De muizen waarop ze de drug hadden getest konden na een kwartier een handstand maken, op een poot staan en om hun eigen as draaien alsof het breakdancers waren.

Ze noemen het *Spiderman* omdat het ervoor zorgt dat je het gevoel hebt dat je over de muren loopt, en een ander effect is dat, stel dat ze ze je, nadat je er een hebt ingenomen, naar het bevolkingsregister brengen, je in een rij zetten waaraan geen einde komt en tegen je zeggen: 'Ga het geboortebewijs van Carleo afhalen' en jij hebt geen flauw idee wie dat is, je dat gewoon, blij als een hondje, doet en als je daar de volgende jaren aan terugdenkt je nog steeds vindt dat dat de meest vermakelijke ervaring van je leven is geweest.

Dat was wat Graziano Biglia oploste in het glas whisky van juffrouw Palmieri. En voor alle zekerheid deed hij er nog een bij. Zijn eigen pil stopte hij in zijn mond en spoelde die met een slok weg.

'En nu zullen we eens zien of ze capituleert.' Hij maakte een paar knoopjes van zijn overhemd los, fatsoeneerde zijn haar met zijn handen en wachtte tot de prooi zou komen.

78

Flora pakte het glas dat Graziano haar aanreikte, sloot haar ogen en dronk het leeg. Ze merkte die onaangename smaak op de bodem niet op, ze dronk dat spul nooit, ze vond het niet lekker.

'Heel lekker. Nogmaals bedankt.' Ze klemde haar tanden op elkaar en ging aan de tafel zitten, zette haar bril op en herlas wat ze had opgeschreven.

De daaropvolgende tien minuten was ze bezig orde te scheppen in al dat geklets, al die verhalen zonder kop noch staart, proberend de essentie eruit te halen: talenkennis, opleidingen, computerkennis, werkervaring, enzovoorts, enzovoorts.

'Volgens mij is er genoeg materiaal. Wat we hebben genoteerd kan al genoeg zijn. Ze zullen u... Ze zullen je zeker aannemen.'

Graziano was op de bank blijven zitten. 'Dat denk ik ook. Misschien zijn er nog een paar kleinigheidjes die indruk kunnen maken op de organisatie van het vakantiepark. Weet je, ze proberen iedereen te entertainen... De gasten op hun gemak te stellen... Onderlinge relaties te laten ontstaan...'

'In welke zin?' vroeg Flora terwijl ze haar bril afzette.

'Kijk, ik...' Hij leek gegeneerd.

Ze zag dat hij op de bank ronddraaide alsof er plotseling doornen uit de kussens staken. Graziano stond op en ging aan tafel zitten. 'Kijk, ik heb een beker gewonnen...'

Wat gaat hij nu weer vertellen? Dat hij de Giro van Italië heeft gewonnen? Flora maakte een moedeloze beweging.

'In Riccione. De Trumbador-cup.'

'En wat houdt dat in?'

'Nou, dat ik het record zomer-wippen heb gevestigd. Ik ben eerste geworden.'

'Wat?'

'Wippen! Versieren!' Voor Graziano was het de gewoonste zaak van de wereld.

Maar Flora begreep het nog steeds niet. Wat probeerde hij haar duidelijk te maken? Wippen? Werkte hij soms in een fabriek van speeltoestellen ofzo?

'Wippen?' herhaalde ze verbijsterd.

'Vrouwen versieren,' bracht Graziano uit met een schuldbewust en tegelijkertijd voldaan gezicht.

Eindelijk begreep Flora het.

Dit kan niet waar zijn! Deze man is een monster.

Hij deed mee aan wedstrijden wie de meeste vrouwen versierde. Er bestond een plek waar ze wedstrijdjes deden wie de meeste vrouwen in bed kon krijgen.

Het is echt zo, je moet je in het leven nergens over verbazen.

'Bestaat daar een wedstrijd voor? Zoiets als een competitie? Zoals bij voetbal?' vroeg ze, en ze merkte dat haar stem raar luchtig klonk.

'Jazeker, het is inmiddels zelfs officieel erkend. Er doen mensen van over de hele wereld aan mee. Eerst waren we met een paar. Een groepje vrienden die elkaar ontmoette in bar Aurora. Later is het belangrijk geworden, en nu worden er punten gegeven, er is een federatie, er zijn scheidsrechters en aan het einde van de zomer is de prijsuitreiking in de discotheek. Dat is altijd een fantastische avond,' legde Graziano doodernstig uit.

'En met hoeveel... met hoeveel hebt u... heb jij gewipt? Zeg je dat zo?' Ze kon het niet geloven. Deze vent deed 's zomers mee aan wipwedstrijden.

'Driehonderd. Driehonderddrie om precies te zijn. Maar die rottige scheidsrechters hebben er drie afgekeurd. Want die waren in Cattolica,' antwoordde Graziano met een boosaardige glimlach.

'Driehonderd?' schrok Flora op. 'Dat kan niet! Driehonderd? Zweer je dat?'

Graziano knikte. 'Dat zweer ik bij God. De beker staat bij mij thuis.'

Flora begon te grinniken. En ze kon niet meer ophouden.

Wat bezielt me in godsnaam?

Ze bleef maar lachen als een dom gansje. Eén glaasje whisky en ze was al dronken? Ze wist dat ze niet tegen alcohol kon, maar ze had maar twee vingers gedronken. Ze was in haar leven maar twee keer dronken geweest. Een keer van een blik kersen op alcohol, dat ze van de moeder van een leerling cadeau had gekregen, en een andere keer toen ze pizza was gaan eten met de klas en een biertje te veel had gedronken. Ze was heel vrolijk thuis gekomen. Maar nu was ze zo dronken als ze nog nooit was geweest.

Maar dat verhaal over wippen was wel erg grappig. Ze kreeg zin om hem iets te vragen, het was een beetje vulgair, *ik zou het niet moeten doen maar wat doet het er ook toe*, zei ze in zichzelf, *ik doe het toch.* 'En hoe behaal je een punt?'

Graziano glimlachte. 'Nou, daarvoor moet je de sexuele daad helemaal verrichten.'

'Alles doen?'

'Precies.'

'Alles alles?'

'Alles alles.'

(Ben je helemaal gek geworden?)

Er galmde een stem in haar hoofd.

Flora wist zeker dat het haar moeder was.

(Wat valt er te lachen? Zie je zelf niet dat je stomdronken bent?)

Nee, ik zie mezelf niet. Wat ben ik aan het doen?

(De hoer uithangen. Dat is wat je aan het doen bent.)

Alsjeblieft, hou je mond. Alsjeblieft, hou je mond. Ik vind het niet leuk als je me zo noemt en alsjeblieft, ik moet iets uitrekenen. Dus… Deze man heeft driehonderd punten? Juist? Ofte wel, hij heeft zijn mannelijke sexorgaan in driehonderd vrouwelijke sexorganen gestoken. Als hij hem bij allemaal erin en eruit heeft gestoken hoe vaak is dat dan gemiddeld? Zeg gemiddeld zo'n tweehonderd keer per vrouw? Dan heeft hij, zeg maar, een in-en-uit van zeshonderd, nee, niet zeshonderd, driehonderd. Driehonderd keer tweehonderd is zeshonderd. Nee, niet waar, wacht even. Dat is meer.

Ze raakte volkomen de kluts kwijt.

Een stortvloed van beelden, lichten, gebrabbelde gedachten, getallen en woorden zonder betekenis kolkte door haar hoofd en desondanks voelde ze zich vreemd hilarisch en blij.

'Die verdomde whisky van jou,' zei ze terwijl ze met een vuist op tafel sloeg.

Ze keek hem een ogenblik aandachtig aan.

Plotseling kreeg ze een absurde opwelling.

(*Ben je gek geworden? Dat kan je niet zeggen! Neeee, dat kan niet…*)

Maar ik zou het best kunnen zeggen.

Ze kreeg de neiging hem iets op te biechten, een geheim, een groot geheim, iets wat ze nog nooit aan iemand had verteld en wat ze de komende tienduizend jaar ook niet van plan was aan iemand te vertellen. In een oogwenk voelde Flora al het gewicht van dat geheim van uranium, en kreeg ze zin zich ervan te ontdoen, het juist bij hem eruit te flappen, bij hem daar, bij die onbekende, die Mister Driehonderd Punten, die vanwege zijn kwaliteit van strandwipper de Trumbadorcup had gewonnen.

Hoe zou hij reageren?

Hoe zou hij het opvatten? Zou hij gaan lachen? Zou hij zeggen dat hij haar niet geloofde?

Nee, geloof me, het is echt waar. Wil je iets weten, beste Wipper, wil je weten hoeveel punten ik in mijn leven heb behaald?

Nul!

Nul komma nul!

Niet eens een piep-piep-piepklein puntje. Er was eens heel lang geleden een moment dat mijn oom probeerde een punt te behalen bij mij, maar dat lukte hem niet, dat vuile zwijn.

En jij, hoeveel punten heb jij in je leven behaald? Tienduizend? En ik niet eens een half, op de jeugdige leeftijd van tweeëndertig jaar heb ik niet eens een half punt behaald.

Denk je dat dat onmogelijk is? Het is waar.

Wie weet. Als Flora deze ontboezeming aan Graziano had gedaan zou dit verhaal een andere wending hebben genomen. Misschien zou Graziano, ondanks de *Spiderman* en die primitieve, varaanachtige vastberadenheid waarmee hij belast was en die van zijn leven een eindeloze opeenvolging van na te jagen doelen maakte, van zijn voornemen hebben afgezien en als een gentleman zijn opgestaan, zijn curriculum vitae hebben gepakt en zich hebben teruggetrokken. Wie zal het zeggen? Maar Flora, die een natuurlijke gereserveerdheid bezat die verstevigd was door haar ellende en verdriet, bood als een infanterist aan het front weerstand aan het bombardement van die onbetrouwbare moleculen die in staat zijn je psyche te veranderen en je tong los te maken en je het onzegbare te laten zeggen.

Ze begon opnieuw te lachen en bekende daarentegen: 'Jezus, wat ben ik dronken.'

Ze merkte dat Graziano dichter bij haar was gaan zitten. 'Wat doe je, kom je dichterbij?' Ze bekeek hem even, terwijl ze schommelde op haar stoel. 'Mag ik je iets zeggen? Maar zweer je dat je niet boos wordt als ik het zeg?'

'Ik word niet boos, ik zweer dat ik niet boos word.' Graziano legde een hand op zijn hart en kuste vervolgens zijn wijsvingers.

'Dat haar staat je niet goed. Mag ik dat zeggen? Het staat je slecht. Niet dat het eerst veel beter was. Hoe was het ook alweer? Zwart? Bovenop kort en opzij lang? Nee, dat stond je niet veel beter. Als ik jou was, weet je wat ik dan zou doen?' Ze zweeg even, maar ging toen verder: 'Ik zou mijn haar normaal doen. Dat zou je goed staan.'

'Hoezo normaal?' Graziano was zeer geïnteresseerd. Als er over zijn uiterlijk werd gepraat was hij altijd zeer geïnteresseerd.

'Normaal. Ik zou het afknippen en niet meer verven en gewoon laten groeien. Normaal.'

'Weet je wat het probleem is, Flora? Ik begin een beetje grijs te worden,' legde Graziano uit op een toon alsof hij een groot geheim ontboezemde.

Flora spreidde haar armen. 'Nou en? Wat is het probleem?'

'Bedoel je dat ik me daar niets van moet aantrekken?'

'Ik zou me er niets van aantrekken.'

'Moet ik het dan dragen zoals George Clooney? Stro en hooi?'

Flora kon niet meer rechtop blijven zitten, ze boog zich over de tafel en lachte zich een ongeluk.

'Dat zou me niet goed staan, hè?' Graziano glimlachte, maar als een boer met kiespijn.

'Stro en hooi, zeg je zo niet! Dat zeg je voor tagliatelle, stro en hooi! Je moet zeggen: peper en zout.' Flora had haar voorhoofd op de tafel gelegd en veegde met haar vingers haar tranen weg.

'O ja, je hebt gelijk. Peper en zout.'

Wat een opdonder gaf die *Spiderman*.

Graziano voelde zich zo gaar als een aardappel.

Hij wist niet dat dat pilletje zo sterk was.

Klote-Mul, verdomme.

(*Denk je eens in hoe die arme meid zich voelt.*)

Ik heb haar er twee gegeven. Misschien heb ik overdreven.

Inderdaad leunde de juffrouw met haar voorhoofd op tafel en bleef ze maar lachen.

Het moment was aangebroken om op te stappen.

Hij keek op zijn horloge.

Half tien!

'Het is al heel laat.' Hij stond op en haalde diep adem in de hoop dat hij dan weer helder zou kunnen denken.

'Ga je weg?' vroeg Flora terwijl ze haar hoofd een klein beetje optilde. 'Goed zo. Ik kan niet meer staan. Ik maak me zorgen dat ik maar blijf lachen. Ik denk aan iets ernstigs en ik moet lachen. Je kunt maar beter gaan. Als ik jou was zou ik dat curriculum nog eens overschrijven en ook dat verhaal over de herbevolking van de herten op Sardinië erbij zetten.' En opnieuw lag ze dubbel van het lachen.

Ze zijn tenminste goed gevallen bij haar, bedacht Graziano.

'Flora, waarom gaan we niet samen wat eten? Ik weet een restaurantje hier vlakbij. Wat vind je daarvan?'

Flora schudde haar hoofd. 'Nee dank je, ik kan niet.'

'Waarom niet?'

'Omdat ik niet meer kan staan. En daarbij kan ik niet.'

'Waarom niet?'

'Omdat ik 's avonds nooit uitga.'

'Toe, dan zal ik je vroeg thuisbrengen.'

80

'Neeee, ga jij maar naar dat restaurant. Ik heb geen honger, ik ga naar bed, dat is veel beter.' Flora probeerde serieus te zijn, maar ze barstte in lachen uit.

'Toe, ga nou mee,' dreinde Graziano.

Het idee om uit te gaan lokte haar een heel klein beetje.

Innerlijk voelde ze iets vreemds, iets geks. Zin om te rennen, te dansen.

Het zou leuk zijn om uit te gaan. Maar die vent was een gevaarlijk type, laten we niet vergeten dat hij die competitie had gewonnen. En natuurlijk zou hij proberen ook bij haar een punt te scoren.

Nee, dat kan niet.

Maar als ze naar het restaurant ging, wat kon er dan gebeuren? Een beetje frisse lucht zou haar goed doen. Het zou haar gedachten weer helder maken.

Mama is in bad geweest en heeft gegeten, dat is allemaal in orde. Morgen hoef ik niet naar school. Ik ga nooit uit, als ik een avondje uitga, wat kan er dan gebeuren? Tarzan nodigt me uit om te gaan eten, ik zal voor een avond Jane zijn, op een pompoen die wordt voortgetrokken door paarden, sterker nog, door herten, Sardijnse herten, en ik zal mijn schoen verliezen en dan zullen de zeven dwergen ze gaan zoeken.

Ze verwachtte een negatief antwoord van haar moeder, maar dat kwam niet.

'Zijn we dan weer vroeg terug?'

'Heel vroeg.'

'Zweer het.'

'Ik zweer het. Vertrouw me maar.'

Toe, Flora, heel eventjes uit. Hij neemt je mee naar het restaurant en dan ben je zo weer thuis.

'Goed dan, laten we gaan.' Flora sprong op en viel bijna op de grond.

Graziano pakte haar bij een arm. 'Gaat het?'

'Nou, ja...'

'Ik zal je helpen.'

'Dank je.'

Ze zat in de auto. In de gordels. En ze klampte de handgreep van het portier vast. Een stevige stroom warme lucht blies tegen haar voeten. En die Spaanse muziek was helemaal niet slecht, dat moest ze toegeven.

Nu en dan probeerde Flora het, haar ogen te sluiten, maar dan moest ze ze meteen weer opendoen anders draaide alles om haar heen en had ze het gevoel weg te zakken in de stoel, tussen autobanden en schuimrubber.

Het regende hard.

Het geluid van de regen die op het dak kletterde, vermengde zich op magnifieke wijze met de muziek. De ruitenwissers gingen met een ongelooflijke snelheid heen en weer. De voorkant van de auto slokte onverzadigbaar de donkere weg op die een en al bocht was. De koplampen deden het door de regen geteisterde asfalt glimmen. De bomen opzij, met die lange, zwarte takken, leken hen te willen grijpen.

Nu en dan werd de weg breder, doorsneden ze de inkt, en dan begonnen de bomen weer.

Het was absurd, maar Flora voelde zich veilig.

Niets zou hen kunnen stoppen en als er plotseling een koe was opgedoken zouden ze daar gewoon doorheen rijden en haar ongedeerd achterlaten.

Meestal was ze bang als anderen reden, maar ze vond dat Graziano erg goed reed.

Hij heeft niet voor niets een rally gereden in... uh?

Hij reed niet langzaam, dat niet, hij schakelde snel en de motor loeide, maar als door toverkracht bleef de auto als een blok in het midden van de weg geplakt.

Waar zal hij me naar toe brengen?

Hoe lang zat ze al in de auto? Ze kon het niet bedenken. Het kon tien minuten zijn, maar net zo goed een uur.

'Alles goed?' vroeg Graziano haar opeens.

Flora draaide zich naar hem toe. 'Alles goed. Wanneer zijn we er?'

'Nog even. Vind je deze muziek goed?'

'Heel goed.'

'Dat zijn de Gipsy Kings. Dit is hun beste cd. Wil jij ook?' Graziano haalde een pakje Camel te voorschijn.

'Nee.'

'Vind je het vervelend als ik rook?'

'Nee.' Het kostte Flora moeite een dialoog op gang te brengen. Het was niet beleefd om je mond te houden, maar wat kon haar dat schelen. Als ze haar mond hield en haar ogen op de weg geplakt liet, voelde ze zich ongelooflijk goed. Ze had voor eeuwig zo kunnen blijven zitten, in dat doosje, terwijl buiten de elementen losbarstten. Eigenlijk had ze bang moeten zijn, met een onbekende die haar naar een onbekende plek bracht, maar niets van dat alles. En ze had de indruk dat de dronkenschap ook minder werd, dat ze helderder van geest werd.

Ze keek naar Graziano. Met die sigaret in zijn mond, geconcentreerd op de weg, was hij mooi. Hij had een vastberaden, Grieks profiel. Een grote neus, die echter volmaakt paste bij de rest van zijn gezicht. Als hij nou nog zijn haar liet knippen en normaal gekleed zou zijn, kon hij best interessant zijn, een mooie man. Sexy.

Sexy? Wat een woord… Sexy. Maar om het in één zomer met driehonderd vrouwen te doen… Dan moest hij toch wel iets hebben, nietwaar? Wat zou hij hebben? Wat zou hij kunnen hebben? Wat zou hij doen?

(*Stop daarmee, idioot.*)

Opeens hoorde ze de *tik tak* van de richtingaanwijzer, de auto reed langzamer en stopte op een parkeerplaats voor een huisje te midden van het zwart. Boven de deur hing een groen uithangbord. Bar restaurant.

'Zijn we er?'

Hij keek haar aan. Zijn ogen blonken als glimwormen. 'Heb je honger?'

Nee. Helemaal niet. Ze werd al misselijk bij de gedachte dat ze iets in haar mond moest stoppen. 'Nee, eerlijk gezegd niet zo erg.'

'Ik ook niet. We zouden iets kunnen drinken.'

'Ik kan echt niet uitstappen. Ga jij maar, ik wacht wel in de auto.'

Nooit de toverdoos verlaten. Bij de gedachte dat ze daar naar binnen moest, waar licht was, waar geluid was en mensen waren, werd ze overmand door een vreselijke angst.

'Zeker weten?'

'Ja.' Terwijl hij in de bar was zou zij een dutje doen. En daarna zou ze zich beter voelen.

'Oké. Ik ben zo weer terug.' Hij opende het portier en stapte uit.

Flora keek hoe hij wegliep.

Ze vond zijn manier van lopen leuk.

82

Graziano ging de bar binnen, haalde zijn mobieltje te voorschijn en probeerde Erica te bellen.

Hij kreeg het antwoordapparaat.

Hij hing op.

Onderweg was hij zich rotter gaan voelen, waarschijnlijk de schuld van die kut-*Spiderman*. Hij haatte synthetische drugs. Hij was gaan denken aan Erica, aan hun laatste nacht samen, aan alleen maar dat pijpen, zijn hoofd was gaan draaien en deed pijn. Hij had een wanhopige behoefte gevoeld haar te spreken, dat was een enorme stommiteit, dat wist hij heel goed, maar hij kon er niets aan doen, hij had een desperate behoefte haar te spreken.

Te begrijpen.

Hij hoefde alleen maar te begrijpen waarom ze had gezegd dat ze met hem wilde trouwen, waarom ze verdomme had gezegd dat ze met hem wilde trouwen en er vervolgens vandoor was gegaan met Mantovani. Als ze hem een rationele, eenvoudige uitleg zou geven, kon hij het begrijpen en zou hij zielenrust hebben.

Alleen maar dat vervloekte antwoordapparaat.

En dan zat dat mens ook nog in de auto.

Niet dat hij haar niet leuk vond of dat de situatie hem niet prikkelde, maar met die Sloerie in zijn hoofd leek al het andere hem saaier en gewoner.

En de waarheid was dat hij haar had moeten platleggen met een *Spiderman* om haar mee te kunnen nemen.

En dat was niets voor hem.

En het regende pijpenstelen.

En het was hondskoud.

Hij bestelde een whisky bij de minderjarige barkeeper die televisie keek. Die stond met tegenzin op van de tafel waaraan hij zat. De bar was treurig, leeg en koud als een koelcel.

'Geef me die maar helemaal.' Graziano pakte de fles en wilde juist betalen, toen hij zich bedacht. 'Hebben jullie citroenlikeur?'

De minderjarige pakte zonder een woord te zeggen een stoel, klom erop, bekeek de rij sterke dranken boven op de koelkast en pakte een fluorescerend gele smalle, hoge fles, stofte die even af met zijn hand en overhandigde hem aan Graziano.

Graziano betaalde en maakte de fles open.

'Weg met al die gedachten!' Hij liep naar buiten, nam een slok van de citroenlikeur en trok een vies gezicht. 'Gadverdamme, wat goor!'

Ja, die fles zou hem goed van pas komen.

83

De zilverkleurige koalabeertjes waren bezig met hun tangetjes haar teennagels te knippen. Alleen waren ze niet erg precies met die poten waar ze zich geen raad mee wisten en dus werden ze zenuwachtig. Flora zat op de behandelstoel en probeerde ze te kalmeren. 'Jongens, rustig aan. Doe maar heel rustig, anders... Let nou op! Kijk nou wat je hebt gedaan!' Een koalabeertje had haar kleine teen helemaal afgeknipt. Flora zag het rode bloed uit het stompje spuiten, maar wat een bijzonder verschijnsel, het deed geen pij—

'Flora! Flora! Wakker worden.'

Ze sperde haar ogen open.

De wereld begon naar links en naar rechts te buigen. Alles danste en Flora voelde zich in de war... en dat geluid van de regen op het dak en het was koud en waar was ze?

Ze zag Graziano. Hij zat naast haar.

'Ik was in slaap gevallen... Heb je gedronken? Gaan we weer naar huis?'

'Kijk eens wat ik heb gekocht.' Graziano liet haar de fles citroenlikeur zien, nam er een slok uit en gaf hem aan haar. 'Die heb ik speciaal voor jou gekocht. Je zei dat je dat lekker vond.'

Flora keek naar de fles. Moest ze ervan drinken? En ze voelde zich al zo belabberd!

'Heb je het koud?'

'Een beetje.' Ze trilde.

'Drink maar, dan word je weer warm.'

Flora zette de fles aan haar mond.

Wat is dat zoet. Veel te zoet.

'Beter?'

'Ja.' De citroenlikeur verspreidde zich over haar maagwand en gaf haar in ruil een beetje warmte terug.

'Wacht even.' Graziano zette de verwarming op de hoogste stand, pakte zijn jas van de achterbank en gaf die aan haar.

Flora wilde nee zeggen, dat ze die niet nodig had, toen hij dichterbij kwam en de jas als een deken over haar heen trok, en zij hield haar adem in en drukte zichzelf tegen het portier in de hoop dat dat openging en hij strekte zijn hand uit en legde die in haar hals en zij werd naar voren getrokken en rook die geur van citroenlikeur, sigaretten, parfum, pepermunt en ze sloot haar ogen en opeens...

Zat haar mond vast aan die van Graziano.

O god, hij is me aan het zoenen...

Hij was haar aan het zoenen. Hij was haar aan het zoenen. Hij was haar aan het zoenen. Hij was haar...

Ze deed haar ogen open. En hij had zijn ogen dicht, op drie centimeter afstand, met dat enorme gebruinde gezicht.

Ze probeerde hem van zich af te duwen. Maar zonder resultaat, hij was als een octopus die zich om haar mond had gewikkeld.

Ze ademde door haar neus.

Hij is je aan het zoenen! Je hebt je laten beetnemen.

Ze sloot haar ogen. Graziano's lippen op de hare. Ze waren zacht, ongelooflijk zacht, en die lekkere geur van citroenlikeur en sigaretten en pepermunt was nu de smaak in de mond van Graziano en de hare. Graziano's tong probeerde haar mond binnen te dringen en toen opende Flora haar lippen nog een beetje, net dat beetje zodat dat glibberige ding zou kunnen binnengaan en toen voelde ze dat zijn tong de hare aanraakte en ze voelde een rilling langs haar rug en het was fijn, zo fijn en toen deed ze haar mond helemaal open en begon de lange tong haar mond te onderzoeken en te spelen met de hare. Flora ademde diep in en hij trok haar heftig naar zich toe en ze liet zich fijndrukken en haar handen begonnen, zonder dat ze dat tegen ze had gezegd, te woelen in Graziano's haar.

Zo... is het... Zo... is het... Zo is het... zoals... het... hoort... Zo... hoort het... leven te... zijn... Elkaar... kussen... Het... makkelijkste... wat... er bestaat... En ik... vind kussen fijn... En... het is niet waar... dat ik dat... niet moet... doen... Ik... moet het... doen omdat het... fijn is... Het fijnste... wat er bestaat... En... ik moet het doen.

Plotseling werd Flora door dit alles overweldigd, ze voelde haar benen slap worden en haar voeten gloeiend heet en haar handen woelen en haar adem stokken alsof iemand haar een stoot in haar buik had gegeven. Ze had het gevoel alsof ze doodging en ze zakte zachtjes in elkaar als een marionet, met haar gezicht op Graziano's borstkas en in zijn geur.

84

Al op een paar kilometer afstand van de bronnen van Saturnia verandert de omgeving.

De reiziger die over die weg rijdt zonder te weten dat er een warmwaterbron is, zou op zijn minst onrustig worden.

Opeens houden de hellingen en de bochten op, verdwijnt het eikenbos, wordt de weg vlak en zie je zo ver als het oog reikt groene velden, zo groen als het groen van Ierland, in alle nuances en variaties. Misschien komt het door de weldadige warmte, het water en het mengsel van chemische elementen dat uit de diepte van de aarde opstijgt, dat het gras zo levendig is. Maar als dat alles de argeloze reiziger nog niet genoeg verbaast, dan zouden de nevels die uit de irrigatiekanalen langs de weg opstijgen toch beslist zijn nieuwsgierigheid moeten opwekken. Nu en dan verheffen deze gassen zich uit de kanalen, en vormen gerafelde mistbanken van amper een halve meter hoog die de rijweg oversteken en als een zee van room de velden binnenstromen, waardoor die lijken op wolken, van bovenaf gezien. Uit het wit steekt een fruitboom, een haag, een half schaap omhoog. Het lijkt haast of er iemand is langsgekomen met zo'n machine die damp maakt op filmsets.

Maar als zelfs dat niet voldoende is, dan is er altijd nog de geur. En de argeloze reiziger zou die moeten ruiken. Hij kan niet anders. 'Wat is dat voor een verschrikkelijke stank?' Hij zou zijn neus dichtknijpen. Hij zou zijn vrouw beschuldigend aankijken. 'Ik heb je toch gezegd dat je geen preisoep moet eten, daar kan je niet tegen.' Maar zij zou hem al even beschuldigend aankijken en tegen de argeloze reiziger zeggen: 'Maar ik heb het niet gedaan, hoor.' En dan zouden ze zich allebei omdraaien naar Zeus, de boxer die opgerold op de achterbank ligt. 'Zeus, wat vies! Wat heb je nou weer gegeten?' Als Zeus kon praten zou hij zich beslist hebben verdedigd, hij zou zeggen dat hij er niets mee te maken heeft, maar daar de Heilige Vader in Zijn onpeilbare wijsheid heeft besloten dat dieren deze kwaliteit niet mogen hebben (behalve papegaaien en kleine beo's die woorden napapegaaien, ofte wel nazeggen zonder de betekenis ervan te begrijpen), zou de arme Zeus dus niets anders kunnen doen dan kwispelen, blij met de onverwachte aandacht van zijn baasjes.

Maar plotseling zou de nevel langs de weg zich optrekken, dikker worden en het omringende bos binnendringen alsof daar de bron van de nevel is, en tussen de gassen zou een hoek van een oud, stenen huisje zichtbaar worden.

De vrouw zou dan kunnen zeggen: 'Er zal wel een kunstmestfabriek zijn of misschien zijn ze iets chemisch aan het verbranden.' Maar nee, ze zien niets. En als dan uiteindelijk voor hun ogen het bord opdoemt waarop in blokletters staat geschreven WELKOM BIJ DE BRONNEN VAN SATURNIA, dan zouden ze eindelijk alles begrijpen en hun reis met een geruster hart vervolgen.

85

's Nachts maken de zwaveldampen het gebied spookachtig en onheilspellender dan de heide van Baskerville en als er dan ook nog, zoals die nacht, een harde wind waait, de wolven huilen, de regen met geweld het land teistert en bliksemflitsen links en rechts neerkomen, dan lijkt het werkelijk of je op de drempel van de hel staat.

Graziano minderde vaart, zette de muziek uit en sloeg het onverharde weggetje in dat door het bos naar het dal en de waterval leidt.

Flora sliep opgerold in de stoel.

Het weggetje was veranderd in een modderpoel vol plassen en stenen. Graziano reed voorzichtig verder. Er bestaat niets ergers voor de ophangingen en de oliecarter. Hij remde, maar de auto vervolgde zijn langzame en onverbiddelijke afdaling door de modder. De koplampen deden de mist stralen als het gas van een neonlamp. Er was een moeilijke bocht, maar voorbij die bocht waren de parkeerplaats en de waterval. Graziano schakelde en draaide het stuur terug, maar de auto bleef verdergaan (*ik wil er niet aan denken hoe we eindigen*), om uiteindelijk precies op de wegrand tot stilstand te komen.

Hij probeerde achteruit te rijden en zonder dat Graziano wist hoe, stond de auto met zijn neus naar de parkeerplaats gericht.

Daar verderop kleurde de mist rood, groen en blauw, en af en toe zag je donkere silhouetten bewegen door de nevel.

Het leek wel een discotheek midden in het bos.

Het stikt van de mensen.

Hij reed het dalende weggetje af in de eerste versnelling. De parkeerplaats, die omlaag liep, stond vol met rommelig geparkeerde auto's.

Getoeter. Muziek. Stemmen.

Aan een kant stonden twee grote touringcars.

Wat is hier verdomme aan de hand? Is er een feest?

Graziano, die er al een hele tijd niet was geweest, wist niet dat die plek inmiddels altijd zo overbevolkt was, zoals overigens het merendeel van de mooie en karakteristieke plekken van het prachtige schiereiland.

Hij parkeerde zo goed en zo kwaad als het ging achter een touringcar met een nummerbord uit Siena. Hij kleedde zich uit en had alleen zijn zwembroek nog aan.

Toen moest hij Flora wakker maken.

Hij riep haar naam, zonder resultaat. Ze leek wel dood. Hij schudde haar door elkaar en eindelijk lukte het hem haar een paar woordjes te laten brabbelen.

'Flora, ik heb je naar een mooi plekje gebracht. Een verrassing. Kijk

maar,' zei Graziano op de meest enthousiaste toon die hij kon voort-
brengen.

Flora tilde met moeite haar hoofd op, keek even naar dat gekleurde
schijnsel en viel weer neer. 'Mooi... Waar... zijn we?'

'Bij Saturnia. Om te zwemmen.'

'Nee... Nee... Ik heb het koud.'

'Het water is warm...'

'Ik heb geen badpak. Ga jij maar. Ik blijf in de auto.' En vervolgens
greep ze zijn hand vast, trok hem naar zich toe en gaf hem een enigszins onhandige zoen en viel opnieuw in slaap.

'Toe nou, je zult zien dat je het leuk vindt. Als je naar buiten komt
voel je je beter.'

Geen antwoord.

Oké, ik heb het begrepen.

Hij deed de binnenverlichting aan en begon haar uit te kleden. Hij
trok haar jas uit. Hij trok haar schoenen uit. Het leek of hij te maken
had met een peuter die te diep slaapt om te kunnen meewerken als
zijn mama zijn pyjamaatje aantrekt. Hij zette haar rechtop en trok, na
een moment van aarzeling, haar rok en panty uit. Daaronder droeg ze
een eenvoudig slipje van wit katoen.

Ze had lange, slanke benen. Werkelijk prachtig. Perfecte benen
voor hoge hakken en jarretels.

Graziano begon plezier te krijgen in de hele situatie en zijn ademhaling werd onregelmatiger.

Hij trok haar trui uit. Daaronder droeg ze een parelmoerkleurig
bloesje dat tot het bovenste knoopje dicht was.

Vooruit...

Hij begon de knoopjes een voor een los te maken, onderaan begin-
nend. Flora mompelde iets, kennelijk zich verzettend, maar toen viel
haar hoofd weer achterover. Haar buik was plat zonder een greintje
vet, wit als melk. Toen hij bij haar borsten was aangekomen, was zijn
hartklopping versneld en voelde hij zijn bloed in zijn oren gonzen, hij
haalde diep adem en maakte het laatste knoopje los zodat haar bloes
helemaal open was.

Hij was als door de bliksem getroffen.

Ze had twee waanzinnige tieten die amper in haar bh pasten. Twee enorme ronde, uitnodigende mozzarella's. Een ogenblik voelde hij de verleiding ze uit de bh te halen om ze in al hun pracht te bewonderen, om ze te kneden, om de tepels te likken. Maar dat verbood hij zichzelf. Het was gek, maar ergens diep in hem verschool zich een moreel mens (met een geheel eigen moraal), die heel af en toe te voorschijn kwam.

Ten slotte maakte hij haar haren los die, zoals hij had vermoed, als een rode vloedgolf neervielen.

Hij keek naar haar.

Daar zat ze, in onderbroek en bh, diep in slaap, en ze was ongelooflijk mooi.

Misschien is ze zelfs wel mooier dan Erica.

Ze was als een hondroos die spontaan was gaan groeien tussen de stenen van een groeve zonder dat iemand ervoor zorgde, zonder een tuinman die water gaf, bemestte en met bestrijdingsmiddelen spoot.

Flora zelf was zich niet bewust van de waarde van haar lichaam en als ze zich daar wel van bewust was, strafte ze het voor nooit begane wandaden.

Het lichaam van Erica daarentegen was alsof het zich volmaakt had aangepast aan de schoonheidsidealen die in de mode waren (slanke taille, ronde borsten, strak kontje), een lichaam dat waarschijnlijk, als ze aan het begin van de vorige eeuw had geleefd, dikkig en wulps gevormd was volgens de smaak van toen, een lichaam dat zich voedde met fitness, crèmes en massages, dat voortdurend werd gecontroleerd, vergeleken met dat van andere vrouwen, en dat als een vlag was waar altijd en overal mee gezwaaid moest worden.

Maar Flora was beeldschoon en echt en Graziano was gelukkig.

86

Het was koud.

Heel koud.

Te koud.

En lopen was een kwelling. Puntige stenen staken in haar voetzolen.

En het regende. De ijskoude regen viel op haar neer en Flora trilde en klappertandde.

En er was een afschuwelijke stank.

Gelukkig hield Graziano haar hand vast.

Dat gaf haar een heel veilig gevoel.

Waar liepen ze naar toe? Naar de hel?

Heel goed. We gaan naar de hel. Hoe zeggen ze dat ook al weer? O ja… Zelfs tot in de hel zal ik je volgen.

Nou, al was dit de hel, het kon haar op dat moment niets schelen.

Ze merkte dat ze naakt was (*Je bent niet naakt, je hebt je bh en onderbroek aan*). Nee, ze was niet naakt, maar als ze dat wel was geweest, was het ook goed geweest.

Ze liep met gesloten ogen en zocht in haar mond de smaak van de kussen.

We hebben elkaar gekust in de auto, dat herinner ik me nog.

Ze deed haar ogen halfopen en keek om zich heen.

Waar was ze?

Midden in de mist.

En er was een afschuwelijke stank van rotte eieren, dezelfde die je in de klas rook als een of andere sukkel een ampulletje met stinkend spul kapot had laten vallen. En er waren ook een heleboel auto's. Sommige donker. Andere verlicht maar met beslagen ruiten en daar kon je niet naar binnen kijken. En er was een stereo-installatie waaruit muziek klonk die uit alleen maar bassen bestond. Plotseling zag ze jongens in zwembroek die schreeuwend rondrenden en tussen de auto's met elkaar stoeiden.

Graziano trok haar voort.

Flora deed haar uiterste best om hem bij te houden maar haar benen waren verstijfd van de kou. Voor haar doemde een figuur op, een man in badjas, die naar haar keek toen ze voorbij hem liep. Links, op een heuveltje, stond een oud verlaten huisje met een ingestort dak. Op de muren waren opschriften gespoten. Door de ramen zag je het schijnsel van een vuur en daaromheen zwarte figuren. Nog meer muziek. Italiaanse ditmaal. En een wanhopig babygehuil. En een groepje mensen dat voor de regen schuilde onder strandparasols.

Een donderklap knetterde door de nacht.

Flora maakte een sprongetje.

Graziano sloeg zijn arm om haar middel. 'We zijn er bijna.'

Ze had hem graag willen vragen waar, maar haar tanden klapperden te hard om te kunnen praten.

Ze liepen verder langs doorweekte tenten, vuilniszakken en picknickresten die door de regen tot pap waren verworden.

En plotseling voelde ze iets heerlijks, iets wat haar de adem benam. Water! Het water onder haar voeten was niet meer ijskoud, maar lauw en hoe verder ze liep hoe warmer het werd en die weldadige warmte trok door haar benen omhoog.

'Wat heerlijk!' mompelde ze.

Nu klonk het geluid van de waterval hard en er waren een heleboel mensen, sommigen met regenjacks aan en anderen naakt en zij en Graziano moesten zich een weg banen tussen de lichamen. Ze zag dat ze naar haar keken maar dat kon haar niets schelen, ze voelde dat ze haar aanraakten maar ze maalde er niet om.

Het enige wat telde was dat ze Graziano bleef vasthouden.

Ik verdwaal niet...

Nu was het water dat onder haar voeten stroomde echt warm, het had dezelfde temperatuur als haar badwater. Ze passeerden een laatste barrière. Duitsers, te oordelen naar hoe ze praatten.

En toen stonden ze voor een kleine waterval, en daaronder een aantal poelen, sommige groter, andere kleiner, die als terrassen in hoogte afliepen naar beneden en zich nog verder naar beneden verbreedden tot een donker meer. Een krachtige projector, bevestigd aan de muren van het huisje, kleurde de damp geel. Eerst had Flora de indruk dat er niemand in de poelen was, maar dat was niet waar, als ze goed keek kon ze een golf van zwarte hoofden uit het water zien steken.

'Pas op dat je niet uitglijdt.'

De stenen waren bedekt met een zacht tapijt van algen.

'Nu komt het mooiste...' schreeuwde Graziano om het geluid van de waterval te overstemmen.

Flora stak een voet in de eerste poel. En toen de andere voet. Het was echt heerlijk. Ze probeerde zich op te rollen in dat natuurlijke badje, maar Graziano trok haar weg. 'Laten we verdergaan. Er zijn nog diepere, iets verder weg van deze chaos.'

Flora had willen zeggen dat deze helemaal goed was, maar volgde hem. Ze gingen in een grotere, maar die was vol mensen die grinnikten en elkaars gezicht en haar met modder bekogelden en paartjes die elkaar omklemden. Ze voelde benen, buiken, handen die haar aanraakten. Ze gingen in weer een andere die diep genoeg was om erin te kunnen zwemmen, maar ook deze was vol mensen (mannen) en ze zongen: 'Wij houden veel van haantjes, van lammetjes en kip, want nee die hebben geen graten zoals een stomme stokvis.'

'Het zit hier vol nichten...' zei Graziano afkerig.

O, er zijn ook nichten...

Behalve zwavel en damp hing er in de lucht een vreemde euforie, een schaamteloze, vleselijke sensualiteit en Flora voelde die en werd er enerzijds door beangstigd, maar anderzijds opgewonden van, als een schoothondje dat wordt opgepakt en neergezet tussen een meute jachthonden.

In een poel zag ze blonde vrouwen, Duitse misschien, die – naakt zoals hun moeder ze had gemaakt – opstonden en zich weer in het water lieten vallen en zo nu en dan verhief zich een aanmoedigend gejoel en een daverend applaus. Dat was afkomstig van een groep jongens die hun zwembroeken als hoedjes over hun hoofden hadden getrokken.

'Kom, we gaan verder. Hierheen.'

Ze begonnen aan een langzame en moeizame klim naast de waterval. Enorme glibberige, wankele rotsblokken volgden elkaar op en Flora moest handen en voeten gebruiken om zich vast te klampen. Het geluid van het water was oorverdovend. Haar hoofd begon te draaien en bij elke stap die ze zette stond ze doodsangsten uit. Toen stond ze voor een glad stijgend paadje waarover water stroomde.

Dat zou haar nooit lukken.

Waarom?

Waarom wil Graziano daarheen?

(Je weet best waarom.)

Een deel van haar brein dat tot dan toe had gedommeld, maar helder en actief was en de mysteries van het universum en haar eigen leven kon oplossen, legde het haar uit.

Omdat hij je wil neuken.

Dat verhaal van het curriculum was een smoes.

En zij had het begrepen zonder dat ze het wilde begrijpen, onmiddellijk, toen ze hem had zien binnenkomen met die fles whisky in zijn hand.

Dan neuken we toch... Ze moest lachen.

Zelfs niet in haar wildste fantasieën had ze zich kunnen voorstellen dat het zo zou gebeuren, op een plek als deze en met een man als Graziano.

Ze had altijd geweten dat ze die stap eens moest zetten. Zo snel mogelijk. Voordat haar maagdelijkheid chronisch werd en haar zou vastnagelen in de verlammende verbittering van een oude vrijster. Voordat haar hoofd gekke dingen zou gaan doen. Voordat ze bang zou worden.

Maar ze had gedroomd van een heel andere prins op een heel ander wit paard. En van romantiek, met een gevoelige man (type Harrison Ford) die haar zou betoveren, prachtige dingen tegen haar zou zeggen en haar in gepaard rijm eeuwige liefde zou beloven.

En kijk nu toch eens wat haar was overkomen: het sexsymbool van het strand, *Mister Trumbador himself*, met geblondeerd haar en oorringetjes, de animator van de Valtur-vakantiedorpen.

En ze wist dat zij voor Graziano niets betekende. Weer een naam die hij kon toevoegen aan zijn oneindig lange lijst. Een bakje eten dat, als het leeg is, op straat wordt gegooid.

Maar dat gaf niets.

Nee, dat gaf niets.

Ik zal altijd van hem houden om wat hij heeft gedaan.

Hij had haar op de lijst gezet. Zoals zo veel andere vrouwen (mooi, lelijk, dom, intelligent) die ermee hadden ingestemd de nacht met hem door te brengen, het lid van deze man te laten binnendringen in hun lichaam. Vrouwen die sex hadden zoals ze aten, en daarna hun tanden poetsten. Vrouwen die leefden.

Normale vrouwen.

Want sex is normaal.

(En ben je niet bang?)

Ja, natuurlijk. Heel erg. Mijn benen trillen en ik kan niet omhoogklimmen.

Maar ze was ervan overtuigd dat die stap haar als een andere vrouw aan de wereld zou teruggeven.

Hoezo anders?

Iets anders. Beslist anders dan hoe ze nu was.

(*Wat ben je nu dan?*)

Iets wat niet goed is.

Iets wat hetzelfde was als andere vrouwen.

En als het moest zonder romantiek, zonder liefde en geduld, dan was het ook goed.

Ja, ik moet omhoog klimmen.

Ze vatte moed, zette een voet op een uitstekende rotspunt en richtte zich op, maar een sterke straal warm water kwam pal in haar gezicht en even verloor ze haar grip, en bijna gleed ze uit (en als ze was uitgegleden, wat zou ze zich dan hebben bezeerd), tot, als bij toverslag, Graziano haar bij haar pols greep en haar omhoog trok, als een pop, voorbij de waterval.

Ze stond in een soort kokende vijver. De bomen vormden een koepel van bladeren waardoor soms het licht van de schijnwerper sijpelde.

Er was niemand.

Het was er behoorlijk diep en er stond een stroom, maar aan de zijkanten waren grote stenen waaraan ze zich vastklampte.

'Ik wist wel dat het hier rustig zou zijn...' zei Graziano tevreden en hij pakte haar bij de hand en leidde haar naar een inhammetje, een strandje van modder waar het water kalm was. 'Vind je het mooi?'

'Heel erg.' De kreten van de badgasten waren verdwenen, gedoofd door het geklater van de waterval.

Eindelijk kon Flora zich helemaal in het water dompelen en warm worden. Graziano kwam dichterbij en sloeg zijn armen om haar middel en begon haar in haar hals te kussen. Rillingen van genot kropen langs haar nek. Ze pakte zijn armen vast en zag dat er op zijn rechterbovenarm een tatoeage zat. Een geometrische figuur. Hij was gespierd en sterk. En met die natte, lange haren, vastgekleefd aan zijn hoofd, en met die modder die hem bedekte, leek hij wel een inboorling uit Nieuw Guinea.

Hij is zo mooi...

Ze trok hem naar zich toe, rukte aan hem, sloeg hem, boorde haar nagels in zijn huid en zocht gretig zijn mond en drukte haar tanden in zijn lippen, vond met haar tong zijn tong, zijn verhemelte, trok haar tong terug en likte hem en ging toen op het strandje liggen. Klaar voor wat er komen zou.

87

En Graziano?

Graziano was ook klaar voor wat er komen zou. Wat dacht je.

Hij had beneden, in de andere poelen, naar Roscio en de anderen gezocht maar het was daar zo'n chaos dat hij ze niet had kunnen vinden. Misschien waren ze niet eens gekomen.

Eigenlijk kan me dat niets verdommen. Sterker nog, het is maar beter ook. Ze zouden alles verpesten.

Hij bleef almaar tegen zichzelf zeggen dat het een rotstreek was geweest om haar die *Spiderman* te geven. Als hij die niet had gegeven was alles veel mooier geweest, veel echter. Ook zonder dat pilletje had hij haar meegenomen naar Saturnia. Flora was hem gevolgd langs de poelen zonder te praten, zonder zich te verzetten, zonder te protesteren, als een hondje dat zijn baasje volgt.

Hij drukte haar tegen zich aan, legde zijn mond naast haar oor en begon zachtjes tegen haar te zingen. 'O poppedeintje, poppetje mijn, o lief klein meisje, meisje zo zoet, o klein klein bloempje, mijn bloempje zo fijn...' Hij trok haar bh uit en pakte haar borsten in zijn handen, 'bloempje zo klein, meisje zo fijn, popje zo zoet.'

Hij begon ze te likken en in de tepels te bijten terwijl hij zijn gezicht erin liet wegzakken en de geur van de van zwavel doordrongen modder opsnoof.

Hij trok zijn zwembroek uit en leidde haar naar waar het water dieper was, ze hurkten neer op rotsen onder water.

Hij pakte haar hand en bracht die naar zijn lul.

Ze had hem in haar hand.

Hij was hard en groot, maar de huid was zacht.

Ze vond het fijn om hem aan te raken. Ze had het gevoel dat ze een paling tussen haar vingers had. Ze streelde hem en de huid trok zich terug en ontblootte het uiteinde.

Wat ben ik aan het doen...? Maar ze belette zichzelf erover na te denken.

Ze raakte zijn ballen aan, speelde er een beetje mee en besloot toen dat het genoeg was, dat het moment was aangebroken, ze had er ongelooflijk veel zin in, ze moest het doen.

Ze trok haar slipje uit en gooide het op een steen. Ze drukte hem hard tegen zich aan en voelde zijn erectie tegen haar buik duwen en ze fluisterde in zijn oor: 'Graziano, alsjeblieft, doe voorzichtig. Ik heb het nog nooit gedaan.'

Het was overduidelijk.

Hoe kon hij het niet begrepen hebben?

Wat een bruut was hij! Ze was maagd en hij had het niet begrepen. Hij, die meer vrouwen had gehad dan pizza's margherita, had het niet begrepen. Die hartstochtelijke en tegelijkertijd zo onhandige kussen... Hij had gedacht dat dat door de *Spiderman* kwam, maar nee, het kwam omdat ze nog nooit iemand had gekust.

Hij vond zichzelf een lompe baviaan.

Hij sloeg een arm onder haar borsten en trok haar op het strandje.

Hij strekte haar uit in de modder.

Het was een delicate operatie, haar te ontmaagden. Het moest goed gebeuren.

Hij keek haar in de ogen en las er een verwachting en een angst in die hij nooit had gezien bij de mokkels die hij gewoonlijk aan de Romagnoolse kust versierde.

Dit is pas echt neuken... 'Rustig maar, maak je geen zor—' bracht hij gesmoord uit, hij gooide zijn haar naar achteren en ging voor haar op zijn knieën zitten. 'Ik doe je geen pijn.'

Hij spreidde haar benen (ze trilde) en pakte met zijn rechterhand zijn lul vast en vond met zijn linkerhand haar kut, hij opende haar schaamlippen (ze was nat) en met een snelle beweging schoof hij een kwart naar binnen.

90

Hij was bij haar naar binnen gegleden.

Flora hield haar adem in.

Ze klauwde met haar handen in de modder.

Maar de pijn, de zo gevreesde, verschrikkelijke, mythische en verscheurende pijn, bleef uit.

Nee. Het deed geen pijn. Flora wachtte, met open mond, zonder te ademen.

De binnendringer in haar ging steeds dieper.

'Ik ga door... Zeg me als het pijn doet.'

Flora hapte naar adem en haar borst ging als een blaasbalg op en neer. Ze hijgde in afwachting van de pijn die niet kwam. Ze voelde zich gevuld, dat wel, en die paal van vlees drukte nu in haar maar zonder haar pijn te doen.

Ze werd zo in beslag genomen door het zoeken naar de pijn dat ze het genot helemaal vergat.

Ze zag het in Graziano's ogen.

Hij leek door de duivel bezeten en kreunde en ging steeds sneller en krachtiger heen en weer en hij pakte haar heupen vast en was boven op haar en Flora lag onder met dat ding in zich. Ze sloot haar ogen. Ze omklemde zijn rug als een apenjong en tilde haar benen op om hem makkelijker te laten binnenkomen.

Een hortende uitademing in haar oor.

Hij zakte in haar weg. Helemaal.

Flora voelde het. Een steek van genot die haar halsslagader dichtkneep en kriebelde in haar nek. En toen nog een. En nog een. En als ze zich liet gaan, als ze zich overgaf, voelde ze dat het nu constant was, als een radioactief element dat genot in haar ingewanden en in haar benen pulseerde en langs haar wervelkolom snelde en in haar keel terechtkwam.

'Vind je… het… fijn?' vroeg Graziano terwijl hij zijn handen in haar haar stak en haar nek omklemde.

'Ja… Ja…'

'Doet het geen pijn?'

'Neeeee…'

Hij rolde zich op een zij en met die paal in zich werd ze omhooggetild en opeens zat ze boven op hem. Het was haar beurt om te bewegen. Maar ze wist niet of ze het kon. Hij was te groot en hij zat er helemaal in. Ze voelde hem in haar buik. Graziano legde zijn handen op haar borsten, maar kon ze niet helemaal omvatten en kneedde ze hard.

Weer een steek van genot die haar de adem benam.

Hij wilde dat ze zo bleef zitten, zij bovenop, in die gênante positie, maar zij gooide zich neer en omhelsde hem en kuste hem in zijn hals en beet in zijn oor.

Ze hoorde dat Graziano's gehijg luider en luider en luider werd en *en hij mag niet… Hij mag niet in me klaarkomen. Ik gebruik niets.*

Ze moest het zeggen. Maar ze wilde niet dat deze losgebarsten razernij zou stoppen. Ze wilde niet dat hij hem eruit zou halen.

'Graziano… ik moet oppassen… Ik…'

Hij draaide zich opnieuw om. En toen hij een andere houding zocht, probeerde Flora zich aan zijn wensen aan te passen, maar ze wist niet hoe ze zich moest bewegen, wat ze moest doen.

'Graz—'

Hij had haar op haar knieën getild. Haar handen in de modder. Haar gezicht in de modder. Haar borsten in de modder. De regen op haar rug.

Als een hond…

En hij liet de vingers van een hand wegzakken in haar billen, terwijl de andere hand probeerde een borst vast te pakken die weggleed, en hij zakte in haar weg met de bedoeling hem tot in haar keel te laten komen. En…

Hij mag hem er niet uit halen.

Hij had hem eruit gehaald en misschien stond hij op het punt klaar te komen en Flora dacht dat ze doodging van de teleurstelling. Ze sputterde tegen. Maar een explosieve vlam van warmte omwikkelde haar hals, vervolgde zijn weg langs haar kaken en verspreidde zich over haar slapen en neusvleugels en oren.

'Ooo god.'

Hij raakte haar daar aan, boven haar vagina, ze begreep dat alles wat ze tot dat moment had gevoeld een grap was geweest. Kinderspel. Niets. Die vinger, op dat puntje, was in staat haar het hoofd op hol te doen slaan, haar gek te maken.

Toen spreidde hij haar benen en zij spreidde ze nog meer en misschien, *hopelijk*, wilde hij hem er weer in stoppen.

91

En hier maakte Graziano een fout.

Zoals hij een fout had gemaakt met Erica toen hij haar ten huwelijk had gevraagd, zoals hij een fout had gemaakt door dat aan al zijn vrienden te vertellen, zoals hij een fout had gemaakt toen hij Flora een *Spiderman* gaf, zoals hij bijna alle dagen van zijn vierenveertig jaren een fout had gemaakt. En het is niet waar wat ze zeggen, dat je van je fouten leert, dat is absoluut niet waar, want er zijn mensen die van hun fouten helemaal niets leren, integendeel, die blijven fouten maken terwijl ze ervan overtuigd zijn dat ze het goed doen (of terwijl ze onwetend zijn van wat ze doen). En met dat soort mensen is het meestal slecht leven, maar overigens betekent dat ook niets, want deze mensen overleven hun vergissingen en leven verder en groeien en beminnen en zetten weer nieuwe mensen op de wereld en worden oud en blijven fouten maken.

Dat is hun vervloekte lot.

En dat was het lot van onze trieste dekhengst.

Wie weet wat er door zijn hoofd ging, wie weet wat hij dacht en hoe hij dat in zijn brein regelde, dat rampzalige idee.

Graziano wilde meer. Hij wilde de cirkel sluiten, hij wilde de krent in de pap, hij wilde gouden bergen, hij wilde komen, zien en overwinnen, hij wilde de huid en de beer, wie weet wat hij allemaal nog meer wilde, hij wilde haar ontmaagden, van voren én van achteren.

Hij wilde de kont van Flora Palmieri.

Hij spreidde haar billen, spuugde erop en duwde zijn lul in die samengetrokken ster.

92

Het was alsof er een dakpan op je hoofd valt.

Zonder waarschuwing.

De pijn vlamde als een elektrische schok, scherp als een glasscherf. En hij moest niet daar zijn, hij was...

Neeee! Hij is bezig me te—

Ze boog naar rechts, strekte tegelijkertijd haar linkerbeen en gaf Graziano Biglia met haar hiel een schop tegen zijn adamsappel.

93

Graziano vloog achterover. Met gespreide armen. Met open mond. Op zijn rug.

Het duurde eindeloos.

En toen zakte hij weg in die warme brij. Hij sloeg met zijn hoofd tegen een steen. En kwam weer boven.

Verlamd.

Hij was gehuld in een zwarte kap, opgelicht door plotselinge flitsen van gekleurd licht.

Waarom heeft ze me geschopt?

De stroom voerde hem mee naar de bocht in het midden van de poel. Hij gleed over met algen bedekte rotsen als een op drift geraakt vlot. Zijn hielen wreven over de blubberige bodem.

Ze had hem waarschijnlijk geraakt op een van die speciale punten, een van die punten die een man tot pop maken, een van die punten die alleen de Japanse vechtmeesters kenden.

Wat gek...

Hij kon wel denken maar hij kon zich niet bewegen. Hij voelde bij voorbeeld wel de koude regen op zijn gezicht en hij realiseerde zich dat de lauwe stroom hem naar de waterval voerde.

94

Flora was neergehurkt achter een rots.

Oom Armando dreef midden in de rivier. Hij kon het niet zijn. Oom Armando woonde in Napels. Dat daar was Graziano. Maar ze zag almaar de buik van oom Armando boven het water als een eiland-je tussen de zwaveldampen uitsteken en zijn neus als een haaienvin door het water klieven.

En nu zou de rivier oom Armando of wie het dan ook was wegvoe-ren.

Oom Armando/Graziano hief met moeite een arm op. 'Flora... Flora... Help me...'

Nee, ik help je niet... Nee, ik help je niet...

(*Flora, dat is oom Armando niet.*) Zo, eindelijk praatte haar moeder weer tegen haar.

Hij is walgelijk. Hij probeerde me...

'Flora, ik kan me niet bew—'

(*Hij komt in de waterval terecht...*)

'Help. Help.'

(*Doe iets. Vooruit. Hou op met die onzin. Toe.*)

Op handen en voeten ging Flora het water in. Ze hield zich vast aan de takken van de bomen om niet door het water te worden meege-sleurd. Maar een tak brak af en ze belandde in het diepe water en ze begon te spartelen en te spugen, meegevoerd door de stroming. Ze probeerde weer aan de kant te komen, maar tevergeefs. Ze draaide zich om en zag het lichaam van Graziano op een paar meter afstand van de rand van de waterval drijven. Hij was blijven steken op een rots, maar vroeg of laat zou de stroming hem weer meevoeren en hem de afgrond in sleuren.

'Flora? Flora? Waar ben je?' Graziano's stem klonk als die van een dove die de weg kwijt is. Bezorgd maar niet doodsbang. 'Flora?'

'Ik kom er—' Ze kreeg twee liter smerig water naar binnen. Ze hoestte en stortte zich zwaaiend met haar armen opnieuw naar het midden van de stroom en ging tussen twee puntige rotsen door en hield zich vast aan een andere rots.

Graziano was een meter verderop. De waterval drie.

Flora spande haar arm, strekte die uit en ze was er, godallemachtig, ze was er, het waren die vervloekte tien centimeter die haar beletten Graziano's grote teen die uit het water stak vast te pakken.

Ik mag hem niet verliezen...

'Graziano! Graziano, steek je voet uit. Ik kan er niet bij,' gilde ze in een poging om het gedreun van de waterval te overstemmen.

Hij gaf geen antwoord meer (*Hij is dood! Hij kan niet dood zijn*), maar toen: 'Flora?'

'Ja! Hier ben ik! Gaat het?'

'Ja, het gaat wel. Ik denk dat ik met mijn hoofd ergens tegenaan ben gestoten.'

'Sorry. Het spijt me. Ik wilde je niet raken! Het spijt me zo.'

'Nee, het spijt mij. Ik heb een fout gemaakt...'

Ze stonden aan de rand van een waterval, met een stroming die te sterk was om te ademen, en ze maakten elkaar excuses als twee oude dametjes die waren vergeten elkaar kerstkaarten te sturen.

'Graziano, strek je voet uit.'

'Ik probeer het.'

Flora strekte haar arm uit. En Graziano zijn voet. 'Ik heb je vast! Ik heb je vast! Graziano, ik heb je vast!' schreeuwde Flora, en ze moest lachen en gillen van vreugde. Ze had zijn grote teen vast en zou hem niet loslaten. Ze leunde steviger tegen de rots en begon aan hem te trekken en haalde hem naar zich toe, hem wegrukkend van de stro-ming, en toen ze hem eindelijk had, drukte ze hem tegen zich aan en hij drukte haar tegen zich aan.

En er werd gekust.

11 december

95

Gedurende de eerste uren van 11 december verbeterde de weerssituatie.

De Siberische storing die was blijven hangen boven de Middellandse Zee en die kou, wind en regen uitstortte boven ons schiereiland en boven Ischiano Scalo, werd verdrongen door een hogedrukfront afkomstig uit Afrika, die de hemel helder maakte en klaar om de zon opnieuw te verwelkomen, die inmiddels als vermist was opgegeven.

96

Om kwart over acht die ochtend werd Italo Miele ontslagen uit het ziekenhuis.

Met zijn verbonden neus en die twee paarse medaillons om zijn ogen leek hij op een oude bokser die ervan langs heeft gekregen en neerstort op het canvas.

Hij werd opgehaald door zijn zoon en zijn echtgenote, die hem in de 131 zetten en naar huis brachten.

97

Omstreeks datzelfde tijdstip zat Alima, samen met een stuk of honderd andere Nigerianen, in een grote wachtruimte van het vliegveld Fiumicino. Ze zat met haar armen over elkaar heen op een bankje en probeerde te slapen.

Ze had niet de flauwste notie van wanneer ze zou vertrekken.

Niemand nam de moeite de clandestiene reizigers te informeren over hun repatriëring. Ze wist in elk geval zeker dat ze uiteindelijk op een vliegtuig zou worden gezet.

Ze had zin in warme melk. Maar voor de drankautomaat stond een rij van een kilometer.

Ze zou terugkeren naar haar dorp en haar drie kinderen terugzien, dat was een schrale troost.

En verder?

En verder wilde ze nergens over nadenken.

98

Lucia Palmieri lag in haar bed. Levend en wel.

Flora slaakte een zucht van verlichting. 'Mamaatje, hoe gaat het?'

Ze had die nacht alweer van de zilverkleurige koalabeertjes gedroomd. Ze droegen het lijk van haar moeder op hun rug langs de Via Aurelia, die volkomen verlaten was. Langs de weg waren stenen, cactussen, coyotes en ratelslangen.

Flora was wakker geworden in de stellige overtuiging dat haar moeder dood was. Ze was wanhopig uit bed gesprongen en naar het slaapkamertje gesneld, ze had het licht aangedaan, maar...

'Mamaatje... Sorry. Ik weet het, het is laat... Je hebt zeker honger, hè? Je krijgt meteen eten...'

Ze had haar in de steek gelaten. Voor één nacht was haar moeder niet het middelpunt van haar gedachten geweest.

Ze maakte de fles klaar. Ze stopte die in haar mond. Ze leegde de zakjes. Ze kamde haar haar. En ze gaf haar een kus.

Daarna ging ze douchen.

Haar huid en haren waren doordrenkt van zwavel. Ze moest ze een paar keer spoelen om die vieze lucht eruit te krijgen. Toen ze klaar was met douchen droogde ze zich af en bekeek zichzelf in de spiegel.

Ze had een afgemat gezicht. En kringen onder haar ogen. Maar haar ogen glansden en straalden als nooit tevoren. Ze voelde zich niet moe, hoewel ze nauwelijks een paar uur had geslapen. En de dronkenschap was verdwenen zonder hinderlijke nawerkingen. Ze smeerde haar lichaam in met vochtinbrengende lotion en ontdekte dat ze pijnlijke schaafwonden en blauwe plekken op haar benen en rug had. Dat was waarschijnlijk gebeurd toen de stroom haar tussen de rotsen van de waterval had gesleurd. Ook haar tepels waren rood. En haar vingertoppen deden pijn.

Ze ging op het krukje zitten.

Ze opende haar benen en inspecteerde zichzelf. Ook daar was alles normaal, ook al voelde het lichtelijk geïrriteerd.

Zo bleef ze in de dampige badkamer, voor de beslagen spiegel, naar zichzelf zitten kijken.

In haar geest werd almaar dezelfde pornofilm afgedraaid: *Sex in de warmwaterbronnen.*

De poelen. De warmte. Graziano. Het meertje. De kou. De mensen. De muziek. De sex. De geur. De sex. De rivier. De sex. De trap. De angst. De waterval. De sex. De warmte. De kussen.

Een wirwar van herinneringen en gevoelens krioelde door haar heen en als haar gedachten bij bepaalde scènes bleven stilstaan, kreeg ze kippenvel op haar armen van schaamte.

Wat bezielde me?

Haar lichaam had goed gereageerd, dat wel. Het was niet afgebrokkeld, het was niet in duizend stukjes uiteengevallen. Het was niet veranderd in een cocon.

Ze raakte haar borsten, haar benen, haar buik aan. Ondanks de blauwe plekken en de schaafwonden leek haar lichaam wel steviger, voller, en uit die spierpijn bleek dat het leefde en goed reageerde op bepaalde prikkelingen.

Een lichaam dat geschikt was voor sex.

In de afgelopen jaren had ze zich duizenden keren afgevraagd of ze, als het puntje bij paaltje kwam, in staat zou zijn tot een sexuele relatie, of het niet te laat was en of haar lichaam en geest zo'n invasie zouden kunnen accepteren of juist zouden weigeren, en of haar handen in staat waren zich vast te klampen aan een rug en of haar lippen een vreemde mond konden kussen.

Het was gelukt.

Ze was tevreden over zichzelf.

In een parallel universum had Flora Palmieri, met datzelfde lichaam maar met een ander brein, een ander persoon kunnen zijn. Dan had ze voor het eerst de liefde bedreven op haar dertiende, gehouden van vleselijk genot, en een promiscue sexleven gehad – ze had hordes mannen aangetrokken, ze had haar lichaam kunnen gebruiken om geld mee te verdienen, haar tieten laten zien op de omslagen van weekbladen, een beroemde pornoster kunnen zijn.

Ze had elk bedrag betaald om een video te hebben van de sex die ze met Graziano had gehad om die nog eens en nog eens en nog eens te bekijken. Om zichzelf te zien in die standjes. Om hun gelaatsuitdrukkingen te bestuderen...

Hou op. Stop daarmee.

Ze verjoeg de beelden.

Ze poetste haar tanden, droogde haar haren en kleedde zich aan. Ze trok een zwarte spijkerbroek aan (die ze altijd aantrok als ze op het strand ging wandelen), gymschoenen, een wit katoenen T-shirt en een zwarte trui. Ze begon haarspeldjes in haar haar te steken maar bedacht zich. Ze haalde ze er weer uit en liet haar haar loshangen.

Ze ging naar de keuken. Ze trok het rolluik omhoog en een zonnestraal kwam de ruimte binnen en verwarmde haar hals en schouders. Het was een mooie, koude dag. De hemel was blauwer dan ooit en de bladeren van de eucalyptus op de binnenplaats werden bewogen door een briesje. Een groepje meeuwen zat als kippen op stok op de rode aardklompen midden in het omgeploegde land aan de overkant van de weg. De vinken en mussen kwetterden in de bomen.

Ze zette koffie, verwarmde de melk en liep op haar tenen naar de in schaduw gehulde woonkamer. In haar handen droeg ze het dienblad met het ontbijt.

Graziano sliep opgerold op de bank. De zwart-wit geruite deken lag als een zak om hem heen. Op de grond lagen zijn laarzen en kleren rommelig neergegooid.

Flora ging zitten op de stoel.

99

Fausto Coppi was de beste wielrenner ter wereld. De snelste. Maar vooral de sterkste. Hij werd nooit moe. Hij was een meester. En hij gaf nooit op. Hij gaf zich nooit over.

Nooit.

En jij bent Fausto Coppi.

Pietro trapte, trapte, trapte. Zijn mond wijdopen. Zijn gezicht vertrokken van vermoeidheid. Zijn hart dat bloed door zijn aderen pompte. Vliegjes in zijn ogen. Vuur in zijn longen.

Ze komen eraan.

Het onverdraaglijke gebrom van de afgezaagde uitlaat.

Wonnen ze terrein?

Ja. Ja, beslist.

Ze waren al dichterbij.

Hij wilde zich omdraaien om te kijken. Maar hij kon niet. Als hij dat had gedaan, had hij zijn evenwicht verloren, en evenwicht is voor een wielrenner alles – met evenwicht en de juiste houding word je nooit moe – en als hij zich nu omdraaide zou hij zijn evenwicht verliezen en vertragen, en zou alles verloren zijn. En dus trapte hij verder in de hoop dat ze hem niet zouden inhalen.

(*Wat kan het je schelen. Je moet fietsen en daarmee uit. Jij bent aan het fietsen om het menselijk record te verbeteren. Je fietst niet voor hen. Je fietst tegen de wind. Jij bent de haas die door de windhonden wordt achtervolgd. Die twee achter je dienen alleen maar om nog harder te fietsen. Jij bent het snelste jongetje ter wereld.*) Dat zei de grote Coppi tegen zichzelf.

100

'Weet je eigenlijk wel wat een kutbrommer jij hebt? Je moet harder! Je moet harder, verdomme!' foeterde Federico Pierini die Fiamma omklemde.

'Ik kan niet harder!' tierde Fiamma, die op zijn beurt het stuur van de Ciao omklemde. 'Nu grijpen we hem. Zodra hij vaart mindert is hij de klos.'

Natuurlijk had Fiamma gelijk, zodra de Eikel inzakte zouden ze hem grijpen. Waar kon hij heen? De weg voerde meer dan vijf kilometer recht door de landbouwvelden.

'Als ik dat had geweten had ik de opgevoerde Vespino van mijn neef genomen. Dan hadden we pas echt lol kunnen hebben,' mopperde Fiamma.

'En het pistool? Heb je het pistool?'

'Nee. Dat heb ik niet meegenomen.'

'Wat een rund ben je! We hadden nu op hem kunnen schieten. Kun je je de knal al voorstellen?' barstte Pierini in lachen uit.

101

Ze kwamen steeds dichterbij.

En Pietro begon moe te worden.

Hij probeerde zijn ademhaling constant te houden, zich te blijven concentreren en ritmisch op de pedalen te trappen om te veranderen in een menselijke motor, één te worden met de fiets en zich te ontwikkelen tot één volmaakt wezen van vlees en bloed en spieren en buizen en spaken en wielen. Hij probeerde nergens aan te denken. Zijn hoofd leeg te maken. Pure concentratie en vastberadenheid op te brengen, maar...

Zijn vervloekte benen begonnen stijf te worden en zijn hoofd begon zich te vullen met nare beelden.

Jij bent Fausto Coppi. Je mag niet opgeven.

Hij voerde de snelheid nog iets op en het geluid van de brommer werd zwakker.

Het was een zinloze koers. Over een weg die geen einde had. Midden tussen de akkers. Tegen een brommer. Als ze hem uiteindelijk inhaalden, zou hij zelfs niet meer de kracht hebben rechtop te blijven staan.

(Je kunt net zo goed stoppen...)

Wielrenners verliezen omdat ze denken dat de overwinning een betekenis heeft. De overwinning heeft geen betekenis. Het doel is niet de overwinning. Het doel is wielrennen. Fausto Coppi sprak tegen hem. *Wielrennen totdat je erbij neervalt.*

Het geluid achter hem werd weer luider.

Ze kwamen steeds dichterbij.

314

Op de terugweg van Saturnia had Flora gereden.

Graziano was er niet toe in staat. De bult was groot en zijn hoofd deed pijn. Hij had zijn hand op haar bovenbeen gelegd en was in slaap gevallen.

En Flora was met natte haren en natte kleren achter het stuur gaan zitten, had glibberend en slippend het stijgende modderweggetje bedwongen en was naar Ischiano Scalo gereden.

Zwijgend.

Een lange rit vol gedachten.

Wat zal er na dit alles gebeuren?

Dat was de duizend puntenvraag die door haar hoofd bleef dreunen terwijl ze schakelde, gas gaf en remde om heuvels op en af te rijden, weilanden te doorkruisen, door bossen en slapende gehuchten te rijden.

Wat zou er na dit alles gebeuren?

Er waren veel antwoorden mogelijk. Een hele reeks kwam spontaan in haar op en er waren gevaarlijke antwoorden bij die niet in overweging genomen moesten worden (reizen, verre eilanden, huisjes op het platteland, kerken, kinde—).

Om een rationeel antwoord op die vraag te geven, zo had Flora tegen zichzelf gezegd, moest ze nagaan wie Graziano was en wie zij was.

Helder.

En Flora voelde zich, om drie uur 's nachts, na alles wat er gebeurd was, helder en logisch.

Ze had naar Graziano gekeken die tegen het raampje lag te slapen en had haar hoofd geschud.

Nee.

Ze waren te verschillend om samen een toekomst te hebben. Graziano zou binnenkort naar dat Valtur-vakantiedorp gaan en daarna naar een of ander exotisch land vertrekken en duizend andere avonturen beleven en haar vergeten. Zij daarentegen zou verdergaan met haar gewone leventje, naar school gaan en voor haar moeder zorgen en 's avonds televisie kijken en vroeg naar bed gaan.

Zo was de situatie en

(*Denk maar niet dat die man voor jou zal veranderen...*)

dus was het duidelijk dat zij samen niets konden hebben.

Het is zomaar iets... Een avontuurtje voor een nacht. Bekijk het van die kant, dat is veel beter. Het gaat alleen om de sex.

Het gaat alleen om de sex. Tegen wil en dank moest ze glimlachen.

Het deed pijn, maar zo was het. En toen ze op die rots was geklauterd was ze, hoewel ze in de war en volkomen van de wereld was, dat steeds tegen zichzelf blijven zeggen (*je bent maar een van de vele op zijn lijst... en daar moet je blij mee zijn*), en dan mocht ze zich nu niet overgeven aan fantasieën als een grasgroen meisje.

Maar ik ben zo groen als gras.

Het was gevaarlijk zich over te geven aan fantasieën. Flora was hard geworden om de tegenslagen van het leven te kunnen weerstaan, maar ze vermoedde dat ze voor bepaalde krenkingen kwetsbaar was.

Graziano had gediend om een vrouw van haar te maken.

Meer niet.

Ik moet sterk zijn. Dat ben ik altijd geweest.

(*Je moet hem niet meer zien.*)

Ik weet het, ik moet hem niet meer zien.

(*Nooit meer.*)

Maar toen ze in Ischiano Scalo waren aangekomen en de nacht minder nacht was, Flora de auto voor de fourniturenwinkel had geparkeerd en ze op het punt stond Graziano wakker maken en te zeggen dat zij naar huis zou lopen, bedacht ze zich.

Ze had een kwartier in de auto gezeten en haar hand uitgestoken naar Graziano en die vervolgens weer teruggetrokken, en uiteindelijk had ze de auto gestart en hem meegenomen naar haar huis.

Ze had hem op de bank gelegd.

Dan zou ze hem kunnen helpen als hij nog ergens pijn zou hebben.

Dat is wat ik het beste kan.

Nee, zo kon het niet eindigen.

Dat zou afschuwelijk zijn. Ze moest nog één keer met hem praten en hem zeggen hoe belangrijk die nacht voor haar was geweest, en dan zou ze hem voorgoed laten gaan.

Net als in films.

103

Schorsing is een vreemde zaak.

Het is de zwaarste straf van allemaal, maar in plaats van je dag en nacht in school op te sluiten op water en brood, sturen ze je een week met vakantie.

Het is natuurlijk niet echt een fijne vakantie, vooral niet als je vader heeft gezegd dat hij absoluut niet van plan is om met de leraren te gaan praten.

Pietro lag de hele nacht te piekeren hoe hij dat probleem moest oplossen. Het aan zijn moeder vragen was zinloos. Die zou nog eerder met Zagor praten. En als er nu eens helemaal niemand zou gaan?

De onderdirectrice zou naar huis bellen en als papa zou opnemen terwijl hij net zo'n dag had dat hij zich overal kwaad om maakte... beter maar niet aan denken, en als mama zou opnemen zou ze lijzig ja en nee brommen, zweren op het hoofd van haar zoons dat ze de volgende dag zou komen en vervolgens niet gaan.

En die twee zouden terugkomen.

In hun groene Peugeot 205 met Romeins nummerbord.

De maatschappelijk werkers (een term die geen moer betekende, maar die Pietro veel meer angst inboezemde dan drugsdealer of gemene heks).

Die twee.

De man lang, dun, groot, met een loden jas, een grijs baardje, haar dat in plukjes op zijn voorhoofd was geplakt en dunne lippen die juist met lipgloss ingesmeerd leken.

De vrouw klein, met een geborduurde maillot, veterschoenen, duimdikke brillenglazen en geblondeerd haar zo dun als spinrag en zo strak naar achteren getrokken dat het leek of de huid van haar voorhoofd elk moment zou openbarsten als de versleten bekleding van een oude fauteuil.

Die twee waren verschenen na de toestanden met de katapult, met Poppi, met het dak van Contarello en met de rechtbank.

Die twee die hem een en al glimlach naar de docentenkamer hadden laten komen terwijl zijn klasgenootjes buiten speelden en hem op een stoel hadden neergezet en hem dropkauwgom, wat hij smerig vond, en Mickey Mouse-strips, die hij stom vond, hadden gegeven.

Die twee die een heleboel vragen hadden gesteld.

Vind je het fijn in je klas? Vind je leren leuk? Heb je plezier? Heb je vrienden? Wat doe je na school? Speel je wel eens met papa? En met mama? Is mama verdrietig? En hoe gaat het met je broer? Wordt je vader wel eens boos op je? Maakt hij ruzie met mama? Houdt hij van haar? Geeft hij je 's avonds een kusje voor het slapen gaan? Drinkt hij graag wijn? Helpt hij je bij het uitkleden? Doet hij wel eens vreemde dingen? Slaapt je broer bij jou op de kamer? Hebben jullie plezier samen?

Die twee.

Die twee die hem wilden wegbrengen. Naar een instituut brengen.

Pietro wist het. Mimmo had hem dat verteld. '*Pas maar op, ze halen je op, ze nemen je mee en brengen je naar een instituut voor spasten en kinderen van verslaafden.*' En Pietro had gezegd dat hij de beste familie van de wereld had en dat ze 's avonds met zijn allen een kaartje legden en films op de tv keken en dat ze 's zondags altijd in het bos gingen wandelen en dat Zagor dan ook meeging en mama was lief en papa was lief en hij dronk niet en zijn broer maakte tochtjes met hem achterop de motor en hij was oud genoeg om zichzelf aan en uit te kleden en te wassen (*Maar wat zijn dat eigenlijk voor vragen?*).

Antwoorden was makkelijk geweest. Terwijl hij sprak dacht hij aan het kleine huis op de prairie.

Ze waren vertrokken.

Die twee.

Gloria had om acht uur 's ochtends opgebeld en gezegd dat als Pietro niet naar school ging, zij ook niet ging. Uit solidariteit.

De ouders van Gloria waren weg. Ze zouden de ochtend samen zijn en een manier bedenken om meneer Moroni over te halen om toch op school te gaan praten.

Pietro was op zijn fiets gestapt en naar de villa van de Celani's gereden. Zagor was nog een kilometer met hem meegerend en toen teruggegaan naar huis. Pietro was de weg naar Ischiano ingeslagen en de zon scheen en de lucht was warm en na al die regen was het heerlijk om rustig te fietsen met die warme zonnestralen in je rug.

Maar plotseling, zonder aankondiging en zonder waarschuwing, was er een rode Ciao achter hem opgedoemd.

En Pietro was harder gaan trappen.

Flora zat op de fauteuil in de woonkamer naar de slapende Graziano te kijken.

Zijn lippen waren halfopen. Er sijpelde wat speeksel langs zijn mondhoek. Hij snurkte zachtjes. Het kussen had rode strepen op zijn voorhoofd gedrukt.

Wat gek. In minder dan vierentwintig uur tijd was haar hele houding ten opzichte van Graziano honderdtachtig graden omgeslagen. De dag daarvoor, toen ze hem had ontmoet in de Stationsbar en hij haar had benaderd, had ze hem onbeduidend en vulgair gevonden. En nu, hoe meer ze naar hem keek des te mooier hij werd, aantrekkelijker dan welke man dan ook die ze ooit had gekend.

Graziano deed zijn ogen open en glimlachte naar haar.

Flora glimlachte op haar beurt naar hem. 'Hoe voel je je?'

'Goed, geloof ik. Ik weet het niet helemaal zeker.' Graziano wreef over zijn hoofd. 'Ik heb een behoorlijke bult. Wat doe jij daar in het donker?'

'Ik heb een ontbijtje voor je gemaakt. Maar dat zal nu wel koud zijn geworden.'

Graziano strekte een hand naar haar uit. 'Kom eens bij me.'

Flora zette het dienblad op de grond en liep verlegen naar hem toe.

'Ga zitten.' Hij maakte wat ruimte vrij op de bank. Flora ging stijfjes zitten. Hij pakte haar hand. 'Nou?'

Flora probeerde te glimlachen. (*Zeg het hem.*)

'Nou?' herhaalde Graziano.

'Wat nou?' mompelde Flora terwijl ze in zijn hand kneep.

'Ben je blij?'

'Ja...' (*Zeg het hem.*)

'Dat losse haar staat je goed... Veel beter, waarom draag je het niet altijd zo?'

Graziano, ik moet met je praten... 'Ik weet niet.'

'Wat is er? Je doet zo vreemd...'

'Niets...' *Graziano, we kunnen elkaar niet meer zien. Het spijt me.* 'Heb je honger?'

'Een beetje. Gisteravond hebben we uiteindelijk toch niet gegeten.

Ik weet het niet meer…'

Flora stond op, pakte het dienblad en liep naar de keuken.

'Wat ga je doen?'

'Je koffie opwarmen.'

'Laat maar. Ik drink hem zo wel op.' Graziano kwam overeind, ging zitten en rekte zich uit.

Flora schonk de koffie met melk in en keek toe hoe hij die dronk en de biscuitjes erin doopte en ze begreep dat ze van hem hield.

Zonder dat ze het wist was er die nacht in haar een dijk doorgebroken. En de genegenheid, jarenlang opgeborgen in een donker plekje van haar ziel, was naar buiten gestroomd en binnengedrongen in haar hart, haar hoofd, haar alles.

Ze kon geen adem halen en langzaam maar zeker steeg er een brok op naar haar keel.

Hij was klaar met eten. 'Dank je.' Hij keek op zijn horloge. 'Jezus, ik moet gaan. Mijn moeder zal wel gek van bezorgdheid zijn,' zei hij op een wanhopige toon. Hij kleedde zich snel aan en trok zijn laarzen aan.

Flora, op de bank, keek zwijgend toe.

Graziano keek even in de spiegel en schudde ontevreden zijn hoofd. 'Geen gezicht, ik moet meteen onder de douche.' Hij trok zijn jas aan.

Hij gaat weg.

En alles wat Flora had gedacht in de auto was waar, en er viel niets meer te zeggen, er viel niets meer uit te leggen want nu ging hij weg, en dat was normaal en goed, ze had alles gekregen wat ze wilde en er viel niets meer te bespreken en niets meer toe te voegen en hartelijk dank en tot ziens en dat was afschuwelijk, nee, het was beter zo, veel beter.

Ga maar weg. Ga maar weg, dat is beter.

105

Hij raasde voort als een speer, de Eikel.

Hij had een goed uithoudingsvermogen, dat zeker. Maar het was verspild uithoudingsvermogen. Want vroeg of laat zou hij moeten stoppen.

Waar moet je heen?

De Eikel had geklikt en moest gestraft worden. Pierini had hem gewaarschuwd, maar hij was eigenwijs geweest, hij was een verrader en moest daar nu de wrede consequenties van dragen.

Eenvoudig.

Eigenlijk was Pierini er helemaal niet zo zeker van dat Moroni had geklikt. Het had net zo goed die trut Palmieri geweest kunnen zijn. Maar in feite deed dat er niet toe. Moroni moest een handje worden geholpen om zich in het vervolg beter te beheersen. Hij moest begrijpen dat de woorden van Federico Pierini zeer, zeer serieus genomen moesten worden.

Met Palmieri zou hij later wel afrekenen. Heel kalm.

Beste juf, wat ziet uw mooie Y10 er opeens lelijk uit.

'Hij gaat langzamer rijden... Hij kan niet meer. Hij is op,' gilde Fiamma opgewonden.

'Ga naast hem rijden. Dan geef ik hem een schop en dan valt hij.'

106

Flora was zo kil. Ze leek wel iemand anders. Het was alsof ze, als ontbijt, een ijsblok had ingeslikt. Graziano had heel sterk het gevoel dat ze hem niet in haar huis wilde. Dat alles afgelopen was.

Ik heb gisternacht te veel rotstreken uitgehaald.

Dus moest hij maar weggaan.

Hij bleef echter maar door de woonkamer drentelen.

Genoeg, nu ga ik het vragen. Ze kan hoogstens nee zeggen. Wie niet waagt die niet wint.

Hij ging op gepaste afstand naast Flora zitten, keek haar aan en kuste vluchtig haar mond. 'Nou, dan ga ik maar.'

'Goed.'

'Nou, dag dan.'

'Dag.'

Maar in plaats van naar de deur te lopen en te verdwijnen stak hij nerveus een sigaret op en begon weer heen en weer te lopen als een toekomstige vader die wacht op de geboorte van zijn kind. Plotseling

bleef hij midden in de woonkamer staan, vatte moed en gooide het
eruit: 'Zien we elkaar vanavond nog?'

107

Ik kan niet meer.

Uit een ooghoek zag Pietro dat ze eraan kwamen. Ze waren op tien
meter afstand.

Nu stop ik, keer om en fiets verder.

Dat was een stom idee. Maar iets beters kon hij niet bedenken.

Flarden van zijn hart krampten samen in zijn borstkas. De brand in
zijn longen had zich uitgebreid naar zijn keel en verscheurde zijn
keelholte.

Ik kan niet meer, ik kan niet meer.

'Eikel! Ga aan de kant!' schreeuwde Pierini.

Daar zijn ze.

Aan de linkerkant. Op drie meter afstand.

Als je zou afsnijden door de akkers?

Weer fout.

Langs de weg waren twee diepe greppels en al had hij de fiets van
ET gehad, dan nog zou hij daar nooit overheen komen. Hij zou er in
te pletter vallen.

Pietro zag Fausto Coppi naast hem fietsen en teleurgesteld zijn
hoofd schudden.

Wat is er?

(*Dit gaat niet goed. Ik zal je uitleggen hoe het werkt: jij bent sneller dan
die krakkemikkige Ciao. Zij kunnen alleen bij je komen als jij langzamer
fietst. Maar als jij versnelt, als je een voorsprong van tien meter neemt en
geen vaart meer mindert, kunnen ze nooit bij je komen.*)

'Hé, Eikel, ik wil alleen maar iets tegen je zeggen. Ik zal je niets
doen, dat zweer ik. Ik wil je alleen even iets uitleggen.'

(*Maar als jij versnelt, als je een voorsprong van tien meter neemt en geen
vaart meer mindert, kunnen ze nooit bij je komen.*)

Hij zag Fiamma's gezicht. Afzichtelijk. Hij kneep zijn mond tot een
grijns die op een glimlach moest lijken.

Ik rem.

(*Als je remt ben je verloren.*)

Fiamma had een kilometerlange poot uitgeworpen die uitmondde in een militair amfibievoertuig.

Ze willen me van mijn fiets schoppen.

Coppi bleef bedroefd zijn hoofd schudden. (*Je redeneert als een verliezer, als ik zo had geredeneerd zou ik nooit de grootste zijn geworden en waarschijnlijk dood en vergeten zijn. Toen ik zo oud was als jij was ik slagersknecht en lachte iedereen in het dorp me uit en zeiden ze dat ik een bochel had en dat ik er belachelijk uitzag op die fiets die zo groot was dat ik niet eens met mijn voeten bij de grond kon, maar op een dag, het was oorlog en ik bracht karbonades naar de uitgehongerde partizanen die zich hadden verschanst in een boerenhuisje…*)

Pietro werd hard opzij geduwd door een schop van Fiamma. Hij wierp zich met zijn volle gewicht naar rechts en kon zijn evenwicht bewaren. Wanhopig fietste hij door.

(*…en toen zetten twee nazi's in een zijspanwagen, die veel sneller is dan een Ciao, de achtervolging op mij in en ik begon zo hard te fietsen dat ik bijna knapte met die Duitsers achter me die me bijna te pakken hadden, maar op een gegeven moment ging ik steeds harder trappen en de Duitsers bleven achter en Fausto Coppi en Fausto Coppi en Fausto Coppi*)

108

Pierini kon het niet geloven. 'Hij smeert 'm… Kijk, hij smeert 'm… Kijk, verdomme! Jij met die kut-Ciao van je.'

De Eikel was één geworden met zijn fiets en was nog harder gaan fietsen, alsof een geest een raket in zijn kont had gestopt.

Pierini begon Fiamma tegen zijn rug te stompen en in zijn oor te gillen. 'Stop! Stop, goddomme nog aan toe! Ik wil eraf.'

De brommer remde met piepende remmen en banden. Toen hij stilstond sprong Pierini eraf. 'Eraf jij!'

Fiamma keek hem stomverbaasd aan.

323

'Snap je het niet? Met z'n tweeën krijgen we hem nooit te pakken. Eraf, en snel een beetje!'

'Maar wat...' probeerde Fiamma er nog tegenin te brengen, maar toen hij het van woede vervormde gezicht van zijn vriend zag, begreep hij dat hij maar beter kon gehoorzamen.

Pierini stapte op de brommer, draaide aan de stuurversnelling en reed schreeuwend en met zijn hoofd naar beneden weg. 'Blijf hier op me wachten. Ik maak hem af en dan kom ik terug.'

109

De Via Aurelia was een ononderbroken stroom van auto's en vrachtwagens die in beide richtingen langsschoten. En de Via Aurelia was tweehonderd meter verderop.

Pietro trapte hard door en keek hijgend om terwijl hij de gloeiende lucht inademde.

Hij had ze afgeschud, maar slechts voor even. Ze waren waarschijnlijk gestopt.

Nu komen ze eraan.

Hij was verloren.

Doe dan iets, bedenk iets...

Maar wat? Wat kon hij in godsnaam doen?

Eindelijk had hij een idee. Een idee dat in bepaalde opzichten groots en heroïsch was. Een idee dat niet echt het beste van het beste was en dat Gloria en Mimmo en Fausto Coppi (trouwens, waar was Fausto Coppi gebleven? Had hij geen adviezen meer?) en iedereen die een beetje hersenen in zijn kop had hem sterk zou hebben afgeraden, maar dat hem op dat moment de enige kans op redding leek, of op...

Niet aan denken.

Dit is wat Pietro deed.

Hij ging gewoon niet langzamer fietsen maar juist sneller, en met de weinige kracht die hem nog restte stampte hij nog harder op de pedalen en wierp zich als een blinde furie richting de Via Aurelia met de wanhopige bedoeling die over te steken.

De Eikel was volkomen gestoord. Hij had besloten een einde aan zijn leven te maken.

Heel goed. Federico Pierini had daar niets op tegen.

Moroni had deze beslissing genomen omdat hij waarschijnlijk had begrepen dat dat het enige verstandige was wat iemand als hij kon doen, er een einde aan maken.

Pierini remde af en begon enthousiast te applaudisseren. 'Goed zo. Bravo! Heel goed!'

Ze zouden hem met een theelepeltje bijeen moeten schrapen.

Hier een stukje en daar een stukje. Het hoofd? Waar is het hoofd gebleven? En de rechtervoet?

'Laat je maar afmaken! Zo mag ik je graag! Goed zo,' schreeuwde hij terwijl hij opgetogen in zijn handen bleef klappen.

Het is altijd leuk om te zien hoe iemand zichzelf van kant maakt omdat hij bang voor je is.

Pietro minderde geen vaart. Hij kneep alleen zijn ogen een beetje toe en beet op zijn lippen.

Als hij zou sterven wilde dat zeggen dat zijn tijd gekomen was, maar als hij daarentegen moest blijven leven zou hij ongedeerd tussen de auto's door komen.

Simpel.

Wit of zwart.

Buigen of barsten.

Net een kamikaze.

Pietro rekende de grijze nuances tussen de twee uitersten niet mee: verlamming, coma, verdriet, rolstoel, ondraaglijke pijn en spijt (als hij tenminste nog het vermogen had om spijt te hebben) voor de rest van zijn leven.

Hij had het te druk met bang zijn om na te denken over de gevolgen. Zelfs niet toen hij nog maar enkele tientallen meters verwijderd was van de kruising, en dat mooie bord er stond met allemaal gele knipperlichten waarop stond LANGZAAM RIJDEN, GEVAARLIJKE KRUISING. Even voelde hij de behoefte om te remmen, om te stoppen met trappen, om links-rechts-links te kijken. Hij stak gewoon de Via Aurelia over alsof die niet bestond.

En Fabio Pasquali, codenaam Rambo 26, de arme vrachtwagenchauffeur die hem als in een nachtmerrie voor zich zag opdoemen, drukte op zijn toeter en op zijn rem en zag in een flits dat zijn leven vanaf dat moment verpest zou zijn en hij de jaren die nog zouden komen zou moeten vechten tegen schuldgevoelens (de kilometerteller gaf honderdtien aan en op dat weggedeelte mocht je maar negentig), tegen de wet en de advocaten en tegen zijn vrouw, die al eeuwenlang zeurde dat hij moest stoppen met dat slopende werk en hij had er spijt van dat hij dat baantje in de banketbakkerij niet had aangenomen dat zijn schoonvader hem had aangeboden en hij slaakte een zucht van verlichting toen het jongetje op de fiets even snel was verdwenen als hij was gekomen, zonder geluid van brekende botten en krakend staal, en hij begreep dat hij gezegend was, en dat hij hem niet had gedood en hij begon te schreeuwen van blijdschap en woede.

Nadat Pietro het internationaal wegtransport had overleefd, kwam hij bij de middenberm en uit de andere richting naderde toeterend een rode Rover. Als hij had geremd zou hij eronder zijn gekomen, maar de Rover draaide abrupt naar links en reed op twee centimeter afstand achter hem langs, en door de verplaatsing van de lucht werd Pietro eerst naar rechts en toen naar links geduwd en toen hij de overkant en het weggetje naar Ischiano Scalo had bereikt, was hij volledig uit balans, remde op het grind maar het voorwiel slipte en hij gleed uit en schaafde daarbij een been en een hand.

Hij leefde.

112

Graziano Biglia verliet het appartement van Flora Palmieri, zette een paar passen op de binnenplaats en bleef toen staan, betoverd door de schoonheid van die dag.

De blauwe hemel was glashelder en de lucht zo zacht dat je voorbij de cipressen langs de weg, en voorbij de heuvels, zelfs de gekartelde toppen van de Apennijnen kon zien.

Hij sloot zijn ogen en draaide als een oude leguaan zijn gezicht naar de warme zon. Hij haalde zo diep mogelijk adem en zijn neusgaten werden doordrongen van de geur van paardenuitwerpselen die op de weg lagen.

'Dat is pas een heerlijke geur,' mompelde hij tevreden. Een aroma dat hem terug in de tijd bracht. Toen hij op zijn zestiende een hele zomer had gewerkt in de manege van Persichetti.

'Dat is wat ik moet gaan doen...'

Waarom had hij daar niet eerder aan gedacht?

Hij moest een paard kopen. Een mooi roodbruin paard. Als hij zich dan definitief in Ischiano had gevestigd (*snel, heel snel*), kon hij op mooie dagen als deze paardrijden. Lange ritten maken in het bos van Acquasparta. Hij kon met zijn paard op zwijnenjacht gaan. Maar niet met een geweer. Hij hield niet van vuurwapens, die waren helemaal niet sportief. Nee, met een kruisboog. Een kruisboog van koolstof-fiber en een legering van titanium, zoals ze in Canada gebruiken voor de jacht op grizzlyberen. Wat zou zo'n kruisboog kosten? Heel wat, maar het was een noodzakelijke uitgave.

Hij maakte drie kniebuigingen en draaide zijn nek een paar keer rond om zijn gewrichten los te maken. De onvrijwillige *rafting* in de stroomversnellingen, de botsing tegen de rotsen en het slapen op de bank hadden hem gebroken. Hij had het gevoel of iemand een voor een zijn wervels had weggehaald, door elkaar had gehutseld in een doosje en vervolgens op goed geluk had teruggezet.

Maar fysiek mocht hij dan aan gruzelementen zijn, dat kon je van zijn humeur niet zeggen. Zijn humeur was stralend als de zon.

En dat allemaal dank zij Flora Palmieri. Die magnifieke vrouw die hij had ontmoet en die Erica uit zijn hart had weggevaagd.

Flora had zijn leven gered. Ja, want als zij er niet was geweest was hij beslist met de waterval omlaag gestort en op de rotsen te pletter gevallen, amen en rust zacht.

Hij moest haar de rest van zijn leven dankbaar zijn. En zoals de Chinese monniken zeggen: als iemand je leven redt moet diegene de rest van zijn leven voor je blijven zorgen. Ze waren nu voorgoed met elkaar verbonden.

Toegegeven, het was een kolossale rotstreek van hem geweest dat hij had geprobeerd haar in haar kont te neuken. Wat had hem in godsnaam bezield? Wat was toch die sexuele belustheid van hem?

(*Bij zo'n kont komt het natuurlijk gewoon spontaan in je op...*)

Hou op. Een vrouw zegt dat ze maagd is, dat je zachtjes moet doen en nog geen vijf minuten later probeer je hem in haar kont te steken. Schaam je.)

Hij voelde hoe zijn schuldgevoel zijn middenrif verlamde.

113

Pierini wachtte om te kunnen oversteken, toen Fiamma hem inhaalde. 'Waar ga je heen?' vroeg Fiamma, buiten adem van het rennen.

'Stap achterop. Hij is aan de overkant. Hij is gevallen.'

Dat liet Fiamma zich geen twee keer zeggen en hij ging op het achterzadel zitten.

Pierini wachtte tot de weg vrij was en stak het kruispunt over.

De Eikel zat met opgetrokken knieën langs de kant van de weg en wreef over zijn bovenbeen. De vork van zijn fiets was verbogen.

Pierini reed naar hem toe en leunde met zijn ellebogen op het stuur van de Ciao. 'Het scheelde maar een haar of je was dood geweest en je had een dodelijk verkeersongeluk veroorzaakt. En nu zit je daar met je kapotte fiets en krijg je ook nog een heleboel klappen. Mijn beste, dit is beslist je dag niet.'

114

Graziano reed in zijn Uno GTI over de Via Aurelia en pijnigde ondertussen zijn hersens.

Hij moest Flora beslist zijn excuses aanbieden. Haar laten zien dat hij geen sexmaniak was, maar slechts een ongeremde man die gek van haar was.

'Het enige wat ik kan doen is haar een cadeau geven. Een mooi cadeau waar haar mond van openvalt.' Als hij reed praatte hij vaak in zichzelf. 'Maar wat? Een ring. Naaa. Te vroeg. Een boek van Hermann Hesse? Naaa. Te klein. En als ik... als ik haar nou eens een paard gaf? Waarom niet...?'

Dat was een geweldig idee. Een origineel cadeau, helemaal niet voor de hand liggend en toch indrukwekkend. Zo zou hij haar duidelijk maken dat die nacht niet zo maar iets was geweest, maar dat het hem ernst was.

'Ja. Een mooi volbloed veulen,' concludeerde hij terwijl hij met zijn vuist op het dashboard sloeg.

Ik voel dat ik van haar hou.

Het was prematuur om dat te zeggen. Maar als je iets voelt, wat kun je er dan aan doen?

Flora had alles. Ze was mooi, intelligent, verfijnd. Ze had een aanzienlijke culturele bagage. Ze schilderde. Ze las. Een volwassen vrouw die in staat was waardering op te brengen voor paardrijden, Spaanse flamencomuziek of een rustig avondje bij de open haard met een goed boek.

Heel anders dan die onnozele analfabete Erica Trettel. Was Erica een egocentrisch, grillig, egoïstisch en ijdel klein meisje – Flora was een gevoelige, warme, bescheiden vrouw.

Er was geen twijfel mogelijk, juffrouw Palmieri was al met al de ideale partner voor de nieuwe Graziano Biglia.

Misschien kan ze ook nog koken...

Met zo'n vrouw aan zijn zijde zou hij al zijn plannen kunnen realiseren. De jeansstore beginnen, en ook een boekwinkel, en een huisje vinden in het bos dat zou worden omgebouwd tot ranch met heel veel paarden en zij zou met een glimlach op haar lippen voor hem zorgen en ze zouden...

(Waarom niet?)

...kinderen krijgen.

Hij voelde zich klaar voor koters. Een meisje (*Stel je voor hoe mooi ze zou worden!*) en daarna een jongetje. Een volmaakt gezin.

Hoe had hij verdomme kunnen denken dat iemand als Erica Trettel, een hysterische, verwende hoer, de slechtste show-assistente van allemaal, hem zou hebben kunnen vergezellen tijdens de jaren van zijn ouderdom? Flora Palmieri was de zielsverwant die hij nodig had.

Wat hij alleen niet kon begrijpen, was waarom zo'n mooie vrouw zo lang maagd was gebleven. Wat was het dat haar zo lang van mannen vandaan had gehouden? Ongetwijfeld had ze problemen met sex. Hij moest erachter zien te komen wat voor problemen dat waren, er discreet naar informeren. Maar eigenlijk vond hij dat helemaal niet erg. Hij zou haar meester zijn, haar leren wat er te weten viel. Ze had aanleg. Hij zou van haar de allerbeste minnares maken.

Hij voelde dat zijn zeven chakra's eindelijk in balans waren, zodat zijn aura weer stabiel werd en hem in harmonie bracht met de universele ziel. Zijn zorgen en angsten waren in rook opgegaan en hij voelde zich licht als een ballon en had zin om allerlei dingen te doen.

Wat dat vreemde gevoel, liefde genoemd, toch niet allemaal teweeg kan brengen bij een sensitieve ziel!

Ik moet onmiddellijk mijn moeder zien.

Hij moest haar zeggen dat het afgelopen was met Erica en dan vertellen over zijn nieuwe vlam. Dan zou ze tenminste ophouden met die farce van de gelofte, alhoewel die hem eigenlijk wel goed uitkwam. De rol van stomme ging haar niet slecht af.

En daarna zou hij op zoek gaan naar een paardenfokkerij en als hij daar toch was kon hij net zo goed meteen even langsgaan bij een winkel in jacht- en visserijartikelen en kijken wat een kruisboog kostte.

'En vanavond een romantisch dineetje bij de juf,' besloot hij dolgelukkig, en hij zette de autoradio aan.

Ottmar Liebert en Luna Negra speelden een zigeunerversie van *Gloria* van Umberto Tozzi.

Graziano zette de richtingaanwijzer uit en sloeg het weggetje naar Ischiano Scalo in. 'Wat is dat verdom—?'

Langs de kant van de weg stonden twee jongetjes, een van een jaar of veertien en de ander iets ouder en groter en met een achterlijk gezicht, een klein ventje in elkaar te slaan. En ze waren beslist niet aan het spelen. Het kleintje lag als een egeltje opgerold op de grond en werd geschopt door de twee anderen.

Bij een andere gelegenheid had Graziano Biglia zich er waarschijnlijk niets van aangetrokken, had hij gewoon zijn hoofd omgedraaid en was doorgereden en had zich aan de wet 'bemoei je altijd met je eigen zaken' gehouden. Maar die ochtend voelde hij zich, zoals we al zeiden, licht als een ballon en had hij zin om van alles te doen, ook de zwakken verdedigen tegen de sterkeren, en dus remde hij, zette de auto langs de kant van de weg, opende het raampje en schreeuwde: 'Hé! Jullie daar! Jullie daar!'

De twee jongens draaiden zich om en keken hem verbijsterd aan.

Wat wilde die klootzak van ze?

'Laat hem met rust!'

De grootste van de twee keek zijn maat aan en antwoordde toen: 'Sodemieter op!'

Graziano was even met stomheid geslagen en reageerde toen geïrriteerd: 'Hoezo sodemieter op?'

Hoe haalde dat onnozele schoffie het in zijn hoofd om hem te beledigen? 'Jij zegt geen sodemieter op tegen mij, heb je dat begrepen?' blafte hij terwijl hij door het open raampje een bezwerend gebaar met zijn hand maakte.

De andere jongen, een mager, grimmig, donkerharig gozertje met een witte streep in zijn pony, toverde een misprijzend lachje te voorschijn en blafte zonder een krimp te geven terug: 'Nou, als hij het niet tegen jou mag zeggen, dan doe ik het wel: So-de-mie-ter-op!'

Graziano schudde mismoedig het hoofd.

Ze hadden het niet begrepen.

Ze hadden niets begrepen van het leven.

Ze hadden niet begrepen met wie ze te maken hadden.

Ze hadden niet begrepen dat Graziano Biglia drie jaar lang de beste vriend was geweest van Tony 'The Snake' Ceccherini, Italiaans kampioen in *capoeira*, de Braziliaanse vechtsport. En The Snake had hem een paar dodelijke trucjes geleerd.

En als zij niet onmiddellijk zouden ophouden met tekeer gaan tegen dat manneke en niet nederig vergiffenis zouden vragen, dan zou hij die trucjes eens uitproberen op hun breekbare lijfjes. 'Bied je excuses aan. Nu meteen!'

'Donder toch op,' beet de spichtige hem toe en hij draaide zich om, terwijl hij voor alle duidelijkheid weer een schop tegen het jongetje gaf, dat opgerold op de grond bleef liggen.

'Dat zullen we nog wel eens zien.' Hij gooide het portier open en stapte uit.

De oorlog was verklaard en Graziano Biglia kon daar niet blij mee zijn, want het moment waarop hij niet meer in staat zou zijn twee zulke schoffies op hun plek te zetten, zou betekenen dat het tijd was zich in een bejaardenhuis te laten opnemen.

'Dat zullen we nog wel eens eventjes zien.'

Met zijn beste orang-oetangloop stapte hij op hen af en gaf Pierini een duw, die met zijn billen op de grond belandde. Vervolgens streek hij zijn haar glad. 'Bied je excuses aan, etterbakje!'

Pierini stond groen van razende woede op en keek hem aan met een blik die zo vol was van wrok en minachting, dat Graziano er even van schrok.

'Jullie zijn net wilde beesten. Jullie gaan met zijn tweeën...' Onze paladijn kon zijn zin niet afmaken want hij hoorde achter zich een 'Aaaaahhhh!', had niet de tijd zich om te draaien, waarop de achterlijke hem om zijn keel greep met de bedoeling hem te wurgen. Hij kneep nog harder dan een boa constrictor. Graziano probeerde de alien van zich af te schudden maar dat lukte niet. Hij was sterk. De spichtige ging voor hem staan en stompte hem, zonder wie dan ook in het gezicht te kijken, vol in zijn maag.

Graziano stootte alle lucht die hij in zijn longen had uit, en begon te hoesten en te spugen. Een explosie van kleuren vertroebelde zijn zicht en hij moest zijn best doen om niet als een marionet met doorgeknipte touwtjes op de grond te zakken.

Wat was hier verdomme aan de hand?

Kinderen

Op een keer, zo'n zeven jaar voordat dit verhaal speelt, was Graziano op tournee in Rio de Janeiro samen met Radio Bengala, een wereldmuziekgroep waarmee hij een paar maanden had samengespeeld. Ze zaten met zijn vijven in een bestelbusje vol instrumenten, versterkers en luidsprekers. Het was negen uur 's avonds en ze moesten om tien uur optreden in een jazzcafé in het noordelijke deel van de stad, maar ze waren de weg kwijt.

Die vervloekte metropool was groter dan Los Angeles en smeriger dan Calcutta.

Ze worstelden met de plattegrond zonder er iets van te begrijpen. Waar waren ze in godsnaam terechtgekomen?

Ze hadden de ringweg verlaten en waren een schijnbaar onbewoonde sloppenwijk binnengereden. Barakken van golfplaat. Rottend, stinkend water dat midden over de gehavende weg stroomde. Verkoolde afvalbergen.

De klassieke kloteplek.

Boliwar Ram, de Indiase fluitist, maakte juist ruzie met Hassan Chemirani, de Iraanse percussionist, toen er uit de krotten een stuk of twintig kleine kinderen te voorschijn kwamen. De jongste was hooguit negen en de oudste dertien. Ze waren halfnaakt en liepen op blote voeten. Graziano had het raampje geopend om te vragen hoe ze uit dat oord moesten komen, maar had het vervolgens meteen weer dichtgedraaid.

Het leek wel een kudde zombies.

Uitdrukkingsloze ogen, verzonken in het niets, uitgemergelde gezichten, ingevallen wangen, bleke lippen, gebarsten alsof ze tachtig waren. In een hand klemden ze een verroest mes, in het andere een doormidden gesneden sinaasappel, doordrenkt met een of ander oplosmiddel. Die hielden ze voortdurend onder hun neus om eraan te snuiven. En allemaal sloten ze op dezelfde manier hun ogen, het leek of ze op het punt stonden op de grond te vallen, maar dan herstelden ze zich weer en liepen langzaam verder.

'Laten we hier weggaan. Nu meteen. Die kinderen bevallen me helemaal niet,' had Yvan Ledoux gezegd, de Franse toetsenist die aan het stuur zat. En hij was een lastige manoeuvre begonnen om te keren met het busje.

Intussen kwamen de kinderen zonder enige haast naderbij.

'Snel! Snel!' drong Graziano in paniek aan.

'Dat kan niet, verdomme!' brulde de toetsenist. Drie kinderen waren voor het busje gaan staan en klampten zich vast aan de ruitenwissers en de radiatorgrill. 'Kijk dan! Als ik doorrij liggen ze eronder.'

'Ga dan achteruit.'

Yvan keek in de achteruitkijkspiegel. 'Daar staan ze ook. Ik weet niet wat ik moet doen.'

Rosleyne Gasparian, de Armeense zangeres, een klein meisje met een hoofd vol gekleurde vlechtjes, krijste en klampte zich vast aan Graziano.

Buiten sloegen de kinderen ritmisch met hun handen tegen het staal en de raampjes en binnen leek het wel of ze in een trommel zaten.

De muzikanten van Radio Bengala schreeuwden het uit van doodsangst.

Het raampje aan de bestuurderskant brak. Een enorme steen en duizenden transparante vierkantjes schoten tegen de Fransman aan en verwondden zijn gezicht en een tiental kleine armpjes kronkelden naar binnen en pakten hem vast. Yvan gilde als een speenvarken terwijl hij zichzelf probeerde te bevrijden. Graziano deed pogingen die tentakels te raken met de stang van een microfoon, maar zodra een zich terugtrok kwam er een andere te voorschijn, en eentje die langer was dan de andere armen pakte de autosleutels.

De motor ging uit.

En ze verdwenen.

Ze waren er niet meer. Niet voor en niet achter de auto. Nergens.

De muzikanten drukten zich tegen elkaar aan in afwachting van iets.

De beroemde multi-etnische versmelting die ze tijdens hun concerten hadden geprobeerd te bereiken zonder daar ooit volledig in te slagen, was nu meer aanwezig dan ooit.

Toen klonk er een metaalachtig geluid.

De hendel van de schuifdeur ging naar beneden. De deur gleed langzaam over de rail. En hoe groter de opening werd, hoe meer magere kinderlijfjes ze zagen, wit gekleurd door het licht van de volle maan en met donkere ogen, en vastbesloten om te krijgen wat ze hebben wilden. Toen de deur helemaal open was stond er een groep kinderen met messen in de hand zwijgend naar ze kijken. Een van de kleinsten, negen, hooguit tien jaar, met één lege zwarte oogkas, gebaarde dat ze moesten uitstappen. Door het spul dat hij snoof was hij nog uitgedroogder dan een Egyptische mummie.

De muzikanten stapten met hun handen omhoog uit. Graziano hielp Yvan, die met de onderkant van zijn T-shirt zijn wenkbrauw depte.

De eenoog wees hen de weg.

En zonder zich om te draaien begonnen de leden van Radio Bengala te lopen door de Braziliaanse nacht.

De volgende dag zei de politie dat ze geluk hadden gehad.

115

Maar nu was Graziano niet in Rio de Janeiro.

Ik ben in Ischiano Scalo, verdomme.

Een dorp met keurige, godvrezende mensen. Waar de kinderen naar school gaan en voetballen op Piazza XXV Aprile. Tenminste, dat dacht hij tot dat moment.

Toen hij de valse ogen van dat jongetje zag, dat even terugdeinsde met de bedoeling opnieuw toe te slaan, was hij daar niet meer zo zeker van.

'En nu is de maat vol.' Hij trok een been op en raakte hem met de hak van zijn laars pal onder zijn borstbeen. Het schoffie werd in de lucht getild en kwam, stijf als een Big Jim-pop, op zijn rug neer in het natte gras. Even bleef hij met open mond als verlamd liggen, maar toen draaide hij zich met een ruk om, ging op zijn knieën zitten, handen tegen zijn buik, en braakte rood spul.

Jezus! Bloed! Hij heeft een bloeding! Dacht Graziano bij zichzelf, bezorgd maar tegelijkertijd euforisch over zijn dodelijke schopkracht. *Wie ben ik? Wie ben ik? Ik heb hem maar heel licht geraakt met een goedgemikte schop.*

Godzijdank was het braaksel van de spichtige geen bloed maar tomatensaus. En er zaten twee stukjes halfverteerde pizza in. Alvorens op boevenpad te gaan, had de jongeman rode pizza gegeten.

'Ik vermoooooord je! Ik vermoooooord je!' brieste de zwakzinnige intussen in zijn rechteroorschelp. Hij had zich om zijn schouders geklemd en probeerde hem tegelijkertijd te wurgen en op de grond te gooien.

Hij stonk uit zijn mond. Naar ui en vis.

Die heeft daarentegen zeker een lekker stuk pizza met ui en ansjovis gegeten.

Het was dat verstikkende briesje dat hem de noodzakelijke kracht verschafte om hem van zich af te schudden. Graziano boog voorover, greep hem bij zijn haren en wierp hem voorover alsof hij een loodzware rugzak was. Het wilde beest maakte een sprongetje in de lucht en belandde languit op de grond. Graziano gunde hem niet de tijd om zich te bewegen. Hij gaf hem een schop tussen zijn ribben. 'Hier.

Voel maar eens hoe zeer dat doet.' Het wilde beest begon te brullen. 'Niet zo prettig, hè? En nu wegwezen allebei.'

Als de kat en de vos die zojuist de stokslagen van Mangiafuoco hadden geïncasseerd, stonden de twee op en hinkten met hun staart tussen de benen naar de Ciao.

De achterlijke startte de motor en de spichtige ging achterop zitten, maar zei voordat ze wegreden dreigend tegen Graziano: 'Pas jij maar op. Denk maar niet dat je wat voorstelt. Je bent een nul.' Daarna wendde hij zich tot het ventje dat inmiddels was opgestaan. 'En met jou zijn we nog niet klaar. Ditmaal heb je geluk gehad, maar de volgende keer niet.'

116

Hij was uit het niets te voorschijn gekomen.

Als de good guy in een western, of de man die uit het Oosten kwam, of beter nog, als Mad Max.

Het portier van de zwarte auto was opengegaan en de wreker was uitgestapt. Gekleed in het zwart, met een zonnebril op en met de panden van zijn overjas die wapperden in de wind en met een rood zijden overhemd aan. En hij had ze mores geleerd.

Een paar karatetrucs en Pierini en Fiamma waren uitgeschakeld.

Pietro wist wie hij was. *Biglia.* Die man die verloofd was met de beroemde actrice en ook bij de *Maurizio Costanzo Show* was geweest.

Waarschijnlijk kwam hij net terug van Maurizio Costanzo, is gestopt en heeft me gered.

Hij liep hinkend naar zijn held toe, die midden in het weiland stond en met zijn hand zijn modderige laarzen probeerde schoon te vegen.

'Dankuwel, meneer.' Pietro stak zijn hand uit.

'Geen dank. Mijn laarzen zijn vies geworden,' zei Biglia terwijl hij de toegestoken hand drukte. 'Hebben ze je pijn gedaan?'

'Een beetje. Maar ik had me al pijn gedaan toen ik van mijn fiets was gevallen.'

In werkelijkheid deed de heup waartegen ze geschopt hadden heel erg veel pijn en had hij het gevoel dat het de komende uren nog erger zou worden.

'Waarom sloegen ze je in elkaar?'

Pietro kneep zijn lippen samen en probeerde een antwoord te verzinnen dat zijn redder zou imponeren. Maar hij kon geen antwoord bedenken en moest wel toegeven: 'Ik heb geklikt.'

'Hoezo heb je geklikt?'

'Nou... Op school. Maar dat moest van de onderdirectrice, anders zou ze me van school sturen. Ik heb een ravage aangericht, maar dat wilde ik zelf niet.'

'Ik snap het.' Biglia controleerde of zijn jas vies was.

In feite leek hij er niet veel van te hebben gesnapt, noch bijzonder geïnteresseerd te zijn in nadere details. Pietro was opgelucht. Het was een lang en akelig verhaal.

Graziano hurkte neer zodat hij op gelijke hoogte kwam met de jongen. 'Luister. Types als zij kun je beter kwijt dan rijk zijn. Als jij ooit een beetje over de wereld gaat reizen, zoals ik heb gedaan, dan zul je zien dat je nog meer van dat soort lieden ontmoet, nog veel gemener dan die twee schoffies. Blijf bij ze uit de buurt, want ze willen je of kwaad doen, of dat je net zo wordt als zij. En jij bent duizend keer meer waard dan zij, dat moet je jezelf steeds blijven inprenten. En het allerbelangrijkste: als iemand je slaat, moet je niet als een zak aardappels op de grond gaan liggen, want dan loopt het slecht af. En het is niet mannelijk. Je moet blijven staan en ze recht in hun gezicht aankijken.' Hij legde zijn handen op zijn schouders. 'Je moet ze in de ogen kijken. En ook al ben je zelf zo bang dat je het in je broek doet, je moet nooit denken dat zij dat niet zijn, zij kunnen het alleen beter verbergen dan jij. Als je zeker bent van jezelf kunnen ze je niets doen. En verder, sorry dat ik het zeg, ben je veel te magertjes, eet je wel genoeg?'

Pietro schudde zijn hoofd.

'Prent jezelf de eerste wet in en gehoorzaam daaraan: behandel je lichaam als een tempel. Begrepen?'

Pietro knikte.

'Is dat duidelijk?'

'Ja, meneer.'

'Kun je zelf terug naar huis?'

'Ja.'

'Wil je niet dat ik je breng? Je fiets is kapot.'

'Maakt u zich geen zorgen… Dank u. Het lukt wel. Nogmaals bedankt…'

Hij gaf hem een vriendelijke schouderklop. 'Ga dan maar, toe maar.'

Pietro liep naar zijn fiets. Hij hees die op zijn rug en ging op weg.

Hij was gered door Biglia. Dat van dat lichaam en die tempel had hij niet helemaal begrepen, maar dat gaf niet want als hij groot was zou hij hopelijk net zo worden als hij. Iemand die nooit fouten maakt, die de slechteriken in de ogen kijkt en ze in elkaar slaat. En als hij zou worden zoals Biglia, dan zou ook hij de zwakkere jongetjes helpen.

Want dat is de taak van helden.

117

Graziano bleef het jongetje nakijken dat met de fiets op zijn rug wegliep. *Ik heb niet eens gevraagd hoe hij heet.*

De wind van opgewektheid die zijn ziel had doen opbollen als een zeil was gaan liggen en liet hem bedroefd en verveeld achter. Hij voelde zich vreselijk depressief.

Het waren de ogen van dat kind geweest waardoor zijn humeur was omgeslagen. Berusting, dat had hij erin gezien. En als er iets was wat Graziano Biglia hartgrondig verafschuwde was het berusting.

Hij leek wel een oude man. Een oude man die heeft begrepen dat er niets meer aan te doen is, dat de oorlog verloren is, dat zijn krachten nergens iets aan kunnen veranderen. Maar wat is dat voor een houding? Je hebt je hele leven nog voor je.

Wilhelm Tell of iemand anders had gezegd dat iedereen zijn eigen lot bepaalt.

En voor Graziano Biglia was ook dat een waarheid.

Toen het moment daar was heb ik dat gedaan… Heb ik mijn leven van dombo achter me gelaten, heb ik tegen mama gezegd dat ze moest ophouden met haar gebakken niertjes en heb ik mijn hielen gelicht, ik heb de wereld rondgereisd en absurde mensen ontmoet, Tibetaanse monniken, Australische surfers en Jamaicaanse rasta's. Ik heb soep van yak en boter, gebraden opossum en vogelbekdiereieren gegeten en ik moet zeggen, lief moedertje, dat die

duizend keer lekkerder zijn dan jouw niertjes met knoflook en peterselie. En
dat zeg ik niet alleen om jou een rotgevoel te geven. En ik ben naar Ischiano
gekomen omdat ik dat wil. Omdat ik de band met mijn geboortegrond wil
herstellen. Niemand heeft me ertoe gedwongen. En als dat jongetje mijn
zoon was geweest, had hij zich nooit aan die twee onderworpen, want ik had
hem geleerd hoe hij zich moest verdedigen, ik had hem geholpen groot te
worden, ik had hem... Ik had hem... Ik had...

Vanuit de onpeilbare diepten van zijn bewustzijn bloeide een duistere entiteit op, een met ons kuddeleven verbonden overgeërfd schuldgevoel, dat zich daar ogenschijnlijk bedaard had genesteld, maar dat onder de gunstige omstandigheden (precaire financiële situatie, relatieproblemen, weinig vertrouwen in de eigen middelen enzovoorts) meteen de kop kon opsteken om newage-waarheden, Tibetaanse axioma's, geloof in het regenererend vermogen van de flamenco, Wilhelm Tell, kruisbogen en veulens, de lucht in te schieten met één simpele vraag.

Wat heb jij nou eigenlijk echt in je leven gepresteerd?

En positieve antwoorden, het is pijnlijk om het te zeggen, waren er niet.

Graziano liep langzaam terug naar zijn auto, met gebogen hoofd, een loodzware last op zijn schouders meetorsend.

Het stond onomstotelijk vast, hij had een heleboel dingen gedaan in zijn leven. Maar hij had die dingen gedaan omdat hij geboren was met een steek van de vogelspin, omdat hij ter wereld was gekomen met de sint-vitusdans, met een rusteloosheid die niet overging en hem verplichtte steeds maar weer op zoek te gaan naar een obscuur en onbereikbaar geluk.

Er was geen plan.

Er was geen uiteindelijk doel.

Hij stapte in de auto. Hij ging zitten. Hij zette de stereo uit en deed de gitaarmuziek van de Gipsy Kings verstommen.

De waarheid was dat hij vierenveertig jaar lang zijn brein had gevuld met flauwekul. Met mooie films. Met likeurreclames. Poppenkast – waarin hij de Toeareg was en Erica Trettel het Spaanse veulen dat getemd moest worden, in een Tunesische oase.

Gewoon een rustig, verantwoordelijk leven met een lieve echtgenote, paar-

den, de jeansstore, kinderen. Wanneer? Ik moet me nu gaan richten op dat gezin. Ik kan driehonderd vrouwen per zomer versieren maar ik kan met niemand een liefdesrelatie opbouwen. Ik zit verkeerd in elkaar.

Ik ben zo alleen als een hond.

Een diffuus verdriet greep hem bij zijn keel en maakte dat hij zijn mond opensperde en een moeizame zucht slaakte. Hij voelde zich zwak en slap en terneergeslagen en straatarm en met lege handen. Kortom, een mislukkeling.

(Wat moet Flora met iemand als jij?)

Helemaal niets.

Gelukkig schoten deze pessimistisch-existentiële overdenkingen door hem heen als neutrino's, de elementaire deeltjes zonder gewicht en zonder energie die met de snelheid van het licht door de schepping schieten zonder deze te veranderen.

Zoals we al eerder zeiden, had Graziano Biglia de neiging immuun te zijn voor depressies. En waren zulke momenten van helder inzicht zeldzaam en van voorbijgaande aard en was hij, zodra hij weer blind was als een mol, in staat om het opnieuw en opnieuw en opnieuw te proberen. Want, dat wist hij zeker, die verdomde rust zou vroeg of laat ook voor hem komen.

Hij draaide zich om, pakte zijn gitaar van de achterbank en begon een zachte melodie te tokkelen, en ten slotte begon hij te zingen. 'Je zult zien, je zult zien, ooit wordt alles anders, morgen nog niet misschien, maar ooit wordt alles anders. Je zult zien, je zult zien, het is nog niet voorbij. Ik weet niet hoe en ik weet niet waar, maar je zult zien, ooit wordt alles anders.'

118

Gloria Celani lag in bed.

En ze keek op haar kleine tv'tje naar de video van *Silence of the Innocent*, haar favoriete film. Op de rand van haar bed stond het dienblad met haar ontbijt. Een afgeknabbeld croissantje. Een servet doorweekt met gemorste koffie met melk.

Haar ouders waren naar de watersport-expo in Pescara gegaan en zouden pas de volgende dag thuis komen. Dus had ze het rijk alleen, als je de oude tuinman Francesco niet meerekende.

Toen Pietro binnenkwam, lag ze weggedoken op haar bed met de dekens tot aan haar ogen opgetrokken.

'Ogodogodogod, wat eng! Ik kan er niet naar kijken. Kom, ga hier zitten.' Ze klopte op het matras. 'Wat duurde het lang voordat je kwam. Ik dacht al dat je niet meer zou komen...'

Hoe vaak heeft ze die gezien? vroeg Pietro zich moedeloos af. *Minstens honderd keer en ze vindt het nog steeds even eng als de eerste keer.*

Hij trok zijn windjack uit en hing het over een stoeltje dat bekleed was met een vrolijke geel-blauw gestreepte stof, waarmee ook de hele kamer was behangen.

De kamer was ingericht door een bekende Romeinse interieurontwerpster – zoals trouwens het hele interieur en, o vreugde der vreugden, de villa had zelfs in het blad *Wonen&Design* gestaan en mevrouw Celani had haast een beroerte van trots gekregen – en deed denken aan een poenig bonbonschaaltje met die zuurstokroze meubeltjes met groene knoppen, die gordijnen met koetjes en dat blauwe vloerkleed.

Gloria verafschuwde haar kamer. Als het aan haar had gelegen, zou ze hem het liefst in brand steken. Pietro, zoals gewoonlijk veel toleranter, vond hem niet zo lelijk. Natuurlijk waren die gordijnen niet het einde, maar dat kleed, zo zacht en dik als een wasbeer, vond hij helemaal niet erg.

Hij ging op het bed zitten en paste op dat hij niet op zijn verwonding drukte.

Hoewel Gloria met haar hoofd in de tv gedoken zat, zag ze vanuit een ooghoek dat hij zijn mond vertrok. 'Wat is er?'

'Niets. Ik ben gevallen.'

'Hoe dan?'

'Van de fiets.'

Moest hij het haar vertellen? Ja, natuurlijk moest hij het haar vertellen. Als je met je beste vriendin niet over je eigen sores kunt praten, met wie dan wel?

Hij vertelde haar over de achtervolging door de Ciao, de Via Aurelia, de val, de klappen en de voorzienige tussenkomst van Biglia.

'Biglia? Die vent die verloofd was met die actrice...? Hoe heet ze ook alweer?' Gloria raakte helemaal opgewonden. 'En die heeft die twee rotjongens geslagen?'

'Hij heeft ze niet geslagen, hij heeft ze afgemaakt. Ze sprongen boven op hem, maar hij heeft ze afgeschud alsof het lastige vliegen waren. Met een paar kungfu-bewegingen. Ze hebben er genadeloos van langs gekregen. En toen zijn ze weggegaan.' Pietro vertelde vol vuur.

'Ik hou van Graziano Biglia. Fantastisch! Als ik hem zie dan geef ik hem een zoen, al ken ik hem verder niet, ik zweer het. Wat had ik er veel voor overgehad om er bij te zijn.' Gloria ging op het bed staan en begon karatebewegingen te maken en Chinese kreten uit te stoten.

Ze droeg een microscopisch topje van paars katoen dat haar buik en navel bloot liet en als je daaronder keek... en een wit slipje met een geborduurd randje. Die lange benen, dat uitstekende kontje, die lange hals, die kleine borstjes die tegen de stof van het topje drukten. En dat blonde haar, kort en warrig.

Om van uit je dak te gaan.

Gloria was het mooiste wat Pietro ooit had gezien. Dat wist hij zeker. Hij voelde zich gedwongen zijn ogen neer te slaan want hij was bang dat ze zijn gedachten kon lezen.

Gloria kwam met gekruiste benen naast hem zitten en vroeg hem, plotseling bezorgd: 'Heb je je pijn gedaan?'

'Een beetje. Niet zo erg,' loog Pietro terwijl hij probeerde een onaangedaan heldengezicht te trekken.

'Niet waar. Ik ken je toch. Laat eens zien.' Gloria pakte zijn broekriem vast.

Pietro deinsde achteruit. 'Welnee, ik heb alleen maar wat schaafwonden. Helemaal niet erg.'

'Wat doe jij stom zeg, je schaamt je zeker... En toen aan zee?'

Natuurlijk schaamde hij zich. Toen was alles anders. Toen lagen ze in de zon, op een strandstoel, en zij... Nou ja, toen was het gewoon heel anders. Maar hij zei: 'Nee, ik schaam me helemaal niet...'

'Nou, laat dan zien.' Ze graaide naar zijn gesp.

Er was niets aan te doen. Wanneer Gloria iets in haar hoofd had gezet, gebeurde het. Tegen wil en dank moest Pietro zijn broek laten zakken.

'Kijk nou toch wat je allemaal hebt... Dat moeten we desinfecteren. Trek je broek uit.' Ze zei het op een ernstige toon, als van een moeder, die Pietro nog nooit van haar gehoord had.

Inderdaad was wat jodium niet overbodig. Zijn rechterbeen was aan de buitenzijde helemaal geschaafd en bedekt met bloed en pareltjes van pus. Het klopte een beetje. Hij had ook zijn kuit en zijn hand geschaafd en de heup waartegen ze hadden geschopt deed ook pijn.

Wat ben ik toegetakeld... Maar ondanks alles was hij tevreden, zonder te weten waarom. Misschien omdat Gloria zich nu om hem bekommerde, misschien omdat die twee rotjongens er eens behoorlijk van langs hadden gekregen, misschien alleen maar omdat hij in dat poppenkamertje was, op een bed met lakens die heerlijk roken.

Gloria ging naar de keuken om jodium en watten te halen. Wat vond ze het fijn om verpleegster te zijn! Terwijl ze Pietro behandelde kermde hij dat ze sadistisch was, dat ze veel meer jodium gebruikte dan nodig was. Ze verbond hem zo goed en zo kwaad als het ging, gaf hem een oude pyjama en stopte hem in bed, vervolgens sloot ze de luiken, kroop ook in bed en zette de video weer aan. 'Nu gaan we de film af zien, daarna doe jij een dutje en dan gaan we wat eten. Hou je van tortellini met room?'

'Ja,' zei Pietro, hopend dat het paradijs precies zo was.

Geen greintje verschil.

Een warm bed. Een video. Een been van het mooiste meisje ter wereld om aan te raken. En tortellini met room.

Hij rolde zich op onder het dekbed en nog geen vijf minuten later sliep hij.

119

Als je Mimmo Moroni uit de verte zo zag zitten op de groene heuvel onder een eik met lange takken, met zijn kudde die om hem heen graasde, en met die wonderschone rode zonsondergang die de bladeren van het bos goud kleurde, dan leek het of je terecht was gekomen in een schilderij van Juan Ortega da Fuente. Maar als je dichterbij kwam ontdekte je dat het herdertje gekleed was als de zanger van

Metallica, op koekjes van Il Mulino Bianco knabbelde en dat hij huilde.

Zo trof Pietro hem aan.

'Wat is er?' vroeg hij, hoewel hij het antwoord al kon raden.

'Niets... Ik voel me rot.'

'Heb je ruzie gehad met Patti?'

'Nee, ze... heeft... me... verlaten,' piepte Mimmo en hij stopte
weer een koekje, gemaakt van het fijnste zanddeeg en met een zachte,
romige vulling, in zijn mond.

Pietro snoof. 'Alweer?'

'Ja. Maar deze keer is het menens.'

Patrizia verliet hem gemiddeld twee keer per maand.

'Waarom?'

'Dat is nou juist het probleem! Dat weet ik niet! Ik heb geen flauw
idee. Ze belde me vanochtend op en zei dat ze bij me wegging, zonder enige uitleg. Waarschijnlijk houdt ze niet meer van me of misschien heeft ze een ander. Ik weet het niet...' Hij haalde zijn neus op
en zette zijn tanden in een volgend koekje.

Er was wel een reden. En die was niet dat Patrizia niet van hem
hield en evenmin dat er een nieuwe concurrent was verschenen die de
scepter van Mimmo had overgenomen.

Gek genoeg is dat de eerste verklaring die in ons opkomt wanneer
onze geliefde ons in de steek laat. Hij of zij wil me niet meer. Hij of
zij heeft iemand gevonden die beter is dan ik.

Als onze Mimmo de ontmoeting met zijn vriendin een paar dagen
daarvoor beter had geanalyseerd, dan zou hij misschien, en ik zeg met
nadruk misschien, een reden hebben gevonden.

120

Mimmo had tegen vijf uur 's middags het huis verlaten en was op zijn
motor gestapt om Patti op te halen.

Hij moest haar naar Orbano brengen om boodschappen te doen,
ofte wel om panty's van La Perla en een crème tegen onzuiverheden
van de huid te kopen.

Toen Patrizia zag dat hij op de motor was, was ze tegen hem tekeergegaan.

Hoe was het mogelijk dat zij van al haar vriendinnen de enige was die een vriend had zonder auto? Sterker nog, die wel een auto had maar die hij niet mocht lenen van die ellendige vader van hem.

En het regende zelfs!

Mimmo bleef echter kalm, hij was die ochtend naar de markt van Ischiano geweest en had militaire regenpakken gekocht, hij had haar verzekerd dat ze daarmee geen druppel regen zouden voelen. Met tegenzin had Patrizia de helm opgezet en was op die rammelkast gestapt die zo hoog was als een paard, stonk als een raffinaderij, gevaarlijk was als Russische roulette en lawaaiig als een... wat is even lawaaiig als een crossmotor met afgezaagde uitlaat? Niets.

Ze hadden kurkdroog in Orbano aan kunnen komen, want de regenpakken deden toch wel wat ze moesten doen, als Mimmo niet in de onweerstaanbare verleiding was gekomen zich als een bezetene op alle plassen te storten die voor zijn wielen kwamen.

Drijfnat als kuikentjes waren ze van de motor gestapt. Patrizia's humeur verslechterde. Ze hadden over de Corso gelopen, maar na honderd meter was Mimmo stil blijven staan voor een jacht- en visserijwinkel. In de etalage zag hij een kruisboog van titanium en koolstoffiber waar je hoofd van op hol sloeg. Ondanks de protesten van zijn vriendin ging hij toch naar binnen om zich te laten informeren over de technische details. Hij kostte een vermogen. Maar tussen de bogen, geweren en vishengels had hij iets anders ontdekt wat hij wilde kopen. Hij zou daar niet met lege handen weggaan. Een principekwestie.

Een luchtdrukpistool in de aanbieding.

Een half uur om het te bekijken, een half uur om te beslissen of hij het zou kopen, en intussen gingen de winkels dicht.

Inmiddels was Patrizia's humeur tot het nulpunt gedaald.

Aangezien ze niet hadden kunnen shoppen (hoewel Mimmo het pistool uiteindelijk toch had gekocht), hadden ze besloten een lekkere pizza te gaan eten en daarna naar de film te gaan, naar *Il coraggio di chiamarsi Melissa*, het drama van een Scandinavische vrouw die jarenlang gedwongen was in een pygmeeëndorp te leven.

Ze waren in de pizzeria gaan zitten en Mimmo had zijn benen opge-trokken om zijn legerschoenen te bekijken. Hij was erg tevreden over de aanschaf van die ochtend op de markt, samen met de regenpakken. Hij was Patti gaan uitleggen dat die kistjes het summum van techno-logie waren, identiek aan de kistjes die de Amerikanen hadden gebruikt tijdens operatie 'Desert Storm', en dat ze zo zwaar waren omdat ze in theorie zelfs landmijnen konden trotseren. En terwijl zijn vriendin verveeld het menu doorbladerde, had Mimmo, om te bewij-zen dat hij geen onzin verkondigde, het pistool uit de doos gehaald, er een kogel in gedaan en op zijn voet geschoten.

Hij had een ijzingwekkende brul geslaakt.

De kogel was door het bovenleer en de sok gedrongen en had zich vastgezet in zijn wreef, wat aantoonde dat er dikwijls een discrepantie bestaat tussen theorie en praktijk.

Ze hadden moeten rennen (hinken) naar de eerste hulp, waar een dokter de kogel eruit had gehaald en twee hechtingen had gezet.

Ook de pizza was erbij ingeschoten.

Ze waren op het laatste moment aangekomen bij de bioscoop en hadden genoegen moeten nemen met twee plaatsen op de eerste rij, twee centimeter van het scherm vandaan.

Patti praatte niet meer.

De film was begonnen en Mimmo had een ontspanningspoging gedaan door haar hand te pakken, maar zij had die weggeduwd alsof hij een pad was. Hij had geprobeerd de film te volgen, maar die was dodelijk saai. Hij had honger. Hij had popcorn gegeten waarbij hij een beestachtig lawaai maakte. Patrizia had het afgepakt en toen had hij zijn laatste troef op tafel gelegd: een supervers pakje big-bubble aardbeiensmaak, waarvan hij er drie in zijn mond gestopt om er bel-len van te blazen. Na een blik vol haat van Patti had hij zijn mond geopend en die enorme kleefbal van kauwgom op de grond gespuugd.

Toen de film was afgelopen waren ze op de motor gestapt (het stort-regende) en naar huis gegaan. Patti was afgestapt en haar huis bin-nengegaan zonder hem zelfs een welterustenkus te geven.

De volgende ochtend had ze hem gebeld en zonder al te veel omhaal medegedeeld dat hij zichzelf als vrijgezel kon beschouwen, waarna ze het gesprek had beëindigd.

Misschien is het bovenstaande voor veel meisjes reden genoeg om een relatie te beëindigen, maar nee, niet voor Patti. Ze hield onvoorwaardelijk van Mimmo en 's nachts zou haar woede wel bekoelen, maar wat haar tot die extreme daad had gedreven was dat Mimmo, toen hij die kauwgombal in de bioscoop had uitgespuugd, precies in haar helm had gemikt. Toen de arme meid de helm opzette, was de kauwgom voorgoed versmolten met het lange, soepele haar dat werd behandeld met revitaliserende middelen en extracten van varkensplacenta.

De kapper zag zich genoodzaakt het haar te knippen in een coupe die hij eufemistisch 'sportief' noemde.

Gorilla in de mist

Maar ook ditmaal had Patti, zoals gewoonlijk, een week voorbij kunnen laten gaan, waarna ze de arme Mimmo had vergeven.

Patrizia Ciarnò was wat dat betreft een garantie. Als ze voor je koos liet ze je nooit in de steek. En dat kwam doordat ze op haar vijftiende een emotioneel akelige ervaring had gehad waarvan ze nog niet geheel hersteld was.

Op die leeftijd was Patrizia al goed ontwikkeld. Haar geslachtsklieren en secundaire sexuele kenmerken hadden een stevig bombardement van hormonen ondergaan en de arme Patrizia was een en al borsten, dijen, kont, vetrolletjes, puistjes en mee-eters. En ze ging met Bruno Miele, de politieagent, die toentertijd tweeëntwintig was. Bruno wilde toen nog geen politieagent worden – hij wilde bij het San Marco-antiterreurbataljon en daar eliteofficier 'met een pik als een paal en dampende ballen' worden, zoals ze daar over zichzelf plegen te zeggen.

Patrizia hield erg veel van hem, ze viel op jongens die wisten wat ze wilden, maar er was één probleem. Bruno kwam haar halen in zijn AI12, nam haar mee naar het bos van Acquasparta, neukte haar, en zodra ze klaar waren bracht hij haar weer naar huis: bedankt en tot ziens.

Op een dag hield Patrizia het niet meer uit en barstte ze los.

'Hoezo? Mijn vriendinnen worden elke zaterdagmiddag door hun vriendjes meegenomen naar Rome om etalages te kijken en jij neemt me alleen maar mee naar het bos. Zo vind ik er niets aan, hoor.'

Miele, die in die tijd een abnormale sensibiliteit aan de dag legde, had haar een deal voorgesteld. 'Oké. We doen het zo: ik neem jou op zaterdag mee naar Civitavecchia, maar dan moet jij dit opzetten bij het vrijen.' Hij had het handschoenenkastje geopend en er een gorillamasker uit gepakt. Zo'n masker van latex en pluche dat bij carnaval wordt gebruikt.

Patrizia had het masker vastgepakt en rondgedraaid in haar handen en vervolgens in opperste verwarring gevraagd waarom.

En hoe die arme ziel Miele het haar uitlegde: dat hij bij de aanblik van dat pornosterrenlichaam van Patrizia, die lange, gladde haren en die marmeren tetters een erectie kreeg, zo stijf als een tafelpoot, maar dat zodra hij per ongeluk een blik wierp op dat door acné aangevreten gezicht hij weer slap werd als een regenworm.

'Omdahat... omdahat...' En toen had hij eruit gegooid: 'Omdat het me opwindt. Ik heb het je nooit verteld, maar ik ben sadomasochistisch.'

'Wat is sadomasochistisch?'

'Nou, een sadomasochist is iemand die houdt van heel smerige dingen. Die zich bij voorbeeld met een zweep laat slaan...'

'Wil je dat ik je met een zweep sla?'

'Nee! Dat heeft er niets mee te maken! Het windt mij op als jij dat masker opzet,' had Bruno haar op een bepaalde manier trachten uit te leggen.

'Vind je het opwindend om het met apen te doen?' Patrizia was ten einde raad.

'Nee! Ja! Nee! Zet nou maar dat masker op en stel niet zo veel vragen!' Bruno had zijn geduld verloren.

Patrizia had erover nagedacht. In grote lijnen hield ze niet van sexuele eigenaardigheden. Vervolgens herinnerde ze zich echter wat haar nichtje Pamela had verteld: haar vriendje, Emanuele Zampacosta, bijgenaamd Manu, een kassamedewerker bij de Coöp in Giovignano, werd opgewonden als zij over hem heen plaste, en desondanks hadden ze een uitstekende relatie en zouden ze in maart gaan trouwen –

en ze had geconcludeerd dat Bruno's perversie eigenlijk vrij onschuldig was. En het spel was de knikkers zeker waard. Hij zou haar meenemen naar Civitavecchia en daarbij hield ze erg veel van hem, en voor de liefde doe je alles.

Ze had het geaccepteerd. En dus zette Patrizia toen ze naar het bos van Acquasparta gingen het masker op en hadden ze sex (een keer, toen er dikke mist was, was Rossano Quaranta langsgekomen, zestig jaar, gepensioneerd en clandestien jager, en die had een auto geparkeerd zien staan tussen de eikenbomen. En omdat hij ook een beetje een voyeur was, was hij heel stilletjes dichterbij geslopen en had iets ongelooflijks gezien. In de auto zaten een jongeman en een mensaap. Hij had zijn karabijn geheven en stond klaar om te schieten, maar had het weer laten zakken toen hij zich realiseerde dat dat zwijn de gorilla aan het neuken was. Hoofdschuddend was hij weggelopen, concluderend dat de smerigheid waartoe sommige mensen in staat waren tegenwoordig geen grenzen meer kent).

Bruno Miele had zich niet aan zijn deal gehouden.

Ze waren maar een keer naar Civitavecchia gegaan, daarna was hij smoesjes gaan verzinnen en ten slotte had hij haar meegenomen om naar zijn zaalvoetbalwedstrijd te kijken. En daar deed hij zelfs of hij haar niet kende.

In wanhoop had Patrizia een lange, smartelijke brief gestuurd naar mevrouw Ilaria Rossi-Barenghi, de psychologe van het weekblad *Amoureuze Ontboezemingen*, waarin ze beschreef hoe slecht het ging tussen haar en Bruno (het verhaal van het masker had ze weggelaten), dat ze ondanks alles waanzinnig veel van de jongen hield, maar dat ze het gevoel had dat ze behandeld werd als een vrouw van lichte zeden.

Tot Patrizia's grote verbazing had mevrouw Rossi-Barenghi haar geantwoord.

Lieve Patti,
Nog steeds worden wij geconfronteerd met problemen die onze moeders ook al kenden. Maar nu wij meer zelfbewustzijn hebben verworven en een klein beetje meer kennis hebben over de menselijke ziel, kunnen we de hoop hebben dat we veranderen. De liefde is iets

prachtigs en het is fijn als je dat kunt delen in een openhartige en gelijkwaardige relatie. Wij vrouwen zijn beslist gevoeliger en waarschijnlijk kan jouw vriend niet openlijk over zijn eigen gevoelens praten. Maar dat mag jou er echter niet van weerhouden van hem te verlangen wat je toekomt. Laat je niet verdrukken door zijn egoïsme. Laat zien wat je waard bent. Je bent nog erg jong, maar wees juist daarom in staat hem niet altijd zijn zin te geven. En als hij werkelijk van je houdt, zal hij mettertijd leren dat hij je moet respecteren. Jouw vriend weet op dit moment dat hij je makkelijk kan domineren, maar in feite ben jij degene die hem dat doet geloven. In de liefde wint degene die vlucht, lieve Patti! Blijft trouw aan je eigen deugden en krachten en je zult zien dat jouw Bruno, achter wie volgens de woorden in je brief een gevoelige ziel schuilgaat, je uiteindelijk op handen zal dragen. Veel succes!

Patrizia had de adviezen van mevrouw Rossi-Barenghi letterlijk toegepast. De eerstvolgende keer dat ze Bruno zag, had ze gezegd dat alles anders moest worden. Ze had rode rozen geëist, een etentje in de pub Il Barittolo del Nonno en daarna naar de film *Terms of Endearment 2* in Orbano, samen met haar vriendinnen. En ze zou dat apenmasker nooit meer opzetten bij het vrijen.

Bruno had haar portier geopend, haar laten uitstappen en gezegd: 'Donder toch op, lelijke mossel die je bent. Ik naar *Terms of Endearment 2*? Nou ja, denk je soms dat ik een flikker ben?' En was diep beledigd weggegaan.

Nu had Patrizia, gesterkt door deze akelige ervaring en door de adviezen van mevrouw Rossi-Barenghi, de relatie met Mimmo zodanig ingericht, dat ze niet zou worden verlaten als een ezel met een gebroken hart.

121

Pietro was om een heel precieze reden op zoek naar zijn broer. Namelijk om hem te vragen of hij wilde gaan praten met de onderdirectrice. Dat had hij samen met Gloria bedacht. En het plan zou werken.

Aanvankelijk had zij geprobeerd hem ervan te overtuigen dat haar moeder kon gaan. Mevrouw Celani was dol op Pietro en vond hem het aardigste jongetje van de wereld. Ze zou het graag doen. Maar Pietro was niet overtuigd. Als Gloria's moeder zou gaan, zou dat eens te meer aantonen dat zijn ouders zich niet om hem bekommerden, dat hij uit een gezin van gekken kwam.

Nee, dat was geen goed idee.

Uiteindelijk waren ze tot de conclusie gekomen dat er geen andere mogelijkheid was dan Mimmo te sturen. Hij was oud genoeg, en hij kon zeggen dat zijn ouders het te druk hadden met hun werk en dat hij daarom was gekomen.

Maar nu, nu hij zijn broer zo als een watje zag huilen onder een boom, vroeg hij zich af of het wel zo'n goed idee was. Maar hij moest het toch proberen, hij had geen andere keus.

Hij vertelde dat hij voor vijf dagen was geschorst en dat de school wilde praten met iemand van de familie. Maar papa weigerde te gaan en had gezegd dat het zijn zaken niet waren.

'Dus ben jij de enige die overblijft, jij moet gaan en tegen ze zeggen dat ik braaf ben en dat ik het nooit meer zal doen, dat het me heel erg spijt, nou ja, de gebruikelijke dingen dus. Makkelijk zat.'

'Stuur mama maar,' zei Mimmo terwijl hij een steentje weggooide.

'Mama...?' herhaalde Pietro met een gezichtsuitdrukking die betekende: zit je me nou in de maling te nemen?

Mimmo pakte weer een steentje op. 'En als er niemand gaat, wat gebeurt er dan?'

'Niets. Dan word ik van school gestuurd.'

'Nou en?' Hij bracht zijn arm naar achteren en gooide de steen weg.

'Nou en? Ik wil niet van school gestuurd worden.'

'Ik ben drie keer van school gestuurd...'

'Nou en?'

'Nou en? Wat kan jou het schelen? Een jaartje meer of minder...'

Pietro snoof. Zijn broer zat te zeuren. Zoals gewoonlijk. 'Ga je of ga je niet?'

'Ik weet het niet... Ik haat die school... Ik kan daar niet naar binnen gaan. Ik vind het te erg...'

'Dus je gaat niet?' Het kostte Pietro geen moeite het nog een keer te vragen, maar als Mimmo dacht dat hij zou gaan smeken, dan vergiste hij zich enorm.

'Ik weet het niet. Ik heb nu een serieuzer probleem. Mijn vriendin heeft me verlaten.'

Pietro draaide zich om en zei op vlakke toon: 'Sodemieter maar op!' En hij liep weg, de heuvel af.

'Toe, Pietro, niet boos worden, laat me even nadenken. Als mijn pet er morgen naar staat, dan ga ik. Ik zweer je dat ik ga als ik het goedmaak met Patti,' schreeuwde Mimmo op die rottoon van hem.

'Sodemieter op! Dat is alles wat ik te zeggen heb.'

122

Flora Palmieri had de hele middag nagedacht over wat ze zou gaan koken. Ze had kookboeken en tijdschriften vol recepten doorgebladerd, maar niets gevonden.

Wat zou Graziano lekker vinden?

Ze had geen flauw idee. Maar ze wist zeker dat hij spaghetti niet vies zou vinden. Linguine met courgette en basilicum? Een licht gerecht, geschikt voor elk seizoen. Of lintmacaroni met pesto. Daar zat natuurlijk wel knoflook in... Of helemaal geen spaghetti maar gevulde aubergines in de oven. Of...

Een ramp, besluiteloosheid.

Ten slotte had ze geïrriteerd besloten dat ze kip-curry zou maken met krenten, gekookt ei en rijst. Dat had ze al een paar keer eerder gemaakt van een recept uit de *Annabella* en ze vond het echt verrukkelijk. Het was anders, exotisch, een gerecht dat de eetlust van een globetrotter als Graziano zeker zou prikkelen.

Nu duwde ze een karretje voort tussen de schappen van de Coöp op zoek naar currypasta. Thuis had ze dat niet meer. Maar, o rampspoed, bij de Coöp was het uitverkocht en het was inmiddels te laat om nog even naar Orbano te gaan... en ze had de kip al gekocht.

Oké. Ik maak gewoon geroosterde kip met krieltjes en een salade. Een onverwoestbare klassieker.

Ze liep langs de schappen met wijn en pakte een fles Chianti en een fles Prosecco.

De gedachte aan dat etentje wond haar op en beangstigde haar tegelijkertijd. Ze had het huis schoongemaakt en het mooie tafelkleed en het servies van Vietri te voorschijn gehaald.

Druk bezig met al deze voorbereidingen, had ze geprobeerd een brutaal stemmetje tot zwijgen te brengen dat almaar zei dat ze het allemaal verkeerd deed, dat deze geschiedenis niets goeds zou opleveren, dat ze alleen maar verwachtingen zou hebben die vervolgens gesmoord zouden worden, dat ze op de terugweg van Saturnia iets had besloten en nu iets heel anders deed, dat mama er onder zou lijden...

Maar het gezonde deel van Flora had zich krachtig opgericht en het brutale stemmetje ten minste voor even in de kelder opgesloten.

Ik heb nog nooit een man bij mij thuis uitgenodigd en nu wil ik dat doen. Ik heb daar zin in. We eten kip, we babbelen, we kijken tv, we drinken wijn, dat gaan we doen. We doen niets smerigs, we gaan niet als zwijnen over het kleed in de woonkamer rollebollen, we doen niets oneerbaars. En als het de laatste keer is dat ik hem zie, dan moet dat maar zo zijn. Dat betekent dat ik daarna zal lijden. Maar een beetje meer lijden... Ik weet dat het goed is, als ze kon zou mama zeggen dat ik zo door moet gaan.

Om zichzelf gerust te stellen dacht ze aan Michela Giovannini. Michela Giovannini had bijna een jaarlang lichamelijke oefening gegeven op het Buonarotti. Ze was even oud als Flora, een klein vrouwtje, donker van haar en huidskleur.

Flora had haar heel aardig gevonden.

Tijdens docentenvergaderingen viel ze op door haar spontaniteit, of doordat ze die oude fossielen met hun mond vol tanden liet zitten. Eens had ze zich als een leeuwin verzet tegen de onderdirectrice, juffrouw Gatta. Het betrof een probleem met de verdeling van de lesuren, en hoewel ze uiteindelijk niets had bereikt, had ze Gatta tenminste luid en duidelijk in het gezicht gezegd wat ze vond van haar fascistoïde methoden.

Iets wat Flora nooit was gelukt.

Ze waren zomaar vriendinnen geworden. Zoals dat vaak gaat. Flora had Michela gevraagd waar ze gymschoenen moest kopen om over het strand te wandelen. De volgende dag was Michela komen aanzetten met een paar prachtige Adidas-gympen. 'Ze zijn te groot voor mij, iemand had ze voor me meegenomen uit Frankrijk, maar het was de verkeerde maat. Probeer jij ze maar, misschien passen ze jou wel,' had ze gezegd terwijl ze de schoenen overhandigde. Flora had geaarzeld. 'Nee, dank je, sorry maar dat kan ik niet aannemen.' Michela had echter aangedrongen. 'Wat moet ik ermee, moet ik ze ergens achter in de kast oud laten worden?' Uiteindelijk had Flora ze gepast. Ze waren precies haar maat.

Flora had haar gevraagd mee te gaan wandelen en Michela had meteen enthousiast ja gezegd. En zo liepen ze op zondagochtend door de velden achter de spoorbaan en vervolgens naar het strand. Wandelingen van een paar uur. Soms probeerde Michela Flora over te halen voor een sprintje en een paar keer lukte haar dat. Ze babbelden over koetjes en kalfjes.

Over school. Over familie. Flora had verteld over haar moeder en de ziekte die ze had. En Michela over haar verloofde, Fulvio, een jongen die halve dagen werkte als bouwvakker in Orbano. Ze waren al een paar jaar bij elkaar. Hij was net tweeëntwintig. Drie jaar jonger dan Michela. Ze hadden een appartementje gehuurd in een gebouw vlak bij de kweekvijvers van de gebroeders Franceschini. Ze zei dat ze verliefd was op Fulvio (ze had een goede dosis sensibiliteit getoond door Flora nooit te vragen naar haar liefdesleven).

Op een ochtend was Michela op het strand gekomen, had de handen van haar vriendin vastgepakt, om zich heen gekeken en gezegd: 'Flora, ik heb een beslissing genomen, ik ga met hem trouwen.'

'En lukt dat, zonder een rooie cent?'

'We vinden wel een manier om ons te redden... We houden van elkaar, dat is toch het enige wat telt?'

Flora had de juiste glimlach te voorschijn getoverd. 'Inderdaad.' Vervolgens had ze Michela stevig omhelsd en ze was blij voor haar, maar tegelijkertijd had ze een pijnscheut achter haar borstbeen gevoeld.

En ik? Waarom heb ik niets?

Ze had haar tranen niet kunnen bedwingen en Michela dacht dat het tranen van geluk waren, maar het waren tranen van afgunst. Verschrikkelijke afgunst. Later, toen ze thuis was, had Flora zichzelf gehaat om haar egoïsme.

Michela begon haar te bestoken met telefoontjes. Ze wilde dat ze Fulvio zou ontmoeten en hun huisje zou zien. En telkens verzon Flora gekkere smoesjes om niet te gaan. Ze voelde dat het niet goed voor haar zou zijn. Maar omdat er zo werd aangedrongen, moest ze uiteindelijk toch een uitnodiging voor een etentje aannemen.

Het appartement was niet om aan te zien. En Fulvio een jochie. Maar het was er prettig, er stond een kacheltje dat vrolijk pruttelde en Fulvio had een zeebaars bereid die hij zelf met zuurstofflessen had gevangen bij de Scogli della Tartaruga. Het was een heerlijke maaltijd, Fulvio was buitengewoon attent voor zijn toekomstige bruid (zoentjes en handjes vasthouden) en daarna hadden ze naar *Lawrence of Arabia* gekeken terwijl ze amandelkoekjes in vinsanto doopten. Rond middernacht was Flora tevreden haar huis gegaan. Nee, tevreden is niet het juiste woord. Gekalmeerd.

Zoiets wilde ze vanavond ook. Iets dergelijks.

Ze wilde dat de maaltijd met Graziano een beetje leek op die bij Michela. Alleen zou er ditmaal een man zijn die helemaal voor haar alleen was.

Ze liep langs het lange diepvriesschap, pakte een bakje ijs en wilde naar de kassa gaan, toen ze Pietro Moroni voor zich zag staan. Hij hinkte een beetje en glimlachte zodra hij haar zag.

'Pietro, wat is er met jou gebeurd?'

123

'Ik wilde met u praten, juffrouw...' Pietro slaakte een zucht van verlichting.

Eindelijk had hij haar gevonden. Hij was langs het huis van juf

Palmieri gegaan maar had haar auto niet zien staan en was toen naar het dorp gegaan (een nachtmerrie tegenwoordig, hij moest als een dief in de nacht rondsluipen om Pierini en zijn bende niet tegen het lijf te lopen), maar ook daar was ze niet – hij had haar nergens gevonden en juist toen hij weer naar huis wilde gaan had hij haar YIO voor de Coöp zien staan. Hij was naar binnen gegaan en daar was ze.

'Waarom loop je mank, heb je je pijn gedaan?' vroeg ze bezorgd.

'Ik ben van de fiets gevallen, maar het is niet erg,' bagatelliseerde Pietro.

'Wat is er dan?'

Het was belangrijk dat hij het haar goed vertelde, dan zou zij een oplossing kunnen bedenken. Hij vertrouwde juf Palmieri. Hij keek haar aan en hoezeer hij ook in beslag werd genomen door wat hij haar moest vertellen, hij merkte op dat de juf veranderd was. Niet heel erg, maar iets aan haar was anders. Allereerst waren haar haren los en wat waren dat er veel! Leeuwenmanen waren het! Verder droeg ze een spijkerbroek en ook dat was iets nieuws. Hij had haar altijd gezien in van die lange zwarte rokken. En verder... hij kon er niet de vinger op leggen, maar er was iets vreemds aan haar gezicht... Iets... nou ja, hij wist het niet. Gewoon iets anders.

'Nou, wat wilde je me vertellen?'

Hij was afgeleid door haar uiterlijk. *Vooruit, vertel op.* 'Mijn ouders willen niet naar school komen om te praten met de onderdirectrice en mijn broer ook niet, geloof ik.'

'O. En waarom niet?'

Hoe moet ik het zeggen? 'Mijn moeder is ziek en kan het huis niet uit, mijn vader... mijn vader...' *Zeg het. Zeg haar de waarheid.* 'Mijn vader heeft gezegd dat het mijn eigen zaken zijn, dat ik zelf de problemen heb veroorzaakt, niet hij, en dat hij dus ook niet komt. Mijn broer... nou, mijn broer is een sukkel.' Hij ging dichter bij haar staan en vroeg haar met zijn hand op zijn hart: 'Juffrouw, word ik van school gestuurd?'

'Nee, je wordt niet van school gestuurd.' Flora boog zich voorover tot ze op gelijke hoogte met Pietro was. 'Natuurlijk word je niet van school gestuurd. Je bent braaf, dat heb ik toch al gezegd. Waarom zou je?'

'Maar… als mijn ouders niet komen, wat doet de onderdirectrice dan…?'

'Maak je geen zorgen. Ik zal wel praten met de onderdirectrice.'

'Echt waar?'

'Echt waar.' Flora kuste haar wijsvingers. 'Ik zweer het.'

'En komen die… die dinges dan niet?'

'Die dinges?'

'Die maatschappelijke dinges.'

'De maatschappelijk werkers?' Flora schudde haar hoofd. 'Ik beloof je, die komen niet.'

'Dank u,' pufte Pietro, zich bevrijdend van een last die groter was dan hijzelf.

'Kom eens hier.'

Hij kwam dichterbij en Flora omhelsde hem stevig. Pietro sloeg zijn armen om haar nek en het hart van de juffrouw werd vervuld van een tederheid en een smart die haar even deden wankelen. *Dit kind had mijn zoon moeten zijn.* Haar keel werd dichtgeknepen. *Mijn god…*

Ze moest opstaan, anders zou ze gaan huilen. Ze rechtte haar rug en pakte toen een ijsje uit het diepvriesschap. 'Wil je dit, Pietro?'

Pietro schudde zijn hoofd. 'Nee, dank u. Ik moet naar huis, het is al laat.'

'Ik ook. Het is al heel laat. Tot maandag op school dan.'

'Oké.' Pietro draaide zich om.

Maar voordat hij kon weglopen vroeg Flora: 'Vertel eens, wie heeft jou zo beleefd opgevoed?'

'Mijn ouders,' antwoordde Pietro en hij verdween achter de toren met pasta.

ZES MAANDEN LATER...

18 juni

124

Gloria probeerde hem overeind te trekken. Maar Pietro werkte niet mee.

Hij zat op zijn knieën, midden in de hal van de school, met zijn handen voor zijn gezicht. 'Ik ben blijven zitten,' zei hij almaar. 'Ik ben blijven zitten. Ze had het gezworen. Ze had het gezworen. Waarom? Waarom?'

'Pietro, kom, sta op. Laten we naar buiten gaan.'

'Laat me met rust.' Hij wuifde haar met een ruw gebaar weg, stond vervolgens op en droogde zijn tranen met zijn handen.

Alle klasgenoten keken zwijgend toe. In die neergeslagen ogen en die starre glimlachjes vond Pietro een bescheiden dosis solidariteit en een iets grotere dosis verlegenheid.

Een van hen was moediger dan de rest, liep op hem toe en gaf hem een schouderklopje. Dat was het startsein voor de hele kudde om hem aan te raken en te blaten. 'Maak je niet druk. Wat kan jou het schelen...?' 'Het zijn gewoon klootzakken.' 'Ik vind 't rot voor je.' 'Het is niet eerlijk.'

Pietro knikte en haalde zijn neus op.

Toen had hij een visioen. Een man die, te oordelen naar de manier waarop hij gekleed was, zijn vader kon zijn kwam in het kippenhok en in plaats van het vetste beest uit te kiezen (die het het meest verdiende) greep hij er zo maar een uit de hoop en zei tevreden: 'En nu gaan we deze eens opsmikkelen.' En alle kippen en hanen waren verdrietig over het lot van hun makker, maar alleen omdat ze wisten dat hun vroeger of later hetzelfde lot beschoren was.

De bom die uit de hemel was gevallen had Pietro Moroni geraakt en hem doen uiteenvallen in duizend stukjes.

Vandaag was ik aan de beurt. Maar vroeger of later is het jullie beurt. Daar kun je donder op zeggen.

'Zullen we gaan?' smeekte Gloria hem.

Pietro liep naar de uitgang. 'Ja, ik wil weg. Het is veel te warm hier binnen.'

Naast de deur stond Italo. Hij droeg een te kort en te strak hemels-blauw shirt. Zijn pens trok aan de knoopjes en stelde de knoopsgaten ernstig op de proef. Twee ronde vlekken kleurden donker onder zijn oksels. Hij liet dat ronde, van zweet glimmende hoofd van hem wie-gen. 'Het is niet eerlijk. Als ze jou van school hebben gestuurd, had-den ze dat ook met Pierini, Ronca en Bacci moeten doen. Een zwijnenstreek is het.' Hij zei het alsof hij een begrafenisspeech hield.

Pietro gunde hem geen blik waardig en liep naar buiten, gevolgd door Gloria die de lastpakken verjoeg met de superioriteit van een lijfwacht. Zij was de enige die zich mocht bekommeren om het lot van de mensheid.

De zon, miljoenen kilometers verwijderd van deze kindertragedies, schroeide de binnenplaats, de straat, de tafeltjes van de bar en de rest.

Pietro liep de trap af, het hek door en stapte zonder iemand aan te kijken op zijn fiets en reed weg.

125

'Waar is die nou gebleven?' Gloria had haar rugtas gepakt en toen ze zich had omgedraaid was Pietro er niet meer. Ze stapte op haar fiets en wilde hem inhalen, maar ze zag hem niet op straat.

Toen fietste ze naar het Huis van de Vijgenboom, maar ook daar was hij niet. In de schuur was Mimmo met blote bast in de weer met de cilinderkop van zijn motor. Gloria vroeg of hij zijn broer had gezien, maar Mimmo antwoordde van niet en ging verder met het losdraaien van bouten.

Waar kan hij zijn?

Gloria ging naar de villa in de hoop dat hij daar was. Ook niet. Toen ging ze terug naar het dorp.

Er was geen zuchtje wind en de hitte benam je de adem. Er was geen hond te bekennen. Alleen door het gekwetter van de mussen en het getjilp van de krekels leek Ischiano nog net geen spookstad in de Texaanse woestijn. Brommers en motoren stonden tegen de muren.

Hun standaards zouden zijn weggezakt in het boterzachte asfalt. En voor de binnenkant van de voorruiten van de auto's was wit karton gezet. De mensen hadden zich opgesloten in hun huizen. Wie airconditioning had kon het niets schelen, wie het niet had wel.

Voor de Stationsbar stapte Gloria van haar fiets. Pietro's fiets stond niet tussen die in het fietsenrek.

Stel je ook voor dat hij hier was.

Ze was doodmoe, had het warm en had vreselijke dorst. Ze ging de bar binnen. De airco stond op de hoogste stand en koelde haar zweet ijskoud af. Ze kocht een blikje cola en ging dat buiten onder de parasol opdrinken.

Ze maakte zich zorgen. Grote zorgen. Dit was de eerste keer dat Pietro niet op haar wachtte. Dat moest wel betekenen dat het erg slecht met hem ging. En in die toestand zou hij misschien gekke dingen doen.

Zich ophangen bij voorbeeld.

Waarom niet?

Ze had dat in de krant gelezen. In Milaan was een jongen blijven zitten en uit wanhoop was hij van de vijfde verdieping gesprongen en omdat hij toen nog niet dood was, had hij zich naar de lift gesleept met een spoor van bloed achter zich aan en was hij naar de zesde gegaan en daar was hij weer gesprongen en toen was hij gelukkig wel dood.

Was Pietro in staat tot zelfmoord?

Ja.

Maar waarom was het voor hem zo verdomd belangrijk om over te gaan? Als zij was blijven zitten had ze daar natuurlijk wel van gebaald, maar ze had er geen drama van gemaakt. Maar voor Pietro was school altijd zo belangrijk geweest. Hij hechtte er te veel waarde aan. En van een teleurstelling als deze kon hij gek worden.

Waar zou hij kunnen zijn? Natuurlijk... wat stom dat ik daar niet eerder aan heb gedacht.

Ze dronk in één teug haar blikje cola leeg en stapte weer op haar fiets.

De fiets van Pietro was verstopt tussen de struiken tegen het gaas dat de lagune scheidde van de spoorweg langs de kust.

'Ik heb je gevonden!' juichte Gloria en ze verstopte haar fiets naast die van Pietro, kroop achter een dikke eikenboom en tilde de onderrand van het gaas op zodat er een nauwe opening ontstond die echter groot genoeg was om er op haar buik onderdoor te kruipen. Toen ze aan de andere kant van het gaas was, duwde ze de rand weer naar beneden. Het was ten strengste verboden dit gebied te betreden.

En als de opzichters van het Wereld Natuur Fonds je grijpen dan zwaait er wat.

Een laatste blik om zich heen en ze verdween in de dichte begroeiing.

De eerste tweehonderd meter van het smalle paadje tussen biezen en rietstengels van meer dan twee meter hoog waren nog begaanbaar, maar hoe dieper ze doordrong in het moeras, des te moeilijker het werd, en haar schoenen zakten weg in die dikke groene blubber, totdat de drassige grond helemaal de overhand kreeg en het paadje volledig opslokte.

Er hing een bittere en tegelijkertijd zoetige bedwelmende geur in de bedompte lucht. Dat waren de waterplanten die verrotten in dat warme, troebele, stilstaande water.

Zwermen muggen, vliegjes en zandvliegjes zoemden om Gloria heen en deden zich te goed aan haar zoete bloed. En verder waren er een heleboel akelige geluiden. Het monotone gekwaak van de bronstige kikkers. Het obsessieve gezoem van de horzels en de wespen. En dat snelle, verdachte geritsel, gewrijf en gegons tussen de rietstengels. Geplons in het water. De lugubere lokroep van de reigers.

Een helse plek.

Waarom hield Pietro er zo veel van?

Omdat hij gek is.

Inmiddels reikte het water tot boven haar knieën. Het kostte haar moeite verder te lopen. De planten kronkelden als lange, glibberige tagliatelle om haar enkels. De takken en de taaie bladeren schaafden haar blote armen. En het zat er vol met doorzichtige visjes die haar begeleidden bij haar mars die leek op die van mariniers in Zuid-Oost-Azië.

En nog had ze haar doel niet bereikt. Om bij de hut te komen moest ze nog een stuk van de lagune overzwemmen, want Pietro had natuurlijk de boot... (nou ja, boot... stukken rot hout die bijeen werden gehouden door vier verroeste spijkers) genomen.

Inderdaad. Toen ze, onder de krassen, steken en modderspetters, bij de zoom van het rietstengelbos kwam, trof ze daar alleen de grote paal aan die uit het water stak zonder de boot eraan vast.

Rotjoch! Rotjoch! Je zult nooit kunnen zeggen dat ik niet je beste vriendin ben.

Ze vatte moed en liet zich langzaam, als een deftig juffertje dat haar kleertjes niet vies wil maken, in het lauwe water zakken. Van daaruit verbreedde de lagune zich tot een echt meer waar metallic libellen laag overvlogen en duikers en ganzen in formatie navigeerden.

In schoolslag, langzaam om niets in beroering te brengen en met haar hoofd hoog, omdat ze misschien wel zou sterven als er ook maar een klein beetje water in contact kwam met haar mond, zwom Gloria naar de overkant. Haar gymschoenen trokken haar als ballast omlaag. Ze mocht absoluut niet denken aan de verzonken wereld daar beneden. Salamanders. Vissen. Smerige beesten. Larven. Insecten. Waterratten. Slangen. Ringslangen. Krabben. Krokodillen... nee. Krokodillen niet.

Ze hoefde nog maar honderd meter. Aan de overkant stak de lage achtersteven van de boot tussen de rietstengels uit.

Kom op, je bent er bijna.

Nu was het nog maar een meter of dertig en ze begon het verrukkelijke vasteland al voor zich te zien, toen ze iets dierlijks voelde, of meende te voelen, aan haar benen. Ze slaakte een gil en zwom als een bezetene ongecoördineerd naar de oever. Haar hoofd kwam onder water en ze slikte die weerzinwekkende brij in, ze kwam weer boven, spuugde en bereikte met vier armslagen de boot en sprong erin als een afgerichte zeehond. Ze hapte naar adem, trok de algen en bladeren van zich af en zei in zichzelf: 'Wat smerig! O god, wat smerig! Wat smerig! Gadverdamme, wat smerig!' Ze wachtte tot ze weer op adem was gekomen, sprong toen op een strookje land dat in de lagune stak. Ze keek om zich heen.

Ze bevond zich op een microscopisch eilandje, voor de helft omgeven door rietstengels en voor de andere helft door het bruine water van de lagune. Op het eilandje was niets, behalve een grote, kromme boom waarvan het gebladerte een groot deel van het eilandje in schaduw hulde en een hutje waar vroeger de jagers kwamen om op de vogels te schieten voordat het een beschermd natuurgebied werd.

Dat was 'de plek'. Zo noemde Pietro het.

De plek van Pietro.

Pietro kwam daar zodra het mooie seizoen begon, en soms ook in het slechte seizoen, en bracht er meer tijd door dan thuis. Hij had het goed voor elkaar. Aan een lage tak hing een hangmat. In de hut had hij een koeltas staan met broodjes en een fles water. Verder waren er strips, een oude verrekijker, een gaslamp en een radiootje (dat je heel, heel zacht moest zetten).

Alleen, nu was Pietro er niet.

Gloria liep over het eilandje zonder een spoor te vinden, maar toen zag ze in de hut het shirtje aan een spijker hangen. Hetzelfde als Pietro die ochtend aanhad.

En terwijl ze weer naar buiten liep, zag ze hem in zwembroek uit het water komen. Hij droeg een masker en leek wel het monster van de stille lagune, met die algen over hem heen en in zijn hand...

'Wat smerig! Gooi die slang weg!' gilde Gloria als een echte keukenmeid.

'Dat is helemaal niet smerig. Dat is een slang. Een ringslang. Zo'n lange heb ik nog nooit gevangen,' zei Pietro ernstig. De slang had zich om zijn arm gekronkeld in een wanhopige poging om te ontsnappen, maar Pietro had hem stevig vast.

'Wat ga je ermee doen?'

'Niets. Ik bestudeer hem een beetje en dan laat ik hem weer vrij.' Hij rende naar de hut, pakte een schepnet en stopte de slang erin. 'En wat doe jij hier?' vroeg hij, waarna hij glimlachend naar haar natte shirtje wees.

Gloria keek naar zichzelf. Het natte shirt plakte aan haar borsten en ze was zo goed als naakt. Ze trok het shirtje naar voren. 'Pietro Moroni, je bent een vuilak... Geef me onmiddellijk jouw shirt.'

Pietro reikte haar zijn shirt aan en Gloria verkleedde zich achter de boom en hing het hare te drogen.

Hij zat geknield naast zijn slang en keek uitdrukkingsloos naar het reptiel.

'Nou?' vroeg Gloria, terwijl ze op de hangmat ging zitten.

'Wat nou?'

'Wat is er met jou?'

'Niets.'

'Waarom heb je bij school niet op me gewacht?'

'Ik had geen zin. Ik wilde alleen zijn.'

'Wil je dat ik wegga? Stoor ik?' vroeg Gloria op sarcastische toon.

Pietro zweeg een ogenblik terwijl hij nog steeds het reptiel bekeek, maar zei toen ernstig: 'Nee, je mag blijven...'

'Dank je. Wat zijn we vriendelijk vandaag.'

'Geen dank.'

'Vind je het niet meer erg dat je bent blijven zitten?'

Pietro schudde zijn hoofd. 'Nee. Niets kan me meer schelen. Vrede.' Hij pakte een takje en begon de slang te pesten.

'Hoe kan dat? Twee uur geleden huilde je nog tranen met tuiten.'

'Omdat het zo moest zijn. Ik wist het. Het moest zo zijn en daarmee uit. En ik kan me er wel rot over voelen, maar dat verandert niets. Behalve dat ik me rot voel.'

'Waarom moest het zo zijn?'

Hij keek haar slechts een seconde aan. 'Omdat zo iedereen gelukkiger is. Mijn vader omdat ik, zoals hij zegt, eindelijk serieus word en ga werken. Mijn moeder, nee, mijn moeder niet, die weet niet eens in welke klas ik zit. Mimmo, omdat we nu allebei zijn blijven zitten en hij niet de enige stommeling is. De onderdirectrice. De directeur. Pierini. Juf...' Hij zweeg even en ging toen verder: 'Juf Palmieri. De hele wereld. En ik ook.'

Gloria begon te schommelen en het touw dat aan de tak vastzat piepte. 'Maar één ding begrijp ik niet. Palmieri had toch beloofd dat je niet zou blijven zitten?'

'Ja.' Pietro's stem trilde even, waardoor de kwetsbare onverschilligheid werd doorbroken.

'En waarom ben je dan wel blijven zitten?'

Pietro pufte. 'Dat weet ik niet en het kan me ook niet schelen. Punt uit.'

'Het is niet eerlijk. Juf Palmieri is een trut. Een grote trut. Ze heeft zich niet aan haar belofte gehouden.'

'Nee, dat heeft ze niet gedaan. Ze is net als alle anderen. Ze is een trut, ze heeft me in de maling genomen.' Pietro zei dit met moeite en sloeg toen een hand voor zijn gezicht om niet te gaan huilen.

'Ze is waarschijnlijk niet eens naar de rapportvergadering geweest.'

'Ik weet het niet. Ik wil er niet over praten.'

De laatste maand was juf Palmieri niet meer op school geweest. Er was een invalster gekomen die zei dat hun Italiaanse juf ziek was en dat ze het jaar met haar zouden afmaken.

'Nee, daar is ze zeker niet geweest. Het kon haar niets schelen. En wat de invalster zei was niet waar. Ze is niet ziek. Ze is kerngezond. Ik heb haar heel vaak in het dorp gezien. Een paar dagen geleden nog,' betoogde Gloria vol vuur. 'Heb jij haar nooit gezien?'

'Een keer maar.'

'En...?'

Waarom kwelde Gloria hem zo? Het was nu toch al gebeurd. 'En toen ben ik naar haar toe gegaan. Ik wilde vragen hoe het met haar ging, of ze weer op school kwam. Ze groette me nauwelijks. Ik dacht dat ze eigen problemen aan haar hoofd had.'

Gloria sprong op de grond. 'Ze is de grootste trut die ik ooit heb gezien. Niemand is slechter dan zij. Ze heeft ervoor gezorgd dat je bleef zitten. Het is niet eerlijk. Ze moet boeten.' Ze ging op haar knieën naast Pietro zitten. 'We moeten haar laten boeten. We moeten haar zwaar laten boeten.'

Pietro gaf geen antwoord en keek hoe de aalscholvers als zwarte spoelen in het zilverkleurige water van de lagune doken.

'Wat vind je ervan? Zullen we haar laten boeten?' herhaalde Gloria.

'Het kan me allemaal niet meer schelen...' zei Pietro terneergeslagen terwijl hij zijn neus ophaalde.

'Jij bent ook altijd zo... Je kunt niet altijd alles maar aanvaarden. Je moet ook eens reageren. Je moet iets doen, Pietro.' Gloria was nu woedend. Ze had willen zeggen dat dat ook een reden was waarom hij was blijven zitten, dat hij geen ballen had – als hij ballen had gehad zou hij niet met dat stel idioten op school hebben ingebroken. Maar ze hield zich in.

Pietro keek haar aan. 'En vertel dan eens hoe je haar wilt laten boeten? Wat ga je dan doen?'

'Dat weet ik niet.' Gloria begon over het eilandje heen en weer te lopen in de hoop dat ze een idee kreeg. 'Nou, we zouden haar bang kunnen maken, haar in haar broek doen schijten... Wat zouden we kunnen doen?' Plotseling bleef ze stilstaan en hief haar ogen ten hemel alsof de waarheid in haar was neergedaald. 'Ik ben een genie! Ik ben een supergenie!' Met twee vingers pakte ze het schepnetje met de ringslang en tilde dat in de lucht. 'We stoppen dit lieve diertje in haar bedje. Als ze dan gaat slapen krijgt ze een prachtig hartinfarct. Wat vind je, ben ik geen genie?'

Pietro schudde verdrietig zijn hoofd. 'Arme stakker.'

'Hoezo arme stakker? Het is een trut. Heeft ze je laten zitten...?'

'Nee, ik bedoel de ringslang. Arme stakker. Die zal doodgaan.'

'Die zal doodgaan? Wat kan ons dat nou schelen! Dit smerige moeras is vergeven van smerige slangen. Als er een doodgaat gebeurt er helemaal niets, weet je wel hoeveel er doodgaan op straat onder auto's? En daarbij is nog niet gezegd dat hij zal doodgaan. Er gebeurt misschien helemaal niets.'

En ze bleef zo op hem inhameren, dat Pietro ten slotte maar ja zei.

126

Het plan was simpel. Ze hadden het nauwkeurig uitgedacht op het eiland. Het kon in een paar punten worden samengevat.

1) Als de auto van Palmieri er niet stond, betekende dat dat Palmieri niet thuis was. In dat geval doorgaan met punt 3.

2) Als de auto van Palmieri er wel stond, betekende dat dat Palmieri thuis was. En dan konden ze niets beginnen. Dan moesten ze het een volgende keer weer proberen.

3) Als Palmieri er niet was, zouden ze op het balkon klimmen en vervolgens het huis binnengaan, de surprise in haar bed stoppen en hem sneller dan de wind smeren.

Dat was alles.

De auto van Palmieri stond er niet.

De zon was begonnen aan zijn trage en onvermijdelijke afdaling, had zijn beste pijlen verschoten en nu was de hitte verzengend, maar minder verzengend dan een paar uur daarvoor. Er hing niet meer die vervloekte drukkende hitte die de mensen gek maakt en al die verschrikkingen laat begaan waardoor de misdaadpagina's in de kranten 's zomers bijzonder bloedig en gevarieerd zijn.

Een zwak briesje, een verlangen naar wind misschien, bracht de zinderende lucht enigszins in beweging. Het beloofde een nacht van diepe dromen te worden. Benauwd. Sterren aan de hemel.

Onze twee jonge helden, stevig in het zadel, hadden zich verstopt achter de laurierhaag die het appartementengebouw van juffrouw Palmieri omheinde.

'Waarom vergeten we het niet gewoon?' vroeg Pietro voor de zoveelste keer.

Gloria probeerde het plastic zakje met de slang, dat met een veiligheidsspeld aan Pietro's broekband vastzat, weg te grissen. 'Ik snap het al, je doet het in je broek! Ik zal wel alleen gaan. Blijf jij maar hier wachten...'

Waarom werd hij er door iedereen, goed en kwaad, vriend en vijand, uiteindelijk altijd van beschuldigd dat hij het in zijn broek deed? Waarom is het in het leven zo belangrijk om het niet in je broek te doen? Waarom moet je, om als mens te worden beschouwd, altijd doen waar je het minste zin in hebt? Waarom?

'Oké, laten we gaan...' Pietro glipte door de heg en Gloria volgde hem.

Het gebouw stond naast een smalle secundaire weg die vanaf Ischiano door de landerijen sneed, een spoorwegovergang passeerde en ten slotte aansloot op de kustweg. Er reden nooit veel auto's. Vijfhonderd meter verderop richting Ischiano stonden een paar kassen en een garage. Het appartementengebouwtje was een lelijke, grijs geverfde kubus met een plat dak, groene plastic rolluiken en twee balkonnetjes vol planten. Op de begane grond waren de ramen gesloten. De juffrouw woonde op de eerste verdieping.

Om naar boven te klimmen kozen ze de zijkant die uitkeek op de landerijen. Als er iemand op straat zou langskomen kon diegene hen niet zien. Maar wie zou daar langskomen? De overweg was in die tijd van het jaar gesloten.

De regenpijp bevond zich in het midden van de façade op een meter van het balkonnetje. Hij zat niet erg hoog. Het enige probleem was je hand uitsteken om de balustrade van het balkon te pakken te krijgen.

'Wie gaat eerst?' vroeg Gloria zachtjes. Ze zaten als twee gekko's tegen de muur geplakt.

Pietro schudde aan de regenpijp om te voelen hoe sterk die was. Hij leek stevig genoeg. 'Ik ga wel. Dat is beter. Dan help ik je daarna om op het balkon te komen.'

Hij had een slecht voorgevoel, maar probeerde daar niet aan te denken.

'Oké.' Gloria kroop opzij.

Met de slang kronkelend in het zakje aan zijn broeksriem, greep Pietro met beide handen de regenpijp vast en steunde met zijn voeten tegen de muur. Zijn plastic sandalen waren niet ideaal voor een dergelijke onderneming, maar niettemin trok hij zichzelf omhoog terwijl hij probeerde zijn voeten op de beugels te plaatsen waarmee de regenpijp aan de muur was bevestigd.

Opnieuw ging hij ergens binnen waar hij niet binnen moest gaan. Maar ditmaal had hij het gelijk aan zijn kant, volgens Gloria.

(En jij? Wat vind jij er zelf van?)

Ik vind dat ik dit niet mag doen maar ik vind ook dat juf Palmieri een kutwijf is en deze grap verdient.

De klim verliep zonder problemen, de rand van het balkonnetje was nog maar een meter verwijderd, toen de regenpijp onaangekondigd en geruisloos losliet. Misschien was er een beugel verroest of niet goed gecementeerd. Hoe het ook zij, hij liet los van de muur.

Door zijn gewicht werd Pietro de leegte ingetrokken en als hij niet met een malende armslag – een gibbon waardig – juist op tijd had losgelaten, zou hij achterover zijn gevallen en... Nou ja, laat maar.

Hij bungelde aan de rand van het balkon.

'Godkolerenogantoe...' mompelde hij wanhopig en begon te trappelen in een poging zijn voeten tegen de regenpijp te krijgen, maar het enige wat hij daarmee bereikte was dat de pijp nog verder doorboog.

Kalm blijven. Niet te veel bewegen. Hoe vaak heb je niet aan een boomtak gehangen? Je kunt het wel een half uur volhouden.

Dat was niet waar.

De marmeren rand van het balkon zaagde zijn vingers door. Hij zou het vijf, hooguit tien minuten volhouden. Hij keek naar beneden. Hij kon zich laten vallen. Het was niet heel hoog. Hij zou het zelfs zonder al te veel schade kunnen doen. Het enige probleem was dat hij precies op het tegelpad zou vallen. En iedereen weet dat tegels bekend staan om hun hardheid.

Maar als ik goed val, gebeurt er niets.

(*Zinnen die met maar beginnen zijn bij voorbaat fout.*) Hij hoorde de stem van zijn vader.

Onder hem keek Gloria met haar handen in het haar toe.

'Wat moet ik doen?' vroeg hij zachtjes schreeuwend.

'Laat je vallen. Ik vang je wel op.'

Kijk, dat was pas echt een stom idee.

Dan bezeren we ons allebei.

'Ga opzij!'

Hij sloot zijn ogen en wilde juist loslaten, toen hij zichzelf op de grond zag liggen met een gebroken been en een zomer lang in het gips. 'Geen sprake van dat ik me laat vallen!' Met al zijn krachten greep hij een spijl van de balustrade, strekte met moeite een been uit en plaatste zijn hak op de rand van het balkon, vervolgens greep hij de rand ook met zijn andere hand, zette zijn voet neer en klauterde over de rand.

En nu?

De balkondeur was dicht. Hij duwde er tegen. Op slot.

Dat was niet in de plannen voorzien. Wie kon ook bedenken dat iemand met deze gore hitte de ramen dicht had alsof het januari was?

Hij maakte zijn hand hol tegen het raam en keek naar binnen.

Een woonkamer. Er was niemand.

Hij kon proberen het slot te forceren of het raam met een bloempot in te slaan. Om vervolgens door de voordeur te ontsnappen. Het plan zou mislukken (*Wat kan mij dat schelen!*), of hij kon weer aan het balkon gaan hangen en zich laten vallen.

'Ga naar binnen!' riep Gloria druk gebarend tegen hem.

'Hij is dicht! De deur is dicht.'

'Schiet op, ze kan elk moment thuiskomen.'

Makkelijk gezegd van beneden af.

Stel je voor: wat een pleefiguur! Juf Palmieri die mij aantreft voor haar gesloten balkondeur.

Hij keek naar de andere kant. Minder dan een meter verderop zat een raampje. Open. Het rolluik was naar beneden maar niet genoeg om hem te verhinderen erdoor te kruipen.

Daar was de vluchtweg.

127

Het was heel warm.

Maar het water begon af te koelen. Ze voelde haar benen en billen niet meer.

Hoe lang lag ze daar nu al? Ze kon het niet met zekerheid zeggen, want ze was in slaap gevallen. Een half uur? Een uur? Twee?

Wat deed het ertoe?

Ze zou er zo direct uit komen. Maar nu nog niet. Heel rustig. Nu moest ze haar liedje horen. Haar lievelingsliedje.

Rew. Srrrrr. Plok. Play. Efffff.

'Wat een vreemde man had ik, met zulke zachte ogen die mij steeds lieten zeggen ik ben nog steeds van jou en de grond zakte onder me weg als hij insliep op mijn borst... en ik dacht terug aan het begin, toen ik nog onschuldig was, toen ik nog het rode licht van de koralen in mijn haar had, toen ik ijdel als geen ander mij spiegelde in de maan en steeds maar wilde horen: je bent beeldschooooooon! Ooo! Ooo!'

STOP.

Dat liedje was de waarheid.

In dat liedje zat meer waarheid dan in alle boeken en in alle domme gedichten die over de liefde gaan. En dan te bedenken dat ze de cassette had aangetroffen in een dagblad. De grote successen van de Italiaanse muziek. En ze wist niet eens hoe de zangeres heette. Ze was geen deskundige op dat gebied.

Maar het liedje zei grote waarheden.

Dit liedje zouden de leerlingen moeten leren.

'Uit het hoofd,' mompelde Flora Palmieri terwijl ze een hand over haar gezicht liet glijden.

373

PLAY.

'Je bent beeldschooooon! Je bent beeldschoooooo! Ooo!'

'Hij zei jij bent beeldschoon… Ooo,' begon ook zij te zingen, maar het was alsof haar batterijen leeg waren.

128

'Je bent beeldschoon.'

Ze doet haar ogen open. Lippen zijn haar aan het kussen.

Kusjes in haar hals. Kusjes op haar oorschelp. Kusjes op haar schouders.

Ze haalt een hand door zijn haar. Haar dat hij voor haar heeft afgeknipt (Wat vind je, vind je me nu leuker? Natuurlijk vind je me nu leuker.)

'Wat zei je?' vraagt ze, terwijl ze haar ogen uitwrijft en zich uitrekt. Een zonnestraal kleurt het tapijt donker en laat het stof in de lucht dansen.

'Ik zei dat je beedschoon bent.'

Kusjes op haar keel. Kusjes op haar rechterborst.

'Zeg dat nog eens.'

Kusjes op haar linkerborst.

'Je bent beeldschoon.'

Kusjes op haar rechtertepel.

'Nog een keer. Zeg het nog eens.'

Kusjes op haar linkertepel.

'Je bent beeldschoon.'

Kusjes op haar buik.

'Zweer het.'

Kusjes op haar navel.

'Ik zweer het. Jij bent het mooiste wat ik ken. En wil je me nu alsjeblieft mijn gang laten gaan?'

En nog veel meer kusjes.

129

Pietro gleed met zijn hoofd naar voren, als een vis in een ton, naar binnen.

Hij hield zijn handen voor zich, plaatste ze op de tegels en kroop op zijn polsen vooruit.

De grond was nat en zijn shirt raakte doorweekt.

Ten slotte lag hij languit naast het bidet.

In een badkamer.

Muziek.

'...maar ik ging naar buiten om je te zoeken, op straat, tussen de mensen, ik dacht dat ik me omdraaide en je plotseling zou zien en ik denk dat ik nog steeds kan horen: Jij bent beeldschooooon!'

Loredana Berté.

Hij kende dat liedje, want Mimmo had de plaat.

Hij stond op.

Het was donker.

En het was heel warm.

Er droop zweet van hem af.

En er was een... vieze geur.

Twintig seconden lang was hij haast blind. Hij was in een badkamer, daarover kon geen twijfel bestaan. Er brandde een lamp maar die was bedekt met een doek en verspreidde geen licht. De rest was in schemering gehuld. Zijn pupillen vernauwden zich en ten slotte kon hij zien.

Juffrouw Palmieri lag languit in het bad.

Tussen haar handen klemde ze een oude cassetterecorder, zo een met een hoesje van zwart plastic, die gilde: je bent beeldschoon. Een snoer liep door de hele badkamer en eindigde in een stopcontact naast de deur. Het was er erg rommelig. Kleren op een hoop op de grond. Natte kleren in de wastafel. De spiegel besmeurd met rode strepen.

Juffrouw Palmieri zette de cassetterecorder uit en keek hem aan. Ze leek niet verbaasd. Alsof het de gewoonste zaak van de wereld was dat iemand door het raam haar huis binnenkwam.

Maar zij was niet gewoon.

Verre van.

Haar gezicht was in de tussentijd veranderd, sterk vermagerd (die gezichten van die joden in de kampen...), en daarbij dreven er in het badwater stukken zacht geworden zeep, bananenschillen en een roddelblad.

De juffrouw vroeg met een heel klein vleugje van verbazing: 'Wat doe jij hier?'

Pietro sloeg zijn ogen neer.

'Maak je geen zorgen. Ik schaam me niet meer. Je mag naar me kijken. Wat wil je?'

Pietro sloeg zijn ogen op en sloeg ze weer neer.

'Wat is er, vind je me lelijk?'

'Neeee n...' stamelde hij verlegen.

'Kijk dan naar me.'

Pietro dwong zichzelf naar haar te kijken.

Ze was wit als een lijk. Of beter gezegd, als een wassen beeld. Vaalgeel. En haar borsten leken twee enorme mozzarella's die in het water waren gelegd. Haar ribben staken uit. Haar buik rond en gezwollen. En rood schaamhaar. En lange armen. En lange benen.

Ze was angstaanjagend.

Flora tilde haar hoofd op, keek naar het plafond en schreeuwde: 'Mama! We hebben gasten! Pietro is op bezoek.' Ze draaide haar hoofd om alsof er iemand tegen haar praatte, maar er praatte niemand. Het huis was stil als een graf. 'Nee, maak je geen zorgen, het is niet diezelfde van daarnet.'

Ze is gek geworden, zei Pietro tegen zichzelf.

130

'Wat hebben we het fijn samen, hè?'

Flora glimlacht.

'Waarom geef je geen antwoord? Hebben we het samen fijn of niet?' dringt hij aan.

'Ja, we hebben het fijn.'

Ze liggen omstrengeld op een duin op dertig meter van de vloedlijn. In een mand zitten broodjes in aluminiumfolie en een fles rode wijn. De zee is somber, zo grijs, geplooid door de wind. Dezelfde kleur als de hemel. En de lucht is zo schoon dat de schoorsteenstrepen van de centrale van Civitavecchia vlakbij lijken.

Hij pakt zijn gitaar en begint te spelen. Hij heeft moeite met een passage.

*Hij probeert het een paar keer. 'Dit is een milonga. Zelf gecomponeerd.' Hij
stopt met spelen en heeft een geïrriteerde uitdrukking op zijn gezicht. 'Wat
doet me hier toch zo'n pijn?' Hij steekt een hand in zijn broekzak en haalt
er een blauw fluwelen doosje uit. 'O, dat was het. Kijk nou toch wat er soms
in je zak terechtkomt.'*
  'Wat is het?' *Flora schudt haar hoofd.*
  Ze heeft het begrepen.
  Hij legt het doosje in haar hand.
  'Ben je gek geworden?'
  'Maak maar open.'
  'Waarom?'
  'Als je het niet openmaakt zit er niets anders op dan het aan de vissen te
voeren. En dan heeft een duiker de volgende zomer geluk.'
  Flora maakt het open.
  Een ring. Van wit goud met amethist.
  Flora schuift hem aan haar vinger. Perfect. 'Wat is dit?'
  'Een officieel huwelijksaanzoek.'
  'Ben je gek geworden?'
  'Ja, helemaal. Als je hem niet mooi vindt, zeg het dan, de juwelier is een
vriend van me, we kunnen hem ruilen. Geen enkel probleem.'
  'Nee, hij is prachtig, ik vind hem mooi.'

131

'Nou, wat kom je hier doen?'
  'Kijk...' *Om een grap met u uit te halen, maar gelet op uw toestand denk
ik niet dat...* Pietro wist niet wat hij moest zeggen.
  'Dus het is waar dat jij als een dief andermans huizen binnensluipt?
Wilde je soms mijn televisie kapot gooien? Als je dat wilt mag dat
gerust. Ga maar naar de woonkamer. Ik kijk al een hele tijd geen tv
meer. Maar ik heb de indruk dat je dit keer door niemand gedwongen
bent om in te breken, of vergis ik me?'
  Beneden staat iemand die...
  Daar was de deur. Hij kon wegvluchten.
  'Haal het niet in je hoofd. Je bent nu hier en je gaat pas weg wan-

377

neer ik dat zeg. We hebben de laatste tijd niet veel gasten gehad met wie we konden converseren.' Vervolgens tegen het plafond: 'Toch, mama?' Ze wees met een vinger naar het zakje dat aan Pietro's riem hing. 'Wat zit daar in? Er beweegt iets…'

'Niets,' loog Pietro. 'Niets.'

'Laat eens zien.'

Hij liep naar haar toe. Hij zweette als een otter. Zelfs in zijn knieholte. Hij maakte het zakje los en hield het in zijn hand. 'Er zit een slang in.'

'Wilde je me laten bijten?' vroeg de juffrouw belangstellend.

'Nee, het is een ringslang, die bijten niet,' probeerde Pietro zich te rechtvaardigen zonder echter al te overtuigend te zijn. Dat was de schuld van de juffrouw, ze gaf hem een rotgevoel.

Hij voelde hoe de gekte van die vrouw zich om hem heen wikkelde als een gifwolk die hem ook gek kon maken. Ze had niets meer van juffrouw Palmieri, de aardige juf Palmieri met wie hij die winteravond had gepraat bij de Coöp. Ze was een andere persoon en bovendien nog dwazer dan een gekke koe.

Ik wil weg.

De juffrouw legde de cassetterecorder op de rand van het bad en pakte het zakje. Ze maakte het open en wilde er net in kijken toen het puntige kopje van de slang uit het zakje schoot en, gevolgd door de rest van zijn golvende lijf, in het bad terecht kwam waar hij begon rond te zwemmen tussen haar benen. Juffrouw Palmieri bleef onbeweeglijk zitten en je kon niet zeggen of ze bang was of het leuk vond, of wat dan ook.

Vervolgens gleed het reptiel over de badrand en glipte door de badkamerdeur de gang op.

De juffrouw begon te lachen. Maar de schaterlach klonk geforceerd en onnatuurlijk, als die van een afgetakelde actrice. 'Nu kan hij vrij door het huis zwerven. Ik heb nooit huisdieren gehad. Deze past goed bij me.'

'Mag ik nu gaan?' smeekte Pietro.

'Nog niet.' Flora stak een gerimpelde voet uit het bad. 'Waar zullen we het over hebben? Nou, ik kan je zeggen dat het de laatste maanden niet bepaald erg goed met me is gegaan…'

Ze is klaar met koken. Alles is gereed. Het vlees staat in de oven. De taglia-
tellesalade staat af te koelen op tafel. Waar blijft hij toch? Meestal is hij zo
punctueel. Misschien is het laat geworden met die Milanese interieuront-
werper. Hij zal zo wel komen. Flora heeft bij de krantenkiosk de video van
Gone with the Wind *gekocht. Hij heeft haar een videorecorder gegeven.*
  En eindelijk is hij er.
  Maar hij gaat al snel weer weg. Hij is ontwijkend. Hij is vreemd. Hij
kust haar amper. Hij zegt dat hij wat problemen heeft met de jeansstore
(wat een lelijk woord). Dat hij vanavond niet kan blijven eten. Wat voor
problemen? Ze vraagt het niet. Hij zegt dat hij haar morgenochtend opbelt.
En dat ze morgenavond naar de video gaan kijken. Hij kust haar op (en
niet in) haar mond en gaat weg.
  Flora eet de koude tagliatelle en kijkt naar Gone with the Wind.

'Sinds die avond van *Gone with the Wind* heb ik hem niet meer gezien,'
giechelt de juf. 'Nooit meer. En ook niet gehoord.'
  Welke avond? En wie? Waar had ze het over? Pietro begreep er niets
van, maar had beslist geen behoefte om er dieper op in te gaan.
  (*Laat haar maar praten.*)
  'Nu kan ik erom lachen. Maar je hebt geen idee hoe ik eerst... laat
maar zitten. De volgende dag niet eens een telefoontje. 's Avonds
niets. Er kwam geen einde aan die dag. En ik wist het. Ik wist alles al.
Ik heb geprobeerd hem op zijn gsm te bereiken maar dan kreeg ik
altijd de voicemail. Ik heb berichten achtergelaten. Ik heb drie dagen
gewacht en toen heb ik hem bij hem thuis gebeld. En zijn moeder
zegt dat hij er niet is. En dat hij geen berichten voor mij heeft achtergelaten. En dan laat ze zich ontvallen dat haar zoon is vertrokken,
meer kan ze me niet vertellen. Hoezo vertrokken? Waar is hij dan
heen? Meer kan ze me niet vertellen, snap je? Hij heeft niet eens een
bericht voor me achtergelaten.' Juffrouw Palmieri begon stil te huilen, gooide vervolgens water in haar gezicht en glimlachte. 'Genoeg

gehuild. Ik heb al veel te veel gehuild. En huilen is nergens goed voor. Nietwaar?'

Pietro knikte.

Waarom ben ik hier gekomen? Oen die je bent… Oen…Gloria zou haar eens moeten zien, moeten zien hoe ze eraan toe is. Op wie is ze nou eigenlijk verliefd?

'Hij was vertrokken. Hij was weggegaan. Zonder iets tegen me te zeggen, zonder te groeten. Ik wist wel dat die man niets waard was. Hij was een farce, dat had mijn moeder al meteen gezegd. Ik wist het heel goed. Dat is wat me zo'n pijn doet. Maar hij had me betoverd met zijn woorden, zijn muziek, zijn mooie plannen, die ring. Hij liet me niet met rust. Hij kwelde me. Hij liet me alles geloven. En nu zal ik je eens iets zeggen, iets grappigs. Jij bent de eerste aan wie ik dit vertel, meneertje. Daar moet je vereerd mee zijn. Onze vriend heeft een klein aandenken voor me achtergelaten.' Ze pakte de rand van het bad vast en rechtte haar rug.

'Pietro, ik ben zwanger. Ik verwacht een baby.'

En ze begon weer te lachen.

134

Flora steekt haar hand in haar jaszak en knijpt in het plastic staafje dat haar de waarheid heeft verteld over die misselijkheid, dat uitblijven van haar menstruatie, die vermoeidheid die zij weet aan haar gebroken hart. Ze stapt in de auto en gaat naar fourniturenwinkel Biglia. Ze zet de motor af. Ze start hem weer. Ze zet hem weer af. Ze stapt uit en gaat de winkel binnen.

Gina Biglia staat achter de toonbank te praten met twee klanten. Als ze Flora ziet, spert ze met veelbetekenende blikken haar mond open. De twee klanten gaan in een hoekje staan om de knopenla te bekijken, maar gaan niet weg. Stel je voor! Oren gespitst als wolven.

'Waar is hij heen?' vraagt Flora met gebroken stem, happend naar adem. 'Ik moet het weten. Ik ga niet weg tot u het vertelt.'

'Ik weet het niet.' Gina Biglia beweegt druk. 'Het spijt me, ik weet het niet.'

Flora gaat op het krukje zitten, bedekt haar gezicht met haar handen en begint met schokkende snikken te trillen.

'Neem me niet kwalijk.' Mevrouw Biglia duwt de klanten de winkel uit en doet vervolgens de deur op slot. Ze loopt op Flora toe. 'Doet u dat alstublieft niet. Huil toch niet, goeie god. Huil toch niet!'

'Waar is hij heen?' Flora pakt haar hand vast en drukt die stevig in de hare.

'Goed dan, ik zal het zeggen. Ik zeg alleen wat ik weet. Als u dan hiermee ophoudt, ophoudt met huilen, en kalmeert. Hij is naar Jamaica gegaan.'

'Naar Jamaica? Waarom?'

Gina Biglia slaat haar ogen neer. 'Om te trouwen.'

'Ik wist het, ik wist het, ik wist het, ik wist…' zegt Flora. Dan haalt ze de zwangerschapstest uit haar zak en laat die zien.

135

'Ga nu maar weg. Ik wil je niet meer zien. Ik ben moe.' Flora pakte een stuk brood dat in het bad dreef en kneedde het tot pap.

Pietro draaide zich om en wilde weggaan, toen hij zich, zonder dat hij het zelf wilde, zonder dat hij er behoefte toe voelde, liet ontglippen: 'Waarom ben ik toch blijven zitten?'

'O, daarom ben je hier gekomen, nu begrijp ik het eindelijk.' Ze pakte een borstel met de bedoeling haar haar te borstelen, maar liet die vervolgens in het water vallen. 'Wil je het echt weten? Weet je zeker dat je het wilt weten?'

Wilde hij het weten? Nee, hij wilde het niet weten, maar hij draaide zich toch om en vroeg opnieuw: 'Waarom?'

'Het kon niet anders gaan. Jij begrijpt niets. Jij bent dom.'

(*Niet naar haar luisteren. Ze is gemeen. Ze is gek. Ga weg. Niet naar haar luisteren.*)

'Maar u had gezegd dat ik braaf was. U had beloofd…'

'Zie je wel dat je dom bent? Weet je dan niet dat beloften alleen maar gemaakt zijn om niet nagekomen te worden?'

Ze was een heks. Met die grijze ogen, diep weggezonken in de paarsige kassen, die scherpe neus, die haren als van een krankzinnige…

Jij bent de boze heks.

'Dat is niet waar.'

'Het is wel waar. Het is wel waar,' zei Flora terwijl ze nonchalant een bananenschil op de vloer gooide.

Pietro schudde zijn hoofd. 'U zegt deze dingen omdat u zich slecht voelt. Omdat u bent verlaten, alleen daarom zegt u deze dingen. U denkt ze niet echt, dat weet ik.'

136

Flora ligt op bed. Ze is niet meer boos op hem. Als hij terugkomt, vergeeft ze hem. Want zo kan ze werkelijk niet meer verder. Graziano's moeder heeft dat verteld om haar pijn te doen, omdat ze een slechte vrouw is. Het is niet waar. Het is niet waar dat Graziano getrouwd is. Hij zal terugkomen. Snel. Ze weet het. En ze zal hem terugnemen. Want zonder hem is ze nergens toe in staat en heeft niets nog zin. 's Ochtends wakker worden. Werken. Voor mama zorgen. Slapen. Leven. Niets heeft nog zin zonder hem. Ze roept hem elke nacht. Ze kan hem laten terugkomen. Ze weet dat ze het kan. Met haar geest. Als ze in staat is te praten met haar moeder die naar een andere wereld is verbannen, zal het met hem, die slechts aan de andere kant van de oceaan zit, makkelijk zijn. Ze zegt hem dat hij onmiddellijk moet terugkomen. Graziano, kom bij me terug.

137

Flora opende haar mond met gele tanden en schuimbekte: 'Hou je mond! Weet je waarom Pierini wel is bevorderd? Om de volgende reden: hoe eerder ze van hem af zijn, des te beter het is. Ze willen hem nooit meer zien. Ze konden hem niet laten blijven zitten, hij is in staat die hele vervloekte school van ze af te breken. En daar zou hij goed aan doen. Ze zijn bang. Weet je wat hij bij mij heeft gedaan? Hij heeft mijn auto in brand gestoken. Een cadeautje omdat ik hem heb verklikt. En nu wil jij weten waarom ze jou hebben laten zakken. Ik zal het je uitleggen. Omdat je onvolwassen en kinderlijk bent. Wacht even… Hoe zei de onderdirectrice het ook al weer? 'Een jongen met ernstige karakterproblemen en met een problematische familie, en moeilijkheden bij het aanpassen aan de groep.' Met andere woorden: omdat je niet reageert. Je bent verlegen. Je integreert niet. Je kunt niet gewoon als alle anderen zijn. Omdat je vader een gewelddadige alcoholist is en je moeder een zenuwpatiënt die wordt volgestopt met medicijnen en je broer een domme idioot die drie keer is blijven zitten. Je zult net zo worden als zij. En ik zal je één ding zeggen: zet dat lyceum uit je hoofd, zet die universiteit uit je hoofd. Hoe eerder je begrijpt wie je bent, des te sneller je je beter zult voelen. Je hebt geen ruggengraat. Je bent blijven zitten omdat je anderen toestaat dingen met je te doen die je zelf niet wilt doen.'

(En Gloria heeft mij opdracht gegeven om hier naar binnen te gaan.)

'Jij wilde zelf helemaal niet inbreken op school. Hoe vaak heb je die woorden niet herhaald in de directeurskamer? En elke keer gooide je je eigen ruiten nog meer in doordat je liet zien hoe zwak en onvolwassen je was.' Ze pauzeerde even om adem te halen, keek hem minachtend aan en ging verder. 'Jij bent net als ik. Jij bent niets waard. Ik kan je niet redden. Ik wil je niet redden. Mij heeft niemand gered. Ze zullen jou links laten liggen omdat je niet reag—'

Een moment.

Een vervloekt moment.

Het vervloekte moment waarop de bluffer besluit op het randje van de balustrade te gaan lopen.

Het vervloekte moment waarop je de steen van de brug gooit.

Het vervloekte moment waarop je opzij buigt om je sigaretten te pakken, overeind komt en voor je, aan de andere kant van de voorruit, een silhouet met open mond vastgenageld ligt op de witte strepen.

Het vervloekte moment dat niet meer terugkomt.

Het vervloekte moment dat je leven kan veranderen.

Het vervloekte moment waarop Pietro reageerde, zijn voet op het snoer zette en trok en de cassetterecorder in het water viel met een simpele…

Plof.

138

De hoofdschakelaar, naast de meter, sloeg met een kort geluid af.

In de badkamer viel de duisternis.

Flora kwam schreeuwend overeind, misschien omdat ze ervan overtuigd was dat ze geëlektrocuteerd werd, misschien alleen maar uit
instinct, maar in elk geval kwam ze overeind, balanceerde een seconde op een been, nog een en weer een waarin ze zich realiseerde dat ze
zou uitglijden en ze gleed achterover en viel, haar armen spreidend,
terug in de duisternis.

Tok.

Ze voelde een vreselijke klap tegen haar achterhoofd. Een korte
klap die haar kaken en de rest van haar schedel deed trillen.

De scherpe rand.

Als ze op de bodem van het bad die plastic bloemen had geplakt die
ze in Orbano had gezien en die twaalfduizend lire per stuk kostten
(veel te veel voor zoiets lelijks), was ze misschien niet doodgegaan,
maar waarschijnlijk hadden die haar ook niet gered. Na drie uur
onbeweeglijk in het water liggen, zijn je benen als stukken hout.

Ze lag opnieuw languit in het bad.

Met een hand betastte ze haar achterhoofd. Ze begreep het niet. Ze
voelde iets glibberigs dat in haar haar kleefde. En ze voelde dat de
randen van de wond opzwollen. En als ze er een vinger instak, voelde
ze dat de wond diep was. Het was een harde klap geweest.

Ze probeerde zich op te trekken. Ze probeerde het opnieuw.

Hoe kon het dat ze zich goed voelde en niet kon opstaan? Eigenlijk
had ze het gevoel dat ze langzaam in het water wegzakte. Dat was het,
haar armen en benen gehoorzaamden niet.

*Misschien voelde mama ook wel iets dergelijks nee dit is zacht en niet hard
zoals mama ik los langzaam op en het water smaakt zout en metaalachtig
naar bloed.*

Het water stond haar aan de lippen.

*Ik mag niet gewoon doodgaan ik mag niet het is verboden ik mag het niet
doen mama mama wie zal er voor mama zorgen als je lief klein dochtertje je
Flo er niet is en anders had ik me nu al lang van kant gemaakt mama.*

Mama! Mama! Ik ga dood! Mama!

384

139

Een ijzingwekkende schreeuw, water dat opspatte en een doffe klap tegen het bad.

Pietro bedekte zijn ogen, vulde zich met lucht en schreeuwde niet maar schoot de badkamer uit, op zoek naar de voordeur, en liep er langs zonder hem te zien. Alles was in schaduw gehuld. Hij kwam in de keuken. Een deur. Hij deed hem open. Een warme, muffe lucht van uitwerpselen viel als een dreun op hem neer. Hij zette twee passen en er was een afrastering, een hek, iets van ijzer, iets waar hij halsoverkop overheen klauterde en hij belande met open mond op een hard lichaam, een lichaampje dat reutelde en hijgde, hij begon om zich heen te trappen en te slaan en te gillen als een epilepsiepatiënt en klom over wat het ook was heen en rende terug en botste tegen de deurposten en gooide het telefoontafeltje om en zag eindelijk de voordeur, draaide de knop om en rende de trap af.

140

Ze ademde door haar neus.

De rest van haar hoofd was onder water.

Haar ogen waren open. Het water was warm. Het had een bittere smaak. Rode spiralen kronkelden voor haar ogen. Steeds bredere, wijdere cirkels, een draaikolk en een geluid, een dof geluid in haar oren, het geronk van een vliegtuig uit Jamaica en daar zat Graziano in die terugkwam *omdat ik hem heb geroepen en er is een heuvel die ronddraait en mama is er en papa en Pietro en Pietro en ik Flora Palmieri geboren te Napels en een klein baby'tje met rood haar en Graziano speelt gitaar en de koalaberen komen de grote zilverkleurige koalaberen en het is zo makkelijk het makkelijkste wat er is ze te volgen over de heuvel.*

Wat ze zag gaf haar een laatste stuiptrekking, ze glimlachte en toen ze zich eindelijk liet gaan, zat ze niet langer gevangen in de draaikolk.

19 juni

Met halfopen mond, de handen gekruist achter het hoofd, keek Pietro naar de sterren.

Hij kende hun namen niet. Maar hij wist dat er een was, de Poolster, de ster van de zeelieden, die helderder was dan de anderen, ook al waren ze die nacht allemaal even helder.

Zijn hart was tot bedaren gekomen, zijn maag rommelde niet meer, zijn hoofd was vredig en Pietro lag ontspannen te doezelen op het strand. Gloria lag naast hem. Ze bewoog al een tijdje niet meer. Ze sliep waarschijnlijk.

Ze waren daar al meer dan zes uur en al die tijd was hij wanhopig geweest, had hij haar honderd keer verteld hoe alles was gegaan, zichzelf steeds dezelfde vragen gesteld, besloten wat hij moest doen, en toen, eindelijk, had de vermoeidheid de overhand gekregen en nu voelde Pietro zich doodmoe, lichamelijk uitgeput en wilde hij niet meer denken.

Hij had daar graag de rest van zijn leven zo willen blijven liggen, kijkend naar de hemel, languit op dat warme zand. Maar dat was niet makkelijk, want de kleine psycholoog in hem werd plotseling wakker en vroeg: *En? Hoe voelt u zich nu, nadat u uw eigen juf Italiaans hebt vermoord?*

Hij kon geen antwoord geven, maar hij kon wel zeggen dat je niet doodgaat als je een ander menselijk wezen hebt vermoord, dat het lichaam blijft functioneren en het brein ook, maar wel anders dan daarvoor. Ja, want vanaf dat moment tot het eind van zijn levensdagen zou er een voordien en nadien zijn. Zoiets als de geboorte van Christus. Alleen ging het in zijn geval om voor en na de dood van juffrouw Palmieri. Hij keek op zijn horloge. Het was tien voor half drie op 19 juni, dag één n.F.P.

Hij had haar geëlektrocuteerd.

Zonder enige reden. En als die er wel was, begreep Pietro hem niet, wilde hij de reden niet begrijpen, dan was die opgesloten ergens binnen in hem en kon hij er alleen maar de onthutsende kracht van voelen, een kracht die hem kon veranderen in een gek, in een moordenaar, in een monster.

Nee, hij wist niet waarom hij haar had vermoord.

(Ze zei die vreselijke dingen over jou en je familie.)

Ja, maar dat was niet de reden.

Het was eigenlijk een soort ontlading. Zonder dat hij het wist hadden binnen in hem tonnen tritol gezeten, die op het punt hadden gestaan te exploderen. De juffrouw had op het knopje gedrukt waardoor de ontspanner werd geactiveerd.

Net als die stieren bij stierengevechten die daar midden in de arena staan en beestachtig lijdend stilstaan en dan komt er zo'n klote-torero die ze afslacht en zij geven geen krimp maar op een gegeven moment stoot hij net een speer te veel erin en de stier ontploft en dan kan die torero alle dansjes maken die hij wil maar dan krijgt hij opeens een hoorn in zijn darmen en de stier tilt hem hoog op en laat hem door de lucht vliegen met zijn ingewanden naar buiten en bloed uit zijn mond en dan ben jij blij omdat dat Spaanse spel van speren stoten in de rug (waar het het meeste pijn doet) totdat je erbij neervalt, het gemeenste spel van de wereld is.

Dat kon een reden zijn, maar het was niet voldoende om zijn daad te rechtvaardigen.

Ik ben een moordenaar. 'Een moordenaar. Een moordenaar. Pietro Moroni is een moordenaar.' Het klonk goed.

Het zou ontdekt worden en hij zou de rest van zijn leven in de gevangenis zitten. Hij hoopte dat hij een kamertje (een cel) voor zich alleen kreeg. Hij zou boeken kunnen lezen (gevangenissen hebben bibliotheken). Hij zou televisie kijken (Gloria zou hem de hare geven) en hij zou daar blijven. Hij zou slapen en eten. Dat was alles wat hij nodig had.

Voor altijd rustig.

Ik moet naar de politie om te bekennen.

Hij strekte zijn arm uit en schudde aan Gloria. 'Slaap je?'

'Nee.' Gloria draaide zich naar hem om. Haar ogen glansden in het licht van de sterren. 'Ik lag na te denken.'

'Waarover?'

'Over de verloofde van juf Palmieri. Wie zou dat zijn?'

'Weet ik niet. Dat heeft ze niet gezegd.'

'Ze hield zo veel van hem dat ze gek is geworden...'

'Ze was er heel slecht aan toe. Alsof ze ziek was, maar niet zoals Mimmo wanneer Patrizia hem verlaat.'

Vreemd. Hij had er nooit over nagedacht wat juffrouw Palmieri na school deed, of ze van films hield of wandelingen maakte, of ze graag paddestoelen ging zoeken, of ze meer van honden of van katten hield. Misschien hield ze helemaal niet van dieren, misschien was ze bang voor spinnen. Hij had zich nooit voorgesteld hoe haar huis eruit zou zien. Hij zag het balkonnetje vol rode geraniums weer voor zich, de schemerige, vieze badkamer, de gang met die poster van zonnebloemen en het donkere kamertje met dat levende ding erin. Het was alsof hij voor het eerst had ontdekt dat zijn juf ook een mens was, een vrouw die alleen woonde en een eigen leven had, niet een kartonnen pop met niets erachter.

Maar dat had nu allemaal geen belang meer. Ze was dood.

Pietro ging in kleermakerszit zitten. 'Gloria, luister, ik heb nagedacht, ik moet naar de politie gaan. Ik moet het gaan vertellen. Het is beter als ik beken. Dat zeggen ze in films ook altijd. Dan word je daarna beter behandeld.'

Gloria bewoog niet maar pufte. 'Hou op met die onzin! Kap er nou mee. We hebben er twee uur lang over gepraat. Niemand heeft je gezien. Niemand weet dat jij daar bent geweest. Wij zijn daar nooit naar toe gegaan, begrepen? We waren bij de lagune. Palmieri is gek geworden. Ze heeft de cassetterecorder in het water laten vallen en is geëlektrocuteerd. Einde verhaal. Als ze haar vinden, zullen ze denken dat het een ongeluk is geweest. Zo is het. En nu houden we erover op. Dat had je zelf ook gezegd, of ben je nu soms weer van gedachten veranderd?'

'Dat weet ik wel, maar ik moet er steeds aan denken. Ik kan niet anders dan eraan denken. Ik kan niet anders,' zei Pietro terwijl hij zijn handen in het zand stak.

Gloria richtte zich op en sloeg een arm om zijn hals. 'Om hoeveel zullen we wedden dat ik ervoor kan zorgen dat je er niet meer aan denkt?'

Pietro glimlachte zwakjes. 'Hoe dan?'

Ze pakte zijn hand. 'Zullen we zwemmen? Heb je zin?'

'Zwemmen?! Nee, daar heb ik geen zin in. Daar heb ik helemaal geen zin in.'

'Kom op. Het water is vast heel warm.' Ze pakte hem bij zijn arm. Uiteindelijk stond Pietro op en liet zich meeslepen over het natte zand.

Al stond er slechts een halve maan, het was een helder verlichte nacht. De sterren reikten tot in de zee die glad was als een tafel. Er waren geen geluiden, als je dat van het water dat over het zand spoelde niet meerekende. Tussen de duinen achter hen vormde de begroeiing een zwarte wirwar vol puntjes door de knipperende lichtjes van de vuurvliegjes.

'Ik ga erin, als jij niet ook komt ben je een rotjoch.' Gloria trok voor Pietro's neus haar T-shirt uit. Ze had kleine borstjes die bleek afstaken tegen de rest van haar gebruinde lichaam. Ze wierp hem een schalkse glimlach toe en draaide zich toen om, trok haar korte broek en onderbroek uit en wierp zich schreeuwend in het water.

Ze heeft zich vlak voor me uitgekleed.

'Het is heerlijk! Heel warm. Kom op, duik erin! Moet ik je soms op mijn knieën smeken?' Gloria ging op haar knieën zitten en vouwde haar handen. 'Lieve Pietro, allerliefste Pietro, ik smeek je, kom je alsjeblieft ook lekker zwemmen?' En ze zei dat met een stem...

Ben je nou helemaal? Toe, schiet op, waar wacht je nog op?

Pietro trok zijn shirt en korte broek uit, hield zijn onderbroek aan en dook in het water.

De zee was warm, maar niet warm genoeg om hem de zweepslag te geven die zijn vermoeidheid zou wegspoelen. Hij ademde diep in en dook onder water en begon te zwemmen met een krachtige schoolslag op tien centimeter van de zandbodem.

Nu hoefde hij alleen maar te zwemmen. Steeds verder zwemmen, de bodem volgen tot het diepe water, als een manta of een rog, totdat hij niet meer genoeg lucht had, totdat zijn longen zouden barsten als ballonnen. Hij opende zijn ogen. Er was een kille duisternis, maar hij bleef met open ogen doorzwemmen en voelde dat hij moest ademhalen, *niet op letten, verder zwemmen*, een verscheurend gevoel in zijn borstkas, zijn luchtpijp, zijn keel, nog vijf armslagen, en toen hij die had gemaakt zei hij tegen zichzelf dat hij er nog wel vijf, op zijn minst zeven kon maken, anders was hij een sukkel, en hij begon zich misselijk te voelen maar moest er nog tien maken, minstens tien en hij maakte er een, twee, drie, vier, vijf en op dat moment had hij echt het gevoel alsof er een atoombom in hem ontplofte en hij kwam happend naar lucht boven water. De kust was ver weg.

Maar niet zo ver als hij had gedacht.

Hij zag het blonde hoofd van Gloria dat naar links en rechts draaide om hem te zoeken. 'Gl—' Maar toen zweeg hij.

Ze sprong bezorgd op. 'Pietro? Waar ben je? Doe alsjeblieft niet zo vervelend. Waar ben je?'

Hij moest opeens denken aan het liedje waar de juf naar luisterde toen hij de badkamer was binnengekomen.

Jij bent beeldschoon! Hij zei je bent beeldschoon.

Gloria, je bent beeldschoon. Hij had het haar graag willen zeggen. De moed daartoe had hem altijd ontbroken. Dat soort dingen zeg je niet.

Hij dook onder en zwom een paar meter. Toen hij weer boven kwam was ze dichterbij.

'Pietro! Pietro, je maakt me bang! Waar ben je?' Ze was in paniek.

Hij dook opnieuw onder en was achter haar.

'Pietro! Pietro!'

Hij pakte haar om haar middel. Zij sprong op, draaide zich om. 'Klootzak! Jezus! Ik heb doodsangsten uitgestaan! Ik dacht...'

'Wat?'

'Niets. Dat je een rotjoch bent.' Ze begon water naar hem te spetteren en sprong vervolgens boven op hem. Ze begonnen te stoeien. En het was verschrikkelijk prettig. Haar borsten tegen zijn rug. Haar billen. Haar dijen. Zij duwde hem onder en sloeg haar benen om zijn bekken.

'Smeek om genade, ellendeling!'

'Genade!' lachte Pietro. 'Een geintje.'

'Leuk geintje! Laten we eruit gaan, ik heb het ijskoud.'

Ze renden over het strand en wierpen zich naast elkaar in het nog warme zand. Gloria begon hem droog te wrijven, maar bracht toen haar mond naar zijn oor en fluisterde: 'Mag ik je wat vragen?'

'Wat dan?'

'Vind je me aardig?'

'...Ja,' antwoordde Pietro. Zijn hart begon onder zijn borstbeen te marcheren.

'Hoe aardig vind je me?'

'Heel erg.'

'Nee, ik bedoel...' Ze haalde verlegen adem. 'Hou je van me?'

Pauze.

'Ja.'

Pauze.

'Echt?'

'Ik geloof het wel.'

'Zoals juf Palmieri? Zou jij zelfmoord plegen om mij?'

'Als ik in levensgevaar was...'

'Laten we het dan doen...'

'Wat?'

'Vrijen. Laten we vrijen.'

'Wanneer?'

'Overmorgen, nou goed. Wat ben jij toch een sukkel! Nu, hier. Ik heb het nog nooit gedaan, jij... Jij hebt het nog nooit gedaan...' Ze maakte een grimas. 'Vertel me niet dat je het wel hebt gedaan. Je hebt het toch niet toevallig stiekem gedaan met dat monster Marrese?'

'Dan heb jij het nog eerder met Marrese gedaan...' protesteerde Pietro.

'Ja hoor, ik ben lesbisch en dat heb ik nog nooit verteld. Ik hou van Marrese.' Ze veranderde van toon, werd ernstig. 'We moeten het nu doen. Zou het moeilijk zijn?'

'Ik weet niet. Maar hoe...?'

Pauze.

'Wat hoe?'

'Hoe moeten we beginnen?'

Gloria hief haar ogen naar de nacht en zei toen verlegen: 'Nou, je zou me bij voorbeeld kunnen zoenen. Ik ben al helemaal naakt.'

Het werd een kleine tragedie waarvan de details maar beter niet verteld kunnen worden. Het was van zeer korte duur, gecompliceerd en onvolledig en het liet hen achter vol vragen en onzekerheden, gedesoriënteerd, niet in staat erover te praten en verstrengeld als een Siamese tweeling.

Maar toen zei zij: 'Je moet me iets beloven, Pietro. Je moet het zweren op onze liefde. Beloof dat je aan niemand iets vertelt over Palmieri. Nooit. Zweer het.'

Pietro zweeg.

'Zweer het.'

'Ik zweer het. Ik zweer het.'

'Ik zweer het ook. Ik zal het aan niemand vertellen. Zelfs niet over tien jaar. Nooit.'

'Jij moet mij ook iets beloven. Dat we altijd vrienden zullen blijven, dat we elkaar nooit in de steek laten, ook al zit ik in de tweede en jij in de derde.

'Dat beloof ik.'

142

Zagor blafte.

Obsessief, alsof er iemand over het hek was geklommen en nu op de binnenplaats was. Het door de ketting gesmoorde geblaf. Hees en krachteloos.

Pietro stond op. Hij stapte in zijn pantoffels. Hij schoof een gordijn open en keek in de duisternis. Er was niemand. Alleen maar een dwaze bastaardhond die zichzelf wurgde en zijn paarsblauwe lippen optrok over zijn schuimende muil.

Mimmo sliep. Pietro liep de kamer uit en opende de deur van de slaapkamer van zijn ouders. Ook zij sliepen. Hun zwarte hoofden staken amper boven de dekens uit.

Hoe is het mogelijk dat ze niet wakker worden van al die herrie? dacht hij, en op het moment dat hij dat dacht zweeg Zagor.

Stilte. Het ruisen van de wind in het bos. Het piepen van de balken van het plafond. Het tikken van de wekker. De motor van de koelkast beneden in de keuken.

Pietro hield zijn adem in en wachtte af. Toen hoorde hij ze eindelijk. Achter de voordeur. Zo zacht dat ze nauwelijks waarneembaar waren.

Toemp. Toemp. Toemp.

Voetstappen.

Voetstappen op de trap.

Stilte.

Er werd op de deur geklopt.

Pietro sperde zijn ogen wijd open.

Hij was drijfnat van het zweet en hijgde.

Wat als ze leeft?

Als ze leefde, zou ze hem verraden.

Hij zette zijn fiets achter de laurierstruiken en liep behoedzaam naar het appartementengebouw.

Er leek niets veranderd vergeleken bij de vorige dag. De straat was verlaten. Het was nog vroeg en de laagste gedeelten van de donkere hemel kleurden helderblauw. De lucht was fris.

Hij keek naar boven. Het badkamerraam stond open. De balkondeur was dicht. En de regenpijp was naar een kant doorgebogen. De glazen voordeur van het gebouw was dicht. Alles hetzelfde.

Hoe moest hij nu naar binnen? Kon hij de voordeur proberen?

Nee.

Dat zouden ze merken.

De regenpijp?

Nee.

Dan zou hij naar beneden vallen.

Een idee: je klimt zover mogelijk omhoog, dan laat je je vallen, je doet je pijn (je breekt een been), dan ga je naar de politie en zegt dat de juf je had gebeld dat ze zich niet goed voelde en dat jij hebt aangebeld maar dat er niemand antwoordde op de intercom en dat je toen hebt geprobeerd langs de regenpijp omhoog te klimmen en bent gevallen. En dan zeg je dat ze moeten gaan kijken.

Nee, dat is niet goed.

Ten eerste, de juf heeft me niet gebeld. Zodra ze mama en papa ondervragen komen ze daar meteen achter.

Ten tweede, als ze niet dood is zal de politie zeggen dat ik degene was die heeft geprobeerd haar te vermoorden.

Hij moest een andere manier vinden om binnen te komen. Hij liep om het gebouw heen op zoek naar een bovenraam, een opening waar hij doorheen kon. Achter de zwart geworden buizen van de verwarmingsketel zag hij een aluminium ladder bedekt met bladeren en spinnenwebben. Hij trok hem te voorschijn.

Wat hij nu deed was erg gevaarlijk. Iedere voorbijganger zou zien dat er een ladder tegen een raam stond. Maar hij moest het risico nemen. Met die steen op zijn geweten kon hij geen minuut langer leven. Hij moest naar boven en weten of ze leefde.

(En wat als ze leeft?)

Dan vraag ik haar om vergiffenis en bel een ambulance.

Hij bracht de ladder naar de voorkant van het gebouw en slaagde er met moeite in hem tegen de muur te zetten. Snel klauterde hij omhoog, nam een hap lucht en ging opnieuw binnen in het huis van juffrouw Palmieri.

143

De jumbo van British Airways van Kingston (Jamaica) naar Londen landde, stampend als een enorme kalkoen, op de landingsbaan van het vliegveld Leonardo Da Vinci in Rome, minderde vaart, stond stil en zette de motoren uit.

De stewardessen openden de deur en de passagiers liepen de trap af. Een van de eersten die naar buiten kwamen was Graziano Biglia, gekleed in een Sahara-shirt, een donkerblauwe bermuda, bergschoenen, een baseballpetje en een enorme zwarte reistas. In zijn hand klemde hij zijn mobieltje en toen er na een paar piepjes op het kleine digitale scherm van zijn Nokia de letters TIM verschenen en hij de vijf pijltjes van de perfecte ontvangst zag, glimlachte hij.

Dat betekent dat ik weer thuis ben.

Hij selecteerde de naam van Flora in het opgeslagen telefoonboek en drukte op bellen.

Bezet.

Terwijl hij samen met de andere passagiers in een bus werd gepropt deed hij vijf pogingen, maar tevergeefs.

Geeft niet, ik ga haar verrassen.

Snel handelde hij de douaneformaliteiten af en pakte zijn koffer en een enorm houten beeld van een zwarte danseres van de lopende band.

Hij vloekte.

Ondanks de verpakking had de danseres onderweg haar hoofd verloren. Het cadeau voor Flora. Het had hem een vermogen gekost. Het moest gerepareerd worden. Maar niet nu. Nu had hij haast.

Hij liep de aankomsthal van het vliegveld in en ging rechtstreeks naar de balie van Hertz, waar hij een auto huurde. Hij wilde zo snel mogelijk in Ischiano Scalo zijn en van een trein kon dus geen sprake zijn. Op de parkeerplaats werd hem een paarse Ford aangewezen zonder stereo-installatie.

Altijd dezelfde kutauto's, maar voor het eerst in zijn leven vroeg Graziano niet naar eentje die meer aan zijn behoeften voldeed, hij moest nu snel naar Ischiano om het belangrijkste van zijn hele leven te doen.

144

Ze was dood.

Dood.

Morsdood.

Morsmorsdood.

Het ding in het bad was dood. Ja, want dat was niet meer juffrouw Palmieri, maar een opgezwollen, paarsig ding dat als een binnenband in het bad dreef. De donkerblauwe mond opengesperd. Het haar aan het gezicht geplakt als lange zeealgen. De ogen twee vale cirkels. Het water was helder, maar op de bodem lag een karmozijnrood tapijt waarop het lijk van de juffrouw leek te zweven. De zwarte stekker van de cassetterecorder stak als de boeg van de *Titanic* uit de rode ondergrond.

Hij was het geweest. Hij was het geweest die dat had gedaan. Met een enkele beweging van zijn been. Een supersimpele beweging van zijn been.

Hij deinsde achteruit en stond met zijn rug tegen de muur.

Hij had haar echt vermoord. Tot nu toe had hij het nog niet helemaal geloofd. Hoe kon hij een mens hebben vermoord? Maar hij had het gekund. Ze was dood. En er was niets meer aan te doen.

Ik heb het gedaan. Ik heb het gedaan.

Hij boog zich over de wc en braakte. Vervolgens klampte hij zich, happend naar adem, vast aan de pot.

Ik moet onmiddellijk weg. Weg. Weg. Weg.

Hij trok door en liep de badkamer uit.

Het huis was donker. In de gang zette hij het tafeltje dat hij in zijn vlucht had omgegooid weer overeind en legde de hoorn terug op de telefoon. Hij keek of in de keuken alles in ord—

En dat wezen daarbinnen?

Pietro talmde voor de deur en liep toen, gedreven door iets wat tegelijkertijd nieuwsgierigheid en noodzaak was, de donkere kamer binnen.

De stank van uitwerpselen was penetrant en had zich nu vermengd met een andere stank die zo mogelijk nog viezer en misselijkmakender was.

Hij liet een hand langs de muur naast de deurpost glijden, op zoek naar het lichtknopje. Een lange neonlamp knetterde, ging aan, ging uit, ging aan en verlichtte het kamertje. Er stond een bed met aluminium spijlen en daarop lag een dood wezen zonder sexe. Een mummie.

Pietro wilde weggaan maar kon zijn ogen er niet van afhouden.

Wat was er met haar gebeurd? Ze was niet alleen oud, ze was helemaal scheef en had geen greintje vlees. Wat had haar zo toegetakeld?

Toen herinnerde hij zich de ladder buiten, deed de lichten uit, sloot de voordeur achter zich en liep de trap af.

'Er is daar iemand voor je,' had Gina Biglia gezegd met een glimlach die zelfs voorbij haar ogen reikte.

'Wie dan?' had Graziano gevraagd en was naar de woonkamer gelopen.

Erica. Ze zat op de bank en dronk koffie.

'Dus dit is de beroemde Erica?' had Gina gevraagd.

Graziano had langzaam ja geknikt.

'Nou? Geef je haar niet ten minste een kus? Wat ben jij onaardig...'

'Graziano, geef je me ten minste niet een kus?' had Erica herhaald terwijl ze haar armen spreidde en een vreugdevol lachje te voorschijn toverde.

Als zich in de woonkamer ergens een sexuoloog had verstopt, had die ons kunnen uitleggen dat Erica Trettel op dat moment de doeltreffendste strategie toepaste om de aandacht van een gekwetste ex-partner terug te winnen, namelijk door zich de meest sexy en neukbare vrouw van de hele wereld tonen.

En daar was ze volledig in geslaagd.

Ze droeg een lichtgroen minirokje dat zo strak en kort was dat je er een propje van had kunnen maken en het als een gehaktballetje had kunnen doorslikken, een wollen jasje in dezelfde kleur met een enkele knoop die haar wespentaille fijnkneep maar haar royale decolleté onbedekt liet, een zijden bloesje, ook groen maar in een zachtere tint, dat achteloos tot het derde knoopje open stond en waaruit, tot vreugde van het mannelijke universum en tot afgunst van het vrouwelijke, onthutsende beelden verschenen van een zwart kanten wonderbra die haar borsten modelleerde tot stevige wereldbollen. Een zwarte panty met geometrische figuren accentueerde haar lange benen. De zwarte schoenen, ogenschijnlijk sober, verborgen hakken van twaalf centimeter.

Dit wat betreft de kleding.

Nu het kapsel: haar haar was lang en platinablond. Het viel met bestudeerde natuurlijkheid in zachte golven neer op haar schouders en rug, net als in de L'Oréal-reclames.

Wat de make-up betreft: haar lippen (objectief bekeken voller dan een paar maanden daarvoor) waren bedekt met een donkere, glanzende lippenstift. De wenkbrauwen waren smalle boogjes die de groene ogen, waaronder een dun lijntje kajal, omlijstten. Wat heel lichte poeder bekroonde het geheel.

Al met al was het signaal dat ze uitzond dat van een jonge werkende vrouw, die zeker weet dat ze iedere man met zijn hormonen op de juiste plaats behaagt – geïntegreerd in de maatschappij en klaar om de wereld in een hap te verorberen, met de glossy sensualiteit van de uitklappagina van *Playboy*.

Je zou je kunnen afvragen wat Erica in hemelsnaam deed in Ischiano Scalo. In de woonkamer van het huis van die man tegen wie ze had gezegd: 'Ik veracht je om alles wat je bent. Om hoe je je kleedt. Om de lulkoek die je verkondigt op dat wijsneuzige toontje van je. Jij hebt nooit ergens een moer van begrepen. Je bent alleen maar een oude, mislukte dealer. Verdwijn uit mijn leven. Als je nog eens probeert te bellen, als je probeert je te vertonen, dan zweer ik bij God dat ik iemand inhuur om je smoel in elkaar te slaan.'

We zullen nu proberen dat uit te leggen.

Allemaal de schuld van de televisie. Allemaal de schuld van het vervloekte publiek.

Het amusementsprogramma van dinsdagavond op RAI uno, *Wie zijn billen brandt*, waar Erica had gedebuteerd als assistente, was een gigantische flop geworden die de fundamenten van de totale nationale omroep had ondermijnd (in de wandelgangen van de RAI beweerden boze tongen gniffelend dat tijdens de tweede aflevering, een half uur na aanvang, Auditel gedurende bijna twintig seconden nul had genoteerd. Ofte wel ongeveer twintig seconden lang had niemand in heel Italië naar RAI uno gekeken. Ondenkbaar!). Het had alles bij elkaar drie afleveringen geduurd, en toen waren het programma en daarmee alle afdelingsmanagers, onderdirecteuren, regisseurs en schrijvers geschrapt en had alleen de directeur van de omroep nog net de klap weten te doorstaan, maar zijn lot was voorgoed bezegeld.

Mantovani, de presentator, was geëindigd als tv-promotor van de huidverstevigende modder uit de Dode Zee op *Rete 39* en tegen de gehele staf van het amusementsprogramma was apartheid bedreven: komieken, orkest, telefonistes, danseressen en assistentes, inclusief

Erica Trettel. Nadat ze uit de RAI was gegooid, had Erica twee maanden thuis bij Mantovani gezeten in de hoop dat ze aanbiedingen van de concurrentie zou krijgen. Niet één telefoontje.

De liefdesgeschiedenis met Mantovani was zo lek als een mandje. Als de presentator 's avonds thuiskwam liep hij rond in onderbroek en pantoffels, propte zich vol met Edronax en drentelde almaar herhalend rond: 'Waarom? Waarom juist ik?' Vervolgens betrapte Erica hem op een avond in de badkamer, zittend op het bidet, terwijl hij een zelfmoordpoging deed door een halfliterflesje Dode Zee-modder leeg te drinken, en begreep ze dat ze alweer op het verliezende paard had gewed.

Ze had haar meest sexy kleren aangetrokken, zich opgemaakt als Pamela Anderson, haar koffers gepakt, was naar het station gegaan en met haar staart tussen de benen in de eerste trein gestapt die naar Ischiano Scalo ging.

Dit was de uitleg waarom ze daar was.

Twee dagen later had Erica Graziano weer terug en waren ze naar Jamaica vertrokken.

Ze waren meteen getrouwd, het was een mooie nacht met volle maan, op de kliffen van Edward Beach, en ze waren gaan leven op de wijze van Biglia.

Albatrossen, meegevoerd door positieve stromingen.

Ochtend en avond strand. Grote hoeveelheden hasj. Zwemmen. Surfen. Vissen op zee. Ook hadden ze een voorstelling in elkaar gedraaid om wat geld te verdienen, twee avonden per week in een nachtclub voor Amerikaanse toeristen. Graziano speelde gitaar en Erica danste in bikini, tot groot genoegen van beide sexen.

En toch was onze gevederde vriend niet gelukkig.

Dit was toch wat hij altijd had gewild?

Erica was bij hem terug, zei dat ze van hem hield, dat ze een grote fout had gemaakt, dat de televisie een vuilnisbelt was, ze was met hem getrouwd, ze konden zonder al te veel moeite rondkomen. Het plan was dat ze ergens in de toekomst zouden terugkeren naar Ischiano om daar de jeansstore te beginnen.

Wat wilde hij verdorie nog meer?

Het probleem was dat Graziano niet meer kon slapen. In de bungalow, onder de ventilator, terwijl Erica in dromenland was, bracht hij de nachten rokend door.

Waarom? vroeg hij zich af. Waarom voelde hij nu, nu zijn droom waarheid was geworden, dat dit niet zijn droom was en dat Erica, nu ze zijn vrouw was, niet de vrouw was die hij wilde?

Innerlijk, ergens in zijn onderbuik, broeide iets wat hem een rotgevoel gaf. Zoiets wat je heel, heel langzaam opvreet, wat je ziek maakt als een besmetting met een lange incubatietijd en waarover je met niemand kan praten omdat je, als je er per ongeluk mee voor de draad komt, de hele klotepoppenkast over je heen krijgt.

Hij had Flora laten zitten zonder haar iets te zeggen. Als de afschuwelijkste, walgelijkste van alle dieven. Hij had haar hart gestolen en was er met een ander vandoor gegaan. Hij had haar verlaten en daarmee uit. En alle mooie praatjes, alle verklaringen aan haar knaagden erger aan zijn geweten dan de drie Griekse wraakgodinnen.

...Ik heb haar ten huwelijk gevraagd, ja? Ik heb de moed gehad haar ten huwelijk te vragen, ik ben een klootzak, een klootzak van een vent.

Op een nacht had hij zelfs geprobeerd haar een brief te schrijven. Maar na twee zinnen had hij het papier verscheurd. Wat moest hij tegen haar zeggen?

Lieve Flora, het spijt me zo. Weet je, ik ben net een zigeuner, zo ben ik nou eenmaal, ik ben een...

(lul. Erica kwam en ik, en ik, nou ja, laat maar...)

En als hij dan eindelijk sliep had hij steeds dezelfde droom. Hij droomde dat Flora hem riep. *Graziano, kom bij me terug. Graziano.* En hij was maar een paar meter van haar vandaan en schreeuwde tegen haar dat hij daar was, bij haar, maar zij was doof en blind. Hij pakte haar vast, maar zij was een koude plastic etalagepop.

Zittend op het strand verloor hij zich in herinneringen. Hun etentjes en de video's. Het weekend in Siena waar ze een hele dag lang hadden gevreeën. De plannen voor de jeansstore. Hun wandelingen over het strand van Castrone. Hij bleef maar terugdenken aan toen hij haar de ring had gegeven, en zij helemaal rood was geworden. Hij miste Flora dodelijk.

Klootzak. Je hebt jezelf verneukt. Je hebt de enige vrouw van wie je ooit hebt kunnen houden verloren.

En op een dag was Erica helemaal opgewonden op het strand gekomen. 'Ik heb gesproken met een Amerikaanse producent. Hij wil dat ik meega naar Los Angeles. Voor een film. Hij zegt dat ik precies het type ben dat hij nodig heeft. Hij betaalt onze tickets en zorgt voor een huis in Malibu. Het is allemaal voor elkaar. Dit keer is het echt voor elkaar.'

In feite was Erica flink geweest, had ze het lang volgehouden, was twee hele maanden trouw gebleven aan haar beslissing nooit meer te maken willen hebben met de showbizz.

'Echt waar?' had Graziano gezegd terwijl hij zijn hoofd optilde van de ligstoel.

'Echt waar. Vanavond stel ik je aan hem voor. Ik heb hem ook over jou verteld. Hij zegt dat hij een heleboel mensen kent in de muziekwereld. Het is een grote jongen.'

Graziano had zijn ogen gesloten en als in een glazen bol de nabije toekomst gezien.

Los Angeles, in zo'n rotappartementje met kartonnen wanden naast een freeway, zonder een cent op zak, zonder het vooruitzicht op werk, televisiekijken zonder iets om handen te hebben, of sterker nog, met een lekker pijpje crack in handen.

Allemaal eender. Allemaal hetzelfde. Net als in Rome, maar dan erger.

Dit was hem, de kans! De kans om de onwaardige farce te beëindigen.

'Nee, dank je. Ga jij maar, ik ga niet mee. Ik ga terug naar huis. Dit is jouw magische moment, ik weet het zeker. Je zult doorbreken,' had hij gezegd terwijl hij het gevoel had alsof er een geluksgevoel in hem losbarstte waarvan hij niet meer had durven dromen. Gezegende, godgezegende Amerikaanse producent, God zegene hem en zijn hele familie! 'Maak je geen zorgen over ons huwelijk, dat is toch geen moer waard als we het niet laten erkennen in Italië. Beschouw jezelf als vrij, free.'

Zij had haar ogen opengesperd en stomverbaasd gevraagd: 'Graziano, ben je boos?'

En hij had zijn hand op zijn hart gelegd. 'Ik verzeker je, ik zweer je op het hoofd van mijn moeder, dat ik dolgelukkig ben. Ik ben hele-

maal niet boos. Jij moet naar Los Angeles gaan, als je niet gaat, bega
je een stommiteit die je voor altijd zult betreuren. Ik wens je al het
geluk van de wereld toe. Maar ik, sorry, ik moet nu weg.' Hij had haar
gekust en was naar een reisbureau gesneld.

En toen hij in het vliegtuig zat, tienduizend meter boven de
Atlantische Oceaan, was hij op een gegeven moment in slaap gedommeld en had hij over Flora gedroomd.

Ze waren op een heuvel met andere mensen en met zilverkleurige
beertjes en ze kusten elkaar en er kroop een klein Bigliaatje rond op
handen en knieën. Een klein Bigliaatje met rood haar.

145

Pietro kwam buiten adem Gloria's kamer binnen.

'Hoi!' zei Gloria, die op de tafel stond en een boek probeerde te
pakken van de bovenste plank van de boekenkast. 'Wat doe jij hier op
dit tijdstip?'

Aanvankelijk zag Pietro de grote koffer niet die wijdopen op het
bed lag, maar toen legde zij uit: 'Mijn ouders hadden vanochtend een
verrassing voor me. Omdat ik over be— Ik ga morgen naar Engeland.
Ik ga een paardrijcursus volgen in een dorpje bij Liverpool. Drie
weken maar, gelukkig.'

'O...' Pietro liet zich in de fauteuil vallen.

'Ik kom half augustus weer terug. Dan zijn we de rest van de vakantie samen. Eigenlijk is drie weken helemaal niet zo lang.'

'Nee.'

Gloria pakte het boek en sprong van de tafel. 'Ik wilde eigenlijk niet...
Ik had zelfs ruzie met mijn vader. Maar ze zeiden dat ik per se moet gaan.
Ze hebben alles al betaald. Maar ik kom snel weer terug, hoor.'

'Ja.' Pietro pakte een jojo van de tafel.

Gloria ging zitten op de armleuning van de fauteuil. 'Je blijft toch
wel op me wachten, hè?'

'Tuurlijk.' Pietro liet de jojo op en neer gaan.

'Je vindt het toch niet erg, hè?'

'Nee.'

403

'Echt niet?'

'Nee, maak je geen zorgen. Je komt toch snel terug en ik heb een heleboel te doen op de Plek, met al die vissen die ik in het net heb gedaan... Weet je, ik ga er meteen heen, gisteravond toen we weggingen ben ik vergeten ze te voeren, en als ze niet eten...'

'Zal ik met je meegaan? Ik kan vanmiddag wel verder pakken...'

Pietro dwong zichzelf tot een uitgestreken glimlachje. 'Nee, liever niet. We hebben gisteren een hoop herrie gemaakt en misschien zijn de wachters argwanend geworden. Het is beter dat ik alleen ga, echt waar. Dat is beter. Luister, veel plezier in Engeland en niet te veel paardrijden want daar krijg je kromme benen van.'

'Zeker weten. Maar... zien we elkaar vanmiddag dan ook niet?' vroeg Gloria teleurgesteld.

'Vanmiddag kan ik niet. Ik moet mijn vader helpen met het repareren van het hok van Zagor. Dat is de afgelopen winter helemaal verrot.'

'O, ik snap het. Dus dit is de laatste keer dat we elkaar zien?'

'Drie weken zijn zo om, dat heb je zelf gezegd.'

Gloria knikte. 'Oké. Dag dan maar.'

Pietro stond op. 'Dag.'

'Krijg ik geen afscheidskus?'

Pietro drukte snel zijn lippen op die van Gloria.

Ze waren droog.

146

Graziano stak de hoofdstraat van Ischiano over en sloeg de weg in die naar het appartement van Flora voerde.

Hij had geen speeksel meer in zijn mond en onder zijn oksels gutsten twee watervallen.

De emoties en de warmte.

Hij zou haar op zijn knieën smeken. En als zij hem niet wilde zien, zou hij dag en nacht bij haar huis blijven zitten, deed er niet toe hoe lang, zonder eten en drinken, net zolang tot zij hem zou vergeven. Jamaica was nodig geweest om in te zien dat Flora de vrouw van zijn leven was en nu zou hij haar niet meer laten ontsnappen.

Hij was nog maar tweehonderd meter van het huis verwijderd, toen hij achter de cipressen blauwe lichtschijnsels zag op de binnenplaats.

En wat is hier nu aan de hand?

Een ambulancewagen.

O god, Flora's moeder... Laten we hopen dat het niets ergs is. Nou, in elk geval ben ik er nu. Flora zal niet alleen zijn. Ik zal haar helpen en mocht het oudje dood zijn, dan is dat eigenlijk maar beter ook, dan is er een hele last van Flora's schouders af en krijgt haar moeder eindelijk rust.

Er was ook een politieauto.

Graziano parkeerde de auto in de berm en liep de binnenplaats op.

De ambulance stond met open portieren naast de ingang geparkeerd. De politieauto, ongeveer tien meter verderop, had ook een deur open. Er stond ook een donkerblauwe Regata. Maar de Y10 van Flora was er niet.

Wat is hier...

Bruno Miele, in politieuniform, kwam te voorschijn uit het gebouw, draaide zich om en hield de deur open.

Er verscheen een verpleger die een brancard droeg.

Op de brancard lag een lichaam. Bedekt met een wit laken.

Het oudje is doo—

Maar toen zag hij een detail.

Een detail dat het bloed in zijn hart deed verstenen.

Een lok. Een rode lok. Een rode lok stak uit. Een rode lok stak uit onder het laken. Een rode lok stak uit onder het laken en bungelde aan de zijkant van de brancard als een macabere vallende ster.

Graziano had het gevoel alsof de grond onder zijn voeten al zijn krachten uit hem trok. Onder zich had een magneet al zijn levensvocht uit hem gezogen en hem gereduceerd tot een hoopje botten zonder energie.

Hij sperde zijn mond open.

Hij kneep zijn vingers samen.

En hij dacht dat hij zou flauwvallen maar hij viel niet flauw. Zijn benen, stijf als stelten, voerden hem stap na stap bij Bruno Miele. Mechanisch vroeg hij: 'Wat is hier gebeurd?'

Miele, die druk-druk-druk was met het coördineren van de operatie van het overladen van het stoffelijk overschot in de ambulance, draaide zich geïrriteerd om. Maar toen hij Graziano zomaar zag opdoemen, als een spookverschijning, bleef hij even verbaasd staan en riep toen uit: 'Graziano! Wat doe jij hier? Jij was toch op tournee met Paco de Lucía?'

'Wat is er gebeurd?'

Miele schudde zijn hoofd en zei op een toon van iemand die alles al heeft meegemaakt: 'Juffrouw Palmieri is dood. Die juf die lesgaf op de middenbouw. Ze is geëlektrocuteerd in haar bad... We weten niet of het een ongeluk was. De politiearts zegt dat het ook zelfmoord geweest kan zijn. Maar ik wist het wel, iedereen zei het, dat ze half gek was. Ze maalde. Denk je eens in wat raar, haar moeder is diezelfde nacht ook overleden. Een slachting. Trouwens, vanmiddag geef ik een feestje. Weet je, ik ben bevorderd...'

Graziano draaide zich om en liep langzaam terug naar zijn auto.

Even was Bruno Miele verbaasd, maar vervolgens vroeg hij aan de verplegers: 'Hoe gaan jullie dat doen? Samen passen ze hier niet in.'

De positieve stromingen waren plotseling verdwenen en de albatros, met zijn machtige vleugels verstijfd van pijn, stortte neer in een grijze zee. Een zwarte draaikolk zonder bodem opende zich, om hem in zich op te nemen.

147

Pierini ging het voor de wind.

Het hele jaar door hadden de leerkrachten hem op zijn donder gegeven maar aan het eind van het jaar was hij toch overgegaan. Zijn vader was tevreden.

Maar dat kon hem geen moer schelen.

Volgend jaar zien ze me hier niet meer terug.

Fiamma had ook zijn school niet afgemaakt en zei dat als je er gewoon schijt aan hebt, ze je uiteindelijk wel met rust laten.

Het nieuws was dat hij belangrijke vriendschappen had gesloten in Orbano. Met Mauro Colabazzi, bijgenaamd de Onderkaak, en diens groep. Een bende van zeventienjarigen die dag en nacht rondhingen bij de Yogobar, een ijstent die gespecialiseerd was in yoghurtijs.

De Onderkaak, die heel uitgekookt was, had hem een paar super-simpele trucjes geleerd om rijk te worden. Je slaat een ruit in, sluit twee gekleurde draadjes aan elkaar aan en voilà, de auto is van jou.

Vet gaaf.

En voor elke auto die hij leverde kreeg hij drie snippen (driehon-derdduizend lire). Als hij het klusje samen met Fiamma deed, had hij anderhalve snip, maar wat kon hem dat verdommen, kameraadschap is een schone zaak.

En in sommige opzichten kon Ischiano Scalo beschouwd worden als een grote parkeerplaats van auto's die klaarstonden om gejat te wor-den. En als je er nog bij rekende dat de politie daar een zootje imbe-cielen was, kon dat alles hem alleen maar een goed humeur geven.

Die nacht bij voorbeeld was hij van plan de nieuwe Golf van Bruno Miele te jatten. Hij wist zeker dat die klootzak hem niet eens op slot deed, overtuigd als hij was dat niemand het lef zou hebben de auto van een politieagent te stelen. Wat vergiste hij zich!

En morgen zou hij met de Onderkaak naar Genua gaan. Ze zeiden dat je daar veel plezier kon hebben.

Daarom ging het hem voor de wind.

Het enige wat hij een beetje jammer vond, was dat hij had gehoord dat juffrouw Palmieri dood was. Verdronken in bad. Nu zou hij een van zijn favoriete masturbatiefantasieën moeten missen, want jezelf aftrekken op een dode is niet fijn en hij had wel eens gehoord dat dat zelfs ongeluk brengt.

Nadat hij haar auto in brand had gestoken, was hij de juf aardig gaan vinden, was zijn woede bekoeld, was hij bijna van haar gaan hou-den, tot hij haar had betrapt met die Biglia, die klootzak die hem in elkaar had geramd op de dag dat hij Moroni ervan langs gaf.

Dat waren dingen die hem krankzinnig maakten.

Hoe kun je neuken met zo'n klootzak?

De juf verdiende beter dan een arme loser die denkt dat hij Bruce Lee is. Hij moest wel een hele grote hebben, dat kon de enige verkla-ring zijn.

En nu was ze dood.

Maar wat deed het er eigenlijk toe. Hij pakte de frisbee en gooide die naar Ronca die aan de andere kant stond. De frisbee doorsneed het plein en vloog strak en doelgericht als een projectiel tussen de handen van Ronca door en belandde naast het fonteintje.

'Heb jij soms stront waar je handen horen te zitten?' schreeuwde Bacci die naast de palmboom stond.

Ze waren al een half uurtje aan het spelen, maar de hitte werd steeds ondraaglijker en straks zou het plein gloeien als een grill. Hij had geen zin meer om te spelen met die twee stuntels. Hij zou Fiamma zoeken en naar Orbano gaan om te horen wat er in de Yogobar gebeurde.

Op dat moment kwam Moroni aanfietsen.

Er moest iets in hem veranderd zijn, want hij voelde niet de behoefte opkomen hem in elkaar te slaan. Sinds hij omging met de Onderkaak, verveelden dat soort bezigheden hem alleen maar. Hij was het zat om altijd maar het boegbeeld op de modderschuit te moeten zijn. Hij voelde dat er een paar kilometer verderop oneindig veel spannender zaken bestonden, en zich opwinden over een stumper als Moroni was iets voor imbecielen.

Arme stakker, hij was als enige blijven zitten. Hij was gaan huilen voor het mededelingenbord. Als hij had gekund, had hij zijn eigen bevordering aan hem cadeau gedaan, zo belangrijk leek het voor Moroni te zijn. En dat hij verkering had met dat snolletje Gloria 'ik-ben-de-enige-die-alles-heeft', dat interesseerde hem nog minder. Pierini was smoorverliefd op een meisje dat hij in de Yogobar had ontmoet, een zekere Loredana, Lory genoemd.

Ik laat hem met rust.

Maar Ronca dacht er anders over.

Toen Moroni op een armlengte afstand van hem was, spuugde hij naar hem en zei toen: 'Eikel! Jij bent blijven zitten en wij lekker niet!'

148

Het speeksel belandde op zijn wang.

'Eikel! Jij bent blijven zitten en wij lekker niet!' kefte Ronca.

Pietro remde, zette zijn voeten op de grond en veegde zijn wang met zijn hand schoon.

Hij heeft me in mijn gezicht gespuugd!

Hij voelde zijn ingewanden samentrekken en vervolgens een blinde woede in zich exploderen, een zwarte razernij die hij ditmaal niet zou onderdrukken. Er was hem te veel overkomen in de afgelopen vierentwintig uur, en nu werd er zelfs op hem gespuugd. Nee, dat kon hij niet accepteren.

'Jij moet het hele jaar overdoen, jij Eikel die je bent en anders niet,' bleef die hinderlijke vlo om hem heen springen.

Pietro sprong van zijn fiets, zette drie stappen en gaf hem met alle kracht die hij bezat een dreun.

Ronca's hoofd boog als een boksbal naar links, boog vervolgens als een slappe veer naar de andere kant en stond ten slotte weer recht.

In slowmotion sperde Ronca zijn ogen wijd open, bracht een hand naar zijn pijnlijke wang en stamelde in opperste verwarring: 'Wie heeft dat gedaan?'

De klap was zo snel gekomen dat Ronca niet eens had gemerkt dat hij geslagen werd. Pietro zag dat Bacci en Pierini hun vriendje te hulp kwamen snellen. Op dat moment kon het hem niets meer schelen. 'Kom maar op, vuilakken!' gromde hij met gebalde vuisten.

Bacci strekte zijn handen uit, maar Pierini greep hem bij zijn schouder. 'Wacht even. Wacht even, eerst kijken of Ronca hem in elkaar kan slaan.' Toen richtte hij zich tot Ronca. 'Moroni heeft je die dreun gegeven. Kom op, sla z'n smoel tot moes, waar wacht je nog op? Ik wed dat je het niet kunt. Ik wed dat Moroni je helemaal inmaakt.'

Voor het eerst sinds Pietro hem kende had Ronca niet meer die hatelijke grijns op zijn gezicht. Hij wreef versuft over zijn wang. Hij keek naar Pierini, hij keek naar Bacci en begreep wanhopig dat hij ditmaal door niemand gesteund zou worden. Hij was alleen.

Toen deed hij hetzelfde als woestijnhagedissen, onschadelijke reptielen zonder gif, die om hun tegenstanders angst in te boezemen zichzelf boosaardig doen voorkomen, hun kam opzetten, opzwellen, blazen en helemaal rood worden. Die techniek werkt heel vaak. Maar voor Stefano Ronca werkte hij niet.

Ook hij ontblootte zijn tanden, probeerde een beestachtig voorkomen te krijgen, begon rond te springen en hem te bestoken met: 'Nu ga ik je pijn doen. Heel, heel erg veel pijn. Nu zal jij eens echt pijn lijden.' Om zich vervolgens op Pietro te storten onder het uitschreeuwen van een 'Ik breek je neeeeeeek!'

Ze rolden op de grond. Midden op het plein. Het leek wel of Ronca een epileptische aanval had, maar Pietro greep zijn polsen vast en legde hem op de rug, plaatste vervolgens zijn scheenbenen op zijn armen en overlaadde hem met vuistslagen in zijn gezicht, op zijn hals, op zijn schouders, waarbij hij vreemde, hese kreten uitstootte. En als Pierini er niet was geweest om hem in zijn nekvel te grijpen, wie weet wat er dan was gebeurd. 'Genoeg! Genoeg! Je hebt hem geslagen, nu is het genoeg!' Terwijl hij Pietro wegsleurde, schopte die nog steeds in de lucht. 'Jij hebt gewonnen.'

Hijgend klopte Pietro het stof van zich af. Zijn knokkels deden pijn en het bloed gonsde in zijn oren.

Ronca was opgestaan en huilde. Er stroomde bloed uit zijn neus. Hij hinkte naar de fontein. Bacci stond intussen te lachen en klapte in zijn handen.

Pietro pakte zijn fiets op.

'Het is niet eerlijk,' zei Pierini terwijl hij een sigaret opstak.

Pietro stapte op zijn fiets. 'Wat niet?'

'Dat je bent blijven zitten.'

'Het kan me niets schelen.'

'Gelijk heb je.'

Pietro zette een voet op het pedaal. 'Ik moet gaan. Dag.'

Maar voordat hij wegreed vroeg Pierini: 'Weet je dat juffrouw Palmieri dood is?'

Pietro keek hem in de ogen. En hij zei het. 'Dat weet ik. Ik heb haar vermoord.'

Pierini proestte een wolk rook uit. 'Zit geen nonsens uit te kramen. Ze is verdronken in haar bad.'

'Ik heb haar vermoord,' herhaalde Pietro ernstig. 'Ik zit geen nonsens uit te kramen.'

'Vertel dan eens, waarom zou jij haar hebben vermoord?'

Pietro haalde zijn schouders op. 'Omdat ze me heeft laten zitten.'

Pierini knikte. 'Bewijs dat dan maar eens.'

Pietro begon langzaam te fietsen. 'Ergens in haar huis is een slang, daar heb ik voor gezorgd. Ga zelf maar kijken als je me niet gelooft.'

Misschien is het wel waar, zei Pierini tegen zichzelf terwijl hij zijn peukje wegschoot. *Moroni is niet het type om nonsens uit te kramen.*

In huize Miele was het feest. En daar waren goede redenen voor.

Ten eerste had Bruno promotie gekregen en zou hij in september toetreden tot een speciaal team van agenten in burger dat onderzoek doet naar de verbanden tussen lokale en georganiseerde misdaad. Eindelijk kwam zijn droom uit. Hij had zelfs een nieuwe Golf gekocht met een voordelige afbetaling in zesenvijftig termijnen.

Ten tweede ging de oude Italo met pensioen. En met zijn blijvende invaliditeit zou hij maandelijks een bescheiden extra bedragje ontvangen. Dus vanaf september zou hij niet meer hoeven slapen in het huisje naast school, maar als een fatsoenlijk mens in zijn eigen boerenhuis samen met zijn vrouw, en zou hij zich kunnen wijden aan zijn moestuin en televisie kunnen kijken.

Dus hadden vader en zoon, ondanks die Afrikaanse hitte, een feestje georganiseerd op het grasveld achter het huis.

Een lang tapijt van kolen was omheind met stenen en daar bovenop lag de spiraalbodem van een bed en daarop werden de runderdarmen, varkenskarbonades, worstjes, zachte kaasjes en makreel geroosterd.

Italo, in hemd en sandalen, controleerde met een lange, puntige tak of het vlees al gaar was. Zo nu en dan veegde hij met een natte lap over zijn kale kop om geen zonnesteek op te lopen en brulde vervolgens dat de worstjes klaar waren.

Ze hadden zo'n beetje iedereen uitgenodigd die ze kenden en er waren minstens drie generaties bijeen. Kindjes die elkaar achternarenden door de wijngaard en elkaar bij de pomp nat spetterden. Moeders met dikke buiken. Moeders met kinderwagens. Vaders die zich volstopten met tagliatelle en rode wijn. Vaders die jeu de boules speelden met hun kinderen. Oude mannen met hun vrouwen die in de schaduw onder de parasol en onder de pergola zaten om zich te beschermen tegen die genadeloze zon en zichzelf koelte toewuifden. Uit een draagbare stereo in een hoek klonk de laatste cd van Zucchero.

Zwermen opgewonden vliegen zoemden tussen de rook en de lekkere geuren van het voedsel en daalden neer op de schalen met pasta, rijstballetjes in tomatensaus en pizzaatjes. De horzels werden met kranten weggemept. In huis zat een groepje mannen samengedromd voor de tv naar een voetbalwedstrijd te kijken en stond een groepje vrouwen al roddelend brood en salami te snijden.

Alles volgens het draaiboek.

'Lekker, die carbonara. Wie heeft die gemaakt? Heeft tante die gemaakt?' vroeg Bruno Miele met volle mond aan Lorena Santini, zijn verloofde.

'Hoe moet ik nou weten wie die heeft gemaakt!' pufte Lorena, die op dat moment andere problemen aan haar hoofd had en, omdat ze op het strand verbrand was, zo rood was als een kreeft.

'Nou, dat zou ik dan maar eens gaan uitzoeken. Want zo hoort carbonara te zijn. Niet die prut die jij ervan maakt, dat lijkt eerder een spaghetti-omelet. Jij kookt de eieren. Nee, deze carbonara is vast door tante gemaakt, dat durf ik te wedden.'

'Ik heb geen zin om op te staan,' protesteerde Lorena.

'En jij wilt dat ik met je trouw? Nou ja, laat ook maar.'

Antonio Bacci, gezeten tussen Lorena en zijn vrouw Antonella, stopte met eten en kwam tussenbeide. 'Ik moet toegeven dat hij lekker is. Maar in een echt speciale carbonara hoort ook ui te zitten. Dat staat ook in het originele Romeinse recept.'

Bruno Miele hief zijn ogen ten hemel. Hij kreeg zin om hem te wurgen. Gelukkig maar dat hij hem vanaf de komende winter niet meer zou zien, want anders kon het nog wel eens slecht aflopen. 'Besef jij eigenlijk wel wat een onzin je zit uit te kramen? Het is belachelijk dat jij hierover meepraat. Jij weet niets van koken, ik herinner me dat je een keer hebt gezegd dat houtskool de dood van het spit is, jij weet niet wat lekker eten is... Carbonara met ui, donder toch op!' Hij was zo zenuwachtig geworden dat er stukjes pasta uit zijn mond vlogen terwijl hij sprak.

'Bruno heeft gelijk. Jij weet niets van koken. Ui hoort in de *amatriciana*,' echode Antonella, die haar man ervan langs gaf zodra ze de kans kreeg.

Antonio Bacci hief zijn handen omhoog en gaf zich over. 'Oké, rustig maar. Ik heb jullie toch niet beledigd? En als ik had gezegd dat er room in moest, hadden jullie me dan vermoord? Oké, er hoort geen... Wat was het ook alweer?'

'Jij praat zonder dat je weet waar het over gaat. Daarom maak je anderen kwaad,' mopperde Bruno, nog steeds niet tevreden, terug.

'Nou, als er ui in had gezeten had ik die carbonara nog lekkerder gevonden,' bromde Andrea Bacci, die al aan zijn derde bord bezig was. Het jongetje zat naast zijn moeder met zijn gezicht en handen in zijn bord.

'Ja, natuurlijk, dan was hij nog veel vetter.' Bruno keek zijn collega geërgerd aan. 'Je moet met dat kind naar de dokter. Hoeveel weegt hij wel niet? Een kilo of tachtig. Als die in de puberteit komt wordt hij een walvis. Je moet oppassen, over dat soort dingen moet je niet te lichtzinnig denken.' En tot Andrea: 'Waarom heb jij zo'n honger?'

Andrea haalde zijn schouders op en begon zijn bord met een stuk brood schoon te vegen.

Bruno strekte zijn armen en rekte zich uit. 'Nou zou ik wel een lekker kopje koffie lusten. Is Graziano eigenlijk niet gekomen?'

'Hoezo, is Graziano er? Is hij weer terug?' vroeg Antonio Bacci.

'Ja, ik zag hem bij het huis van juffrouw Palmieri. Hij vroeg wat er gebeurd was. Toen ik het hem vertelde is hij weggegaan zonder te groeten. Geen idee waarom.'

'Weet je wat Moroni heeft gezegd?' Andrea Bacci stootte zijn vader aan met zijn elleboog.

Bacci senior negeerde hem volledig. 'Maar hij was toch op tournee?'

'Weet ik veel. Dat zal wel afgelopen zijn. Ik heb hem verteld over het feestje. Misschien komt hij nog.'

'Papa! Papa! Weet je wat Moroni heeft gezegd?' drong Andrea nog steeds aan.

'Hou op. Waarom ga je niet met je leeftijdgenoten spelen en laat je ons niet met rust?'

Bruno was sceptisch. 'Na alles wat hij heeft verorberd kan hij nu heus niet opstaan. Je moet een takelwagen laten komen om hem omhoog te krijgen.'

'Maar ik wou iets belangrijks vertellen,' jengelde het jongetje. 'Dat Pietro Moroni heeft gezegd dat hij de juf heeft vermoord...'

'Je hebt het verteld en nu ga je spelen,' kapte zijn vader hem af, terwijl hij hem wegduwde.

'Wacht eens even...' Bruno zette zijn antennes uit. De antennes waardoor hij nu behoorde tot een speciaal team en niet een simpele agent zou blijven zoals die suffe Bacci. 'En waarom zou hij haar hebben vermoord?'

'Omdat ze ervoor heeft gezorgd dat hij is blijven zitten. Hij zei dat het de waarheid was. En hij zei ook dat er in Palmieri's huis een slang is. Die heeft hij daar gebracht. Hij zei: ga zelf maar kijken.'

151

Pietro was samen met zijn vader en Mimmo op het erf bezig planken op het dak van Zagor's hok te spijkeren, toen de auto's kwamen. Die twee in hun groene Peugeot 205 met een Romeins nummerbord, en een surveillancewagen van de politie.

Mario Moroni keek op. 'Wat moeten die klootzakken hier?'

'Ze komen voor mij,' zei Pietro terwijl hij de hamer op de grond legde.

ZES JAAR LATER...

Lieve Gloria, hoe gaat het met je?

Allereerst vrolijk kerstfeest en een gelukkig nieuwjaar.

Een paar dagen geleden heb ik mijn moeder gesproken, die vertelde dat je volgend jaar naar de universiteit van Bologna gaat. Dat had jouw moeder haar weer verteld. Je gaat iets studeren wat te maken heeft met film, toch? Dus geen economie en handel meer. Goed dat je bent blijven aandringen bij je vader. Die studie over film is vast en zeker veel interessanter en Bologna is een mooie, levendige stad. Tenminste, dat zeggen ze. Als ik uit dit instituut kom wil ik met de trein door heel Europa gaan reizen en dan kom ik je opzoeken, dan kun jij me Bologna laten zien.

Binnenkort, over precies twee maanden en twee weken, word ik achttien en ga ik hier weg. Besef je dat? Ik vind het ongelooflijk, eindelijk kan ik hier weg en doen wat ik wil. Ik weet nog niet goed wat ik wil. Maar ze hebben me verteld dat er ook avonduniversiteiten bestaan en misschien kan ik dat gaan doen. Ze hebben me ook een baan aangeboden hier, nieuwelingen in dit instituut helpen met integreren en dat soort dingen. Ik zou betaald worden. De leiding zegt dat ik goed met kleine kinderen kan omgaan. Ik weet het niet, ik moet er nog over nadenken. Het enige wat ik nu wil is op reis, naar Rome, Parijs, Londen, Spanje. Als ik terugkom ga ik beslissen over de toekomst, daar heb ik nog lang genoeg de tijd voor.

Ik moet je bekennen dat ik heb geaarzeld om je te schrijven. We hebben elkaar al zo lang niet meer geschreven. In mijn laatste brief schreef ik je dat ik niet wilde dat je me kwam opzoeken. Ik hoop dat je dat niet vervelend vond, maar ik kan het niet verdragen om je na al die tijd op deze plek een paar uurtjes te zien, en dat dat dan alles is. We hadden elkaar niets kunnen vertellen, we hadden gepraat over de gewone dingen die je elkaar zegt in zulke situaties en dan zou jij zijn weggegaan en had ik me daarna rot gevoeld, dat weet ik zeker. Ik had besloten dat ik je zou opbellen zodra ik hier uit was en dat we elkaar dan ergens hier ver vandaan zouden ontmoeten op een mooi plekje.

Ik schrijf je nu toch omdat ik je graag wilde spreken over iets waaraan ik de afgelopen jaren heel vaak heb moeten denken en waar jij misschien op een of andere manier ook mee te maken hebt. Namelijk waarom ik die dag op het plein aan Pierini heb verteld over juffrouw

Palmieri. Als ik niets had gezegd had misschien niemand het ontdekt en zou ik niet in dit instituut terecht zijn gekomen. Ik heb al die tijd geantwoord aan de psychologen dat ik dat heb gedaan omdat ik Pierini en de anderen wilde laten zien dat ik ook sterk was en niet over me heen liet lopen en dat ik, nadat ik had gehoord dat ik was blijven zitten, mezelf niet was. Maar zo was het niet. Dat was onzin.

Een paar weken geleden gebeurde er iets bijzonders. Er kwam een Calabrees jongetje binnen dat zijn vader heeft vermoord. Hij is veertien. Als hij praat, en hij praat heel weinig, begrijp je er niets van. Als zijn vader 's avonds thuiskwam sloeg hij altijd zijn moeder en zijn zusje. Op een avond heeft Antonio (maar iedereen hier noemt hem Calabrië) het broodmes van tafel gepakt en dat in de borst van zijn vader gestoken. Ik vroeg hem waarom hij dat had gedaan, waarom hij niet naar de politie was gegaan om zijn vader aan te geven, waarom hij er niet met iemand over gepraat had. Hij gaf geen antwoord. Alsof ik niet bestond. Hij zat voor een raam en rookte. Toen vertelde ik dat ik ook iemand had vermoord, min of meer op dezelfde leeftijd. Dat ik dus weet hoe je je daarna voelt. En toen vroeg hij hoe je je dan voelt, en ik antwoordde: kut, klote, met een smerige ballast in je die je niet meer kwijtraakt. Hij schudde zijn hoofd en keek me aan en zei dat het niet waar is, dat je je daarna een koning voelt, en toen vroeg hij of ik echt wilde weten waarom hij zijn vader had vermoord. Ik antwoordde ja. En hij zei: omdat ik niet wilde worden als die vuile klootzak, liever dood, dan worden zoals hij. Ik heb veel nagedacht over wat Calabrië tegen me had gezegd. Hij begreep het eerder dan ik. Hij begreep meteen waarom hij het had gedaan. Om iets kwaadaardigs te bestrijden wat we in ons hebben en dat groeit en ons verandert in beesten. Hij heeft zijn leven doorgesneden om zichzelf daarvan te bevrijden. Zo is het. Ik geloof dat ik Pierini vertelde dat ik juf Palmieri had vermoord om mezelf te bevrijden van mijn familie en van Ischiano. Ik heb dat niet bewust gedaan, niemand zou zoiets bewust doen, maar het is iets geweest wat ik toen niet wist. Ik geloof niet zo erg in het onderbewuste en de psychologie, ik geloof dat iedereen is wat hij doet. Maar ik denk dat er in mijn geval een verborgen deel van mezelf was dat die beslissing heeft genomen.

Daarom schrijf ik je nu, om je te zeggen dat ik je die nacht op het strand (hoe vaak heb ik niet teruggedacht aan die nacht) had beloofd dat ik het nooit aan iemand zou vertellen en dat ik dat toen echt meende. Maar misschien is er, doordat jij vervolgens naar Engeland ging (hierover moet je je echt niet schuldig voelen) en ik het lijk van Palmieri weer zag, iets in mij gebroken en toen moest ik het zeggen, het eruit gooien. En ik geloof werkelijk dat ik daarmee mijn lot heb veranderd. Dat kan ik nu zeggen, omdat ik zes jaar heb doorgebracht op deze plek die ze instituut noemen maar dat in heel veel opzichten gelijk is aan een gevangenis, en ik ben gegroeid, ik heb het lyceum gevolgd en misschien ga ik ook naar de universiteit.

Ik wilde niet eindigen zoals Mimmo, die nog steeds daar is, nog steeds ruziet met mijn vader (mijn moeder vertelde dat ook hij is gaan drinken). Ik wilde niet meer in Ischiano Scalo blijven. Nee, ik wilde niet worden zoals zij, en binnenkort word ik achttien en dan ben ik een man die klaar is om de wereld zo goed mogelijk het hoofd te bieden (hopelijk!).

Weet je wat juffrouw Palmieri in het bad tegen me zei? Dat beloften alleen maar bedoeld zijn om te worden verbroken. Ik denk dat dat een beetje waar is. Ik zal altijd een moordenaar blijven, ook al was ik toen twaalf jaar, dat doet er niet toe, er bestaat geen manier om zoiets vreselijks af te lossen, zelfs de doodstraf niet. Maar naarmate de tijd verstrijkt, leer je ondanks alles verder te leven.

Dat wilde ik je zeggen. Ik heb onze belofte verbroken maar misschien is het zo beter geweest. Maar nu zal ik stoppen, ik wil je niet verdrietig maken. Mijn moeder vertelde me ook dat je heel mooi bent maar dat wist ik al. Toen we klein waren wist ik zeker dat je Miss Italië zou worden.

Kus,
Pietro

P.S. Bereid je maar voor als ik langskom in Bologna: ik haal je op, ik neem je mee.

Ik dank Hugh en Drusilla Fraser, die mij de rust hebben geschonken om dit boek af te maken. En ik dank Orsola De Castro voor de steun aan mij en aan Graziano Biglia. En ik dank de heel grote Roberta Melli en Esa de Simone en Luisa Brancaccio en Carlo Guglielmi en Jaime D'Alessandro en Aldo Nove en Emanuele en Martina Trevi, Alessandra Orsi en Maurizio en Rossella Antonini en Paulo Repetti en Severino Cesari. Ik dank Renata Colorni en Antonio Franchini en alle medewerkers van de redactie van Uitgeverij Mondadori voor hun medeleven (Daniela, Elisabetta, Helena, Lucia, Luigi, Silvana, Mara, Cesare, Geremia, Joy). En ten slotte dank ik mijn hele familie (ook de Bende van de Grancereale-koekjes) dat ze zo'n grote zekerheid zijn. Nogmaals mijn dank.

'Er is geen schrijver van wiens werk ik zo geniet als van Niccolò Ammaniti'
Kluun

'Ammaniti is mijn idool, zijn karakters mijn helden. Al zijn ze soms nog zo slecht, ik ben van ze gaan houden'
Saskia Noort

'Er zijn schrijvers van wie geen enkel boek teleurstelt. Schrijvers van wie je het jammer vindt dat je elke keer weer twee of drie jaar moet wachten totdat hun nieuwe boek uitkomt. Zo'n schrijver is Niccolò Ammaniti'
Herman Koch

IK BEN
NICCOLO AMMANITI
NIET BANG

'Er is geen schrijver van wiens werk ik zo geniet als van Niccolò Ammaniti'
Kluun

'Ammaniti is mijn idool, zijn karakters mijn helden. Al zijn ze soms nog zo slecht, ik ben van ze gaan houden'
Saskia Noort

'Er zijn schrijvers van wie geen enkel boek teleurstelt. Schrijvers van wie je het jammer vindt dat je elke keer weer twee of drie jaar moet wachten totdat hun nieuwe boek uitkomt. Zo'n schrijver is Niccolò Ammaniti'
Herman Koch

ZO GOD
NICCOLÒ AMMANITI
HET WIL

LEBO
WSKI

HET LAATSTE
OUDEJAAR VAN
NICCOLÒ AMMANITI
DE MENSHEID

LEBO
WSKI

'Er is geen schrijver van wiens werk ik zo geniet als van Niccolò Ammaniti'
Kluun
'Ammaniti is mijn idool, zijn karakters mijn helden. Al zijn ze soms nog zo slecht, ik ben van ze gaan houden'
Saskia Noort
'Er zijn schrijvers van wie geen enkel boek teleurstelt. Schrijvers van wie je het jammer vindt dat je elke keer weer twee of drie jaar moet wachten totdat hun nieuwe boek uitkomt. Zo'n schrijver is Niccolò Ammaniti'
Herman Koch
JIJ BENT
NICCOLÒ AMMANITI & ANTONIO MANZINI
MIJN SCHAT
LEBOWSKI

NICCOLÒ AMMANITI

LAAT HET
FEEST
BEGINNEN!

LEBO
WSKI